UNE NOUVELLE VIE

DU MÊME AUTEUR
CHEZ LE MÊME ÉDITEUR

Au fil de la vie (paru également sous le titre : Le vent se lève à l'aube)

Coup de cœur

Le Cœur sur la main

Iris Rainer Dart

UNE NOUVELLE VIE

Roman

Laurédit inc.

Titre original : *The Stork Club*
Traduit de l'américain par Claire Beauvillard

ISBN 2. 258. 03717. 4

A Steve, Greg et Rachel, mes trois miracles.

Remerciements

A Elaine Markson, qui fut toujours là quand je n'y étais pas.

Au Dr Melanie Allen, pour toutes les heures qu'elle m'a consacrées et pour les précieux renseignements qu'elle a su me donner en psychologie infantile.

A Barbara Gordon, pour sa patience et les conseils dispensés tant à moi-même qu'à tous ceux qui ont besoin de sa chaleur et de son amour.

A David Radis, avocat zen, spécialiste des enfants, dont la douceur a illuminé la vie de tant de familles.

A Marilyn Brown, directrice du centre des parents au Stephen S. Wise Temple, pour les conseils professionnels et personnels qu'elle m'a donnés avec tant d'affection.

Au Dr Betsy Aigen, directrice du Programme d'aide maternelle de New York, qui m'a assistée lors de la rédaction de ce livre.

A Vicky Gold Levy, amie merveilleuse et maman à cinquante ans !

A Christopher Priestley, mon cher compagnon. Tu sais que tout cela, c'est un peu pour toi.

A la mémoire de David Panich.

A Barry Adelman, avec toute mon affection.

A Mary Blann, sans qui je n'aurais pas écrit ce livre.

A Meg Sivitz, pour son amour, la peine et le temps qu'elle m'a consacrés.

A Cathy Muske, qui m'a permis de partager son épreuve.

A Mary Kaye Powell, pour ses conseils éclairés.

Au Dr Jeff Galpin, conseiller technique, ami et fabuleux écrivain.

A François R. Brenot, sans qui j'utiliserais encore un stylo.
Au Dr Pam Schaff, ma camarade d'enfance.
A Sandi, pour son amitié, son soutien et son rire.
A Frederica Friedman, mon amie et ma merveilleuse directrice littéraire, qui me rend aisées les tâches les plus ardues.
A toutes les familles des groupes « Maman et moi », qui ont partagé la vie des enfants, leurs jouets, leurs sandwiches, et m'ont raconté leur histoire.
Et surtout aux enfants.

1

Barbara Singer avait le plus grand mal à supporter la vue du crâne chauve et luisant de Howard Kramer dans la lumière crue de la salle d'examen. Il était assis sur une petite chaise qui craquait, entre ses jambes écartées, un spéculum à la main. Chaque fois qu'elle s'allongeait sur la table, les pieds calés sur les étriers de métal dur, elle jurait ses grands dieux que, la prochaine fois, son gynécologue serait une femme. Un médecin qui, comme le disait si bien sa mère, Gracie, une dame de soixante-dix ans, « sait ce que l'on ressent parce qu'elle a les mêmes boyaux ».

Mais les mois passeraient, tout comme la vie, agités, frénétiques. Et bientôt elle recevrait dans sa boîte aux lettres la carte postale qu'elle se serait adressée lors de la dernière consultation, lui rappelant qu'elle devait subir un examen de routine et qu'elle n'avait toujours pas trouvé de gynécologue de sexe féminin.

Pendant quelques jours, elle sentirait la présence obsédante de ce carton, se dirait qu'il lui faudrait donner quelques coups de fil qu'elle ne donnerait pas, faute de temps. Puis elle s'inquiéterait de ce qui pourrait bien croître et embellir à l'intérieur de son corps, si elle ne se décidait pas à faire ce contrôle. Elle finirait donc par céder et appellerait le cabinet de Howard Kramer, qui accepterait de rester à l'heure du déjeuner pour la recevoir, lors d'une des rares pauses que lui laissaient ses activités professionnelles.

Et elle se retrouverait là, une fois de plus, à cligner des yeux pour fuir la réverbération de la lumière sur le crâne chauve de Howard Kramer, dont le seul charme était sa disponibilité à l'heure du déjeuner, en se promettant bien, une fois encore, qu'après cette visite-là elle prendrait le temps de trouver un autre médecin. Malheureusement, ce qu'elle ne parvenait pas à trouver, c'était justement du temps.

Elle avait complètement renoncé aux services des manucures, ne s'était pas fait teindre les cheveux depuis des mois, n'avait jamais un instant de répit pour prendre un vrai repas dans un restaurant ou même au comptoir d'un café. Elle se contentait de commander un sandwich au poulet grillé et un Coca *light* au supermarché du coin, qu'elle avalait en se faufilant dans une file ininterrompue de voitures, sur le chemin qui menait de son cabinet privé à la clinique du centre ville, ou de la clinique au service de pédiatrie de l'hôpital.

Et voilà pourquoi son gynécologue attitré demeurait ce déplumé de Howie, un homme qui possédait une habileté et un pouvoir de concentration tels que, tout en prélevant et en examinant, non sans une certaine brutalité, il était capable de lui décrire le buffet du dimanche précédent au Country Club de Hillcrest. Il chantait donc les louanges du saumon écossais avec cette voix nasale qui lui faisait grincer les dents, penché sur son dossier, tout en lui posant les questions d'usage.

— Date des dernières règles ? Avez-vous des cycles réguliers ? Quel moyen de contraception utilisez-vous ?

— L'épuisement, répondait-elle avec l'espoir de le dérider, même s'il y avait un fond de vérité dans cette plaisanterie.

La démence de son propre emploi du temps et les activités juridiques de Stan leur laissaient tout juste l'énergie de partager un dîner à la hâte ou le repas livré par le restaurant chinois du coin et de lire une ou deux pages du journal avant de s'endormir.

— Vraiment, Barb, lui disait Howard. A votre âge, pourquoi se ronger les sangs chaque fois qu'on prend du bon temps ?

Elle n'avait nulle envie de lui dire que, dans l'état dans lequel elle se trouvait, elle ne pensait pas à ce qu'un homme dont le bureau était tapissé de diplômes et de prix de la faculté de médecine appelait « prendre du bon temps ». De plus, elle savait parfaitement que, si elle se laissait entraîner dans ce débat, Howie lui parlerait aussitôt de *préménopause*. Et il finirait naturellement par lui poser la question qui la faisait frémir de rage.

— Pourquoi ne vous faites-vous pas ligaturer les trompes ?

Ligaturer les trompes. Il vous lançait cela au visage, comme s'il vous avait simplement demander de lacer vos chaussures. Comme s'il s'agissait d'un acte banal, d'une idée banale. Sans parler du ton sur lequel il disait « à votre âge », comme pour insinuer : « Pourquoi diable un vieux machin comme vous a-t-il besoin de ses organes reproducteurs ? » Après tout, elle n'avait que quarante-deux ans. « Un âge situé entre la fécondité et le lifting », songeait-elle pourtant intérieurement. Mais beaucoup de femmes ont encore des enfants à la quarantaine.

« Et alors », pensa-t-elle, « qu'importe si Stan et moi avons commencé tôt et si nos enfants ont aujourd'hui vingt-trois ans et dix-sept ans ? Je ne vais pas subir une anesthésie générale simplement parce que M. Howard Kramer, gynécologue-obstétricien de son état, estime que je suis trop vieille pour me préoccuper de contraception. » Chaque fois qu'il abordait ce sujet, elle s'en tirait par une pirouette.

— Je vais vous dire une chose. Je serais tout à fait d'accord à condition qu'un chirurgien plasticien soit à vos côtés. Comme ça, quand vous aurez fini à un bout de la table, il pourra me refaire les paupières à l'autre bout. Autant en profiter pendant que je suis dans les vaps, non ?

Mais elle savait que c'était de l'humour perdu, Howard Kramer n'en ayant pas une once.

Quand Howard avait quitté ses gants de caoutchouc et ajouté quelques notes à son dossier, il se lançait invariablement dans quelque longue histoire sur l'une des célébrités qu'il traitait. La manière dont il pouvait discourir sans fin sur le col de telle présentatrice ou sur la stérilité de telle vedette de la télévision, ne lui épargnant aucun détail et ne se donnant même pas la peine de taire les noms, la révoltait. Mais Barbara, trop bien élevée pour l'interrompre, restait assise sur la table, prisonnière de son monologue.

De temps à autre, elle froissait l'inconfortable blouse de papier bleu qu'elle avait revêtue pour l'examen dans l'espoir que le bruit tirerait Howie de sa rêverie narcissique et lui ferait comprendre que, maintenant que le frottis était fait, elle n'avait plus qu'une envie : sortir. Mais il n'y prêtait pas la moindre attention. Voilà pourquoi, se disait-elle, en l'un des rares moments de tranquillité que lui laissait sa journée de travail, elle retardait tant le rendez-vous de ce mois-ci. Se retrouver face à Howard Kramer, surtout dans cette situation, ce n'était jamais une partie de plaisir.

Ce matin-là, elle contempla la pile de cartes en provenance de son cabinet, qu'elle utilisait comme dessous de verre et où se dessinait un rond de café. Non. Pour rien au monde, elle ne retomberait dans le même piège. Elle allait immédiatement appeler son amie Marcy pour lui demander le nom de la gynécologue qui les traitait, elle et sa fille, Pam.

Elle posa la main sur le téléphone, mais quelque chose l'empêcha d'aller plus loin. C'était sans doute la crainte de ce que tout cela signifiait concrètement : se plier aux horaires d'un nouveau médecin, s'asseoir dans une salle d'attente inconnue et remplir un dossier. Elle se promit donc de s'occuper de cette question plus tard et appuya sur la touche messages de son répondeur.

« Barbara, c'est Joan Levine. J'appelle pour vous prévenir que Ronald essaie de se défiler pour notre séance d'aujourd'hui parce que, comme d'habitude, il a une affaire urgente à régler... même quand il s'agit de son propre fils ! J'aimerais bien que vous lui disiez qu'il faut qu'il vienne pour la santé mentale de Scottie. Ce salaud se fiche de Scottie, en voilà encore un exemple ! Quand nous irons devant le juge, croyez-moi, je m'en servirai. Bien entendu, je serai là à onze heures comme prévu. Merci. »

« Pauvre petit Scottie Levine ! Ses parents vont continuer à se disputer devant lui jusqu'à ce qu'il craque complètement », songea Barbara en notant qu'elle devait rappeler Joan Levine pour lui dire que, tant pis, on se passerait de son mari. Joan et Barbara parleraient ensemble de l'effet détestable que produisait sur Scottie le divorce de ses parents.

« Barbara, c'est Adrienne Dorn, la maman de Jacob. Jacob a encore fait pipi sur le sol du placard et sur les chaussures de son papa. Il se lève tous les soirs pour me rejoindre dans mon lit quand mon mari n'est pas à la maison. Notre prochaine séance n'est pas avant jeudi prochain, mais je crains que Jack n'ait plus une seule paire de chaussures mettable si nous ne parlons pas de ce problème avant. »

Jack Dorn était trois jours par semaine en voyage d'affaires. Jacob Dorn, qui avait trois ans, se figurait sans doute que son père ne pourrait plus quitter la maison si ses chaussures étaient couvertes d'urine. Simpliste peut-être, mais Barbara était convaincue que les troubles du petit garçon étaient dus aux absences répétées de son père. Elle nota de rappeler Adrienne Dorn et lui proposer de la recevoir le jour même.

Barbara pensa alors à ce que dirait sa mère à l'écoute de ces messages. « Des parents du West Side, trop gâtés, qui croient offrir à leurs enfants une sorte de passeport pour le monde moderne ou de vaccination psychologique. » Gracie ne faisait preuve d'aucune patience à l'égard de la clientèle branchée de sa fille. Ayant elle-même suivi des études d'anthropologie, elle montrait un profond dédain pour l'univers de la psychologie. « Tu devrais laisser tomber ton cabinet privé, consacrer ton temps à ceux qui sont dans le besoin et qui ont des problèmes graves. Là, il y a de quoi faire. »

A la clinique où Barbara passait environ un tiers de son temps de travail hebdomadaire, il y avait une longue liste d'attente. Des enfants perturbés, bourrelés d'angoisses, dont les minuscules sourcils étaient froncés en permanence, comme s'ils avaient déjà tout vu. Beaucoup d'entre eux avaient effectivement tout vu. Certains jours, elle plongeait dans le regard très vieux de ces très jeunes enfants et souffrait de ne pas y déceler le moindre espoir.

Les assistantes sociales lui en envoyaient certains comme Jimmy Escalante, un garçon de cinq ans dont le père avait été assassiné lors d'un hold-up dans une cafétéria où ils prenaient tous les deux leur petit déjeuner. Jimmy avait survécu à la fusillade en se cachant dans la veste de son père jusqu'à ce que les voleurs s'en aillent et que la police arrive sur les lieux. A présent, il se réveillait toutes les nuits en hurlant. La semaine précédente, il avait dit à Barbara qu' « un jour, il tuerait le monde » pour venger la mort de son père.

D'autres lui étaient envoyés par les cliniques pédiatriques, d'autres encore par des parents qui les amenaient là par instinct. Il y avait ceux qui lui présentaient un enfant qui souffrait sans savoir très bien si elle pourrait y remédier, comme s'ils allaient voir un sorcier. Comme Angel Cardone et Rico.

— Je crois qu'à la maternelle on lui fait de drôles de choses.

— Que voulez-vous dire, madame Cardone ?

— Plusieurs fois, il a essayé de me faire comprendre qu'on lui suçait son petit zizi.

— Vous pensez qu'à l'école on abuse de lui ?

— Je ne sais pas bien. Mais il y a beaucoup de gens alentour.

Des professeurs, des aides, des ados que l'on paye pour y travailler l'été. Peut-être est-ce l'un d'entre *eux*.

— L'avez-vous examiné ? Un médecin l'a-t-il examiné ? Son pénis est-il rouge ou irrité ?

— Non. Je veux dire, c'est bien là le problème. Il n'essaie même pas de se défendre, puisque ça ne laisse pas de traces.

— Y a-t-il quelqu'un, à l'école, à qui vous fassiez suffisamment confiance pour lui en parler ?

— Je ne fais confiance à personne, nulle part.

— Et si vous m'ameniez Rico ? avait demandé Barbara, qui cherchait mentalement un moment libre où elle pourrait s'occuper du petit garçon et se demandait comment le prendre. Demain matin de bonne heure, avant que vous le conduisiez à l'école ? J'essaierai de lui faire raconter tout cela.

— Je ne peux pas payer une autre visite.

— Ne vous inquiétez pas. Vous n'êtes pas obligée de payer. Est-ce que vous souhaitez travailler avec moi ?

— Oui, bien sûr, répondit Mme Cardone en se retournant pour s'en aller.

Puis elle fit volte-face et jeta à Barbara un regard reconnaissant.

— Vous êtes gentille.

Les cris de vengeance de Jimmy Escalante et la crainte que Rico Cardone ne soit victime d'abus sexuels lui donnaient des cauchemars qui la faisaient pleurer dans son sommeil. Souvent la nuit, Stan la réveillait, la prenait dans ses bras et lui assurait que tout allait bien. Mais après qu'il l'avait calmée et qu'il s'était rendormi, elle demeurait éveillée. L'angoisse lui faisait battre le cœur parce qu'elle savait qu'il n'en était rien. Tout n'allait pas bien.

— Je perds la main, dit-elle plus d'une fois à Stan, à la fin d'une journée de travail. Je vois si souvent des parents me fixer de leur regard vide, puis jeter un coup d'œil à la pendule. Ils se disent : « Pourquoi est-ce que je ne sors pas d'ici ? Qu'est-ce que j'ai à faire de toutes ces sornettes psychologiques ? »

— Au moins ces familles t'ont-elles trouvée, lui répondait Stan. Cela signifie qu'il existe peut-être une solution pour eux.

A la fin d'une journée particulièrement difficile, elle s'était laissée aller à songer à ce que serait sa vie si Stan faisait seul bouillir la marmite avec ses honoraires d'avocat, et si elle se réveillait chaque matin avec la perspective de se consacrer uniquement à ce dont elle avait envie. Au lieu de faire la navette entre des familles qui avaient trop et d'autres qui n'avaient pas assez, d'écouter toutes ces histoires terribles qui s'insinuaient jusqu'au fond de son âme.

Ce matin-là, alors qu'elle attendait dans son cabinet de Beverly Hills que s'allume, près de la porte, le bouton rouge qui lui signalerait l'arrivée de son premier client, elle griffonnait d'un air absent sur le carton taché de café, celui de Howard Kramer. Au bout de quelques instants, elle saisit le journal et l'ouvrit à la page des informations diverses, pour y lire son horoscope.

— Même une scientifique comme toi ne peut pas résister à la magie, la taquinait Gracie quand elle la surprenait plongée dans les prévisions astrologiques.

— C'est drôle et inoffensif, maman, rétorquait Barbara, sur la défensive.

En vérité, elle se sentait un peu bête d'ignorer la une pour se précipiter sur cette rubrique.

— Pas pour la foule de gens qui sont assez dingues pour bouleverser leur vie à cause de ça ! grondait Gracie, en prenant un air hérissé.

Et prendre un air hérissé, c'était une des choses que Gracie faisait le mieux. Mais elle avait aussi beaucoup d'humour à l'égard d'elle-même.

— A présent, lis-moi le mien, ajoutait-elle toujours d'un ton faussement sérieux.

« Un territoire inexploré vous ouvrira une voie nouvelle qui bouleversera peut-être votre vie », lisait-on, ce jour-là, sous le signe des Poissons, celui de Barbara. Celle-ci éclata de rire au moment même où s'alluma la lampe rouge.

— J'espère bien, dit-elle avant d'ouvrir la porte pour accueillir la première famille de la journée.

2

Chaque fois que Stan rentrait d'un long voyage, il gardait sur lui l'odeur de la cabine de l'avion. Ses vêtements et ses cheveux étaient imprégnés d'un étrange parfum d'essence et quand, soulagé d'être à nouveau chez lui, il prenait Barbara dans ses bras, cette odeur l'enveloppait. Ses yeux étaient le plus souvent bordés de rouge et il lui disait quelque chose comme : « Je ne suis pas apte à la consommation. » Puis il se précipitait dans l'escalier pour prendre une douche et enfiler un survêtement. Barbara rangeait sa valise, portait les vêtements sales à la buanderie avant de le retrouver dans la cuisine où elle lui préparait un petit en-cas.

C'était après ces voyages qu'elle le jaugeait du regard, secrètement soulagée qu'il parût son âge, leur âge. Cela faisait déjà longtemps qu'elle avait vu s'affaisser la peau autour de sa bouche et quelques rides apparaître autour de ses yeux. Enfin, Stan avait les tempes grises et une petite poche se dessinait sous son menton. La première fois qu'il le remarquerait dans une glace, cela l'inciterait sans doute à se laisser pousser la barbe. Mais, au bout de quelques jours, il contemplerait son air négligé, se raviserait, se disant qu'une barbe grisonnante le vieillirait davantage. Avec ou sans barbe, la vérité, c'était qu'aux yeux de sa femme il était plus séduisant que jamais.

Après lui avoir préparé un sandwich, elle s'assit à côté de lui à la table de la cuisine, le regarda manger et s'aperçut qu'elle respirait différemment, plus aisément, depuis qu'il était de retour. Elle se sentait toujours plus en sécurité quand il était près d'elle. Certains jours, elle avait l'impression brutale d'être aussi follement amoureuse de lui qu'à dix-sept ans, lors de leur rencontre, ou qu'à dix-huit ans, quand ils étaient partis ensemble. Un acte qui avait horrifié leurs parents respectifs. Surtout Gracie, qui arborait toujours, Barbara le savait bien, un sourire forcé quand elle s'adressait à son gendre.

— On ne choisit pas, lui avait répondu Barbara un jour où sa mère évoquait d'un ton désobligeant le style collet monté de Stan.

A présent, il finissait son sandwich en tenant la main de Barbara, comme pour lui montrer qu'il avait pour elle les mêmes sentiments romantiques qu'autrefois. Elle baissa les yeux sur leurs deux mains unies, sur les deux fins anneaux d'or qu'ils avaient échangés il y avait tant d'années qu'il lui semblait avoir passé toute sa vie avec lui.

— Ça va ?

Il lui posait toujours cette question pour savoir où elle en était, si elle avait besoin de quelque chose ou envie de lui confier une inquiétude nouvelle, de lui parler des enfants, de sa mère ou de ses activités professionnelles.

— Je suis débordée, comme d'habitude, répondit Barbara, en mangeant une fine rondelle de tomate qui venait de tomber du sandwich dans l'assiette. Ça me désole de travailler presque machinalement, de ne pas donner le meilleur de moi-même parce que je suis débordée. Je me console en me disant que je vais prendre une retraite anticipée.

— Il y a peu de chances, je te connais. Ça te prend de temps en temps, le plus souvent quand tu as travaillé douze ou quatorze heures par jour pendant plusieurs semaines d'affilée. Puis il se produit un événement passionnant et tu repars comme au premier jour. Il y a quelques mois, tu voulais réduire tes activités. Trop de patients privés, trop de groupes, et qu'as-tu fait ?

— Demain, je vais faire la connaissance d'une nouvelle famille et, vendredi, on m'envoie un autre cas, dit-elle comme un enfant confesse une mauvaise action.

— Je l'avais bien dit. C'est parfois comme ça. Toutes ces personnalités, toute cette souffrance, vous envahissent et on finit par vivre avec eux. Je comprends, parce que je fais comme toi. Mes clients s'injurient, crient, hurlent. Moi, je m'investis, ils vont mieux, et c'est moi qui ai une indigestion.

Ils sourirent tous les deux.

— A propos, tu es consciente qu'en ce qui me concerne tu peux arrêter de travailler quand tu veux. Prends une année sabbatique pour lire les classiques, une autre pour cultiver ton jardin. Mais je dis ça sachant que tu n'en feras rien.

Barbara soupira. Il avait sans doute raison.

— Bien sûr, nous pourrions avoir un enfant, suggéra-t-il en posant son sandwich.

Puis il but une gorgée du jus d'orange qu'il avait versé dans un verre rempli de glace. Cela avait tout l'air d'une plaisanterie, et elle rit d'un rire excessif en songeant que ce n'était qu'un moyen de lui faire des avances.

— Pardon ?

— Une idée comme ça, répondit-il, un éclair malicieux dans le regard.

— Une drôle d'idée pour un couple qui approche de son vingt-cinquième anniversaire de mariage, tu ne crois pas ?

— J'imagine. Mais il y avait un bébé à côté de moi dans l'avion, blotti contre le sein de sa mère. J'avais oublié à quel point c'est mignon.

— Tu parles du bébé, j'espère, pas du sein.

Il sourit.

— A propos de seins, où est notre fils ?

— Je suis curieuse et très inquiète de savoir comment une *telle* association d'idées t'est venue à l'esprit, fit-elle en riant et, penchée vers lui, elle lui retira une miette du menton avec un coin de serviette.

— S'il est sorti et s'il n'a pas l'intention de rentrer pour manger ou pour demander de l'argent, les deux seules raisons susceptibles de l'inciter à passer nous voir, peut-être pourrais-je refaire la connaissance des tiens.

— J'ai cru que tu ne me le demanderais jamais, dit Barbara.

Dans leur chambre, au premier étage, ils se glissèrent entre les draps frais et doux du lit et se blottirent l'un contre l'autre. Une chaleur familière l'envahit quand elle sentit sa poitrine pressée contre ses seins. Leurs premiers baisers furent pleins de tendresse, aussitôt suivis de caresses plus sensuelles. Elle sentit le désir monter en elle, le besoin d'être assouvie, l'envie qu'il vienne en elle.

Elle connaissait si bien les mouvements de leur lente danse qu'elle savait, à un haussement d'épaule, qu'ils allaient se retourner, à un mouvement de la hanche, qu'il allait l'enlacer.

Quand ils faisaient l'amour, elle savait exactement à quel moment il viendrait sur elle, en elle, et tout son être s'ouvrait à lui, dans la perfection de leur union.

— Viens vite en moi, mon amour, murmura-t-elle.

Jadis elle se sentait faible, brûlante, pendant l'amour. A présent, quand leurs corps s'unissaient, c'était comme si une partie disparue de sa personne lui était rattachée.

« Un enfant », pensa-t-elle. Cette idée interrompit sa rêverie. Il plaisantait certainement. Mais tandis qu'il la pénétrait, l'embrassait encore et encore, tandis que leurs lèvres s'effleuraient, que leurs langues se mêlaient, elle comptait sur ses doigts pour s'assurer qu'elle était en fin de cycle. En espérant que, ce jour-là, elle ne risquait rien, qu'elle pouvait pleinement savourer la joie de son retour. Son amour. C'était une chance, après tant d'années, de faire l'amour avec autant de plaisir, de bonheur et de tendresse.

— Maman ?

Barbara et Stan, en peignoir, sortaient tout juste de la douche quand Jeff rentra à la maison.

— Bonjour, mon chéri. Papa est là. Entre.

— Bonjour, papa.

Jeff poussa la porte de la salle de bains et gratifia son père de ce que l'on pourrait appeler une rapide embrassade.

— Puis-je prendre la voiture pour aller à Orange County ? Là-bas, il y a un jeu étonnant et j'ai des amis qui y vont. Ça s'appelle « les Photons ». C'est comme si on se retrouvait à l'intérieur d'un jeu vidéo. On joue par équipes et on se balade dans un labyrinthe obscur en essayant de détruire les autres à l'aide de rayons lumineux.

— C'est tout à fait l'idée que je me fais d'un bon moment, plaisanta Stan.

— Pourquoi ne restes-tu pas à la maison, mon chéri ? Tu n'as pas vu papa depuis plus d'une semaine. Si on dînait tous ensemble dans la salle à manger et si...

— On communiquait ? l'interrompit Jeff en lui lançant un regard oblique et agacé.

— C'est bien le fils d'une psychologue qui parle ! s'esclaffa Stan.

— Pourrions-nous communiquer demain soir, maman ? J'ai vraiment envie d'y aller.

— Il peut très bien y aller. (Stan regarda Barbara avec un grand sourire.) C'est pour cela que les gens de notre âge font encore des bébés.

— Vous allez avoir un bébé ? Oh, super ! s'écria Jeff en tournant la tête vers ses parents avant de disparaître.

Plus tard, ce soir-là, blottie contre Stan, elle savait, à l'entendre respirer, qu'il était sur le point de s'endormir.

— Quand tu m'as parlé d'avoir un bébé, c'était sérieux ?

— Pas sérieux du tout, lui répondit-il d'une voix embrumée, à son grand soulagement.

— Scottie, qu'est-ce qui se passe ?

Scottie Levine, quatre ans et demi, portait une chemise de chez Ralph Lauren, un pantalon à plis kaki, une ceinture de cuir tressé, des chaussettes beiges et des chaussures de cuir marron. Quant à sa coupe de cheveux, elle ne devait rien aux talents du Ballon jaune ou d'un quelconque coiffeur pour enfants. Avec force gel, on lui avait dessiné la coupe d'un vieux monsieur de trente-cinq ans. Il avait tout d'un individu que l'on se serait attendu à voir sortir son téléphone sans fil pour converser avec son agent de change. Scottie faisait partie d'un groupe d'enfants que l'une des collègues de Barbara avait surnommés les « petits branchés ».

Il soupirait même comme un adulte, une expiration tendue comme s'il s'était résigné à son destin d'enfant pris dans l'étau de deux parents qui se querellaient devant lui et contraint d'être le seul sain d'esprit de la famille. Barbara l'observa tandis qu'il ramassait le petit sac noir de billes magnétiques avec lesquelles il jouait avant d'entrer dans son bureau. Il les sortait et les alignait pour les faire rouler à son gré, une à une, jusqu'à ce qu'elles heurtent la plinthe à l'autre extrémité de la pièce.

— Est-ce que tu vas chez ton papa pour être avec lui ? lui demanda Barbara.

Il hocha la tête.

— Et tu t'amuses bien ?

Pas de réponse.

— Qu'est-ce que vous faites, papa et toi, quand vous êtes ensemble ?

— Rien.

Il déplaça ses billes et les rangea par groupes de couleurs.

— Vous restez à la maison et vous jouez ensemble ?

— Nous jouons au Frisbee.

— Oh ! oui, je me souviens que tu m'as dit que tu devenais très bon au Frisbee.

— J'y couche aussi.

— Ce doit être bien. As-tu ta chambre chez ton papa ?

Il hocha la tête, se tut un instant avant d'ajouter :

— Et papa dort avec Monica.

— Qui est Monica ?

Haussement d'épaules. Puis Scottie se mit à plat ventre, fit un cercle avec le pouce et l'index et envoya la première bille avec un bruit sec, puis une autre. Quand les douze billes eurent atteint le mur, Scottie posa les coudes sur le sol et, le visage dans les mains, dit presque dans un murmure, comme le faisaient souvent les enfants qu'elle traitait pour exprimer les vérités les plus dures :

— J'ai vu son derrière.

— Tu as vu le derrière de Monica ? fit Barbara tout aussi doucement.

Quand Scottie hocha la tête, Barbara ne vit que la nuque du petit garçon.

— Le matin, dans le lit de mon papa. Elle était assise sur lui et ils étaient tout nus.

Il plaqua son visage contre le sol et resta longtemps dans cette position. Ses cheveux étaient luisants de gel sous le soleil filtrant par la fenêtre.

— Ça a dû te faire un drôle d'effet de voir ton papa et Monica tout nus.

Il hocha de nouveau sa petite tête, presque imperceptiblement.

— Tu étais triste à cause de ta maman ?

Pas de réponse. Barbara s'assit par terre à côté de lui. Il pleurait. Quand vint l'heure de partir, elle ouvrit la porte qui menait dans la salle d'attente et Scottie s'en alla avec la jeune fille au pair des Levine, une jolie Suédoise, qui l'attendait. Barbara appela Ronald Levine et laissa un message sur son répondeur pour lui demander de la rappeler dès que possible.

Elle était en retard. On l'attendait en ville dans vingt minutes, et il lui faudrait au moins une demi-heure pour y parvenir. Elle quitta son cabinet à la hâte et, quand le téléphone sonna, elle laissa son répondeur prendre la communication. Mais elle resta dans l'entrebâillement de la porte pour entendre la voix de son correspondant, au cas où ce serait une urgence.

« C'est Judith Shea. Diana McGraw qui participe à votre groupe de mères m'a donné votre adresse. J'ai eu deux enfants par I.A. [1] et il faut que je vous voie le plus tôt possible. Voilà mon numéro. »

Barbara sortit un bloc-notes de son sac, nota le numéro, ferma la porte du cabinet à clé et se précipita vers le parking où se trouvait sa voiture. « I.A. », pensa-t-elle et, en regardant ce qu'elle venait d'écrire d'un air absent, elle se dit que cette correspondante étrangement discrète lui avait donné les initiales du père de ses enfants. Puis elle rit d'elle-même quand, à la sortie du parking, elle comprit ce que ces initiales signifiaient réellement.

1. Insémination artificielle.

3

Judith Shea était assise par terre à la réception et nourrissait son bébé. Il se dégageait d'elle une sorte de lumière. C'était l'une de ces femmes dont Barbara enviait toujours l'allure. Un teint de pêche qu'aucun cosmétologue au monde ne pourrait jamais recréer, des yeux verts si lumineux que leur contour semblait souligné au crayon, alors qu'elle ne portait pas l'ombre de maquillage. Ses cheveux épais et brillants étaient coupés au carré, nets. Barbara se rendit soudain compte que ses propres préjugés l'avaient inconsciemment amenée à supposer qu'une femme qui avait recours à l'insémination artificielle d'un donneur anonyme devait nécessairement avoir un physique ingrat.

L'enfant regardait Barbara au-delà du sein rond et plein avec des yeux semblables à ceux de sa mère, tandis que sa sœur, un chérubin à bouclettes rousses, dormait sur le canapé.

— Nous sommes arrivées un peu tôt, dit Judith. Jillian s'est endormie. Ça m'ennuie de la réveiller.

— Ne bougez pas, fit Barbara qui se précipita vers son bureau pour y chercher un bloc et un stylo. Vous êtes la dernière famille de la journée. Il n'y a donc aucune raison que nous ne puissions pas bavarder ici.

Puis elle vint s'asseoir en face de Judith en tirant sur sa jupe de laine, noire et droite.

— Voyons ! Par où commencer ? J'avais trente-six ans, pas de petit ami et très peu d'aventures sentimentales. En fait, au travail, mes amis me taquinaient en disant que Salman Rushdie sortait plus que moi. Mais j'ai toujours eu le désir ardent de fonder une famille. Peut-être parce que j'étais enfant unique ou parce que de nombreux membres de ma propre famille sont décédés.

» Je voulais être mère. Et aussi indépendante que je sois, c'était la seule chose que je ne pouvais pas faire seule. Or aucun espoir de mariage ne se profilait à l'horizon.

Quand elle pensa à ce qu'elle venait de dire, elle émit un rire en cascade.

— Le mariage, tu parles ! Je n'arrivais pas à trouver un homme avec qui faire l'amour sans préservatif, encore moins avec qui avoir un enfant.

Son regard épiait celui de Barbara pour voir si la psychologue était en train de juger ce qu'elle entendait.

— Poursuivez.

— Vous ne me connaissez pas encore mais, croyez-moi, je ne suis pas de ces femmes qui n'achèteront pas un canapé blanc au cas où elles rencontreraient un homme qui préférerait un canapé marron. Je suis personnellement très riche et je fais une carrière superbe. Directrice artistique dans une agence de publicité. Vous rappelez-vous cette réflexion de Gloria Steinem, disant que nous sommes devenues les hommes que nous voulions épouser ? Eh bien, c'est vrai. J'aime ma vie et je n'éprouve pas vraiment le besoin de former un couple.

» Alors je me suis rendue dans une banque du sperme, et ce fut un tel succès et une telle joie d'avoir Jilly que j'ai recommencé. J'ai utilisé le même donneur à chaque fois. Ainsi mes deux filles sont-elles de vraies sœurs. Elles ont la même mère et le même père... même si celui-ci est absent.

— Que savez-vous du père ? demanda Barbara.

Mais les questions qu'elle brûlait de lui poser, étaient :

« N'avez-vous pas follement envie de faire la connaissance de ce donneur ? », « Ne craignez-vous pas qu'il apparaisse un beau jour ? » ou bien encore « N'avez-vous pas eu peur que ce sperme pose des problèmes. Des troubles génétiques ou Dieu sait quoi ? » Mais elle s'efforça de maintenir une distance toute professionnelle.

— A la vérité, j'en sais moins du cocréateur de mes enfants que du livreur de Federal Express, déclara Judith en riant. En fait, ces banques du sperme fonctionnent de telle manière que c'est une entreprise très hasardeuse. Tout ce que l'on obtient d'eux, c'est une liste de numéros qui représentent les donneurs. Les seuls éléments qu'elles veuillent bien nous indiquer, ce sont la race, le groupe sanguin, l'origine ethnique, la couleur des yeux et des cheveux, la taille et une description plus que sommaire des goûts du donneur.

» C'est drôle comme tout cela paraît rationnel quand on le fait et, en vous en parlant, je comprends à quel point cela peut sembler délirant. Par exemple, je souhaitais que mes enfants aient les cheveux et les yeux clairs. C'est pour cela que j'ai choisi le numéro quatre cent vingt et un. Tout ce que je sais de lui, à part la couleur de ses yeux et de ses cheveux, c'est qu'il aime la lecture et la musique.

Le bébé au sein laissa échapper un petit grognement de satisfaction et Judith lui tapota doucement le derrière.

— J'ai volontairement choisi un de ces endroits où les donneurs acceptent de rencontrer les enfants dix-huit ans plus tard. Ainsi mes filles auront-elles la possibilité de connaître leur père un jour, si elles le souhaitent.

— Qu'est-ce que vous en pensez ?

— Je suis un peu inquiète. Mais j'ai tout le temps d'y songer, répondit-elle avant d'ajouter avec un grand sourire : J'ai un peu le sentiment qu'on ne vous raconte pas une histoire pareille tous les jours.

— Vous avez tout à fait raison.

— En fait, je suis une mère célibataire. Et tellement plus heureuse que si j'étais divorcée et obligée de traverser toutes les épreuves liées à la garde des enfants ! Là, pas de corvée, pas d'ennuis. Et puis vous n'entendrez jamais un chanteur de charme chanter « Mon donneur est parti » ou « Mon donneur m'a brisé le cœur » !

Les deux femmes éclatèrent de rire. Le sens de l'humour de Judith Shea plut à Barbara.

— Que puis-je faire pour vous ?

Et comme si Barbara venait de lui tendre la perche attendue, sa belle confiance qui n'était que façade s'évanouit, le rouge lui monta aux joues et elle eut soudain l'air très jeune, très émue. Il lui fallut du temps pour reprendre contenance. Pendant un long moment, on n'entendit plus dans la pièce que le bruit mat que faisaient en défilant les chiffres de la pendule électronique.

— Jillian a deux ans et demi, et elle parle déjà de pénis, de vagin et de bébés. Et j'imagine que, très bientôt, elle voudra savoir comment ils arrivent dans le ventre des mamans. Quand j'y pense, je me mets à paniquer. Je redoute le moment où elle viendra me demander : « Qu'est-il arrivé à ce bon vieux donneur, numéro quatre cent vingt et un ? »

» Quand j'ai envisagé d'avoir un enfant, je me suis vue achetant des couches et de jolis meubles pour le petit être tout doux que j'allais serrer dans mes bras. Mais pas une fois je n'ai pensé à ce qui se passe quand un bébé devient un enfant qui parle et pose des questions difficiles, ce qui se produira probablement.

— Et quand elles commenceront à s'interroger sur leur père, ce qu'elles ne manqueront pas de faire, vous ne pourrez pas leur donner de réponses toutes faites.

— Parfois, la nuit, avant de m'endormir, je concocte des mensonges élaborés sur leur conception. Mais je sais très bien que je serai incapable d'agir ainsi parce que je pense qu'il n'est pas raisonnable de mentir aux enfants, quelle qu'en soit la raison.

— Oui.

— Je sais qu'à l'hôpital vous organisez des programmes pour les parents isolés, veufs ou pour ceux qui travaillent, mais je sais aussi que mes problèmes ne sont pas du ressort de ces groupes. Alors que faire ?

— Je l'ignore, répondit Barbara avec honnêteté. Comme vous l'avez dit, c'est un cas nouveau. Mais nous allons le traiter ensemble.

— Tu vois, dit Gracie, c'est pour cela que je dis que les lois scientifiques ne peuvent pas rendre compte du comportement humain. Cette femme est un pur produit de notre époque. Les rapports sexuels ne sont pas sans danger, la stérilité règne partout et les gens faxent ce qu'ils ont dans la tête au lieu de se parler. Même un rat de laboratoire dans son labyrinthe n'aurait pas pris la décision de faire des enfants comme ça.

Barbara et Gracie descendaient d'un pas rapide San Vincente Boulevard, sur la pelouse de l'allée centrale. Comme d'habitude, Barbara suivait l'allure énergique de sa mère en pestant. Comme d'habitude, elle lui racontait les petits événements de sa vie professionnelle. Pour respecter le secret professionnel, jamais elle ne mentionnait quoi que ce fût de personnel, tout en sachant fort bien qu'elle s'exposait ainsi au dédain de ses interlocuteurs et notamment de Gracie. Elle l'écoutait donc évoquer ces psychologues qui étudient des rats de laboratoire pour connaître le comportement humain. Mais les réactions passionnées de sa mère l'intéressaient sincèrement. Ce jour-là, tandis qu'elle lui parlait de Judith Shea, Gracie émaillait de temps à autre le récit de sa fille de « tss, tss » révélateurs.

— De nouvelles organisations, des technologies nouvelles dans un monde qui n'est pas prêt à les accueillir. La quantification de la vie humaine. Tu te rends compte qu'on congèle des embryons, et puis le couple divorce et se dispute la garde de ces fichus machins ? Je fais des cauchemars quand je pense à l'avenir.

— Moi aussi, répondit Barbara.

Tandis qu'elles se rapprochaient du marché en plein air de la 26e Rue, Barbara eut envie de prendre un café. Gracie devait être sensible à la télépathie, car elle s'arrêta juste devant le marché.

— Au diable l'exercice ! J'ai besoin de caféine, s'écria-t-elle avant de pénétrer dans l'enceinte où Barbara trouva une table, pendant que Gracie prenait la direction de l'une des échoppes pour y commander deux cappuccinos.

— Je trouve cela intéressant, dit Barbara, tandis que Gracie posait une tasse fumante et couverte de mousse blanche devant elle, qu'elle ait choisi de contourner le facteur humain, le désordre, la gêne et l'engagement qu'implique une relation. Et elle semble relativement à l'aise dans tout cela.

— Eh bien, elle peut-être, mais pas moi ! fit Gracie en hochant la tête. Moi, je dis que le mariage, c'est mieux.

— Maman, tu n'es pas vraiment l'exemple de la réussite du mariage et de la famille nucléaire.

— Mais toi si ! Alors fais ce que je dis, pas ce que je fais. J'ai commis des erreurs, Barbara. Pour commencer, je ne me suis pas donné assez de peine pour sauver mon ménage mais, plus je vieillis, plus je crois qu'une famille forte et aimante est la pierre angulaire de la santé mentale. Ta sœur et toi, vous êtes des exceptions. Malgré mon divorce, vous vous en êtes bien tirées parce que je suis une mère formidable.

Son visage arbora un sourire narquois qui en disait long sur une vérité qu'elles connaissaient toutes deux.

— Absolument. Eh bien, espérons que les enfants de cette femme s'en sortiront aussi.

Barbara se mit alors à observer un pigeon qui sautillait en picorant des miettes autour du patio de brique.

— Tu sais, dit Gracie, je parie que, dans cette ville de fous, il y en a des dizaines comme elle. Les femmes achètent des œufs quand elles n'en ont pas. Et elles demandent à d'autres de porter l'embryon pour elles. Tu as lu cet article sur cette mère qui a rendu ce service à sa fille ?

Elle posa la main sur le bras de Barbara et sourit.

— Ma chérie, je t'aime, mais je n'irai quand même pas jusque-*là* !

Les deux femmes éclatèrent de rire et Barbara songea à quel point elle aimait cette mère un peu folle.

— Dommage, maman, j'allais justement te le demander.

— Et tous ces gens, que deviennent-ils ? fit Gracie en plongeant dans son café un biscuit qu'elle fit tourner dans les bulles de lait.

— Des familles face aux problèmes du prochain millénaire. Après les roses et les choux. Je devrais constituer un groupe rien que pour eux. Pour voir comment on peut dépasser les questions technologiques pour atteindre les problèmes humains.

Quand Barbara leva les yeux, elle aperçut, dans les prunelles de sa mère, une lueur qui ne trompait pas.

— C'est une idée du tonnerre ! s'exclama Gracie avant d'avaler son biscuit à présent détrempé.

— Merci, maman, sourit Barbara en songeant que c'était la première fois depuis des années que Gracie et elle étaient d'accord.

— Après tout, que cherche cette femme avec ses bébés ? demanda Gracie, sur ce ton d'examinateur qui accompagnait toujours les questions qu'elle posait.

— La normalité. Aussi curieux que cela puisse paraître, elle a recours à des techniques de reproduction sophistiquées pour créer une sorte de vie de famille banale, une espèce d'intimité, en devenant la mère de quelqu'un.

Gracie allait en faire ses choux gras. Tout cela avait une portée sociale plus grande que les problèmes quotidiens auxquels Barbara consacrait tout son temps. Elle entendit percer un petit rire dans la voix de sa mère.

— Cela pose aussi des questions éthiques intéressantes. C'est là qu'achoppe la pratique familiale. Qu'en penses-tu ?

— Ce que j'en pense, dit Barbara en se levant, c'est que je vais prendre un croissant.

Mais, tandis qu'elle se dirigeait vers la boulangerie, elle sentit une légère poussée d'adrénaline qui n'était pas due à un excès de caféine.

Dans son bureau, elle ramassa le courrier qui, tombé de la fente de la boîte aux lettres, jonchait le sol et appuya sur le bouton de son répondeur.

« Oui, bonjour. Je m'appelle Ruth Zimmerman et mon pédiatre m'a conseillé de vous appeler. Je vous laisse les numéros de téléphone de la maison, du bureau, du studio et de ma voiture, parce que je suis confrontée à un problème urgent. S'il vous plaît, rappelez-moi dès que possible. J'ai un fils de deux ans et demi, et il faut que je vous en parle immédiatement. Voici comment il est né... »

Barbara écouta Ruth Zimmerman lui parler de son fils et des circonstances particulières qui entourèrent sa conception. Quand le message fut terminé, elle décrocha son téléphone pour lui fixer un rendez-vous et pensa à ce que disait Heidi, sa fille, quand les événements de sa propre existence prenaient une telle tournure : « Complètement hallucinant ! »

En attendant que l'on décroche le téléphone dans le bureau de Ruth Zimmerman, Barbara tentait de se rappeler l'horoscope qu'elle avait lu quelques jours auparavant. Que disait-il ? Une histoire de territoire inexploré et d'événements qui bouleverseraient sa vie. C'était complètement hallucinant !

4

Sur le mur du bureau désordonné et trop petit de Ruth Zimmerman et de Sheldon Milton, il y avait un cadre contenant un canevas au point de croix où l'on pouvait lire : « LA MORT EST AISÉE, LA COMÉDIE EST DIFFICILE. » Ruth l'avait confectionné pour Shelly longtemps avant qu'ils forment la paire d'auteurs à succès qu'ils étaient devenus, avant les séries, les récompenses et l'argent. Shelly était convaincu que ce tableau était un porte-bonheur. Aussi, d'année en année, de bureau en bureau, l'emportait-il avec lui.

Cet espace de l'immeuble des scénaristes de CBS, situé dans le quartier de la Vallée, était meublé de deux bureaux placés dos à dos, de fauteuils capitonnés et d'un petit piano droit qui avait passé le plus clair de son temps dans les salles de répétition. Dans chaque coin, sur chaque étagère, on apercevait des piles de scénarios. Certains d'entre eux avaient été écrits par Zimmerman et Milton, d'autres par leur équipe, d'autres encore par des auteurs pleins d'espoir. Leurs agents avaient supplié Ruth et Shelly de les lire et de penser à leurs protégés pour leur émission. Et, bien entendu, sur chaque bureau trônait une photo en 24×36 de Bob Cesar.

Quand le téléphone sonna, Ruth décrocha l'appareil. C'était Solly, leur agent. En attendant, Shelly faisait les mots croisés du *New York Times*.

— Tu plaisantes ? répondit Ruth. Cela ne nous dérange pas du tout. Nous serons ravis. J'en parle à Shelly et je te rappelle.

Quand elle eut raccroché, il n'eut pas besoin de la regarder pour savoir ce qu'elle allait dire.

— Que t'as raconté Sol ? demanda-t-il en remplissant avec soin les cases des premières lignes.

— Il n'y a rien de tel...

— Je parie, l'interrompit Shelly que les trois mots suivants sont : « que le show business », mais je crains bien que ce ne soit un espoir déçu.

— Tu as raison, dit Ruth. Je n'étais pas en train d'imiter Ethel Merman. Je ne faisais que répéter ce que m'a dit Solly, que la télévision, c'est un milieu infect et que nous avons une chance incroyable de faire cette émission et de ne pas pointer à l'agence pour l'emploi.

Elle le regarda remplir une longue colonne sur le côté droit de la grille, avec cet air triomphant qu'il arborait quand il trouvait une définition.

— Il a raison, tu sais. Nous avons de la veine. Il ne faut pas l'oublier, poursuivit-elle avec une voix que Shelly qualifiait de « mouillée », une voix qui reflétait son émerveillement devant les sommets qu'ils avaient atteints au cours de leur carrière.

— Oh ! Oh ! fit-il en levant les yeux vers elle. Si tu commences à prendre le ton de Jerry Lewis pendant le Téléthon, c'est que tu viens de proposer nos services à je ne sais quelle organisation charitable pour prouver au monde et à nous-mêmes que nous ne sommes pas des ingrats. Laquelle était-ce aujourd'hui ?

— Le spectacle au bénéfice de la Société des Auteurs, et ils ont besoin de nous sur-le-champ. C'est excellent pour nous. Nous sommes toujours tellement occupés par les auditions et les réunions du groupe que nous avons à peine le temps d'écrire. Ça nous aidera à garder la forme.

— Le club de gym, ça ne suffit pas ?

— Oh ! Allez ! dit-elle en lui arrachant des mains les pages consacrées aux spectacles.

En fait, elle était ravie d'avoir une bonne raison d'échapper aux élucubrations de l'un des décorateurs de leur émission de la semaine suivante. Elle préférait de loin poser un bloc jaune flambant neuf sur le bureau de Shelly et sur le sien, et partager quelques crayons bien taillés en s'écriant :

— Messieurs, à vos crayons !

C'était ce qu'ils aimaient le plus dans ce travail en commun. Trouver l'idée, la développer, l'explorer, la retourner dans tous les sens. Comme le disait si bien Shelly à leur équipe de scénaristes : « On prend un microbe et on répand une épidémie. »

— Voyons, voyons, fit-il en se balançant, selon son habitude, dans son fauteuil inclinable. La Société des Auteurs... Et si un couple de scénaristes, se rendant compte que personne ne veut plus de leurs œuvres, décidait de signer un pacte et de se suicider ?

« Drôle », pensa Ruth, « et déjà prometteur. »

— Mais bien sûr, improvisa-t-il, il faut qu'ils laissent un mot. Et puisqu'ils sont scénaristes, ce sera une longue lettre. Ils se mettent à la tâche. Le mari s'assied devant sa machine à écrire, la femme fait les cent pas. « Ça y est ! » s'écrie soudain le mari, « nous commencerons notre lettre par : Au revoir, univers impitoyable ! »

Ruth, qui savait exactement où il allait, lui emboîta aussitôt le pas.

— Mais la femme esquisse un sourire méprisant et dit : « Tu es dingue ? C'est nul ! On ne peut pas commencer une lettre de suicide par autre chose que : Adieu, monde cruel ! »

Shelly s'était véritablement mis au travail.

— Le mari lance un rire railleur et dit : « C'est tellement éculé ! J'ai entendu ça des millions de fois ! »

— Ce qui fait bouillir la femme de rage.

Ruth posa les pieds sur son vieux bureau un peu abîmé, se cala le dos en arrière et réfléchit une minute.

— Alors elle l'attaque bille en tête... — c'est une mégère — et dit : « Ah, oui ? Eh bien, il se trouve que je pense que ça fait beaucoup mieux que "Au revoir, univers impitoyable !", une formule complètement bidon comme la plupart de tes idées ! »

— Le mari est blessé, poursuivit Shelly, mais il va jouer les martyrs. Il pince donc les lèvres très fort et dit : « Parfait. Continuons. Nous reviendrons plus tard à l'introduction. » « Comment, plus tard ? » hurle la femme. « Il n'y aura *rien* plus tard ! Tu ne te souviens pas, nous serons morts ! » « Oui ? » dit-il. « Eh bien, si nous commençons par "Adieu, monde cruel !", nous serons *pire* que morts. Nous ne trouverons plus de travail dans cette ville. Ha ! »

Et Shelly se mit à glousser de son bon mot.

— C'est drôle, fit Ruth qui retira ses pieds du bureau et se pencha, visiblement enchantée.

Elle aimait cet homme qu'elle trouvait toujours si amusant, si intelligent, qui la complétait si bien que pendant toutes ces années où ils avaient écrit et produit des émissions dans des réduits larges comme des placards et mal éclairés, c'était le paradis simplement parce qu'ils étaient ensemble. Et il en était ainsi depuis le soir de leur rencontre, dix-huit ans plus tôt.

C'était durant une tournée d'été en Pennsylvanie. Dans la clarté d'un halo de lune, ils s'étaient assis sur les grandes marches de bois du théâtre de la Grange Blanche où Ruth était stagiaire, tandis que Shelly faisait le pianiste pendant les répétitions. A l'heure où montaient dans l'air les plaintes des criquets et où l'on entendait l'orchestre minable du bar de l'hôtel jouer *I Can't Get Started with You*, ils avaient échangé d'horribles histoires sur leurs mères juives respectives.

— La mienne posait un plastique sur le couvercle du siège des toilettes.

— La mienne n'arrivait pas à faire pousser le gazon devant la maison, alors elle a fait cimenter le sol et a peint le ciment en vert.

— La mienne m'a dit que, si je me touchais tu sais où, on m'enfermerait dans un asile de fous et qu'elle ne viendrait jamais me voir.

Shelly avait souri et respiré profondément comme pour déclarer : « A présent, je vais passer toutes les bornes et te raconter le comble de toutes les histoires de mère juive. »

Et Ruth, qui cherchait un prétexte depuis le début de la soirée, s'était penchée pour se rapprocher de lui.

— La mienne, lui avait-il confié, a fait pour moi le plus grand de tous les sacrifices, quand je suis tombé follement amoureux d'une créature si superbe qu'il n'y a pas de mots pour décrire cette... je m'en excuse à l'avance... goy.

« Il est si drôle », pensait Ruth, « et si charmant ! »

— C'était l'amour personnifié, avait enchaîné Shelly, stimulé par son admiration manifeste, un être qui, une nuit, me murmura au beau milieu de nos fougueux ébats : « Si tu m'aimes vraiment, va arracher le cœur de ta mère et apporte-le-moi. »

Ruth avait éclaté de rire, tandis que Shelly tentait de garder son sérieux.

— Naturellement, j'ai fait ce que n'importe quel bon petit Américain aurait fait en pareille circonstance. Je me suis rué vers la maison, j'ai pris un vieux sac et, non seulement je lui ai arraché le cœur mais, pour aggraver mon cas, j'ai aussi dérobé un plat d'argent dans le placard de l'argenterie et j'y ai déposé la masse palpitante. Sans même mettre de napperon.

Ruth n'oublierait jamais le halo de givre que dessinait la lune sur ses cheveux bruns et bouclés ni l'éclat joyeux de ses yeux noisette derrière ses lunettes en écaille.

— Ce serait un doux euphémisme de dire que je me suis dépêché de retourner vers l'objet de ma passion. Malheureusement, aveuglé par l'émotion, je n'ai pas remarqué la branche qui, en travers du trottoir, me barrait le passage. Je me pris le pied dedans, ma cheville se tordit, je trébuchai et, alors que je mordais la poussière, le cœur glissa du plateau et, tas sanglant et palpitant, atterrit sur la chaussée.

— Non ! s'était écriée Ruth avec un grand sourire.

Elle se prenait au jeu avec d'autant plus de bonheur qu'elle décelait sur le visage de Shelly le plaisir qu'elle lui procurait ainsi.

— Et tandis que je me redressais, le cœur de ma mère s'adressa à moi.

— Vraiment ? avait demandé Ruth, qui attendait la chute de l'histoire en espérant lui donner la réplique escomptée. Qu'a-t-il dit ?

— Il m'a dit, avait répondu Shelly qui, une fois encore, respira profondément avant de poursuivre son récit : « Tu t'es fait mal, mon chéri ? »

Personne ne lui avait jamais raconté de blagues qui fissent ainsi vibrer en elle la corde sensible, déclenchant un rire de complicité. Shelly avait ri avec elle. Si fort qu'il dut retirer ses lunettes pour essuyer une larme au coin de son œil gauche. Il y a peu de choses qui rapprochent autant deux êtres que de rire ensemble, mais au moment précis où Ruth et Shelly avaient éprouvé cette intimité, Shelly avait regardé sa montre.

— Il est tard, avait-il dit en tapotant la main de Ruth. Il faut que je m'en aille.

Plus tard, dans le cabinet de toilette d'une chambre d'hôtel, à la lumière de l'ampoule nue qui pendait d'une prise murale,

Ruth changea de salopette, appliqua quelques gouttes de lotion çà et là sur son visage, enfila un long T-shirt à l'effigie des Pittsburgh Steelers et s'écroula sur le lit. Puis elle tendit la main vers le tiroir de la table de nuit où elle avait rangé son petit carnet à spirale et dressa la liste des demoiselles d'honneur susceptibles de l'accompagner jusqu'à l'autel quand elle épouserait Shelly Milton.

— Quel est le plus petit livre du monde ? lui demanda Shelly, le lendemain soir.

— *Le Livre des artistes de cirque juifs*, répondit Ruth, qui ne savait absolument pas où elle était allée chercher ça.

L'idée lui avait simplement traversé l'esprit.

— Qu'est-ce qui ne va pas ? lui demanda-t-elle. Tu ne te rappelles pas Shirley, la bombe humaine ?

— Si. C'était une femme épouvantable... mais une bombe superbe !

Ils éclatèrent tous deux de rire. Ce rendez-vous de fin de journée, sur les marches du théâtre, devint bientôt un rite. Ils s'y retrouvaient après les longues heures pendant lesquelles Ruth montait et peignait les décors, tandis que Shelly pianotait toujours les mêmes airs pour que les danseurs puissent répéter. La journée leur semblait moins longue, puisqu'ils savaient que viendrait l'heure où ils pourraient rire ensemble et puiser dans la mine de leurs esprits créatifs et fantasques.

Pour Ruth, ce fut le début d'une grande histoire d'amour, bien qu'il n'y eût pas même l'ombre d'un baiser sur la joue pour nourrir cet espoir. Elle avait la naïveté des filles qui n'ont pas de succès, qui n'ont pas senti la pression du pantalon de velours d'un garçon fougueux. Personne ne l'avait jamais désirée. Ainsi avait-elle atteint l'âge de dix-neuf ans sans jamais être sortie avec personne, à l'exception de quelques rendez-vous désastreux, arrangés par des amies de sa mère qui lui avaient envoyé un fils trop petit ou qui avaient contraint un neveu bégayant à l'emmener au cinéma. C'était sans doute parce qu'elle en savait si peu sur la question qu'elle s'imaginait encore que quelqu'un d'aussi manifestement fou d'elle prenait son temps pour lui déclarer sa flamme.

Et puis une nuit où il faisait frisquet au Colonial Manor Hotel, elle se réveilla dans son lit avec une envie pressante de faire pipi. Elle n'avait jamais passé une nuit entière sans être brutalement dérangée dans ses rêves par une vessie trop pleine.

A la maison, où les toilettes étaient à quelques mètres et le sol recouvert d'une moquette, ces petites escapades nocturnes ne lui posaient aucun problème. Mais dans ce vieil hôtel balayé par les courants d'air, au plancher dur et froid, il fallait traverser un long couloir mal éclairé. « Grâce au Ciel », se dit-elle en se levant, « ma mère n'est pas là pour me voir. »

Elle se dirigea en trébuchant vers la lueur de la veilleuse des toilettes, qui lui parut au diable, passa devant les chambres des autres stagiaires et envoya un message d'amour silencieux quand elle se trouva devant celle de Shelly. Elle se prit à envier Polly Becker, la costumière, une femme au grand nez, la quarantaine, qui portait des chemisiers décolletés et faisait la cour à tous les garçons qui passaient. Polly était arrivée au théâtre plusieurs semaines avant les autres et avait donc pu exiger la chambre la plus proche des toilettes.

Juste au moment où elle atteignit la poignée de la porte, elle entendit un bruit étrange dans l'une des chambres. C'était un long gémissement. « Il y a quelqu'un qui ne se sent pas bien », songea-t-elle. Et cela n'avait rien d'étonnant. Les repas qu'on leur servait à la cantine étaient franchement répugnants. En fait, elle s'était elle-même sentie un peu patraque la veille au soir, après les lasagnes. Mais il y eut un autre gémissement, et elle comprit que ce son-là n'était pas de ceux que vous arrache la maladie. Elle rougit, le corps ému à l'idée qu'il se produisait quelque chose de charnel à deux pas d'elle.

Ces bruits devaient provenir de la chambre de Polly Becker. Elle en était certaine. Cette bonne vieille Polly avait réussi à attirer quelqu'un dans son lit. Elle prenait, elle aussi, du bon temps. Ces gémissements étaient des gémissements de plaisir, un plaisir immense, mêlés aux craquements des ressorts métalliques des lits d'hôtel, vieillots et inconfortables.

— Oh, mon Dieu ! Oh, oui ! Oh, mon Dieu !

Ils se faisaient de plus en plus forts. Ruth, gênée par sa propre excitation, ne savait trop que faire. Elle referma derrière elle la porte des toilettes, resta à l'intérieur plus longtemps que nécessaire et s'aspergea d'eau froide pour se calmer. Elle tira la chasse d'eau plusieurs fois pour couvrir le bruit. Elle ouvrit lentement la porte, écouta longuement pour s'assurer que le couloir était silencieux à présent, puis retourna sur la pointe des pieds vers sa chambre.

Elle avançait les yeux baissés vers ses orteils potelés, qu'elle gardait recroquevillés pour que son pas ne soit pas trop pesant, trop bruyant. Elle poussa un soupir terrifié quand deux grandes mains lui saisirent les bras, l'entraînant sur le côté. Elle se retrouva devant le beau visage taillé à coups de serpe de l'acteur principal de la troupe, Bill Crocker.

C'était un acteur d'un âge indéterminé, bien conservé, à la mâchoire carrée, qui, d'après ce que Ruth avait entendu un jour qu'elle faisait le ménage dans le vestiaire des comédiennes, croyait encore qu'il allait percer.

Les petites tournées d'été comme celle-là, disait-il, c'était juste bon pour s'occuper jusqu'au grand jour. Le grand jour où on ne l'appellerait plus le « Laurence Olivier des roulottes ».

— Ma petite dame... dit-il en saluant Ruth, comme s'il lui donnait la réplique dans une scène.

Il portait un jean, et sa chemise était déboutonnée jusqu'à la taille, comme au cours de la première semaine où il jouait le personnage de Billy Bigelow dans *Carrousel*. Il semblait sorti de nulle part et, un instant plus tard, il avait disparu.

Ruth, dont le cœur battait très fort, gênée de se trouver devant le superbe Bill Crocker en chemise de nuit, le visage couvert de crème, pénétra dans sa chambre et s'enfouit sous les couvertures pour trouver le sommeil. Mais à peine eut-elle fermé les yeux qu'elle les rouvrit quand la réalité lui sauta au visage. Bill Crocker ne sortait pas de la chambre de Polly Becker, et ce n'était pas Polly Becker qui gémissait dans le noir. C'était Shelly. Bill Crocker était avec Shelly.

Ruth resta éveillée toute la nuit, essayant de chasser de son esprit les images qui y revenaient sans cesse. Quand le néon s'éteignit et que le gazouillis des oiseaux annonça l'aube, elle se dressa, le dos et le cou raides, avec ce vague mal de tête qu'engendre l'insomnie. Elle ne parvenait pas à se débarrasser de la tristesse un peu lourde qui l'envahissait et, quand elle posa le pied par terre, elle se souvint que, chaque matin, elle s'habillait à la hâte et descendait les escaliers quatre à quatre pour rejoindre Shelly dans la salle à manger.

Elle restait là, un instant, à l'observer tandis qu'il lisait le journal du matin en buvant son café, et imaginait l'avenir où il referait ces mêmes gestes dans leur petit appartement, quelque part. Ce jour-là, elle fut mal à l'aise à l'idée de devoir lui faire face. Dans la cafétéria du lycée, elle avait une fois entendu, par hasard, des garçons parler de M. Lane, le professeur d'anglais. Sur l'air de « Un, deux, trois, nous irons au bois », ils chantaient : « Un, deux, trois, il ne va plus au bois, quatre, cinq, six, pas avec les filles, sept, huit, neuf, il s'amuse tout seul, dix, onze, douze, c'est une vraie tantouze. » Ruth avait demandé à Sheila, sa meilleure amie, ce que signifiait cette chanson. Quand Sheila le lui eut expliqué, Ruth fut convaincue qu'elle plaisantait.

Ce matin-là, elle ouvrit son carnet à spirale, déchira la liste des demoiselles d'honneur, la jeta dans un cendrier et, avec une allumette du Colonial Manor, y mit le feu.

Le couloir était vide et, dans l'embrasure de la porte, elle vit que la porte de la salle de bains était ouverte. Peut-être souffrirait-elle moins après une bonne douche chaude. Quand elle eut refermé la porte et tiré le verrou, elle se regarda dans le miroir en pied, et les larmes lui vinrent enfin aux yeux.

— Salut, mon impitoyable [1], lui dit Shelly au petit déjeuner en glissant son bras autour d'elle.

Il la surnommait toujours ainsi quand il voulait la taquiner.

— J'ai pensé à nos petites conversations nocturnes et quotidiennes, poursuivit-il, et il me semble que nous devrions en tirer quelque chose.

Comme si la nuit précédente il n'avait pas détruit toute sa vie...

— Autre chose qu'une chasse d'eau ? fit-elle sur la défensive, gênée, tout en espérant qu'il ne serait pas trop tard pour accepter le petit boulot que sa mère souhaitait lui voir prendre, dans le cabinet du Dr Schiffman.

— Je veux dire sur scène. Dans le bar de l'hôtel. Quand l'orchestre fait une pause, toi et moi, nous pourrions présenter notre numéro. Je parie que nous pourrions très bien bâtir un sketch autour de quelques idées, ajouta-t-il en lui ébouriffant les cheveux, comme elle aimait tant qu'il fasse.

Elle était pourtant furieuse quand d'autres s'y essayaient. Elle aurait aimé dire oui à tout ce qu'il lui demandait.

— Tu veux dire jouer pour les *autres* ?

— Oui, montrer notre petit spectacle après le grand, pour tous ceux qui, ensuite, se retrouvent au bar. La plupart d'entre eux sont tellement abrutis, de toute façon, qu'ils ne sauront même pas si nous sommes bons ou mauvais. Nous pourrions

1. En anglais, *ruthless*.

devenir les nouveaux Mike Nichols et Elaine May. Penses-y, conclut-il.

Pendant les quelques jours qui suivirent cette conversation, elle eut le plus grand mal à penser à autre chose. Elle était beaucoup trop complexée par son aspect physique pour monter sur une scène. Si elle espérait travailler dans le show business, c'était uniquement dans les coulisses. Elle n'avait nulle envie de se retrouver devant un public, contrainte de se soucier de son apparence.

Mais maintenant qu'il était manifestement hors de question d'épouser Shelly, c'était quand même un moyen de conserver des liens avec lui, de passer un peu de temps près de lui, que de faire un spectacle. Après avoir peint à grands coups de brosse pendant des heures, jusqu'à ce que le panneau et sa salopette soient couverts de taches de toutes les couleurs, elle sortit son carnet à spirale et fit une liste des idées à exploiter pour leur spectacle. Après tout, Elaine May n'avait jamais été mariée à Mike Nichols, elle non plus.

Le salon du bar était crasseux et pauvrement éclairé. Quand l'orchestre eut exécuté une version à peine reconnaissable de *Misty*, le guitariste s'avança vers le micro, bien que les six personnes qui constituaient le public se trouvent à cinquante centimètres du podium. Il annonça que, pendant la pause, « des petits jeunes allaient leur montrer ce qu'ils savaient faire ». Les spectateurs, qui en étaient à leur deuxième tournée, parlèrent fort pendant les premières minutes du spectacle de Ruth et de Shelly.

Puis, après un moment, ils captèrent leur attention. Chaque bon mot fut bientôt salué par des rires et des applaudissements. Leur numéro marcha si bien que, quand le critique du *Pittsburgh Press*, venu voir *Li'l Abner*, tomba par hasard sur le spectacle de Shelly et de Ruth, il le mentionna dans son article. « Intelligent, loufoque et plein d'esprit. »

A l'approche de septembre, les nuits pennsylvaniennes connurent une fraîcheur plus vivifiante et, quand la compagnie présenta sa dernière production, *South Pacific*, il fallut fermer les portes de la grande grange pendant le spectacle. Bill Crocker jouait, torse nu, un soldat qui chantait *Plus jeune que le printemps*. De la travée où elle se trouvait, Ruth remarqua qu'il avait la chair de poule. Elle détourna le regard.

Plus tard, tandis que les comédiens buvaient du champagne

dans les vestiaires du sous-sol, elle balaya lentement la scène avec un lourd balai, déplaçant la poussière derrière l'épais rideau de velours qui dégageait une odeur de moisi vers le léger canevas bleu ciel qui tapissait le fond de la scène. A l'extrémité du plateau, Ruth se retourna. Shelly la regardait.

— Tu es au courant pour Crocker et moi, n'est-ce pas ?

Devant le grand panneau bleu, il avait l'air étrange d'un personnage de rêve. Toute la journée, elle s'était répété intérieurement le discours qu'elle lui tiendrait car elle savait bien que, le soir même, ils se diraient adieu. Elle voulait tant être éloquente ! Mais il lui était trop pénible d'être confrontée à cette question-là. Elle était persuadée qu'ils n'en parleraient jamais entre eux.

— Oui, je sais, dit-elle en serrant le manche du balai.

— Je t'aime tant, c'est incroyable ! dit-il en faisant quelques pas dans sa direction.

Elle ne le fit pas exprès, mais elle lâcha le manche du balai, qui heurta le sol avec un bruit sec.

— Tu comprends mes plaisanteries, tu me regardes comme Doris Day regarde Rock Hudson dans tous ces films à la noix, tu es plus drôle que tous les autres réunis et je t'aime.

Il avait dit qu'il l'aimait. Deux fois. Personne, pas même ses parents, ne lui avait jamais dit ces mots-là. Elle savait ce qui était censé se produire à présent. Elle avait suffisamment vu de films, suffisamment lu de livres pour savoir que c'était à elle de prendre la parole, de prononcer les mots qu'elle adressait sur l'oreiller depuis des années à quelque amant mythique, mais qu'elle n'avait jamais dits à un être vivant. Elle le fit.

— Oh, Shel ! Je t'aime aussi, dit-elle à Shelly Milton en le regardant droit dans les yeux.

— Dieu merci ! répondit-il, et ils avancèrent l'un vers l'autre.

Quand ils furent tout proches, ils s'étreignirent si fort que Ruth eut l'impression de suffoquer. Ou bien ne parvenait-elle pas à respirer tant cela lui semblait bon ? Elle avait enfoui son visage dans sa chemise en oxford bleue. Il avait posé le menton sur ses épais cheveux frisés. Le rire des comédiens qui étaient restés en bas montait jusqu'à la scène où ils se trouvaient tous les deux. Au bout de quelques minutes, ils se regardèrent, les yeux gonflés.

Shelly essuya une larme en balayant sa joue de la paume de sa main avant de chercher un mouchoir dans la poche arrière de son pantalon. Comme il n'en trouva pas, il se frotta le visage avec la manche de sa chemise.

— Je ne retournerai pas à Northwestern. Je pars demain avec Crocker pour Los Angeles. Nous ne vivrons pas ensemble officiellement, mais je resterai chez lui jusqu'à ce que j'aie trouvé du travail. Jouer du piano peut-être et écrire enfin ! Tu veux me suivre ? ajouta-t-il autant pour la taquiner que pour la mettre à l'épreuve.

— Mes parents me tueraient.

— Les miens n'étaient guère enthousiastes. Mais je les ai persuadés en leur disant que je partagerai une chambre avec quelqu'un de sympathique.

Ils se sourirent, un sourire qui disait « Les parents ne sont-ils pas stupides ? » et se serrèrent l'un contre l'autre, une fois encore.

Quand les vestiaires furent complètement déserts et qu'il ne resta plus qu'eux deux dans le théâtre, ils s'assirent sur la scène, vide à l'exception du piano et d'une loupiote. Shelly joua les chansons de l'été et celles qu'ils avaient composées pour leur numéro. Au petit jour, ils regagnèrent l'hôtel main dans la main. Devant la porte de Ruth, il la prit dans ses bras, la berça, la fit tournoyer et lui fit cambrer les reins comme dans *Chapeau haut de forme*, l'un de leurs sketches. Quand il la reposa sur le sol, il la regarda au fond des yeux.

— Tu seras toujours ma Ginger Rogers, lui promit-il.

Ce fut une promesse qu'il ne trahit jamais.

5

Après la tournée de l'été, Ruth s'installa dans la résidence universitaire avec dans le cœur un vide si grand que le vent glacé qui descendait de la rivière Monongahela vers Pittsburgh s'y engouffra. Elle restait assise dans sa chambre, comme un zombie, souffrait de l'absence de Shelly et redoutait de ne plus jamais entendre parler de lui. C'était tout ce dont elle était capable. Elle attendait une lettre avec l'obsession du condamné à mort qui attend la grâce du gouverneur.

Ruth s'inscrivit aux divers cours mais, durant les trois semaines qui suivirent, elle n'y mit pas les pieds. Elle regardait par la fenêtre de son box en forme de part de tarte du bâtiment cylindrique à l'architecture monstrueuse, observait les voitures qui passaient dans la rue en contrebas et songeait à l'été. Plus tard, elle se demanda comment elle avait survécu à ces vingt et un jours où elle s'était exclusivement nourrie de pizzas aux poivrons que lui apportait, à la réception de l'étage inférieur, le garçon livreur de Beto's, la pizzeria de Forbes Street. Elle ne quittait sa chambre que pour descendre chercher sa pizza, puis elle se dirigeait vers la boîte aux lettres et l'ouvrait avec la clé pour être bien sûre qu'il n'y avait rien, bien qu'elle pût fort bien le vérifier à travers la vitre.

Quand la lettre arriva, elle la lut aussitôt, sans même refermer la porte, et pleura des larmes d'action de grâce qui trempèrent la boîte de pizza. Ses prières avaient enfin été exaucées. En retournant dans sa chambre, elle esquissa quelques pas d'une danse joyeuse devant les sourcils froncés de la fille qu'elle aimait le moins parmi ses camarades d'étage. Elle était heureuse de faire devant elle ce geste qu'elle avait vu d'autres exécuter mais dont elle ne comprit pleinement le sens qu'à ce moment-là.

Mon impitoyable,
Ci-joint les paroles de Hourra pour Hollywood. *C'est ma chanson préférée sur mon nouvel endroit préféré. J'aime tout ici. Le climat (il ne pleut jamais). Les palmiers. Les hurluberlus, ou devrais-je dire les autres hurluberlus ? C'est complètement dingue et clinquant. Dans la vie que je mène ici, il n'y a qu'une chose qui me manque et cette chose, c'est toi. Chaque jour, je me dis que j'aimerais que tu sois là. Largue tes études (tous ceux qui sont devenus célèbres l'ont fait, tu sais !) et rejoins-moi au pays du show business. Je viendrai te chercher à l'aéroport.*

Shel

Elle sauta sous la douche et chanta en se lavant les cheveux, puis elle se rendit à la laverie où elle nettoya le linge de trois semaines. Dès son retour, elle appela ses parents d'un téléphone payant situé dans le couloir et fut soulagée que ce soit son père qui décroche.

— Papa, j'ai besoin de toi.

Manny Zimmerman était un immigré russe dont l'épicerie, « Zimmerman, produits de qualité », était demeurée au même endroit depuis trente ans, dans le quartier est de Pittsburgh, et conservait une clientèle fidèle qui n'aurait pas mis les pieds dans un supermarché alors qu'elle pouvait profiter des services personnalisés de Manny. Après tout, le pauvre Manny et sa famille avaient traversé tant d'épreuves ! On évoquait toujours l' « accident » quand on parlait des Zimmerman, même après tant d'années.

Ruth n'avait gardé qu'un souvenir vague, un peu semblable à un rêve, de Martin et de Jeffrey. Elle n'avait que deux ans quand ils s'étaient tués dans un accident de voiture, sur le boulevard des Alliés, une collision avec un bus. Ses frères aînés la soulevaient haut dans leurs bras, jouaient à « faire voler le bébé ». C'était le seul souvenir qu'elle en avait conservé. Mais peut-être ne s'en souvenait-elle pas du tout, peut-être était-ce simplement sa mère qui le lui avait raconté.

Le chagrin qu'éprouvaient ses parents de la perte de leurs fils imprégna à jamais leur vie familiale. Ruth ne contemplait jamais la flamme vacillante d'une chandelle sans que cela lui rappelle les bougies du Nouvel An que sa mère allumait chaque année en mémoire de Martin et de Jeffrey, à l'anniversaire de leur mort. Ce jour-là, quand son père pénétra dans le hall de la résidence, Ruth comprit aussitôt qu'il redoutait que ce qu'elle allait lui révéler ne fût aussi grave que ce que la police était venue lui annoncer le soir de l'accident.

Elle glissa son bras sous le sien et le conduisit vers les fauteuils en Skaï, disposés en cercle. Tout en marchant, elle se répéta intérieurement les mots qu'elle allait prononcer. Manny Zimmerman s'assit, et le sofa gémit sous son poids.

— Tu vas bien ?

— Oui, papa. Je n'ai pas voulu t'effrayer, mais je ne voulais pas t'annoncer cela au téléphone. J'aimais mieux t'en parler avant de dire quoi que ce soit à maman. Je souhaiterais abandonner mes études et partir pour la Californie.

Son père plongea la main dans la poche de sa veste et sortit un gros cigare. Il retira la Cellophane et, selon une coutume établie depuis des années, dégagea l'anneau de papier et le glissa au doigt de sa fille.

— Quand tu auras fini, peut-être. Mais pas maintenant.

— Je ne veux pas terminer mes études, papa. Je souhaite quitter l'université tout de suite. Partir là-bas et vivre avec mon ami Shelly.

L'allumette en bois enflamma l'extrémité épointée du cigare de Manny Zimmerman. Il prit une bouffée, une deuxième, jusqu'à ce que l'épaisse odeur de tabac qui lui rappellerait son père jusqu'à la fin de ses jours lui eût empli les narines et les yeux.

— Ce Shelly est un garçon ? demanda-t-il sans la regarder, le cigare entre les dents, tandis que la fumée lui sortait des lèvres, de chaque côté du cigare autour duquel elles s'étaient arrondies.

— Oui, papa.

— Et il va t'épouser ?

Ruth se leva, prit un cendrier sur une table voisine et le lui tendit.

— C'est un homo, papa, fit-elle doucement.

Cela, il ne le comprendrait jamais. « Des hommes, des vrais, grands et forts, mon Martin et mon Jeffrey », c'était toujours ainsi qu'il parlait de ses fils morts. « Mon Martin était capable de porter un carton d'épicerie sur une épaule, un autre sur l'autre épaule. Il livrait comme Superman. » L'homosexualité, ce n'était pas une chose qu'il était susceptible de comprendre. Il ne comprendrait pas non plus pourquoi elle tenait tant à traverser tout le pays pour vivre avec quelqu'un comme ça.

— Homo ? Qu'est-ce que c'est ?

Ce terme. De toute évidence, il n'avait jamais entendu ce terme. Il lui faudrait expliquer la situation avec un mot qu'il connaîtrait, même si elle ne l'aimait pas, même si c'était péjoratif.

— C'est une tante.

Son père la regarda droit dans les yeux pendant quelques instants, sans rien dire. Elle aimait son visage rond et doux, sa moustache. Chaque fois que, dans la vie, elle avait voulu faire quelque chose de singulier ou d'excentrique et que sa mère s'y opposait, ce visage s'empourprait, et son père élevait le ton pour soutenir Ruth. Il était maladroit avec elle et elle était certaine qu'il s'était bien souvent demandé comment Dieu avait pu lui enlever ses deux merveilleux fils, Martin, le violoniste talentueux, et Jeffrey, si doué pour les sciences qu'il serait sûrement devenu médecin. Ils étaient partis et il restait avec cette empotée.

Il avait pourtant toujours pris son parti. Quand Ruth *avait refusé* de faire sa bath-mitsva[1], quand elle s'était fait percer les oreilles, quand elle avait insisté pour suivre un stage de théâtre au lieu de travailler dans un cabinet médical. Mieux valait ne pas imaginer ce qu'aurait été sa vie s'il n'était pas intervenu pour fléchir sa mère. Peut-être pourrait-elle, une fois encore, l'amener à prendre son parti.

— Une tante, répéta-t-elle doucement, au milieu des gloussements et des cris des filles qui se retrouvaient devant les boîtes aux lettres en rentrant de leurs cours.

— Ruth, dit-il en lui prenant le menton. Je ne vois pas de quoi tu veux parler, ajouta-t-il en hochant la tête après qu'ils eurent échangé un long regard.

Ruth fit un effort pour ne pas rire devant ce qui ressemblait fort à la réplique d'un mauvais mélo.

— Parce que je suis un homme et que les hommes aiment les femmes, un point c'est tout. Crois-moi.

---

1. Fête qui célèbre la majorité religieuse de la jeune juive. Équivalent de la bar-mitsva pour le garçon.

— Papa...

— Et puis, la Californie, c'est si loin ! ajouta-t-il d'une voix qui lui fit comprendre qu'elle allait essuyer un refus.

Elle fut donc d'autant plus surprise quand, de la main qui ne tenait pas le cigare, il lui caressa le visage.

— Mais si tu y tiens tant et si tu reprends tes études dans un an ou deux, je te donne mon accord.

— Vraiment ? demanda Ruth qui se sentit soudain légère, soulagée et étonnée de voir rougir le visage de son père, comme s'il était sur le point de pleurer. Merci, papa, dit-elle en se penchant pour le prendre dans ses bras, tandis qu'il retirait vivement sa main pour ne pas la brûler, bien que le cigare fût éteint.

Elle avait dix centimètres de plus que lui. Tout en le serrant contre elle, elle contempla, au-dessus de sa tête, la grisaille de Pittsburgh.

« Dans ton quartier, les gens te trouvent peut-être moche, mais si tu crois que tu es capable de devenir comédienne, va voir M. Factor. D'un singe, il ferait une beauté », pensa-t-elle. Alors elle se rendit compte que ces phrases étaient extraites du texte que Shelly avait joint à sa lettre, les paroles de *Hourra pour Hollywood*.

— Quoi que tu fasses, ce sera bien, lui dit son père avant de s'en aller.

Ruth regarda s'éloigner sa silhouette.

— Merci, papa, fit-elle quand il fut trop loin pour l'entendre, puis elle retourna dans sa chambre pour faire sa valise.

Le jour où elle arriva à La-la, Los Angeles dans leur jargon familier, Shelly vint la chercher à l'aéroport. Il l'attendait à la porte avec un bouquet d'œillets et ne lui parla pas de sa mauvaise mine. Il la fit monter avec ses bagages dans la Coccinelle qu'il avait achetée, lui tendit un journal et lui conseilla de chercher un appartement meublé et bon marché.

Ils trouvèrent un petit deux-pièces dans le quartier ouest de Hollywood. C'était un endroit sordide, délabré, un trou à rats, mais ils étaient ensemble et ne le remarquèrent même pas. Des compagnons de chambre, des partenaires, les meilleurs amis du monde. Leur grand luxe, c'était un service de répondeur sur leur ligne téléphonique. Ils demandèrent à tous les opérateurs de leur transmettre des notes écrites pour être certains de ne rien laisser passer, de décrocher dès la première sonnerie chaque fois qu'il y avait un appel pour eux et de ne répondre qu'en donnant leur numéro. S'ils étaient tous deux à la maison quand le téléphone sonnait, l'un décrochait dès que l'opérateur entrait en scène pour connaître l'identité du correspondant.

— Oh ! Bonjour, maman. Je viens d'arriver, disait Shelly quand sa mère appelait.

Et Ruth faisait de même, dès que la sienne était au bout du fil. Pendant longtemps, nul ne les appela que leurs mères.

Ils louèrent aussi un piano qu'ils installèrent dans la salle de séjour pour que Shelly puisse y composer les mélodies pour lesquelles Ruth écrivait des textes, comme elle l'avait fait pendant l'été. Ils trouvèrent des petits boulots. Ruth travailla chez un détective privé auquel elle servit d'huissier. Shelly fut serveur à la Maison internationale des crêpes. Ruth fit l'accueil dans un salon de coiffure, Shelly tint un banc de fruits de mer dans un marché. Et la nuit, ils écrivaient. Ils commencèrent par reprendre leur numéro et, quand ils eurent mis le point final et furent prêts à l'essayer, ils passèrent leurs soirées dans des clubs où le public, qui attendait un guitariste ou un orchestre, les contraignait souvent à quitter la scène sous les huées.

Après avoir publié des annonces dans les journaux spécialisés, proposant leurs services pour animer des soirées, ils furent engagés pour l'anniversaire d'une charmante jeune fille de seize ans qui, ayant avalé du valium avant la fête et bu un punch corsé pendant la réception, dut être transportée d'urgence à l'hôpital, juste après leur premier sketch. La même annonce leur valut un engagement pour le dixième anniversaire de mariage de Phil et Myrna Stutz, qui annulèrent le matin même, car ils avaient décidé de remplacer la fête par un divorce.

Ruth et Shelly avaient pris pour agent un type qu'ils avaient rencontré au Palais de la Comédie et que l'on connaissait sous le nom de Schwartz la Gâchette. Pour Schwartz la Gâchette, dix pour cent de rien, ce n'était rien. Il suffisait donc de respirer pour qu'il accepte de vous représenter, se figurant que plus il aurait de clients, plus il aurait de chances de faire fortune.

La première fois qu'il décrocha une interview, on les

embaucha pour écrire un épisode du dessin animé du samedi matin, les aventures de *Rudy, le caniche*, chien musicien.

— Ce n'est pas exactement une nouvelle pour le *New Yorker*, dit Shelly alors qu'ils s'attelaient à ce premier scénario, mais on peut toujours essayer.

Ils eurent une bonne dizaine d'idées pour *Rudy, le caniche* et en vendirent neuf avant la disparition de l'émission.

Chaque soir, aussi dure qu'eût été leur journée, ils se rendaient au Palais de la Comédie et regardaient les comiques qui présentaient leur numéro. Ils prenaient des notes, se chuchotaient des idées à l'oreille et, à la fin du spectacle, ils faisaient le siège de l'un des artistes à l'affiche et le suppliaient de les écouter.

— Jerry, avez-vous une seconde ? lui disaient-ils, appuyés contre la portière de sa voiture pour qu'il ne puisse pas y pénétrer.

Ou bien :

— Écoutez, Joe, nous avons un truc hilarant pour vous.

Une fois qu'ils avaient piqué sa curiosité, ils lui racontaient leurs petites histoires, là, sur le ciment froid et à la lueur d'un lampadère rougeâtre. Parfois l'artiste les payait sur place. Mais le lancement de leur carrière, ils le durent à Frank Levy, un comique confirmé qui, n'ayant pas de liquide ce soir-là, leur signa une reconnaissance de dette.

— Les enfants, je n'ai pas mon portefeuille sur moi, leur déclara Frankie, mais j'adore le sketch du supermarché et je vous le paierai demain soir, d'accord ?

D'accord. Frankie Levy avait déjà participé à une célèbre émission du soir.

Le lendemain même, Frankie joua le sketch qu'avaient écrit Ruth et Shelly et il cassa la baraque. Heureux et dégoulinant du sueur, il sortit de scène, les bras levés en signe de triomphe. Pendant quelques minutes, il resta au fond du club à serrer des mains et à recevoir des tapes dans le dos qu'il savait avoir grandement méritées. Ruth et Shelly fendirent la foule à coups de coudes pour parvenir jusqu'à Frankie, puis ils attendirent que ceux qui l'entouraient aient regagné leurs sièges pour assister au numéro suivant, celui d'Eddie Shindler.

— Voilà comment on les met dans sa poche, Frankie, dit Ruth en lui tendant les bras.

Après le succès qu'il venait de remporter grâce à leur texte,

Frankie allait sûrement les serrer dans ses bras pour leur prouver sa reconnaissance. Elle était si près de lui qu'elle sentait la moiteur de son corps nerveux, mais il tourna les talons comme s'il ne l'avait jamais vue et sortit du bâtiment. Shelly mit un certain temps à comprendre ce qui venait de se passer.

— Il part demain pour l'Australie, dit-il. Je l'ai entendu le dire à Mitzi. Ce connard nous évite pour ne pas nous payer.

Ils se ruèrent à l'extérieur pour intercepter Frank Levy qui, à ce moment-là, était déjà en haut de la rampe du parking.

— Frankie ! hurla Shelly. Levy ne se retourna pas.

— Vous nous devez de l'argent, cria Ruth.

Mais Levy était déjà monté dans sa Cadillac noire et, en l'espace d'un instant, il passa devant eux en faisant crisser ses pneus.

— Espèce de sale voleur ! hurla Shelly qui descendit en courant jusqu'au bas de la rampe où la voiture de Levy était bloquée par la barre de bois noire et blanche qui avait momentanément entravé sa fuite. Tandis que Frankie tendait la main pour récupérer sa monnaie, Shelly sauta sur le capot, comme il l'avait vu faire dans un film de James Bond. Alors qu'il se trouvait là, ne sachant pas très bien que faire, Frank Levy fonça vers Sunset Boulevard, et cet instant d'héroïsme se termina tragiquement : Shelly fut projeté sur le ciment.

Au service des urgences de l'UCLA, l'attente est toujours interminable. Couvert de contusions, perclus de douleurs, Shelly s'assit sur un canapé et se blottit contre Ruth en attendant qu'un médecin l'examine. Il était plus de deux heures du matin et d'autres personnes attendaient là : un homme brun, barbu et corpulent qui avait la main bandée et garrottée, une femme qui raconta à Ruth qu'elle avait amené son mari qui souffrait d'une forte douleur à la poitrine, plusieurs heures auparavant, et qu'on ne l'avait appelé que quelques instants plus tôt ; et une famille assise, les yeux rivés sur la télévision où passait un vieux film d'Humphrey Bogart.

— Qu'est-ce que vous avez à la main ? demanda la femme au barbu.

— J'ai essayé de découper de la viande au couteau électrique, et ma main s'est trouvée sur le passage.

— C'était votre façon à vous de donner un coup de main, fit Shelly.

L'homme rit.

— Et vous ? demanda la femme à Shelly.

— Vous n'allez jamais le croire, dit Ruth qui répondit à sa place.

Alors, en guise de thérapie, ils racontèrent leur histoire, leur arrivée à Los Angeles, leur participation au dessin animé de *Rudy, le caniche* et les nuits entières passées à concevoir et à vendre des blagues, enfin leur rencontre avec Frankie Levy. Était-ce l'heure tardive ou l'absurdité de la situation qui leur donna cette liberté, cette décontraction et cette combativité, mais leur récit était si drôle que le rire des malades retentit entre les murs de la salle d'attente. Jamais Ruth et Shelly n'avaient eu un aussi bon public.

Quand une infirmière ouvrit la porte pour appeler le patient suivant, ce fut ressenti comme une interruption grossière.

— Monsieur Lee ?

Elle fit signe au barbu qui, avant de suivre l'infirmière, s'arrangea pour donner une tape dans le dos de Shelly de sa main valide.

— Je m'appelle Bill Lee, dit-il, et je suis producteur à NBC. J'aurais peut-être du travail pour vous deux, dans une émission diffusée à une heure de grande écoute, une émission pour John Davidson. Appelez-moi demain matin à NBC.

Le jour où ils entrèrent en fonctions, ils eurent beau prendre une attitude nonchalante, ils ne trompèrent personne. Ils avaient quand même pris la peine d'arriver au bureau avec une heure d'avance. Avant même qu'ils aient posé les yeux sur John Davidson, on leur avait confié la rédaction d'un dialogue entre John et son invité de la semaine, George Burns.

— Il nous le faut à quatre heures, leur annonça Bill.

— Parfait, firent-ils, mais quand ils eurent refermé la porte du placard qu'on leur avait assigné comme bureau, juste au-dessus d'un studio d'enregistrement, ils se regardèrent, terrifiés.

— Que faisons-nous ici ? demanda Shelly. Les meilleurs auteurs au monde ont écrit pour George Burns, quelques-uns du moins.

George Burns venait de remporter un triomphe dans *Ennemis*

comme avant, son premier film depuis *Honolulu*, qu'il avait tourné en 1939 avec Gracie Allen.

— Pas de panique ! déclara Ruth. Tu fais George Burns, moi, John Davidson, et on verra bien ce que ça donnera.

Shelly saisit son stylo noir et le coinça entre le pouce, l'index et le majeur, imitant George Burns et son cigare.

Ruth ne se sentait pas très bien. Ils n'étaient absolument pas préparés à cette expérience. N'auraient-ils pas pu débuter par une émission moins célèbre ? Moins drôle aussi ? Shelly baissa les yeux sur sa plume, comme le faisait George Burns avec son cigare, quand il était en train de réfléchir.

— John Davidson, dit Shelly en imitant un peu les attitudes de son personnage, vous êtes un garçon sympathique. Un beau garçon, même. Quel âge avez-vous ?

— J'ai trente-quatre ans, répondit Ruth, qui jouait le rôle de John Davidson.

— Trente-quatre ans ? poursuivit Shelly. C'est exactement le temps qu'il me faut entre deux films, ajouta-t-il, une lueur malicieuse à la George Burns dans le regard.

— C'est bien, dit Ruth en riant. Mais ne péchons pas par excès de confiance. Continuons.

Ils improvisèrent. Ils inversèrent les rôles. Ils notèrent, tapèrent à la machine, firent un nouvel essai, modifièrent, corrigèrent. Deux fois, ils reprirent entièrement leur dialogue. Il était presque quatre heures. A quatre heures pile, ils pénétrèrent dans le bureau de Bill Lee pour lui lire ce qu'ils venaient de terminer. Il rit. Il rit de plus en plus fort. Puis il arbora un large sourire de satisfaction. « J'ai été très bien inspiré d'engager ces deux-là », disait ce sourire.

En effet, quelques mois plus tard, ils étaient devenus les auteurs de télévision les plus en vogue.

6

Leurs deux noms inscrits sur un projet, c'était la promesse d'un texte qui « déménage », c'était aussi synonyme de « laissez-passer », de feu vert, de droits énormes que l'on engrangerait un peu plus tard et qui viendraient renflouer les émissions des autres scénaristes. Ils possédaient un style inégalable, vraiment drôle, avec un zeste d'émotion rare dans les comédies télévisées d'une demi-heure. On s'arrachait leur collaboration. Quinze ans après leur aventure avec George Burns, leur popularité était intacte. Le succès les avait enrichis et leur avait permis d'entretenir leurs parents vieillissants, de voyager et de voir le monde quand ils en avaient le loisir.

La seule chose qu'ils n'avaient ni l'un ni l'autre, c'était un grand amour, ce lien fugace pourtant idéalisé par l'industrie même qui leur avait valu tant de succès. Même si, chacun à leur façon, ils s'y étaient essayés. Ruth tomba amoureuse de Sammy Karp, un comique délirant, aux yeux bleus et aux cheveux bruns, qui voulait devenir comédien. Elle l'avait rencontré à l'Improv de Los Angeles, par une chaude nuit d'été, après la représentation, alors qu'elle était au bar, au milieu d'autres auteurs. Quand elle lui tendit la main en le félicitant du bon travail qu'il venait de faire, il la garda dans la sienne et lui lança un regard qui en disait long.

— Ruth Zimmerman, j'adore ce que vous faites. Si on dînait ensemble ?

Ils dînèrent ensemble à La Famiglia, chez Adriano, chez Musso. Par un accord tacite, chacun savait à quoi s'en tenir : Ruth avait de l'argent et Sammy se battait pour réussir. Elle prenait donc toujours l'addition. Quand *il* aurait percé, se disait-elle, il l'inviterait à dîner. C'était aussi ce qu'elle avait répondu à Shelly quand il lui avait posé la question. La semaine de son anniversaire, elle remercia Shelly mais repoussa sa proposition d'organiser une petite fête. Sammy l'emmenait danser au Starlight Room, en haut du Berverly Hilton, lui expliqua-t-elle.

Aucun homme ne l'avait jamais emmenée danser. Tandis que le piano, la basse et la batterie jouait *Call Me Irresponsible*, ils dansèrent l'un contre l'autre, les bras de Ruth enlaçant le cou de son partenaire et les bras de Sammy autour de la taille de la jeune femme, comme elle avait vu danser les couples au lycée, elle qui restait plantée devant le saladier de punch, feignant l'indifférence. Elle avait follement envie que Sammy lui fasse l'amour. Et quand il la conduisit jusqu'à la suite qu'il avait réservée à son nom à elle, elle attendit avec impatience qu'il ouvre la porte pour pouvoir enfin le toucher, en rendant grâce au champagne qu'elle venait de payer et qui avait noyé ses inhibitions.

Elle avait faim de lui, soif de lui, et ce qu'ils firent au lit la plongea dans l'embarras le lendemain matin. Quand elle ouvrit les yeux, elle put constater, à la lumière du jour et de la sobriété, qu'elle était seule dans une très grande suite. Nue, elle fit le tour de la pièce en essayant de retrouver le fil de ses propos et de ses actes. Elle s'était sans doute complètement ridiculisée. Mais elle se regarda dans la glace et aperçut le Post-it qu'il avait laissé sur sa poitrine. « Tu es fabuleuse. Je t'appellerai plus tard », y avait-il écrit. Pour la première fois de sa vie, elle se sentit belle et désirable.

Sammy l'appela si souvent au bureau, cette semaine-là, qu'elle dut quitter les séances de casting quatre fois pour répondre à ces coups de fil enflammés.

— Comment vas-tu, ma belle ? demandait-il avant de se lancer dans une conversation qui lui donnait l'occasion de s'informer sur tous ceux qui passaient une audition dans l'espoir de décrocher un rôle dans l'émission.

Ce ne fut donc pas une coïncidence quand, peu après qu'elle lui eut appris que l'on avait distribué le rôle principal, l'ardent intérêt qu'il lui portait sembla s'éteindre. Et ce soir-là, il ne vint pas à leur rendez-vous.

— C'est vraiment ce que l'on peut appeler un comique vulgaire, dit Ruth à Shelly.

Tout en regardant, une fois de plus, par la fenêtre pour

guetter la voiture de Sammy, elle essayait de prendre cette déconvenue à la légère.

Shelly eut, quant à lui, une grand histoire d'amour avec Les Winston, un bel homme d'une cinquantaine d'années, chaleureux, talentueux, les cheveux blancs et un superbe bronzage permanent. Les était designer, et ses meubles de jardin en teck se vendaient dans le monde entier. Il vida, pièce à pièce, l'appartement que Ruth et Shelly partageaient dans le quartier ouest de Hollywood, de tout son mobilier qui, disait-il, venait d'un « magasin bon marché pour jeunes gens économes » et le remplaça. Ruth aimait la créativité de Les et son sens de l'humour. Leur mutuelle admiration pour Shelly scella leur amitié.

Les deux hommes envisagèrent une ou deux fois de s'installer ensemble, ce qu'ils auraient sans doute fait si Shelly n'avait un jour reçu un coup de téléphone qui le foudroya sur place. Le frère de Les venait de lui apprendre que celui-ci était mort subitement d'une hémorragie cérébrale. Il fallut à Shelly deux longues et difficiles années pour s'en remettre.

Mais le bourreau des cœurs le plus redoutable, ce fut sans conteste Davis, le charmant Davis Bergman. Ruth le rencontra un soir, à l'une de ces réceptions que l'on donnait à Radford, dans les studios de CBS, pour fêter la projection d'une émission pilote. C'était un avocat d'affaires, spécialisé dans le spectacle, partenaire de Porter, Beck et Bergman, un cabinet de grand renom. Il était juif et séparé de sa femme. Ils étaient engagés dans une procédure de divorce et n'avaient jamais eu d'enfants. Or dans l'accord entre les deux parties, ce fut *lui* qui obtint la grande maison de Santa Monica. L'homme idéal.

— Qu'en penses-tu ? demanda une Ruth quelque peu nerveuse à Shelly qui était resté dans un coin à bavarder avec Michael Elias, l'un des producteurs du *Premier de la classe*.

Ruth tenta de l'entraîner avec elle.

— Je le trouve très bien. D'ici.

— Viens, je vais te le présenter. Il est drôle. Je n'arrive pas à concevoir que l'on puisse être à la fois drôle et avocat.

Elle tira Shelly par la main jusqu'à l'endroit où se trouvait Davis Bergman et les présenta l'un à l'autre.

— Shelly Milton, Davis Bergman.

— Je ne fais jamais confiance à quelqu'un qui a deux patronymes, rétorqua Davis en serrant la main de Shelly.

Tous trois éclatèrent de rire. Ruth se sentit rougir. Peut-être était-ce à cause de son régime. Cela faisait six semaines qu'elle suivait un régime draconien. Elle se sentait trompée, frustrée, malheureuse, mais elle avait perdu huit kilos, et une saine alimentation lui avait donné un teint superbe. C'était sans doute ainsi que Dieu compensait ses malheurs. En lui prouvant que les Davis Bergman du monde entier étaient susceptibles de s'intéresser aux filles bien disciplinées, ou du moins de leur adresser la parole dans les cocktails.

Davis leur raconta quelques anecdotes savoureuses d'avocat hollywoodien et, quand la réception toucha à sa fin, il parut déçu. Alors Shelly — Ruth lui en fut ô combien reconnaissante — leur proposa d'aller prendre un café au Hamburger Hamlet de Sunset Boulevard. Davis accepta. Ruth, qui était venue dans la voiture de Shelly, se rendit au restaurant dans la Porsche de Davis et, rongée par la nervosité, contempla sa main sur le levier de vitesse. Elle aurait aimé y poser la sienne, mais elle n'osa pas.

— Scénaristes de comédies, dit Davis, une fois qu'ils furent installés à une table, comme s'il s'émerveillait de la bonne fortune qui lui avait fait croiser le chemin de ces deux excentriques. Je m'occupe de quelques scénaristes, mais ils sont tous très sérieux.

Ils bavardèrent ainsi pendant des heures, une conversation entrecoupée de rires.

Davis habitait Santa Monica, presque sur le chemin de la plage, et Ruth craignait qu'il ne comprît pas bien qu'elle eût choisi de vivre avec Shelly.

— Shelly peut me raccompagner, dit-elle quand ils se retrouvèrent sur le parking.

— Parfait, répondit-il en lui lançant un regard tendre.

Shelly s'apprêtait à engager sa Mercedes sur Sunset Boulevard quand Davis vint se placer à leur droite, ouvrit sa vitre et fit signe à Ruth de faire de même.

— J'ai des billets pour une projection à la Guilde des Réalisateurs, demain soir. Voulez-vous m'accompagner ?

— Bien sûr, dit Ruth d'un ton qu'elle espérait détaché.

— Je passe vous prendre ?

— Je vous rejoindrai, répondit Ruth à la hâte.

— Huit heures, dit Davis avant de disparaître.

— Mais il te donne rendez-vous ! fit Shelly d'un air

moqueur, tout en appuyant sur le champignon. Tu remplis ton carnet de bal !

— Shellllyyyy ! grinça Ruth. Il est *tellement* adorable !

— Je t'en prie. Je le déteste déjà, ce salaud. Tu vas tomber amoureuse de lui, te marier, je vais perdre ma colocataire, tu ne voudras plus travailler et je n'aurai plus de partenaire.

Ruth décida de lui rendre la monnaie de sa pièce.

— Shel, tu sais bien que je ne t'abandonnerai jamais, le taquina-t-elle. Tout d'abord, je t'inviterai à dîner sans arrêt... et pour toutes les vacances. Au bout de quelque temps, Davis sera tellement habitué à ta présence que tu pourras partir en vacances avec nous. Nous serons les Trois Mousquetaires, juré !

Le lendemain matin, elle envoya Shelly travailler seul et fit des courses chez Eleanor Keeshan. Elle s'acheta un nouveau pull, un pantalon noir dans lequel elle semblait presque mince et un chemisier de soie bleu roi et noir, assorti au pantalon. Elle était équipée pour son prochain rendez-vous. Tandis que la vendeuse vérifiait son numéro de carte de crédit, elle fouina avec mélancolie dans les rangées de superbes robes de soie, d'ensembles pantalons et de lingerie fine.

Ce soir, elle allait réaliser une performance à la fois personnelle et mondaine : voir le même homme deux jours de suite. Évidemment, la veille, Shelly était avec elle, mais ce n'en était pas moins une sorte de rendez-vous. Peut-être son tour était-il enfin venu. Avec quelqu'un qui l'estimerait à sa juste valeur. Si c'était vrai et s'ils devaient continuer à sortir ensemble, elle entrerait dans des tas de magasins comme celui-ci et passerait des heures entières en essayages. A contempler chaque article en se demandant : Est-ce que cela *lui* plaira ? Quelle occasion aurons-nous, lui et moi, où je devrai m'habiller ? Ah oui, ce dîner avec ses clients et le lunch des femmes d'avocats.

« Davis, s'il te plaît... », pensa-t-elle en revenant vers le comptoir pour y prendre son paquet. Quand elle passa devant le miroir à trois faces, elle se trouva un peu massive malgré son amaigrissement récent et se promit que, pour Davis, elle mourrait de faim jusqu'à ce qu'elle ait perdu sept kilos de plus. Lorsqu'elle arriva au bureau, Shelly était parti déjeuner. Elle s'installa et fit une chose qu'elle n'avait pas faite depuis des années : elle dressa la liste de ses demoiselles d'honneur.

Après la projection, ils se rendirent au Vieux Monde, un restaurant de Sunset Boulevard. Ruth commanda une soupe de légumes, Davis une omelette. Et la manière dont il plongea la cuillère dans son bol pour goûter avait quelque chose de si intime qu'elle eut l'impression de pouvoir se confier à cet homme. Davis était « de ceux que l'on épouse », comme disaient ses camarades de fac de Pittsburgh.

Tandis qu'ils bavardaient, une femme étonnamment belle passa devant leur table. Ruth remarqua que Davis l'avait vue, mais son regard ne s'était pas attardé sur elle, il ne l'avait pas dévorée des yeux comme d'autres hommes à d'autres tables. C'était bien la preuve qu'il prêtait attention à ses sentiments, ce qui le lui rendit encore plus proche. Quand la table fut desservie et qu'elle eut terminé sa seconde tasse de café, elle lui avait tout dit de sa vie. Elle lui avait même parlé de ses deux frères morts quand elle était toute petite, de son amour pour Shelly, lui expliquant pourquoi ils vivaient comme frère et sœur.

Davis ne jugea pas, ne fit aucun geste qui eût pu refléter la moindre réprobation. Il n'y avait rien à redire, semblait-il. Et Ruth l'invita à dîner. Elle réussirait sûrement à convaincre Shelly de faire la cuisine.

— Seulement si vous me permettez de vous rendre cette invitation et de préparer quelque chose pour vous deux, répondit Davis.

— Bien entendu, dit Ruth d'une voix qui lui parut, hélas, trop forte ou trop impatiente.

Elle n'aurait pu imaginer meilleure issue. Davis aimait aussi Shelly.

Quand sa mère l'invita pour la Pâque en lui faisant comprendre, comme seule sa mère savait le faire, que ce serait peut-être la dernière fois que son père la fêterait avec elles (« Avec le cœur qu'il a, il peut nous quitter à tout instant. Il faut qu'il garde un cachet sous la langue, rien que pour écouter les infos de onze heures ») , elle accepta aussitôt.

Les quelques jours où elle dormit dans son ancienne chambre ne lui firent pas regretter d'être revenue. Son père présida lui-même la petite cérémonie religieuse et, à l'exception de la carpe farcie, Ethel Zimmerman avait préparé tous les plats traditionnels que Ruth avait connus dans son enfance. Au cours du dîner, sa mère évoqua même une fois le souvenir de Martin et de Jeffrey, ce qui était fort rare.

— Quand ils étaient petits garçons, ils disaient toujours : « Maman, quand nous serons grands, nous nous marierons le même jour. Ce sera la plus belle fête du monde. Et papa et toi, vous serez le roi et la reine de notre mariage. Il y aura plein de gâteaux et l'on dansera au son d'un orchestre, comme le jour de notre bar-mitsva [1]. »

— Mais, renchérit son père, je leur ai dit que la différence, c'est que je n'aurais pas un sou à débourser. Je plaisantais car, pour un mariage, c'est toujours le père de la mariée qui paie, ajouta-t-il.

Le silence retomba tandis qu'ils mangeaient ensemble la soupe aux boulettes. Ils pensaient tous à la même chose. Que dans cette famille il n'y avait pas eu de mariage.

Davis. Il plairait certainement à ses parents, se disait Ruth. Bien sûr, il était divorcé ou le serait bientôt, mais cela, ils le lui pardonneraient. Après lui avoir parlé, après avoir succombé à son charme, sa mère fondrait et son père dirait : « Il a la tête sur les épaules. »

— J'ai un ami, fit-elle calmement.

Sa mère laissa tomber sa cuillère dans son assiette.

— En plus de ce Sheldon ?

Ce Sheldon. Après toutes ces années, elle disait encore « ce Sheldon », chaque fois qu'elle parlait de Shelly.

— Alors qui ? s'enquit son père.

— C'est un avocat. Un avocat du spectacle. Juif.

A chaque mot, elle voyait sa mère se redresser un peu. Peut-être n'était-ce pas une bonne idée. Prématuré. Davis ne l'avait même pas encore embrassée.

— Divorcé.

— Eh bien, fit aussitôt sa mère, cela arrive.

Pendant quelques instants, on n'entendit plus que les lampées de soupe, jusqu'à ce que Mme Zimmerman n'y puisse plus tenir.

— Écoute, dit-elle, la fille de Molly Sugarman a attendu

---

1. Cérémonie qui célèbre la majorité religieuse des jeunes juifs, vers l'âge de treize ans.

quarante ans pour avoir son premier enfant, et le bébé se porte à merveille.

— Ethel, s'il te plaît, intervint son père. Attends d'avoir rencontré ce monsieur avant de parler bébés.

— Pourquoi ne pas faire de projets ? Tu crois que c'est facile d'obtenir une salle de réception au Webster Hall ? Il faut parfois retenir trois mois à l'avance.

— Ruthie, lui dit son père en se tournant vers elle avec grand sérieux, tu nous préviendras ? Et tu ne t'enfuiras pas avec ton fiancé ?

— Je te le promets, papa.

Ce soir-là, quand ses parents furent endormis, elle resta éveillée dans son vieux lit et se remémora le jour où Davis l'avait conduite à l'aéroport. Il l'avait serrée dans ses bras en lui disant qu'elle lui manquerait. Elle en avait souri pendant tout le voyage. Le lendemain, elle serait de retour à Los Angeles, et les choses sérieuses allaient sûrement commencer. Ruth attendait tout cela avec impatience.

Avant de se retourner pour s'endormir, elle songea qu'il n'était que huit heures à Los Angeles. Pourquoi ne pas appeler la maison pour voir comment ce bon vieux Shel se débrouillait sans elle ? Elle décrocha le récepteur du téléphone rose que ses parents lui avaient offert pour ses seize ans et composa son propre numéro.

— Bonsoir.

— Salut, c'est moi.

— Ruthie ! s'exclama Shelly d'une voix forte. Heu... Salut, Ruthie.

On entendait du bruit au fond de la pièce.

— Je vais baisser le son, fit-il avant de quitter le téléphone, trop longtemps pour qu'il se soit contenté de baisser le son dans leur petit appartement.

— Alors, comment ça va ?

— Shel, c'est tellement touchant, lui confia-t-elle. Mes parents ont vraiment été merveilleux, cette fois. Ce soir, ils ont même évoqué mes frères. Et peut-être est-ce parce qu'ils ne m'ont absolument pas tannée, mais je leur ai parlé de Davis.

— De Davis ? fit-il, à nouveau beaucoup trop fort. Que leur as-tu dit de Davis ?

— Que je sors avec lui, qu'il est fantastique et qu'il me

convient parfaitement. Alors ma mère m'a dit qu'elle connaissait quelqu'un qui a eu un bébé à quarante ans. C'est dingue, non ?

Il n'y eut pas de réponse.

— Shel ?

— Je suis là.

— Ça va ?

— Oui, oui, ça va. Tu rentres demain ?

— A deux heures dix.

— Tu veux que je vienne te chercher ?

— Est-ce que Davis a téléphoné ? Il a dit qu'il t'appellerait pour voir si tout allait bien pendant mon absence et pour savoir quand je reviendrais. Je pensais qu'*il* viendrait probablement me chercher.

— Je le lui dirai.

— Excellente idée. Passe-lui un coup de fil et rappelle-lui que j'arrive à deux heures. Vois s'il peut passer me prendre. Sinon je serai ravie que *tu* viennes.

Elle alluma la lampe de chevet rose et chercha son sac. Quand elle l'eut trouvé, elle en sortit son petit carnet de téléphone.

— Voilà, dit-elle à Shelly. Je te donne son numéro.

— Je n'ai pas besoin de son numéro, répondit Shelly. Il est assis à côté de moi.

7

Barbara Singer regarda Ruth Zimmerman qui était assise en face d'elle. Elle n'était certes pas cette fille sans charme qu'elle évoquait sans cesse en racontant sa vie. Elle possédait une sorte de séduction peu commune. Quant aux plaisanteries dont elle émaillait son récit, ce n'était qu'un subterfuge que Barbara connaissait bien, puisqu'elle aussi dissimulait ses sentiments derrière le paravent de son humour. Tout cela semblait mener à quelque chose de pénible et de lourd à porter.

— Que s'est-il passé quand vous êtes rentrée de Pittsburgh ? lui demanda Barbara.

— Shelly et Davis sont venus me chercher à l'aéroport et m'ont annoncé qu'ils m'aimaient tous les deux, mais qu'ils s'aimaient aussi passionnément et qu'ils étaient certains que je comprendrais. Et vous savez quoi ? J'ai *compris*. Parce que je les trouvais tous les deux tellement fantastiques que cela me paraissait normal qu'ils soient ensemble et pas avec moi. Un peu comme Groucho Marx qui disait qu'il n'appartiendrait jamais à un club qui l'accepterait pour membre.

» Shelly et moi, nous avons continué à travailler ensemble, mais il s'est installé chez Davis et je me suis acheté un appartement à Brentwood. En fait, nous n'étions alors qu'associés professionnellement.

— Vous semblez considérer tout cela avec beaucoup de réalisme. Est-ce bien ce que vous ressentiez ?

— Vous voulez rire ? A l'époque, j'avais envie de les tuer tous les deux. J'en voulais à mort à Davis de m'avoir utilisée pour parvenir jusqu'à Shelly. J'en voulais à Shelly de m'avoir pris Davis. Et je m'en voulais à moi d'être la reine des idiotes. Mais je me suis comportée comme si la situation me convenait parfaitement. Alors je n'ai pas fait de drame et j'ai dit : « Bon, pas de problème ! » Parce que je ne pouvais pas renoncer.

— A quoi ?

— A Shelly, dit-elle avec une expression telle que Barbara rapprocha d'elle la boîte de mouchoirs en papier. Je ne pouvais pas supporter l'idée de le perdre.

Un matin, ils étaient en train de terminer le scénario d'un nouveau projet dans l'appartement de Ruth, quand leur agent les appela pour leur demander s'ils acceptaient d'écrire le film de la semaine pour Pam Dawber.

— Je pense que tu devrais le prendre, dit Shelly.

Ruth regarda sa montre.

— Mon Dieu, Shel, c'est presque l'heure du déjeuner et nous ne savons toujours pas comment nous allons conclure le premier acte.

— J'ai l'intention de m'arrêter de travailler un moment, lui dit-il.

— Moi aussi. Je vais chercher mon linge et prendre un sandwich. Je serai de retour vers deux heures. Alors nous devrons décider ce que nous ferons pour le deuxième acte et rappeler Solly pour le scénario de Pam Dawber. Veux-tu que je te rapporte quelque chose ?

— Je veux dire que je vais m'arrêter longtemps, Ruth. Je ne ferai ni le film de Pam Dawber ni aucun autre projet. Parce que Davis désire que je sois plus souvent à la maison. Que je travaille avec l'architecte sur les plans de transformation...

Non ! Elle n'en croyait pas ses oreilles. Voilà qu'il allait cesser d'écrire avec elle !

— Et être sa femme ?

Ruth laissa éclater sa colère, comme si toute sa vie s'écroulait.

— Non. Pas question ! Non.

Shelly ne broncha pas.

— Tu veux dire que tu vas reprendre les choses là où les avait laissées la précédente Mme Bergman ? Shel, c'est de la folie. Ne le laisse pas te faire ça. Tu finiras par jouer au tennis et par faire les courses tous les jours. Tu gaspilleras ton talent. Tu ne vas quand même pas renoncer à un bon métier pour rester au foyer et jouer les maîtresses de maison !

Ruth s'assit au bord de son bureau et regarda par la fenêtre.

Elle était fatiguée. Ils avaient travaillé des heures interminables pour boucler leur projet au plus vite, et elle n'avait plus envie que d'une chose : s'accorder une longue sieste.

— Hé ! s'exclama Shelly. Cette idée me plaît. J'ai travaillé toute ma vie, j'ai tapoté sur ce foutu piano, écrit des chansons et des sketches idiots pour gagner quelques dollars. J'abandonne un métier épouvantablement dur pour faire la grasse matinée, déguster des repas fins et revoir la décoration. Et dans mon cas, c'est avec quelqu'un que j'aime. Pourquoi est-ce si mal ? Tu ne signerais pas tout de suite ? Bien sûr que si !

C'est un coup bas, pensa-t-elle, puisqu'ils savaient fort bien tous les deux qu'elle avait projeté de conclure exactement le même marché. Elle sortit du bureau, puis de l'immeuble, et faillit se faire renverser par une voiture en traversant Sunset Boulevard au feu vert.

— Ruuuuthie !

Davis l'accueillait toujours très chaleureusement quand elle appelait Shelly, mais peut-être y avait-il une pointe de moquerie dans cet accueil.

— Comment se porte le marché de la comédie ? demandait-il, et elle ne savait que lui répondre.

Parfois, tard le soir, elle restait étendue dans son lit. Elle aurait aimé parler à Shelly, aller dans la pièce d'à côté et le retrouver comme au temps béni où ils vivaient ensemble. Alors elle l'imaginait chez Davis.

Mais jamais elle ne pensait à l'aspect sexuel de leur relation. Elle imaginait une vie douillette qui lui faisait envie. Shelly et Davis lisant ensemble le journal du dimanche, faisant les mots croisés, jouant au Scrabble. Pour ce qui était du Scrabble, Davis ne serait jamais un adversaire aussi brillant qu'*elle*.

Elle termina le projet de Pam Dawber et on lui proposa un contrat exclusif de deux ans pour écrire des scénarios pour la filiale de télévision de la Twentieth Century-Fox. Elle disposerait d'un bureau, d'une secrétaire au studio et d'une place de parking, serait royalement payée et n'aurait à écrire que quelques synopsis. Shelly était sidéré.

— Combien vont-ils te donner ? Ils ne nous ont jamais proposé une telle somme !

— Je serais donc ravie de la partager avec toi, dit-elle en

pressant son quartier de citron sur sa salade et en regardant gicler le jus. Remets-toi au boulot, c'est tout !

— Peux pas, crut-elle entendre mais, un peu plus tard, en y réfléchissant, Ruth pensa qu'il avait peut-être dit autre chose.

Un soir, après que Davis et Shelly furent revenus d'Hawaï, Shelly invita Ruth à dîner. Davis fit griller un poulet au barbecue, tandis que Shelly préparait une salade à l'intérieur de la maison avec l'aide de Ruth. Shelly semblait bouleversé.

— Il va passer plusieurs mois à New York pour ses affaires, dit-il à voix basse pour que Davis ne puisse pas l'entendre. Je vais devenir fou sans lui. Je t'appellerai sûrement toutes les cinq minutes pour que tu me consoles.

Ruth était mal à l'aise maintenant chaque fois qu'elle se trouvait en présence de Shelly. Il avait des états d'âme au sujet de Davis, faisait grand cas de ses humeurs et de ses sentiments, ne projetait rien qui ne tournât autour de son emploi du temps et de ses lubies. Après leur avoir dit bonsoir à tous les deux, elle monta dans sa voiture et songea qu'elle n'avait nulle envie que Shelly l'appelle pour se faire consoler. Et elle ne l'appellerait pas non plus. Elle s'était fait quelques amies à la Fox, d'autres scénaristes et une femme qui était chargée de la distribution. Elle organiserait des dîners, serait toujours prise, et Shelly se débrouillerait très bien sans elle.

Il y avait des années de cela, à la résidence de Pittsburgh, elle avait entendu une fille pleurer dans la chambre voisine.

— J'ai appelé ma mère pour lui annoncer qu'il avait rompu, confiait-elle à une amie. Qu'il m'avait repris la bague pour la donner à une autre le jour même, et tu sais ce qu'elle m'a répondu ? Elle m'a dit : « Jette-toi à corps perdu dans le travail. » Me jeter à corps perdu dans le travail ! Ma vie est fichue et c'est tout ce qu'elle trouve à dire !

On entendit l'écho de ses pleurs entre les murs du bâtiment pendant des heures.

Ruth songeait à cet incident en essayant de s'atteler à la tâche. Elle écrivit un autre scénario pour « Le film de la semaine » et fut engagée pour un projet intitulé *Les Enfants de May*, l'histoire d'un chasseur de talents, spécialisé dans les enfants. Un beau jour, elle se rendit compte que cela faisait plus de deux mois qu'elle n'avait pas adressé la parole à Shelly. Apparemment, il s'en était très bien tiré tout seul à la maison, pendant le voyage d'affaires de Davis. Cela lui faisait de la peine. C'était une chose qu'il soit trop occupé pour penser à elle quand il vivait avec son amant, mais quand il était seul, c'était une autre histoire. Pas un coup de fil. Il y avait peut-être quelque chose qui ne tournait pas rond. Peut-être devrait-elle lui téléphoner.

Il était dix heures du soir, pas vraiment une heure pour appeler comme ça, sans crier gare. Le téléphone sonna dix ou douze fois, et Ruth allait raccrocher quand elle entendit une toute petite voix calme qui disait bonsoir à l'autre bout de la ligne. Mon Dieu, elle les avait réveillés. Cette voix ne ressemblait pas à celle de Shelly.

— Shel ?

— Oui.

— Shelly, c'est Ruthie.

— Salut, Ruth, dit-il. Oh, mon Dieu ! ajouta-t-il aussitôt, au bord des larmes.

— Qu'est-ce qui ne va pas ?

— Rien.

— Tu es sûr que ça va ?

— Ça va.

— Alors pourquoi as-tu l'air... ?

— Je ne peux pas parler. Je ne peux pas. Je ne peux plus parler à personne, fit-il avant de raccrocher.

Cela n'allait pas du tout. Si Davis était à la maison, Shelly ne pourrait rien lui dire. Cela ne servait donc à rien de le rappeler et d'essayer de lui tirer les vers du nez. Pourquoi ne pas y aller ? Ce n'était pas très loin. Une bruine légère tombait inlassablement. Elle l'apercevait sur la terrasse, derrière les portes coulissantes de la salle de séjour. C'était de la folie. Enfiler des chaussures, un imperméable, se mettre en quête de ses lunettes et de ses clés, et foncer vers Santa Monica pour découvrir que Shelly et Davis avaient eu une querelle d'amoureux.

Non. Elle allait s'asseoir et rédiger les dernières notes de son projet de scénario. Puis elle prendrait un bon bain en essayant de ne pas penser à Shelly et au ton dramatique de sa voix au téléphone. La baignoire était presque pleine quand elle changea d'avis. Au fond d'elle-même, une petite voix susurrait — et cette petite voix était toujours de bon conseil — qu'il fallait prendre la voiture, aller chez Shelly et voir ce qui s'y passait. Elle enfila un imperméable sur un pantalon de survêtement et un sweatshirt de l'UCLA, dénicha ses vieilles baskets sous le lit, repéra ses clés sur le comptoir de la cuisine et descendit dans le froid et paisible garage de son immeuble.

« Pourquoi est-ce que je fais ça ? » se demanda-t-elle à voix haute en ouvrant la portière de sa voiture. Et tandis qu'elle roulait dans les rues luisantes de pluie, elle se répétait : « Pourquoi est-ce que je fais cela ? »

La voiture de Davis n'était pas garée devant la maison. Celle de Shelly était là. Ruth franchit le portail, éteignit les phares et, quand elle eut coupé le moteur, elle hocha la tête en se disant qu'elle était complètement stupide d'être accourue comme cela. La pluie avait cessé, et tout était parfaitement calme. Peut-être suffirait-il de jeter un coup d'œil par la fenêtre pour voir si tout allait bien.

Elle sortit lentement de la voiture et referma la portière avec précaution pour faire le moins de bruit possible. L'herbe humide dégageait une odeur douce et la lune jetait une lumière blanche sur la maison. Ruth avança de fenêtre en fenêtre, regardant dans chaque pièce, d'abord dans la jolie salle de séjour rustique à la française, puis dans la salle à manger, enfin dans la cuisine jaune et bleue. Tout était faiblement éclairé. Tout semblait en ordre. Davis était absent, Shelly dormait et, demain, il l'appellerait pour lui expliquer pourquoi il s'était comporté de manière si étrange. Mais alors pourquoi ne pouvait-elle s'empêcher de tourner la poignée de la porte de la cuisine qui n'était pas verrouillée, mon Dieu, pas verrouillée, et pourquoi l'ouvrait-elle ?

Ses baskets grincèrent sur le sol carrelé. Elle avait si peur qu'elle sentait des vagues de panique la traverser comme des flèches, mais elle était pourtant incapable de rebrousser chemin. Elle se dirigea vers l'escalier, monta rapidement les marches, passa devant les deux chambres d'amis et s'avança vers l'immense suite toute neuve, dont la porte était grande ouverte. Il n'y avait personne à l'intérieur. Mon Dieu ! Davis et Shelly étaient partis avec la voiture de l'avocat. Peut-être s'étaient-ils vraiment disputés. Ils étaient sortis boire un verre pour prendre le temps de s'expliquer. Ils rentreraient sans doute d'une minute à l'autre et la trouveraient là. Ne serait-elle pas mortifiée ? Il fallait absolument sortir d'ici.

Elle fut alors saisie d'une brusque envie de faire pipi. Une envie si pressante qu'elle n'aurait pas le temps de regagner sa voiture, de démarrer et d'atteindre une station-service. Jamais. Elle n'avait plus qu'à se précipiter vers la salle de bains, puis à courir jusqu'à sa voiture et à décamper avant qu'ils rentrent à la maison. Elle n'avait jamais vu la grande salle de bains depuis qu'elle avait été refaite. Elle avait regardé les plans une ou deux fois et savait en gros ce qu'ils voulaient en faire. C'était l'occasion de la visiter, pensa-t-elle en pouffant d'un petit rire devant le ridicule de la situation. C'était sûrement ainsi que Shelly verrait les choses si jamais ils en parlaient tous les deux, seul à seule. Le fantôme qui fait pipi et qui s'enfuit dans la nuit.

Elle n'osa pas allumer la lampe. Et s'ils arrivaient à ce moment précis et apercevaient de la lumière alors qu'ils avaient laissé les lieux dans l'obscurité la plus totale ? Elle dut avancer à tâtons jusqu'aux toilettes et... Seigneur ! Qu'y avait-il sur le sol ? Non. Qui était-ce ? Le rayon de lune qui filtrait par la fenêtre lui permit de reconnaître Shelly, pelotonné au pied de la baignoire en marbre, un flacon de cachets vide gisant à ses côtés. Mort. Vidé de toute énergie. Parti. Mort. Shelly.

Paralysée d'horreur, elle tomba à genoux et posa la tête sur son corps sans vie. Elle entendit sa propre voix, lointaine, supplier Shelly de lui dire pourquoi il avait fait ça. Comment avait-il pu l'abandonner ainsi ? Envahie par le ressentiment, elle frappa ce corps maigre et inerte, et hurla son nom quand tout son être frémissait de l'horreur de sa disparition. Shelly, son amour. Mort.

La tête posée sur sa poitrine, elle pleura à s'en faire éclater les veines. Alors elle comprit que ce battement qu'elle entendait n'était pas dans sa tête. C'était un battement de cœur. Un battement de cœur ! Vivant.

— Shelly !

Elle se redressa, lui saisit les bras, le fit asseoir et le secoua.

— Shelly, tu es vivant ! cria-t-elle à ce visage dont la mâchoire s'était affaissée.

Elle savait qu'elle devait faire quelque chose, du bouche à bouche, mais comment procéder ? Il fallait trouver quelqu'un de compétent. Elle lui reposa doucement la tête sur le sol, se précipita dans la chambre obscure, tâtonna pour trouver un interrupteur, saisit le téléphone et composa le 911.

Quand elle eut donné à l'opérateur les renseignements

nécessaires et qu'elle fut sur le point de retourner à la hâte dans la salle de bains pour tenter de ranimer Shelly, son regard se posa sur la table de chevet et là, sans rien autour, il y avait une vieille photo d'elle. Elle se rappela le jour où Shelly l'avait prise. Ils étaient allés sur un manège de chevaux de bois, sur la jetée de Santa Monica. Bronzée pour la première fois de sa vie, elle portait un short et une chemise. Elle levait les bras en signe de joie. Ruth pinça les lèvres. Elle avait tout d'une sorcière, une sorcière frisée. Pourtant Shelly l'avait fait encadrer et l'avait gardée à son chevet. Ruth se dirigea d'un bon pas vers la salle de bains.

— Tu vas vivre, espèce d'idiot ! déclara-t-elle au corps inerte. Je suis venue te dire, ajouta-t-elle en s'agenouillant près de lui, puis en le prenant dans ses bras, que quelqu'un qui est capable de regarder cette photo tous les jours peut très bien survivre à un lavage d'estomac. Pour moi, Shel. Il faut que tu vives. Pour moi.

Pendant les deux jours qu'il passa à l'hôpital, Ruth resta à ses côtés. Elle dormit dans un fauteuil avec une couverture qu'une infirmière compatissante lui avait apportée. Shelly refusa de dire quoi que ce soit avant qu'elle l'eût tiré de l'hôpital pour le ramener chez elle, dans sa chambre à présent « décorée par un décorateur ». Il commença naturellement par plaisanter.

— C'est ce papier peint ou moi, dit-il après avoir jeté un coup d'œil circulaire et fait la moue.

Puis il s'endormit.

Ruth fut étrangement réconfortée quand elle s'allongea sur le canapé de sa nouvelle salle de séjour, de le savoir tout près d'elle. Plus tard, quand elle lui apporta une tasse de thé, il fixa la fenêtre du regard.

— Davis a décidé de retourner avec sa femme. Il l'a revue à New York, ils sont restés ensemble et il veut reprendre la vie commune. Il m'a demandé de vider les lieux à la fin de...

Sa voix se mit à trembler et il enfouit son visage dans un oreiller.

— Shel, non ! dit Ruth qui vint s'asseoir auprès de lui. Tu surmonteras tout ça. Tu vas te remettre au travail. Nous allons travailler ensemble sur mes projets et nous amuser comme avant. Bientôt, tu rencontreras quelqu'un d'autre.

— Il aurait mieux valu que tu ne me trouves pas. Tu as

perdu ton temps. Je recommencerai un jour ou l'autre. Je ne veux pas vivre sans lui. Je ne veux pas reprendre le boulot. Je veux rester à la maison et...

— Avoir des enfants ?

Il y avait de la colère dans son ton moqueur, mais Shelly la regardait avec le plus grand sérieux.

— Oui, répliqua-t-il. J'aimerais beaucoup ça.

Ruth rit.

— Tu as raison. J'aurais dû te laisser te foutre en l'air. Tu es complètement cinglé !

Elle se leva et lui effleura la main.

— Pendant que tu dormais, j'ai jeté tous les cachets et j'ai caché tous les objets coupants de la maison. Alors si tu veux recommencer, il faudra que tu ailles ailleurs. J'ai une réunion à ABC.

Elle était déjà dans le garage de l'immeuble quand une idée lui vint à l'esprit, si forte qu'elle fit volte-face et appuya sur le bouton de l'ascenseur. Comme celui-ci était trop lent, elle monta quatre à quatre jusqu'au troisième étage et courut dans le couloir qui menait à son appartement.

— Shelly ?

Il était dans la salle de bains, porte close.

— Shelly, ne fais pas l'idiot ! hurla-t-elle devant la porte.

Elle s'aperçut, en tentant de l'ouvrir, qu'elle était fermée à clé.

— Pour l'amour du Ciel, je suis aux toilettes ! répondit-il.

Il émergea quelques minutes plus tard, l'air hagard, le teint verdâtre.

— Je croyais que tu avais une réunion.

— Oui, dit-elle, mais c'est plus important. Shelly, si on faisait un enfant ensemble ?

— Rien que ça !

— Nous n'avons pas besoin de faire l'amour ! Il y a des tas d'autres moyens.

— Entendre ça !

Mais, l'espace d'une seconde, elle décela, dans son regard, un sourire qui lui rappela son vieux Shelly.

— Il y a même des femmes homosexuelles qui font ça avec une poire.

Elle avait touché le point sensible. Il souriait, il se mit à rire.

— Je pourrais donc être enceinte, poursuivit-elle, tout excitée, en tirant sur la manche du pyjama de Shelly, de notre enfant. Et après la naissance du bébé, si tu ne veux toujours pas travailler, je reprendrai le collier et tu prendras soin d'elle.

— Ou de lui, dit Shelly que l'idée commençait à séduire.

— Shelly, dis oui ! Dis-moi au moins que tu vas y réfléchir. Tu imagines ? Un petit bébé né de toi et de moi ? Nous l'appellerons Bob Cesar, si c'est un garçon, ou Imogène Coca, si c'est une fille. Il ou elle aura un grand sens de l'humour. « Il m'est arrivé une drôle de chose sur le chemin de la salle de travail », dira-t-elle en voyant le jour. Shel, peut-être que je ne peux même pas avoir d'enfant. Ou toi. Tu as peut-être un sperme de comédie, comme dans le film de Woody Allen. Mais est-ce que ça ne vaut pas la peine d'essayer ?

Shelly passa devant elle, quitta la pièce et retourna dans la salle de bains, la plantant là. De toute évidence, il la trouvait tellement folle qu'il jugeait que ce n'était même pas la peine de lui répondre.

« Laissons tomber », se disait-il. « Laissons-la se calmer. » C'était une idée ridicule et le moment était inopportun pour lui en faire part. Trois jours après qu'un homme eut tenté de se tuer pour l'amour de sa vie, elle lui demandait de lui faire un enfant. Pas étonnant qu'elle soit toujours célibataire et qu'elle n'ait encore personne en vue ! Il n'y avait pas une once de subtilité dans tout son être. Et Shelly était bien bon de faire semblant de n'avoir rien entendu. D'aller dans la salle de bains d'un pas nonchalant. Elle allait l'y rejoindre, lui présenter des excuses, se reprocher son manque de sensibilité, puis foncer pour assister à la réunion du groupe.

— Shel, dit-elle en entrant dans la salle de bains.

Shelly lui tournait le dos et quand il se retourna, elle poussa un cri perçant et il éclata de rire, car, dans la main, il tenait ce qu'il venait de prendre dans le tiroir d'un meuble qui jouxtait le lavabo. Une poire.

— Tu m'as appelé ? demanda-t-il.

8

— Et c'est ainsi que vous avez conçu Bob ? demanda Barbara en tentant de dissimuler son étonnement.

— C'est comme ça, dit Ruth.

— Pendant toute cette période, cela ne vous a jamais inquiétée d'avoir un enfant avec un homosexuel ?

— Non, nous en avons parlé et nous avons décidé qu'il n'y avait pas de problème puisque, depuis sa lointaine liaison avec Les, Shelly n'avait connu que Davis. Et Davis lui avait dit qu'il sortait à peine d'une relation monogame avec une femme à laquelle il avait été mariée depuis des années. Il lui semblait donc que c'était la liaison la moins dangereuse qui soit. Davis et moi, nous n'avons jamais fait l'amour, ajouta-t-elle en baissant les yeux vers ses genoux. De toute façon, nous avons suivi notre idée. Je me suis fait inséminer. « Ça ne va pas marcher », disions-nous quand j'avais mes règles. « Deux hurluberlus comme nous ne devraient pas mettre un enfant au monde. » Une semaine ou deux passaient. « Je crois que tu ovules la semaine prochaine, hein ? » me demandait Shelly dans le cours de la conversation, au travail ou au cinéma. « Oui », lui répondais-je. « Je crois que le mieux, ce serait vendredi », ajoutais-je quand j'apercevais cette petite lueur dans ses yeux. Et nous faisions une nouvelle tentative.

Ses yeux s'embuèrent. Un instant, elle resta perdue dans ses pensées avant de revenir à la réalité.

— De toute façon, je me suis réveillée un beau matin et je savais que j'étais enceinte. Je vomissais tripes et boyaux. J'ai quitté mon bureau à l'heure du déjeuner et je me suis rendue chez le médecin. Quand je suis rentrée à la maison pour le dîner, on m'a appelé pour m'annoncer que c'était bien ça.

J'étais tellement énervée que j'ai téléphoné à Shelly qui est venu aussitôt.

» Nous avons ri, pleuré, imaginé ce que nos parents respectifs allaient dire quand ils apprendraient la nouvelle.

Elle leva les yeux vers Barbara.

— Il faut que je vous dise une chose, poursuivit-elle. Les couples hétérosexuels pensent qu'ils ont le monopole du bonheur mais, si vous nous aviez vus tous les deux, à la naissance de Bob, vous auriez compris qu'il n'y avait pas plus heureux que nous sur terre. Pendant deux ans et demi, notre vie a eu quelque chose de magique, même si, professionnellement, nous avons connu des hauts et des bas. Nous avions ce petit garçon et tout nous semblait bien pâle en comparaison.

Bob, l'enfant de la comédie, était né à l'hôpital Cedars-Sinai. Il pesait deux kilos cinq.

— Il est tout petit ? demanda une scénariste à Shelly.

— Il est si petit que, quand il est tout nu, on a l'impression qu'il porte un costume trop grand, répondit Shelly en offrant des cigares à toute l'équipe.

— Comment cela s'est-il passé pour Ruthie en salle de travail ? lui demanda une autre pendant le déjeuner.

— Comme on pouvait s'y attendre avec une Juive. « Chéri, je suis trop fatiguée », m'a-t-elle dit. « A toi de pousser », raconta Shelly en commandant du champagne pour tous ceux qui se trouvaient à sa table.

Le soir où Ruth et Sheldon quittèrent l'hôpital pour la nouvelle maison qu'ils avaient achetée à Westwood, une propriété munie d'un terrain de jeux digne d'un prince du sang, toute l'équipe de vidéo les attendait à la porte. Shelly leur avait demandé de venir, craignant que ses connaissances techniques ne suffisent pas à immortaliser ce moment historique.

En fait, Shelly dirigea toutes les prises. Bob avec sa nurse, Bob avec Ruth, Bob faisant l'adoration de ses deux grands-mères que l'on avait invitées ensemble « dans l'espoir qu'en partageant la même chambre d'hôtel elles se tapent mutuellement sur les nerfs au point de se désintégrer spontanément », disait Shelly.

Elles ne comblèrent guère cet espoir. Les deux femmes

s'entendirent comme larrons en foire dans tous les domaines. Seules dans leur hôtel de Bel-Air Sands, hors de la portée des oreilles indiscrètes de leurs enfants, elles avaient dû signer un pacte selon lequel aucune des deux ne devait prononcer le mot *mariage* sous peine d'expulsion. Et après avoir pincé les joues, donné un nom à chaque orteil et mordillé à l'envi le popotin de leur petit-fils, elles avaient si souvent fait signe à la caméra vidéo qu'en visionnant la cassette même *elles* étaient incapables de se distinguer l'une de l'autre.

— Regardez, c'est moi qui lui donne le bain !

— Qu'est-ce que vous racontez ? C'est *moi* qui lui donne son bain.

Et chacune appelait Bob *mon* petit-fils.

Quand les deux femmes furent reparties par le même avion pour Chicago (« N'est-ce pas touchant ? Elles sont devenues inséparables », nota Shelly), Ruth dut reconnaître qu'elles lui manquaient un peu. Il était quand même curieux qu'il existe au monde d'autres êtres que son papa et sa maman pour penser que chaque couche sale de Bob était une œuvre d'art.

Le jour où Ruth reprit le travail, Bob s'intégra dans l'équipe de scénaristes. Il lui suffisait de produire un gargouillis après une blague pour qu'on la garde. S'il crachouillait en entendant la chute d'une histoire, il fallait la reprendre. C'était, de plus, une bonne raison pour terminer les répétitions de bonne heure, une bonne raison pour rentrer à la maison au lieu d'assister à une soirée ennuyeuse, une bonne raison pour se prélasser sans rien faire le dimanche matin. A un détail près, ils formaient tous les trois une famille heureuse, un détail évident et dont on ne parlait pas : les parents de Bob n'avaient jamais consommé leur union et ne le feraient jamais. Et même si cela semblait lamentable à l'observateur conventionnel, la relation asexuée qu'entretenaient Ruth et Sheldon engendrait une sorte de douceur sans nuages, que beaucoup de couples ne connaîtraient jamais.

Ruth avait pourtant du mal à croire que son existence avait tout, à présent, de la publicité pour Kodak. Le bonheur, l'amour et une famille dont le plus grand plaisir était de se retrouver. Quand, un matin, Shelly resta à la maison, prétendant qu'il n'était « pas dans son assiette », cela ne plut pas à Ruth. Lorsqu'elle regagna son foyer, Bob jouait avec la nurse et il y avait une note sur la table de la salle à manger, calée sous l'un des chandeliers de cristal que sa mère lui avait envoyés des années auparavant, en espérant qu'ainsi elle allumerait les bougies du shabbat. A présent, alors que la peur lui donnait la nausée, une vague pensée s'insinua dans son esprit. Si elle les avait allumées, peut-être n'aurait-elle pas eu à lire le petit mot de Shelly : *Il faut que je m'absente quelque temps. Crois-moi, je reviendrai à la maison dès que je le pourrai. Veille sur l'être qui m'est le plus précieux. Vous êtes mon univers. Shel.*

Si elle n'avait pas eu les bras de Bob autour de ses jambes et si son joli petit visage n'avait pas été tourné vers elle, elle aurait hurlé, pleuré, perdu son sang-froid parce qu'elle connaissait la signification de ces quelques lignes. Elle savait pourquoi Shelly était parti. Deux semaines s'écoulèrent. Chaque matin, elle se réveillait, nourrissait Bob et jouait avec lui avant de le tendre à la nurse et de partir travailler au bureau où, quand on lui demandait des nouvelles de Shelly, elle répétait à qui voulait l'entendre qu'il « réglait un problème familial ». Cela pouvait recouvrir presque n'importe quoi. Certains soirs, elle était rongée par l'inquiétude, au point de ne pas trouver le sommeil, de fixer le téléphone des yeux en le suppliant de sonner. Elle aurait tant aimé entendre la voix de Shelly à l'autre bout de la ligne.

Elle aimait dormir sur le ventre, la jambe fléchie sur le côté, le genou pointé et le pied droit sortant des couvertures. Sa mère dormait toujours ainsi, elle s'en souvenait. Et quand jadis elle s'éveillait dans cette position, elle pensait à sa mère en se demandant si la posture du dormeur était héréditaire.

Ce soir-là, elle prit cette position en espérant trouver le sommeil. Peut-être parviendrait-elle à se persuader qu'il était temps d'oublier la panique qui la gagnait et de se laisser glisser dans le rêve. Mais dans le silence de la nuit, elle n'entendit plus que les battements accélérés de son cœur, monotones alliés de son insomnie.

Mieux valait sans doute se lever pour écrire. Depuis que Shelly était absent, il y avait tant à faire chaque jour au bureau qu'elle pouvait peut-être s'avancer. De toute façon, elle était tout à fait éveillée. Autant utiliser ce temps pour créer quelque chose au lieu de rester là à se demander avec inquiétude où se trouvait Shelly. Cela faisait deux semaines qu'elle ne pensait plus qu'à cela.

Elle se retourna sur le dos et fixa du regard les chiffres bleutés du réveil à affichage digital. Minuit quinze... non... minuit seize. Elle ne dormirait plus. Des amis ne lui avaient-ils pas dit que c'était la nuit qu'ils travaillaient le mieux, quand il n'y avait ni sonnerie de téléphone ni pleurs d'enfants et qu'aucun postier ne venait frapper à la porte à l'improviste ? Peut-être devrait-elle... non, la simple idée de se lever et de prendre la plume lui répugnait tant qu'au bout de quelques minutes elle reprit sa posture sur le ventre, le genou fléchi sur le côté et le pied droit pointant hors des couvertures. Cette fois, ce fut efficace. Elle sombra dans un sommeil profond.

La sonnerie aiguë du téléphone la réveilla en sursaut et, l'espace d'une seconde, elle ne sut plus très bien où elle était. Les chiffres bleutés. Il était trois heures.

La barbe ! Elle se dit qu'il n'y avait qu'une mauvaise nouvelle pour vous tirer du lit à trois heures du matin. Le téléphone sonna de nouveau. Elle se glissa sur le ventre jusqu'à l'extrémité du lit, se pencha vers sa table de chevet et saisit le récepteur.

— Oui ?

— Salut, mon associée !

— Shelly ?

Il était ivre. Elle ne connaissait que trop bien sa voix quand il avait avalé trois verres de vin. On ne pouvait s'y tromper.

— Laisse-moi te dire que tu aurais mieux fait de m'appeler pour me prévenir que tu étais retenu en otage en Iran, espèce de salopard ! Tu m'as laissé tout le boulot et je suis obligée d'inventer des mensonges pour te couvrir aux yeux de tous, y compris de notre fils. Et voilà que tu me réveilles pour me faire écouter ton plus mauvais John Wayne ! Tu as intérêt à te surpasser.

Pendant le long moment qui suivit, elle n'entendit plus que les crépitements de la ligne des appels longue distance.

— J'ai une mauvaise et une bonne nouvelles, dit enfin Shelly. Laquelle veux-tu en premier ?

Ruth s'assit, posa les pieds par terre et chercha ses pantoufles à tâtons. Elle avait envie de faire pipi. Dès qu'elle aurait raccroché le téléphone...

— Ruth ?

— Je suis là, je suis là et je n'arrive pas à croire que tu me fasses le coup de la bonne et de la mauvaise nouvelles à trois heures du matin en te servant de moi comme faire-valoir. Enfin, au moins tu as eu la courtoisie de ne pas appeler en PCV.

— Je n'en ai pas eu besoin. J'ai donné le numéro de ta carte de crédit. Alors laquelle tu veux en premier ? La mauvaise ou la bonne nouvelle ?

Ruth soupira et regretta un bref instant de ne pas fumer. C'était le moment idéal pour allumer une cigarette.

— Donne-moi d'abord la bonne nouvelle, dit-elle en allumant la lampe de chevet.

— La bonne nouvelle, répondit Shelly, c'est que je suis au Texas et que je suis saoul à rouler par terre, rond comme une queue de pelle, comme disent les gens d'ici.

— Ah oui ? Et quelle est la mauvaise nouvelle ?

Silence. Électricité statique.

— La mauvaise nouvelle, c'est que je suis venu ici pour consulter un spécialiste parce que je pensais qu'il y avait un risque.

Il fallut un bon moment pour que ces mots remontent jusqu'au plexus solaire de Ruth et, quand il fut noué, elle eut le sentiment que jamais plus elle ne pourrait respirer. Ce n'était pourtant pas une surprise. Elle attendait cela depuis son départ, avec l'impression d'être accrochée par l'extrémité des doigts au bord d'une falaise et d'avoir peur de tomber. On y était enfin.

— Je suis séropositif, Ruru, fit-il, mais tout n'est pas noir. Je ne présente aucun symptôme et j'ai sept cent trente mille globules blancs. Tu veux encore une bonne nouvelle ? J'ai réussi à persuader ma mère que c'est parce que je me shoote.

Shelly faisait d'horribles blagues, à trois heures du matin, là-bas au Texas. Ruth sentit son estomac se nouer, un frisson la parcourir. Elle retira ses pantoufles et s'enveloppa dans la couverture.

— D'accord. C'est très drôle. On s'en servira pour l'émission. C'est d'un goût désastreux, mais c'est drôle. Tu me manques !

— Je rentre demain à la maison. Le vol d'American Airlines est à deux heures vingt, à deux heures pour toi.

— Je viendrai te chercher à l'aéroport.

— Tu te souviens de ce soir où, il y a quelques mois, nous avons dîné au Mandarin et où le serveur nous a apporté les biscuits de la chance ? Quand j'ai ouvert le mien, il était vide. C'était sûrement pour ça.

— Je t'aime, dit Ruth. Je t'aime et je t'attendrai demain à l'aéroport.

Après quelques instants, l'épuisement la plongea à nouveau dans le sommeil, mais elle ouvrit les yeux, paniquée, dès les premières lueurs du jour. Quand elle sortit du lit, la vérité la submergea avec la force d'un raz de marée, la paralysa au point qu'elle dut se dire à voix haute les différents gestes qu'il lui fallait accomplir pour s'habiller.

— Mets tes sous-vêtements, tes chaussettes, ton pantalon de survêtement, ton sweatshirt.

Quand elle fut habillée, elle se dirigea vers la chambre de Bob. La nurse était en train de le vêtir.

— Maman, est-ce qu'on peut aller se promener au parc ? lui demanda le petit garçon avec un sourire charmant.

Il y avait dans ses yeux un regard qui lui rappelait tant Shelly qu'elle dut se retourner pour reprendre son souffle.

— Et si on prenait des œufs ?

— Des œufs et des toasts avec de la gelée.

Elle le serra contre elle en le portant jusqu'à la cuisine et, au lieu de le poser sur le sol pour qu'il joue, elle le cala sur sa hanche pendant qu'elle faisait cuire les œufs. Puis, tout en le faisant manger à la cuillère, elle lui raconta sa version des *Trois Ours*, version dans laquelle il y avait une maman ours, un papa ours et un petit ours nommé Bob. Quand la nurse eut franchi le seuil pour l'emmener au parc, Ruth appela son bureau, prévint qu'elle ne se sentait pas bien, s'assura que les scénaristes sauraient se débrouiller et s'assit sur le canapé de la salle de séjour avec, entre les mains, le journal du matin qu'elle ne lisait pas vraiment.

Elle songea à ce qui l'attendait à l'aéroport, quand Shelly descendrait de l'avion, et se demanda si sa séropositivité serait synonyme de nausées et de visage émacié. Cela ne faisait que deux semaines qu'il était parti. Il était superbe alors. Elle eut froid, se sentit faible. Ruth ne savait pas comment passer cette journée en attendant son retour. Elle se décida enfin à sortir la voiture pour faire le plein, emmena Bob chez Harry Harris et lui acheta des baskets. Elle fit sauter du pop-corn qu'elle grignota jusqu'à la dernière miette. Puis, après avoir pris une longue douche, elle renonça à se rendre à l'aéroport en voiture et contacta la société Davel qui lui envoya une limousine avec chauffeur pour l'y conduire.

C'était le chauffeur qui avait conduit Ruth et Sheldon à la soirée des Emmys[1], l'année précédente. Il la reconnut et voulut lui faire la conversation, mais Ruth ferma la vitre de séparation et regretta aussitôt d'avoir loué cette limousine dont la longue carrosserie noire avait un air de corbillard. Il lui faudrait se montrer forte, à présent, pour prendre soin de Shelly. Pour Bob, c'était différent, elle avait de l'aide, et puis elle possédait une bibliothèque complète d'ouvrages sur les bébés. Mais Shelly avait ce virus en lui. Et c'était autre chose.

En levant les yeux vers l'écran de télévision où étaient inscrites les heures d'arrivée, elle se rendit compte qu'elle aurait dû téléphoner pour vérifier celle de l'avion de Shelly. En effet, le vol en provenance de Houston était en retard. Houston, Texas. Il était allé là-bas chercher un diagnostic. De peur qu'à l'UCLA il ne croise une tête connue ou ne soit examiné par un médecin trop bavard.

Pendant quelque temps, elle resta assise sur un banc près de la porte à côté de laquelle devait atterrir le Boeing de Shelly et contempla les avions par la fenêtre. Elle détestait ce moyen de transport, voyageait le moins souvent possible pour ne pas y avoir recours, comme si l'on pouvait se jouer de la mort en restant au sol, comme si l'on pouvait éviter la mort. Elle vit défiler dans sa tête tout ce qu'elle avait tenté de chasser de son esprit depuis le coup de téléphone de Shelly, la liste de tous les amis que le sida avait emportés ces dernières années.

Puis elle chercha un papier dans son sac, mais ne trouva qu'un reçu de Mastercard qu'elle retourna pour y écrire leurs noms avant d'aller s'asseoir dans un coin de l'aéroport, sur un banc près de la porte du terminal. Elle dressa une liste insupportablement longue. Des collègues brillants, des amis intimes et chéris, des êtres trop tôt disparus. A chaque nom, elle se souvint des funérailles auxquelles elle avait assisté avec Shelly. Certaines cérémonies étaient si tristes, si sombres, qu'ils avaient eu ensuite le plus grand mal à en parler entre eux. D'autres rayonnaient tant de l'amour que portait la famille au défunt et du soulagement venu après tant de

1. Récompense décernée aux œuvres audiovisuelles.

souffrances que le souvenir était léger comme les ballons qu'ils avaient lâchés à la fin.

Quand sa liste fut terminée, Ruth pria en silence pour que soit accordé à Shelly assez de temps pour que Bob apprenne à le connaître et se souvienne de lui. Brusquement, elle sentit une présence à ses côtés, leva les yeux et aperçut le doux visage de Shelly.

Ruth se leva et jeta les bras autour de son cou. Dans cette étreinte, il lui sembla que le corps de Shelly n'avait pas changé. Beau, sain, ni maigre, ni affaibli, ni maladif. Elle recula d'un pas pour l'observer à nouveau.

— C'est moi, dit-il calmement, et tu n'as pas fait de cauchemar, mon impitoyable. Tout n'est pas noir cependant. Je te laisse tout. Avec ton argent et le mien, tu seras la Juive la plus riche de Hollywood, si l'on excepte Marvin Davis qui, à lui seul, vaut bien quatre ou cinq Juifs dans un gigantesque costume.

— Tu nous as tant manqué ! dit-elle en le serrant encore dans ses bras.

Il avait une valise à la main, un sac accroché à l'épaule, mais aucun autre bagage, de sorte qu'ils se dirigèrent aussitôt, chacun enlaçant la taille de l'autre, vers la sortie où les attendait la limousine.

— Monsieur Milton, dit le chauffeur avant de lui ouvrir la portière. Bienvenue au pays.

Tandis que la voiture s'engageait sur Century Boulevard, Shelly caressa le cuir noir de la banquette et prit la main de Ruth.

— J'ai peur.

— Moi aussi, reconnut-elle. Moi aussi.

— Comment va Bob ?

— Il ne dort pas, il jette la nourriture, il ôte ses couches au supermarché. Bref, il est parfait.

Shelly sourit, un sourire fatigué, et, tout en gardant sa main dans celle de Ruth, s'endormit, la tête contre le dossier. Quand la limousine s'engagea dans l'allée qui menait à la maison, ce fut l'arrêt qui le réveilla. Le chauffeur porta ses bagages à l'intérieur. Ruth et Shelly entrèrent, chacun enlaçant de nouveau la taille de l'autre. Quand Bob aperçut son père, il échappa à la nurse, courut vers lui, se jeta à son cou et se mit à pleurer.

— Papa ! papa !

Shelly s'accroupit et lui parla doucement.

— Bonjour, Bobby. Comment va mon garçon ? Ne pleure pas, mon amour. Ne pleure pas.

Puis il souleva Bob et le serra fort contre lui.

Après avoir défait ses bagages et offert des petites voitures à son fils, il se coucha et fit une sieste. Ruth l'embrassa pour lui dire au revoir, le couvrit chaudement, changea la couche de Bob et le remit à la garde de la nurse, puis elle se rendit au rendez-vous qu'elle avait pris quelques jours auparavant avec Barbara Singer.

— La première chose que vous devez faire, Bob et vous, c'est un examen, dit Barbara à Ruth qui venait de conclure ce pénible récit qui résonnait encore dans l'air.

La psychologue comprit que cela avait fait du bien à son interlocutrice de se décharger ainsi de ce qu'elle avait sur le cœur. Pour la première fois, elle paraissait détendue dans son fauteuil. Quand Barbara tendit la main pour allumer sa lampe de bureau, elle se rendit compte que l'histoire de Ruth l'avait tant intéressée, tant intriguée, que pas une fois elle n'avait regardé l'heure. Il faisait nuit, à présent, et des heures avaient passé depuis son arrivée.

— Quand j'ai pris rendez-vous avec vous, dit Ruth, c'était d'abord pour vous demander de m'aider à aider mon fils à grandir dans un monde où les gens comme son père, auquel je tiens plus qu'à la prunelle de mes yeux, sont montrés du doigt, condamnés, et tombent comme des mouches à cause d'une maladie dont il faut faire cesser les ravages. Mais j'imagine qu'il y a une part de moi qui redoutait ce jour et le moment où je devrais tenter de nous en sortir tous les trois.

» J'ai prévenu Shelly aujourd'hui que j'avais pris rendez-vous pour vous parler de l'éducation de Bob et des problèmes auxquels nous serons confrontés. Mais quand je vous ai téléphoné, je ne savais pas ce que je sais maintenant. Il m'a demandé de ne pas vous révéler qu'il était séropositif. Nous sommes en train d'écrire et de produire une nouvelle série télévisée, et le producteur exécutif est très intolérant. Shelly craint qu'il ne nous mette à la porte s'il entend parler de tout cela. Je lui ai assuré que vous étiez tenue au secret professionnel. C'est vrai, n'est-ce pas ?

— C'est vrai, lui confirma Barbara.

Ruth prit un mouchoir en papier dans la boîte qui se trouvait sur le bureau de Barbara, mais elle avait les yeux secs.

— Je déteste me plaindre, parce que j'ai été très gâtée dans la vie, alors que tant de gens le sont si peu, mais, flûte, il nous a fallu si longtemps pour faire notre trou, après avoir été des marginaux et des exclus une bonne partie de notre existence ! Et juste quand nous pensions avoir enfin réussi quelque chose, il y a ça !

La tête baissée, elle laissa couler ses larmes et pleura calmement pendant quelques instants. Puis elle regarda Barbara, le visage rougi, les yeux injectés de sang et agrandis par la peur.

— Je vais chercher Bob, et nous allons tous les deux faire des analyses. Je verrai si je peux décider Shelly à venir ici avec moi, à parler avec vous. Nous avons tant de choses à comprendre, et personne à qui demander ce qu'il faut faire ! Je veux dire, ce n'est pas exactement votre train-train quotidien, n'est-ce pas ?

Un sourire ironique se dessina sous ses yeux pleins de désespoir.

— Pas exactement. Mais je sais que Shelly, Bob, vous et moi, nous pouvons trouver un moyen de gérer cette situation qui convienne à votre famille.

— Notre famille, dit Ruth à qui le terme plut. Nous formons vraiment une famille. Même si, j'en suis sûre, ce n'est pas le genre de famille que vous conseillez habituellement.

— C'est vrai, mais les temps changent.

Elle parla alors à Ruth Zimmerman du groupe qu'elle avait l'intention de créer.

9

Tous les membres de l'équipe de direction étaient des femmes qui, non sans humour, avaient surnommé leur réunion hebdomadaire « la pause-café ». Mais bien qu'elles prennent le temps de commenter la qualité du café et de demander des nouvelles de leurs familles respectives, ces réunions n'avaient rien de mondain. Elles étaient même parfois si sérieuses que lorsqu'elle devait présenter un projet, Barbara avait le même trac qu'à l'université avant un exposé de littérature.

— Comme vous le savez, il existe des banques du sperme dans tout le pays, qui vendent du sperme provenant de donneurs qui ne sont identifiables pour le receveur que par leur numéro et une description sommaire de leur race, de leur religion et de leurs passe-temps favoris.

L'une de ses collègues laissa échapper un petit rire, et Barbara savait qu'elles étaient toutes en train de se demander en quoi cela concernait leur programme de développement de l'enfant.

— C'est une façon quelque peu hasardeuse de procéder, mais les femmes qui ont terriblement envie d'avoir des enfants sont prêtes à en prendre le risque. L'insémination artificielle leur évite la gêne d'une liaison, de rapports sexuels maladroits et de relations malaisées. Ironie du sort, ce sont justement les femmes qui, depuis les années soixante, ont la liberté de faire l'amour sans se poser le problème d'une grossesse qui, vingt ans plus tard, souhaitent avoir des enfants sans se soucier de sexualité.

» Toutes ces technologies de la reproduction ont créé des problèmes graves qui nous concernent, nous, les professionnels du développement de l'enfant, à l'ère du transfert d'embryon, de la fécondation *in vitro*, des mères proches de la ménopause portant les enfants de leurs filles... De surcroît, il semble que la plupart de ces familles ne pensent pas vraiment aux conséquences psychologiques et affectives qu'auront les circonstances de leur naissance sur les êtres engendrés ainsi.

» Et je le dis en ces termes parce que, même dans les études que nous effectuons ici sur des familles nucléaires intactes, le désir d'enfant reproduit souvent ce phénomène. Je veux dire qu'on ne pense pas à ce qui se passera une fois la première excitation passée, quand on se retrouve confronté à la réalité du nouveau-né. Et quand les bébés deviennent des enfants qui possèdent un langage et commencent à se poser des questions sur leur venue au monde. Ces dernières semaines, j'ai rencontré, à mon cabinet, une femme célibataire qui s'est fait inséminer deux fois par un donneur anonyme et un couple dans lequel une mère hétérosexuelle s'est fait inséminer par son meilleur ami, un homosexuel. Dans les deux cas, ces familles ont des enfants en bas âge qui présentent une précocité verbale, et les parents sont inquiets.

Cette déclaration provoqua quelques « hum ! hum ! » autour de la table.

— Nous ne disposerons pas avant longtemps de données réelles sur ce qu'éprouveront ces enfants à l'âge adulte, mais je crois que la clé du succès réside dans la formation d'un contexte d'amour autour d'eux. Trouver des moyens chaleureux de traiter de froides réalités.

» J'aimerais alerter les pédiatres et faire passer une annonce dans une publication quelconque pour chercher des gens et former un groupe de travail avec ces familles un peu particulières. Je crois que le monde n'est pas encore prêt à adopter le mode de penser qui irait de pair avec ces méthodes toutes nouvelles. Que culturellement, socialement, moralement et légalement, nous n'avons ni les règles ni les réponses qui conviendraient aux problèmes extrêmement complexes qu'ont déjà fait surgir ces méthodes. Néanmoins, il nous faut trouver un moyen pour que ces familles soient viables.

Louise Feiffer, la directrice du programme, était une grande femme d'une cinquantaine d'années, à la séduction voyante, avec des pommettes hautes, une peau d'ivoire et des cheveux bruns tirés en arrière en un petit chignon rond. Au grand soulagement de Barbara, elle esquissa un sourire et ses yeux se mirent à briller.

— J'aimerais placer ce groupe sous l'égide de l'hôpital et de notre programme de développement pédiatrique. C'est pourquoi je voudrais que nous en discutions autour de cette table.

Elle jeta un regard circulaire sur les visages de ses collègues. Des mains se levèrent, on posa des dizaines de questions, on manifesta une certaine surprise à la vue des statistiques et un mélange de curiosité et de fascination pour les recherches de Barbara.

— C'est incontestablement un terrain vierge et passionnant, déclara Louise. Il me semble que nous devrions essayer de mettre au point un groupe comme celui-là et de l'insérer dans notre emploi du temps.

Tout au long du trajet qui menait de l'hôpital à son domicile, Barbara, exultante, se félicita du bon travail qu'elle venait de faire. Elle était ravie d'être débarrassée de cette réunion. C'était en effet le soir de son tête-à-tête paisible et romantique avec Stan, le soir de leur vingt-cinquième anniversaire de mariage. « Ce n'est pas possible », pensa-t-elle. « Des noces d'argent, mais ce sont les oncles et les tantes qui fêtent une chose pareille ! Pas deux petits jeunes comme Barbara et Stan Singer. »

Elle avait juré à Stan qu'elle ne voulait pas de réception. Juste un dîner, de préférence en famille, mais, quand elle avait invité sa mère, Gracie lui avait répondu qu'elle devait assister à la réunion d'un quelconque comité et qu'elle ne pouvait absolument pas faire faux bond. Jeff avait son entraînement de basket-ball, il s'en excusa. Et comme cet anniversaire tombait au beau milieu de la semaine, Heidi leur dit tristement qu'elle ne pourrait pas venir de San Francisco.

Barbara prit donc une douche rapide, se remaquilla, revêtit une robe que, non sans fierté, elle portait depuis quinze ans, et se retrouva en face de Stan, chez Valentino, dans une large alcôve. « C'est peut-être une erreur, se dit-elle alors, de ne pas avoir organisé un grand raout. Un quart de siècle de mariage, c'est quand même une chose que l'on peut fêter. »

Stan semblait nerveux, ce qui ne lui était pas habituel. Il ne cessait de surveiller la porte. Il avait déjeuné tard, dit-il deux fois à Barbara, et n'avait pas encore très faim. Il faisait toujours le guet quand une fille superbe pénétra dans le restaurant. Guidée par le maître d'hôtel, elle s'avança dans sa mini-robe noire et moulante. Quand le maître d'hôtel se fut effacé, Barbara reconnut sa fille Heidi et poussa un cri de joie. Derrière elle, en manteau sport et en cravate, elle aperçut Jeff, suivi de Gracie, et poussa un second cri de joie. Sa mère était superbe avec sa robe chemisier en soie et les longues boucles d'oreilles que Barbara ne lui avait pas vues depuis des années.

— Surprise, ma chérie ! s'écria Gracie, tandis que Barbara se demandait si ce restaurant chic, ce n'était pas excessif.

— Joyeux anniversaire, maman, dit Heidi qui se glissa sur la banquette et embrassa Barbara.

— Tu as organisé tout cela derrière mon dos ? demanda-t-elle à Stan.

— Bien sûr, répondit-il avec un grand sourire, en attendant le baiser de sa fille.

— Je *savais* que je t'aimais bien, dit Barbara.

— Maman, tu es magnifique ! s'exclama Heidi.

— Merci, ma chérie. J'allais dire exactement la même chose à *ma* mère.

Gracie rit, se glissa à côté de Stan et lui donna une petite tape condescendante sur le bras.

— Bon travail, fiston !

Barbara fut soudain réconfortée par la présence de sa famille réunie. Toujours ce besoin qu'elle éprouvait de les voir tous rassemblés pour le repas et que Stan appelait son « fantasme barbecue ». Et si ce fantasme se réalisait, ce qui ne se produirait jamais, ils seraient tous heureux de se trouver là, s'entendraient à merveille et se quitteraient meilleurs, emplis d'amour les uns pour les autres, après ce moment de partage.

— Tu as une coiffure complètement débile, dit Heidi à Jeff, et son fantasme s'évanouit comme s'évanouissent tous les fantasmes.

— Cette robe est tellement étroite que, si tu as le hoquet, tes boutons vont sauter.

— Ça suffit, vous deux ! fit Stan. Ça fait une heure que vous êtes ensemble. Vous ne pourriez pas faire un effort une heure de plus, en l'honneur de notre anniversaire de mariage ?

— Rivalité classique entre frère et sœur, déclara Gracie. Mes deux filles se disputaient constamment, elles aussi.

— Non, pas constamment, s'enflamma aussitôt Barbara, qui comprit qu'elle venait de commettre l'erreur de mordre à l'hameçon.

— Appelons New York et demandons son avis à Roz. *Elle* a une mémoire d'éléphant, ajouta Gracie.

— C'est peut-être parce que tu les comparais comme ça qu'il y avait entre elles une telle rivalité, fit Heidi.

— Je ne les ai jamais comparées.

— Eh bien, si tante Roz a une mémoire d'éléphant, maman, elle, a quoi ? demanda Jeff.

— Je ne sais plus si je dois appeler le serveur ou un taxi, déclara Stan qui déchaîna les rires.

— Je suppose que, dans notre famille, un dîner sans larmes, sans insultes, sans blessures et sans déconvenues, ne serait pas un vrai dîner, dit Barbara.

— En d'autres termes, nous sommes normaux, rétorqua Gracie qui leva le bras pour attirer un serveur qui passait.

— Pourriez-vous nous donner le menu *pronto*, mon garçon ? Je meurs de faim.

— Maman !

— La première chose qu'il faudrait que vous compreniez, toi et ta thérapie familiale, c'est la raison pour laquelle les gens se donnent tant de mal pour avoir des enfants. Les bébés ne grandissent que pour se maltraiter les uns les autres. C'est tout ce qu'ils savent faire, et toi comme les autres.

— Vous comprenez pourquoi je suis l'exemple même de la santé mentale, avec une mère qui professe une *telle* philosophie ! répondit Barbara.

— Bon anniversaire, mon amour, dit Stan en lui caressant la main. Si nous sommes toujours là pour nos cinquante ans de mariage, nous partirons en croisière.

Ils dirent au revoir à Gracie et rentrèrent à la maison. Heidi et Barbara étaient assises à l'arrière de la voiture. Quand Heidi prit sa main et la garda dans la sienne, Barbara remercia le Ciel de lui avoir accordé ces deux êtres compliqués qu'étaient ses enfants. Le plus beau de tous les cadeaux d'anniversaire, c'était de pouvoir border Heidi dans le lit de son ancienne chambre, même s'il y avait, à présent, une table et un mur couvert d'étagères dans cette pièce qui lui servait de bureau.

— Mamie était adorable, ce soir. Mais elle est complètement zinzin, dit Heidi en installant le divan sous le regard de sa mère.

— Merci d'être venue à ce dîner, ma chérie.

— Tu plaisantes ? Je n'aurais raté ça pour rien au monde !

Chaque fois que Barbara retrouvait l'un de ses enfants après un moment d'absence, quand Heidi quittait San Francisco pour leur rendre visite ou quand Jeff descendait du car après avoir passé quelques semaines en stage de tennis, elle était toujours stupéfaite. Non de leur beauté, elle savait bien qu'elle n'était pas très objective en la matière, mais des miracles de la génétique. Quand elle les observait pendant un laps de temps qui leur semblait interminable, elle s'émerveillait toujours de trouver en eux un mélange harmonieux des caractéristiques de Stan et des siennes.

Leur allure, leurs gestes, leur façon de parler, leur sens de l'humour respectif, cet amalgame familier de leurs particularités dans chaque individualité ne cessait pas de l'étonner. Cette chevelure incontrôlable qu'elle tentait d'apprivoiser au lycée en l'enroulant autour d'une canette de jus d'orange ou en la fixant avec de la laque était devenue, chez Heidi, une superbe crinière artistement retenue par un bandeau ou tombant sur les épaules, témoignage d'une confiance en soi que Barbara n'avait guère eue ni à cet âge ni à quelque âge que ce fût. Quant à Jeff, il avait hérité de Stan ce cercle sombre autour des yeux. Ce trait que Stan n'aimait pas dans son propre visage donnait à son fils un air exotique et mystérieux.

— Assieds-toi, maman, dit Heidi, et Barbara comprit que sa fille avait l'intention de bavarder.

Avec autant d'obéissance que de reconnaissance, elle prit donc place sur le fauteuil du bureau, juste en face du lit, à l'autre extrémité de la pièce, et lui posa d'abord une question banale, pas trop indiscrète, du moins l'espérait-elle.

— Comment ça va à San Francisco ?

Barbara réservait ces sujets aux instants où elle était seule avec sa fille pour obtenir de vraies réponses, et non les propos lénifiants qu'Heidi tiendrait sans doute devant d'autres. Peut-être n'obtiendrait-elle pas de vraie réponse. Cela arrivait parfois. D'ordinaire, après l'arrivée de sa fille, il y avait une période d'observation entre elles, un moment de tension, jusqu'à ce que la familiarité reprenne le dessus et que Heidi renonce à sa façade de jeune fille bon chic bon genre de la côte Ouest.

— Je ne vais pas bien, répondit Heidi en retirant quelques vêtements de son sac de voyage pour les ranger dans un tiroir. Je suis amoureuse.

« Notre petite conversation va beaucoup plus loin que je ne le pensais », se dit Barbara.

— Mais pourquoi ne vas-tu pas bien ? On pourrait penser que c'est plutôt une bonne nouvelle.

— Ça va mal parce qu'il est fou. Parce qu'il a trente-cinq ans et qu'il ne peut pas s'engager. Parce que sa mère, puisqu'il faut en parler, est tellement exemplaire que personne ne sera jamais digne d'elle. C'est pour cela qu'il ne peut pas se marier, avoir une relation exclusive avec une femme. Et moi, pauvre idiote, je reste avec lui, même si je sais très bien que tout ce que j'attends de la vie, c'est une relation comme celle que tu as avec papa. Mais il n'y a rien à espérer. Pas avec ce type. Il me ment, il me trompe sans doute aussi, je m'en doute.

— Tu prends des précautions ? lui demanda Barbara qui savait parfaitement que sa fille lui répondrait d'un ton offensé.

— Bien sûr !

— Je sais que le mensonge et l'infidélité, ça fait très mal.

— Ne joue pas les psys avec moi, maman !

— Je ne joue pas les psys, je compatis.

— Oui, ça fait mal et je songe à revenir à Los Angeles pour m'éloigner de Ryan. Oh ! Il suffit que je prononce son nom pour me sentir oppressée.

Barbara retint son souffle pour ne pas dévoiler le fond de sa pensée. « Parfait », songeait-elle, « reviens t'installer ici. » Mais si elle lui en faisait part, Heidi achèterait certainement un appartement à San Francisco dès lundi. Elle attendit donc la suite.

— Comment as-tu pu avoir l'intelligence, à dix-huit ans, d'épouser mon adorable papa ? Un homme qui t'aime encore au bout de vingt-cinq ans.

— Oh ! ça a été très facile. Mamie m'a aidée à me décider.

— Ah bon ? fit Heidi, surprise.

— Heu, elle m'a dit : « Si jamais tu sors encore avec ce petit con, je te tue. » Deux semaines plus tard, nous nous sommes enfuis.

Cela fit rire Heidi, de ce rire qu'aimait Barbara et qui lui rappelait l'enfance de sa fille, un rire qui lui révéla que tout irait bien pour Heidi en dépit de cet homme de trente-cinq ans et de sa mère.

— Et le reste, c'est la vie qui va, ajouta-t-elle en riant elle aussi, même si elle partageait aussi sa douleur.

Ce n'est pas à toi de choisir. Barbara avait dit et redit ces quelques mots à Gracie, lors de leurs interminables conflits, à propos de Stan, à propos de tout ce qui les avait opposées pendant des années. Et la même règle s'appliquait à ses rapports avec ses propres enfants. Après un certain âge, ils se moquaient pas mal de ce qu'elle pensait.

— Que puis-je faire ?

— Rien, répondit Heidi qui s'allongea sur le lit et tira les couvertures sous son menton en jetant à Barbara le même regard que quand elle avait six ans.

Un Winnie l'ourson dont la couleur miel était un peu passée et les jouets dont, petite, elle s'entourait pour s'endormir trônaient toujours sur sa table de chevet, belle image de l'enfance. Barbara aurait tellement voulu la réconforter, mais elle ne croyait pas à la seule chose qui aurait pu la rassurer, à ces mots pleins d'espoir :

— Eh bien, peut-être changera-t-il ?

Le lendemain matin, quand elle reconduisit Heidi à l'aéroport, elle se souvint de l'histoire que lui racontait Gracie quand elle était petite fille, l'histoire d'une tortue qui regardait les oiseaux partir vers le sud pour l'hiver, qui mourait d'envie de les accompagner et ne le pouvait pas puisque, bien entendu, les tortues ne volent pas. Quand deux des oiseaux aperçurent le regard mélancolique de leur amie, ils lui proposèrent de l'emmener. Ils trouveraient un bâton, dirent-ils à la tortue, auquel elle pourrait s'accrocher par la bouche. Chacun des deux oiseaux se saisirait d'une extrémité. Tout irait bien à condition que la tortue garde la bouche bien fermée pendant tout le voyage.

La tortue se répétait sans cesse les mille et un dangers qu'il y aurait à parler, mais vint un moment où elle eut quelque chose de tellement important à dire — Barbara ne se rappelait pas exactement quoi — qu'elle ouvrit le bec et tomba. Non seulement elle n'arriva jamais à destination, mais on ne la revit plus. « Si tu veux aller en Floride, tais-toi », telle est la morale de l'histoire, disaient Barbara et Gracie en plaisantant.

Mais le message était clair et, avec sa fille, Barbara avait souvent l'impression d'être la tortue.

Elles étaient toutes les deux dans la voiture, un endroit idéal pour aborder les sujets délicats. Le conducteur devant surveiller la route, on ne se regarde pas.

— Los Angeles me manque. Papa et toi, vous me manquez, mamie aussi et même ce sale gosse de Jeff. Je me dis toujours que je devrais venir plus souvent, et puis je suis submergée de travail... et je ne pense pas que je devrais quitter...

— Ryan ? fit Barbara qui comprit aussitôt que la tortue venait de tomber dans le vide.

— Oui. Je ne sais pas quoi faire. Peut-être me fixer un délai et s'il ne se décide pas avant, je cesserai de le voir.

— Ça me paraît raisonnable.

— N'est-ce pas ? Malheureusement, je n'ai pas le courage de m'y tenir.

— Est-ce que tu as des amies là-bas ?

— Quelques-unes. Mais elles ont toutes leurs propres ennuis, tu sais ce que c'est. De temps à autre, j'en vois une. Elles sont souvent encore moins en forme que moi. Au moins, j'ai un bon boulot.

Elles gardèrent le silence jusqu'au comptoir de United Airlines.

— Tu veux que je gare la voiture et que j'attende avec toi ?

— Non, merci.

— Quoi que tu décides pour Ryan, sache que je t'aime, lui dit Barbara et, sur le chemin de son cabinet, elle songea que Heidi, paralysée par l'émotion, ne lui avait pas répondu « Je t'aime aussi. »

Au bureau, Barbara examina rapidement son courrier, rappela quelques clients et, avant l'arrivée de la première famille, reçut un appel d'une amie qu'elle n'avait pas vue depuis des années, Lee Solway, une pédiatre respectée, consciencieuse, à qui elle avait adressé des dizaines de patients.

— Lee, comme je suis heureuse de t'entendre ! Comment vas-tu ?

— Tout va pour le mieux. Écoute, je veux juste te prévenir qu'un certain Richard Reisman va t'appeler. Je le connais bien et il a vraiment besoin de tes conseils. Voilà pourquoi.

Tandis que Lee Solway lui dépeignait la situation, Barbara

écoutait attentivement. Puis elle nota le nom de Richard Reisman et inscrivit à côté : *candidat pour le nouveau groupe*.

— C'est de ton ressort ?

— Plus que tu ne le crois ! Qu'il m'appelle !

10

A la maison de repos du cinéma, tout le monde connaissait Bobo Reisman sous le sobriquet du « Maire ». Peut-être était-ce parce que tous les matins, qu'il pleuve, qu'il vente, qu'il neige, il se dirigeait lentement et précautionneusement, pour ne pas tomber comme l'hiver dernier et se blesser à la hanche, vers le banc placé devant la porte de la réception. Une fois qu'il y était parvenu sans encombres, ce qui, à son âge, tenait de l'exploit, il suivait le même rite, posait une main derrière lui et s'asseyait doucement.

— Bonjour, monsieur le maire, lui dit en passant le Dr Sepkowitz.

— Comment allez-vous ? lui demanda Bobo, mais le temps qu'il prononce ces mots, le médecin avait disparu à l'intérieur du bâtiment, et il n'eut pour toute réponse que le bruit mat de la lourde porte vitrée.

— Vous avez l'air en forme, monsieur le maire, lui lança Margo Burke, l'une des infirmières de nuit qui sortait.

Bobo la salua en soulevant son chapeau.

Quand Ricky venait lui rendre visite, à peine avait-il quitté l'autoroute de Ventura et tourné pour s'engager sur la route de Calabassas qu'il apercevait déjà Bobo sur son banc. C'était signe que son oncle se portait bien. D'ordinaire, il apportait un pique-nique acheté chez Greenblatt pour le déjeuner, s'asseyait et partageait un de ces sandwiches au foie qui ne leur valaient rien ni à l'un ni à l'autre et un jus de céleri du Dr Brown, qui ne leur valait guère mieux, mais qu'ils adoraient tous les deux. Puis, quand il faisait beau, Rick aidait son oncle à se redresser et les deux hommes, que l'on saluait sur leur passage, faisaient le tour du jardin, le plus âgé d'un pas hésitant.

— Bonjour, monsieur le maire, disait-on à Bobo, puis on hochait la tête en direction de Rick avec un clin d'œil qui signifiait : « Ce que vous êtes gentil de vous déplacer et de consacrer du temps à un vieux bonhomme comme ça ! »

Mais Bobo ne remarquait pas les autres. Tout ce qu'il savait, c'était que son neveu, son Ricky, était venu lui demander conseil pour ses affaires.

— Ton papa ne comprenait pas pourquoi je voulais réaliser ces sacrées histoires de conquête spatiale. Des années avant qu'on ait entendu parler de Spoutnik, je n'arrêtais pas de leur répéter : « Faisons des films sur l'espace. » N'avais-je pas raison ? On ne voit plus que ça maintenant, les films intergalactiques. Celui avec le type qui a les oreilles pointues, combien de fois vont-ils nous le resservir ? Bon sang, l'équipage de ce vaisseau spatial est tellement vieux qu'il devrait venir ici. C'est comme je le disais à ton père, il y a des années : « Tu sais pourquoi l'espace, Jakie ? Parce que tout le monde veut savoir ce qu'il y a là-haut. Est-ce qu'il y a des gens comme nous ou des hommes verts tellement petits que des blinis servent de pneus à leurs soucoupes volantes ? » Tu la connais, cette blague ?

— Je l'ai *déjà* entendue, oncle B., dit Rick.

C'était une journée torride, comme il y en a dans la Vallée, et Rick poussait Bobo, qui avait un peu mal au pied, dans un fauteuil roulant, à travers le labyrinthe que formaient les allées du jardin.

— Ah bon ?

— Hum !

Rick regarda une jeune infirmière qui, sortant de l'un des pavillons, s'arrêta pour prendre quelques notes, tendre sa main en arrière et tirer sur quelque chose, à hauteur de la taille, sans doute sur l'élastique de son collant.

— Le Martien goûte le blinis et déclare : « C'est bon, mais ce serait meilleur avec du saumon fumé et de la crème fraîche. »

— Oui, dit Bobo. C'est bien la chute de l'histoire. Mais bon sang, petit crétin, je suis vieux. Tu aurais quand même pu faire semblant de ne pas la connaître pour me laisser le plaisir de la raconter encore !

— J'ai essayé autrefois et tu me disais toujours : « Ne dis pas tout le temps *non*. Je sais que je te l'ai déjà racontée. Je suis vieux, mais je ne suis pas gâteux. »

Bobo rit, découvrant des dents jaunies, et tapota le bras de son neveu d'une main aux doigts noués et aux veines saillantes.

— Ne t'en fais pas, mon petit, bientôt je ne serai plus là et tu n'auras plus besoin de venir faire l'andouille ici.

— Tu m'enterreras sûrement.

— A Dieu ne plaise ! s'exclama Bobo en tendant la main pour lui donner une petite gifle. J'ai déjà mon billet. J'attends simplement qu'on appelle mon numéro. Toi ? Tu n'es pas encore marié, tu ne peux donc pas mourir.

— Quel est le rapport ?

Ils avaient atteint l'endroit de la promenade où le fauteuil roulant devait grimper un monticule. Rick, un peu essoufflé, se promit intérieurement de retourner s'entraîner régulièrement dans son club de sport. Mais dès qu'il fut de nouveau sur le plat, il oublia son serment.

— Le rapport, poursuivit Bobo, le voici : pourquoi diable aurais-tu la chance de quitter cette vie sans avoir subi les tracasseries d'une femme ?

— Les petites amies comptent-elles ? se hasarda Rick en appuyant fort sur le frein pour arrêter le fauteuil roulant près d'une pelouse bordée de chaises.

Puis il tira l'une de ces chaises et s'assit.

— Je subis les tracasseries de tas d'amies.

— Ce n'est pas la même chose, s'entêta le vieil homme en hochant la tête.

C'était toujours un étonnement pour Rick de voir danser ces grands yeux noirs sur le visage desséché de son oncle.

— Peu importent les âneries immorales et cyniques que racontent généralement les films et les émissions de télévision. Ce n'est pas pareil. Écoute, Ricky, dit-il, le sourcil froncé par l'inquiétude sous une blanche chevelure en broussaille. Comment se fait-il qu'un jeune homme comme toi soit aussi peu en forme ? Est-il possible qu'un homme de ton âge souffle comme un bœuf pour grimper une toute petite pente ? Tu devrais peut-être perdre quelques kilos ?

— Je vais bien, oncle B. Ne t'inquiète pas.

— Pourquoi ne m'inquiéterais-je pas ? Je t'ai déjà dit que

je t'avais couché sur mon testament. Tu n'as jamais mentionné que tu m'avais couché sur le *tien*.

Les deux hommes éclatèrent de rire et restèrent longtemps assis en silence.

— Écoute-moi, Ricky, il est grand temps que tu fasses ta vie. Tu es une huile, un nabab. Et tu sors avec des petites filles qui se prennent pour des actrices, qui tortillent leur derrière et s'en vont au matin avant que tu sois réveillé. Non ? Oui. Et alors ? Tu es peut-être meilleur en affaires que ton père et moi, mais lui et moi... nous avions au moins une chose que tu n'as pas. Une femme. J'avais ta tante Sadie, un vrai sergent, une virago. Quand elle appelait : « Bobo ! », je me mettais au garde-à-vous. Tout ce qu'elle voulait, je le lui donnais parce qu'au fond c'était une bonne âme et nous nous sommes aimés... combien ? Cinquante-quatre ans.

» Et ta mère, quel ange ! Un sens de l'humour... et elle était folle de ton père. Je me suis marié à cause d'eux. Je les regardais se bécoter quand ton père et moi rentrions du boulot et je m'imaginais que c'était ça, le mariage. Ils se bécotaient tout le temps, alors j'ai fait pareil. Bien sûr, votre génération a tout l'amour qu'elle veut sans *bambino* en prime mais, crois-moi, poursuivit Bobo en tapant sur son genou de ses doigts arthritiques pour souligner l'importance de ses propos, crois-moi...

Il avait perdu le fil de son raisonnement, et le vieil homme se prostra à nouveau.

— Voulez-vous que je le reconduise, monsieur Reisman ?

Une grande infirmière noire se tenait à côté de Rick, qui se rendit compte qu'il avait le regard fixé sur la fontaine voisine depuis un long moment et qu'il n'avait pas remarqué que Bobo s'était endormi. Il songea à ce que venait de lui dire son oncle et, même s'il avait souvent entendu ce discours, cette fois, cela l'avait atteint profondément — comme si une main lui avait serré le cœur. Ou bien était-ce le sandwich au foie ? « Nous avions quelque chose que tu n'as pas. Une femme. »

— Non, je vous accompagne, répondit-il. Je vous suis au cas où il se réveillerait.

Rick poussa le fauteuil roulant en direction du pavillon. « Cette douleur, ce n'était qu'une vieille rancœur », se dit-il. L'infirmière se précipita pour ouvrir la porte et l'accompagna jusqu'à la chambre de Bobo. Ils soulevèrent tous deux le vieil homme et l'étendirent sur son lit. Rick recouvrit les pieds de son oncle de la couverture afghane verte et jaune qu'il connaissait depuis son enfance. Elle trônait alors sur le canapé de sa tante Sadie.

— Il est très fier de vous, déclara l'infirmière tandis qu'il lui tenait la porte. Il vante vos succès à qui veut l'entendre. Je n'ai pas vu tous vos films, mais j'ai vu *Neuf Heures moins le quart* et cela m'a vraiment beaucoup plu. Je tenais à vous le dire.

Rick la remercia, s'excusa et traversa le hall d'un pas las jusqu'à la sortie qui donnait sur le parking. « Voilà comment on finit ! » pensa-t-il. « C'est aussi comme ça que je terminerai ma vie. Si j'ai de la chance. Et quand on se lèvera pour écouter mon oraison funèbre, peu importera que j'aie dirigé douze ou seize films. » Il ralentit l'allure une fraction de seconde pour jeter un coup d'œil aux affiches en noir et blanc des grands classiques qui tapissaient les murs du bâtiment. « Bobo veut que je me marie. C'est charmant. Chaque fois que nous sommes ensemble, il y fait allusion, comme toutes les femmes avec lesquelles je sors », se dit Rick qui sourit intérieurement tout en se dirigeant vers sa voiture. Cela le fit rire, un drôle de petit rire, et quand il pénétra dans sa voiture, il mit KKGO FM, la radio du jazz. Dizzy Gillespie jouait *I Can't Get Started with You*.

A la maison, il fit réchauffer le dîner que la femme de ménage lui avait préparé, mangea rapidement devant la télévision, zappa de chaîne en chaîne, puis composa le numéro de téléphone de Malibu. Charlie décrocha.

— Ce n'est que moi, dit Rick dans un bâillement.

L'odeur d'antiseptique de la maison de repos collait encore à ses vêtements.

— Tu veux dire que tu es tout seul à la maison, un samedi soir ?

— Où veux-tu que je sois ?

Ils bavardèrent. Conversation de deux petits vieux à Miami Beach, disaient-ils. Cela faisait partie de l'accord qu'ils avaient conclu bien des années auparavant. Quand tous les autres, maîtresses, épouses, amis, les auraient abandonnés ou seraient tombés raides morts (toute personne les ayant quittés l'un ou l'autre ne pouvait qu'être tombée raide morte), ils finiraient leurs jours ensemble, dans une tour de Miami. Comme dans *Drôle de couple* ou *Ennemis comme avant*. Après vingt-cinq ans de mariage avec Patty Marcus Fall, rien ne laissait prévoir que Charlie serait seul un jour. Quant à Rick, il n'avait que des candidates, des dizaines de candidates au mariage.

— Pas de Mona ?

— Plus de Mona.

— La grande conversation ? demanda Charlie.

Et Rick sourit en soufflant par les narines, avec un petit rire qui signifiait : comment Charlie peut-il bien le savoir ?

— Je sais, c'est tout, dit Charlie qui semblait avoir lu dans ses pensées. C'est ça, n'est-ce pas ? Voyons. Six mois ? C'est généralement à ce moment-là que ça arrive. Non ? J'y pensais justement hier soir. Tu as fait sa connaissance en octobre. Nous sommes en mars. Je parie, me disais-je donc, je parie que Mona va faire le coup de la grande conversation à ce pauvre vieux. Et elle te l'a fait. Et tu lui as dit quoi ?

— Comme d'habitude.

— Ah oui ! « Ne te fais aucun reproche. Ce n'est pas ta faute, c'est la mienne. Je ne suis bon pour personne. » Et maintenant tu es déprimé, hein ? Je te connais comme si je t'avais fait... Mon vieux, il faut qu'il se passe quelque chose. Peut-être est-il temps, j'ai dit peut-être, que tu songes à accepter un compromis. Personne n'est parfait, n'est-ce pas ? Crois-tu que *tu* sois une affaire ? Tu as plaqué Mona et maintenant il va falloir que tu recommences tout le processus, les rendez-vous, etc. Que pensez-vous de Clinton ? Quel est votre avis sur l'Afrique du Sud ? Et ça, uniquement dans les rares occasions où tu sors avec quelqu'un qui a entendu parler de Clinton et de l'Afrique du Sud. Bon sang, rien que de penser à ces soirées, ça me déprime.

— Oh ! Laisse-le tranquille, dit Patty au fond de la pièce.

— Tu as raison. Je suis pitoyable, mais on ne se refait pas, dit Rick.

— Je ne sais pas comment te dire ça mais, si tu choisissais une femme pour des raisons autres que ses talents au lit, peut-être que quand tu en aurais marre de la baiser et qu'elle pourrait enfin tenir une conversation normale, tu aurais envie de la garder près de toi plus de six mois.

— Oui, grandis, oncle Ricky, fit une voix sur ce qui devait être le second poste de Charlie.

C'était le fils aîné de Charlie, Mayer. Quel âge avait-il à présent ? Était-il possible qu'il eût vingt ans ?

— Papa a raison. Tout le monde peut se faire sauter. Le problème, c'est d'aimer un autre être humain, de s'aimer et de s'enrichir mutuellement. Pas de l'exploiter. Tu es un cliché personnifié. Le célibataire hollywoodien. C'est tellement rebattu !

— Eh bien, je ne saurais dire à quel point je suis enchanté de vous avoir téléphoné, répondit Rick qui souriait intérieurement de la grande envolée de Mayer.

Et dire qu'il l'avait changé quand il était bébé, ce garçon qui était à présent en deuxième année d'études cinématographiques à l'USC et qui espérait bien suivre les traces de son père.

Patty saisit un autre combiné et se fâcha contre son mari et contre son fils.

— Cessez d'embêter oncle Ricky et raccrochez pour que je puisse lui parler.

Patty Fall. Cette femme était vraiment une perle, une beauté, la femme qu'il aimait le plus au monde. Il avait toujours dit qu'il se marierait s'il en trouvait une comme celle-là.

— Puis-je te retenir un soir pour venir dîner avec nous ?

— Super ! Donne-moi une date, dit-il, puis il nota le soir qu'elle avait choisi dans son agenda.

Il raccrocha le téléphone, éteignit la télévision et la lumière, et se traîna jusqu'à sa chambre pour y dormir. Un peu avant l'aube, il se glissa de l'autre côté du lit, ce qui lui rappela désagréablement que le dernier corps qui avait occupé cette place n'était plus là. Mona. C'était elle qui dormait là. Elle n'y dormait plus. « Tant pis », se dit-il en plongeant à nouveau dans un sommeil profond jusqu'à ce que le réveil sonne.

Il roulait sur l'autoroute de Ventura quand le téléphone de la voiture retentit. Il s'était fait installer le téléphone deux ans auparavant, mais ce son assourdi, presque fantomatique, une sonnerie de cauchemar, le faisait toujours sursauter. Il ne s'habituerait jamais à conduire tout en parlant dans ce micro. Cela ressemblait trop à de la science-fiction. Il essaya d'utiliser le récepteur manuel, ce qui n'arrangea pas les choses. Il se vit alors contraint de conduire d'une main et de tenir l'appareil de l'autre. Et quand il voulait changer de file ou sortir de l'autoroute, il n'y avait plus de main à sa disposition pour mettre le clignotant.

Un jour, il était tellement absorbé par sa conversation téléphonique qu'il changea de file trop vite, oubliant de le signaler. Le chauffeur du camion qui se trouvait derrière lui klaxonna en le couvrant d'injures. Rick avait réussi à saisir quelques-unes des amabilités que beuglait le type du poids lourd. Notamment l'allusion au dindon dans sa Mercedes décapotable avec son foutu téléphone à la main. Quand le camion passa devant la voiture découverte de Rick, le chauffeur hurla une dernière insulte et, du haut de sa fenêtre, cracha sur la Mercedes. Il le manqua mais l'insulte, elle, toucha sa cible. Un type au téléphone au volant d'une voiture chère, ce ne pouvait être qu'un de ces sales cons de Hollywood.

Ce jour-là, c'était Carrie qui téléphonait du bureau de Nat Ross.

— Monsieur Reisman, êtes-vous disponible ? M. Ross aimerait vous parler.

— Ça dépend de ce que vous appelez disponible, répondit Rick.

Carrie appuya sur une touche, et Nat Ross prit le relais.

— Rick ?

— Nathan Ross, patron du studio. Comment va Son Éminence, ce matin ?

— Bien, je vais bien, dit Nat Ross. Je tiens à te demander des nouvelles de ton oncle Bobo, ajouta-t-il pour bien lui montrer qu'il était de ces bons garçons qui se soucient de la famille. J'étais un de ses fans, de ton père aussi. Comment va-t-il ?

— Bobo, c'est Bobo. Il a presque quatre-vingt-cinq ans, du diabète, de la cataracte, un ulcère, des troubles rénaux et de la phlébite. Mais au moins il a la santé !

Son estomac se noua soudain. Il se demanda la raison de ce coup de fil. Il avait quatre projets en train avec le studio de Nat. Seul, l'un d'entre eux était presque prêt. Un thriller politique où évoluait une Première dame qui ressemblait un peu à Jackie Kennedy.

— Ricky.

Nat Ross, qui n'avait rien entendu de ce que venait de lui dire Rick, suivait son propre ordre du jour.

— Je t'appelle pour te dire que je connais tes sentiments à l'égard de Kate Sullivan, mais j'aimerais bien que tu ne rejettes pas totalement l'idée de lui confier le rôle de la Première dame. Écoute-moi bien, enchaîna-t-il devant le silence de plomb que gardait Rick à l'autre extrémité de la ligne, moi aussi, je déteste ses idées politiques.

— Oui ? fit Rick. Alors ?

— Alors, elle convient mieux à ce rôle que toutes celles que nous connaissons l'un et l'autre.

— Meryl Streep ?

— Pas disponible.

— Je ne lui ai encore rien demandé.

— Moi, si.

— Nat, fit Rick en essayant de garder une voix posée, quand j'ai conclu ce marché avec toi, tu m'as promis de ne pas t'en mêler. Ne changeons pas de politique ou ça ne marchera pas. Parce que je te rendrai tout ton bel argent et je descendrai un peu plus bas dans la rue, si tu essaies de m'imposer une distribution. Tu le sais très bien.

— Je suggère, Richard. Je ne fais que suggérer.

— Va suggérer ailleurs.

— Je te présente mes excuses.

— Je te pardonne.

Rick reposa le téléphone, dit « connard ! » à haute voix, persuadé que Nat Ross venait d'en faire autant à l'autre bout du fil, et mit son clignotant pour quitter l'autoroute à la sortie de Pass Avenue.

Kate Sullivan dans le rôle de la Première dame. Pas question ! Tout ceux qui connaissaient Rick savaient qu'il détestait cette espèce de nullité gonflée de son importance. Il ne pouvait pas supporter les âneries politiques qu'elle débitait d'un ton supérieur. La plupart du temps, elle n'avait pas la moindre idée de ce dont elle parlait. C'était un discours tout juste bon pour son frère, le sénateur. De plus, Kate Sullivan détestait Rick, elle aussi. Depuis des années. Depuis ce gala de soutien à l'un de ces groupes féministes vieux comme Hérode, où elle avait prononcé un discours inoubliable sur la féminisation de la langue. Quand était venu le moment des questions, Rick avait levé la main. « N'était-ce pas leur faire perdre leur temps à tous que de discuter de bricoles, comme de savoir si l'on devait dire ministre ou ministresse, alors qu'il y avait tant d'enjeux d'une importance capitale pour les femmes, la garde des enfants et l'égalité des salaires, par exemple ? »

Même de l'endroit où il était assis, tout au fond du jardin de Norman Lear, Rick avait vu les yeux verts de Kate Sullivan se rétrécir sous l'effet de la colère. Puis elle lui avait lancé une pique aussi personnelle que déplacée. « Tout le monde connaît la position de M. Reisman sur les femmes. »

Après quoi, elle avait tenté d'esquiver sa question.

Un homme installé quelques rangs derrière lui fit parvenir une note où il avait écrit : « *Je suppose que la réponse à votre question demeurera un Misstère.* » Non, il ne voulait de Kate Sullivan ni dans ce film ni dans aucune autre de ses œuvres.

Dans son bureau, le bras d'acier sur lequel s'empilaient les messages téléphoniques était tombé sous le poids du papier.

— Je ne veux même pas les voir, dit Rick qui replaça le bras et tira tous les messages d'un seul coup.

Andréa, sa secrétaire, ne l'entendit pas entrer. Elle regardait dans la direction opposée en tapant à la machine, le baladeur sur la tête, qui lui hurlait dans les oreilles à un volume tel que Rick percevait les basses. Quand elle leva les yeux, elle se leva d'un bond.

— Oh ! mon Dieu ! fit-elle en arrachant le casque de ses cheveux blonds emmêlés, puis elle fondit en larmes.

« C'est encore un de ses petits amis qui l'a plaquée », songea-t-il.

— Je suis désolée, dit-elle. Je ne voulais pas vous l'apprendre moi-même. Je sais à quel point vous l'aimez et...

Elle lui posa ses mains aux ongles trop longs sur le bras et pressa fort.

« Bobo », pensa-t-il aussitôt. « Mon Dieu, il est mort. »

— Charlie Fall est mort, poursuivit Andréa, le visage rayé de traces de maquillage.

Cette nouvelle inattendue, brutale, frappa Rick en pleine poitrine, et l'onde de choc s'étendit à ses membres et à son visage. Charlie. Impossible.

— Je suis désolée, répéta Andréa. La secrétaire de M. Fall a appelé il y a quelques minutes. Une crise cardiaque.

— Non.

— Elle a essayé de vous joindre chez vous, mais je lui ai dit que vous étiez probablement en chemin. Il courait très tôt ce matin sur la piste de l'UCLA. Il faisait encore nuit et il était tout seul là-bas. Quand les autres coureurs l'ont trouvé et transporté aux urgences, il était mort. Mme Fall a demandé que l'on vous prévienne.

Rick retourna dans son bureau sans prendre la peine de fermer la porte derrière lui, abattu par cette terrible nouvelle. Charlie. Bon Dieu ! Andréa le suivit en reniflant dans son Kleenex.

— Où est-elle ? Où est Patty ?

— Chez eux.

— J'y vais. Tout de suite.

Mais il était trop paralysé pour faire le moindre mouvement.

— Les obsèques auront lieu après-demain, lui apprit Andréa qui sortit sur la pointe des pieds et referma la porte.

A l'extérieur, à la réception, Rick entendait les téléphones qui sonnaient les uns après les autres. Il baissa les yeux vers celui qui se trouvait sur la table basse en regardant s'allumer les lampes des différentes lignes, qui s'éteignaient dès qu'Andréa avait pris l'appel. Des appels pour lui sans doute, qu'Andréa filtrait pour lui laisser le temps de reprendre ses esprits.

Charlie. Son meilleur ami depuis presque quarante ans. Rick s'était préparé à perdre Bobo. En fait, chaque fois que le téléphone le réveillait la nuit, il se dressait dans son lit et criait le nom de son vieil oncle. Mais pas Charlie. Il y avait à peine deux semaines, ils étaient assis côte à côte dans une salle de projection de la Fox pour visionner les rushes de Charlie que l'on dissimulait, dans le plus grand secret et avec le soin le plus méticuleux, aux regards de tous les membres de cette industrie, à l'exception de Rick. Or cette fois, Charlie était, à l'évidence, énervé par sa présence.

Dans ces séquences dispersées du premier jet, Rick avait reconnu le génie dont les premiers films de Charlie n'étaient que la promesse. C'était sans doute l'envie, une envie sans mélange, qui lui avait fait venir des larmes aux yeux en cet après-midi, quand les lumières s'étaient rallumées et que Charlie, exultant, lui avait dit en le regardant droit dans les yeux :

— Prends ça dans les dents !

— C'est exactement ce que je fais, dit Rick à cet homme qui le connaissait si bien. Quel sacré talent !

Charlie avait soupiré puis arboré un grand sourire qui découvrait l'espace entre ses deux dents de devant et qui signifiait : « Il était temps que j'entende ça parce que c'est ce que je ressens chaque fois que je vois *ton* travail. »

— Mais c'est beaucoup mieux que tout ça. Mieux que tout ce que nous avons fait l'un et l'autre jusqu'à présent. C'est extraordinaire, je te le jure.

Les deux hommes s'étaient étreints, puis ils avaient quitté le cinéma et s'étaient retrouvés dans l'éclat de la lumière du jour. Charlie Fall était mort. Une crise cardiaque. Et Patty ? Qu'allait-elle faire sans lui ? Rick jeta un regard circulaire sur toutes ces photos de Charlie qu'il avait accrochées çà et là, il en prit brusquement conscience, dans son bureau. Charlie et lui en smoking à la cérémonie de remise des Oscars. L'année où Rick l'avait emporté et celle où ce fut Charlie. Et cette photo-là où Charlie, bronzé et torse nu, arborait son grand sourire sur la jetée de Santa Monica, un bras enveloppant chacun de ses deux fils qui tenaient des cannes à pêche. Les garçons...

Rick avait mal aux yeux. Il imaginait à présent les deux fils de Charlie et Patty sur la terrasse de leur villa de bord de mer, s'accrochant les uns aux autres dans une douleur partagée. Il composa le numéro de la maison de Malibu. La ligne était occupée, et l'on avait l'impression, à entendre ce bruit régulier, que l'on avait décroché le téléphone. Il reposa le récepteur et fit un pas en direction de son bureau. Quelle pagaille ! Couvert de papiers. Les notes des gestionnaires de l'étage supérieur, une lettre d'un festival du Midwest qui souhaitait présenter une rétrospective de l'œuvre de Richard Reisman. Il se souvint du pincement au cœur qu'il avait eu en l'ouvrant. « *Une rétrospective ?* » s'était-il dit. « Ce fichu mot me donne l'impression d'être mort. » Mort.

Il y avait aussi une pile de notes pour un scénario qu'il voulait revoir encore une fois, une invitation de l'AFI et un prospectus qu'il n'avait pas eu le temps de lire au moment où il l'avait reçu. Pendant de longs instants, il resta assis dans son fauteuil et lut ce dernier d'un bout à l'autre, puis il composa le numéro inscrit sur le verso. Quand une femme lui répondit à l'autre extrémité de la ligne, il fut incapable de prononcer un mot. Il pleurait, les pleurs d'une grande douleur, et le récepteur oublié gisait sur le bureau.

— Allô ? fit la femme. Vous avez appelé l'Institut de remise en forme Pritikin. Allô ?

Rick raccrocha le téléphone.

11

L'orchestre de jazz de Beverly Hills avait pris place sur une estrade, dans la chapelle de Forest Lawn, et jouait les airs préférés de Charlie, comme celui-ci l'avait demandé dans son testament. Quand Rick arriva, les musiciens attaquaient les premières mesures de *Blue Skies*. Souriants, Patty et les garçons lui firent un signe de la main. De la musique et de la joie, comme Charlie l'avait demandé. Quand débarqua le cortège des amis éplorés, les haut-parleurs diffusaient une musique joyeuse. Une fois la première surprise passée, ils comprirent, exactement comme Charlie l'avait espéré. Rick se tint tout près de Patty et de ses fils. La main de Patty serrait la sienne, tandis que tous ceux qui savaient à quel point ils étaient proches lui adressaient des mots de réconfort comme aux autres membres de la famille.

Un jeune homme qui avait à peine plus d'une vingtaine d'années vint vers Rick, lui prit la main comme pour la serrer et posa son autre main dessus.

— Je suis étudiant en cinéma, dit-il, et je voulais juste vous dire que j'étais un fan de M. Fall et que je suis toujours l'un des vôtres. La plupart des jeunes réalisateurs pourraient, à mon avis, prendre quelques leçons auprès de vétérans comme vous.

Peut-être était-ce le mot « vétéran » (Charlie aurait hurlé de rire) ou le fait que l'orchestre jouât *Fascinatin' Rhythm*, mais il se souvint d'une nuit d'ivresse où Charlie et lui étaient descendus jusqu'à la plage et s'étaient partagé une bouteille de champagne en réécrivant les paroles de cet air qu'ils avaient rebaptisé *San Diego Freeway*. Quelle qu'en fût la raison, il ne put réprimer un éclat de rire tout à fait déplacé, qu'il jeta à la face de l'étudiant sidéré.

Ce soir-là, il quitta tard son bureau et gravit la colline qui menait à Westwood. Le semestre précédent, il avait accepté de rencontrer une classe de réalisation à l'UCLA. En fait, il devait y aller avec Charlie. La salle était tellement bondée d'étudiants bavards et grouillants que Rick dut se frayer un chemin à coups de coudes pour parvenir jusqu'à l'estrade où Charles Champlin, qui tenait le rôle de président de séance, était assis seul devant une longue table, le nez sur ses notes.

Rick aimait bien Chuck Champlin. Le critique s'était toujours montré d'une grande amabilité envers ses films, même envers ceux qu'avaient démolis ses confrères. Le visage rond et doux de Champlin s'emplit de compassion quand il leva les yeux vers Rick. Le groupe d'étudiants parlait si fort qu'il dut se pencher vers Rick pour se faire entendre.

— Vous savez, après la mort de Charlie, j'ai sérieusement pensé vous appeler pour remettre cela à plus tard. Je sais que vous étiez très proches et...

Rick tenta de sourire.

— C'est très délicat de votre part, mais ça va.

— J'ai projeté *Neuf Heures moins le quart* à ce groupe la semaine dernière et, bien entendu, *Bord de mer*, de Charlie. Ils sont tous si impatients de...

Rick se retourna pour contempler cette foule riante et bruyante. Alors son visage s'empourpra, et il fut pris d'une brusque crise de claustrophobie.

— Vous allez bien ? lui demanda Champlin qui avait remarqué son malaise, parce que, franchement, je préfère renvoyer tous ces gens chez eux que...

— Je vais bien, Chuck, dit Rick en attendant que la crise passe.

Quand il se fut assis, les étudiants prirent cela pour un signal et cessèrent leurs bavardages. Tous regagnèrent leur siège, de sorte que le cours put commencer. Champlin prononça quelques mots d'introduction, évoquant le père de Rick, Jacob Reisman, aujourd'hui disparu, et son oncle, William « Bobo », les dizaines de films qu'ils avaient produits et mis en scène dans les années trente et quarante, et l'enfance de Rick dans les coulisses des studios.

Les chaises cessèrent de s'agiter et les pages des carnets de tourner quand Champlin parla de l'amitié entre Rick et Charlie Fall. Il dit qu'il avait assisté aux funérailles, bien que Rick ne se souvînt pas de l'y avoir croisé, et cita le discours que Rick y avait prononcé et dans lequel il avait évoqué une de leurs plaisanteries.

— Nous étions si proches, avait-il rappelé, que, quand je dînais dans un restaurant chinois, une heure plus tard, c'était Charlie qui avait faim.

En entendant le petit rire gêné des étudiants, Rick se raidit à l'idée d'avoir proféré une telle ineptie en une telle circonstance. Champlin poursuivit son introduction par un bref commentaire de *Neuf Heures moins le quart*, et Rick observa cette assemblée de visages disparates, de vêtements aux couleurs qui se fondaient les unes dans les autres.

— Je ne peux pas, aurait-il voulu leur dire avant de prendre congé d'eux, mais des mains étaient levées. Des dizaines de mains.

— Oui ? fit Rick en désignant l'un des élèves, et le débat fut lancé.

Il resta assis là, rouge, espérant que son esprit n'allait pas se mettre à vagabonder, à penser à Charlie, ou à sa propre solitude, ou à cette effrayante incapacité à dormir qui l'affectait depuis quelques jours. Après un moment, son estomac se dénoua. Il se rendit compte qu'on lui posait des questions auxquelles il avait déjà répondu des milliers de fois et qu'il n'avait aucune raison de s'inquiéter puisque les réponses, les plaisanteries où il se moquait de lui-même et les critiques du milieu cinématographique qu'il servait depuis des années se révélaient toujours aussi efficaces. Il put bientôt respirer normalement. Il était en terrain sûr. Rien de trop compliqué ou de trop difficile. Il était capable de faire face.

Quand la séance prit fin, Champlin résuma ce qui s'était dit. Rick ne pensait plus qu'à s'échapper pour rentrer chez lui. Les peurs et les angoisses qui s'étaient logées dans son cerveau venaient se plaquer, depuis quelques jours, sur les événements de sa vie. Heureusement, songea-t-il, que ce bon vieux système était suffisamment rodé pour fonctionner sans lui. « Car je ne suis pas là. Je suis perdu quelque part au milieu de ma propre peur. Une peur épouvantable qui fait battre le cœur. Une peur de mourir. Ou pire, de ne pas mourir et d'avoir bientôt la réputation d'un réalisateur en décomposition qui n'a jamais eu d'existence en dehors de son œuvre. »

Dans l'effervescence des carnets qui se ferment et des clés que l'on cherche, la classe se leva. Les étudiants se mêlèrent les uns aux autres en bavardant, puis disparurent à l'exception de l'un d'entre eux. Champlin parlait de Truffaut avec un homme grand et chauve quand une jolie blonde qui avait quitté la salle rentra et se dirigea vers Rick. Lorsqu'elle se fut approchée de lui, il remarqua son très beau visage. Frais. Jeune. Elle avait aussi un corps superbe, long et mince.

— Excusez-moi, dit-elle. Je m'appelle Diane et je suis la fille d'Erik Blake.

Erik Blake avait été cameraman sur deux des premiers films de Rick.

— J'ai dit à mon père que vous veniez ici ce soir, et il m'a chargée de vous transmettre son meilleur souvenir.

« Belle », pensa-t-il. Les mains enfoncées dans les poches de son jean. Une chemise en épais coton bleu, du bleu de ses yeux.

— Vous avez été merveilleux, dit-elle. Et je sais que vous n'étiez sûrement pas au mieux de votre forme.

Il haussa les épaules, ne sachant que répondre. « C'est vrai. Vous pourriez peut-être me redonner le moral », avait-il envie de lui dire.

— J'imagine que vous allez vous dépêcher de rentrer à la maison. Sinon, ça vous dirait d'aller prendre une tasse de café quelque part ?

— Beaucoup, répondit-il aussitôt.

Un corps vraiment superbe. Peut-être aimerait-elle faire l'amour avec un homme gros et déprimé.

— Je suis garée au parking d'à côté. Pourquoi ne pas nous retrouver au Ships ?

— Au Ships, acquiesça-t-il en la regardant secouer ses cheveux blonds, tandis qu'elle se dirigeait vers la porte.

La tape dans le dos et les remerciements de Chuck firent se retourner Rick qui lui présenta ses excuses pour la médiocrité de sa prestation. Enfin il traversa le campus de l'UCLA jusqu'au parking. « Cette fille est canon », songea-t-il, « mais le Ships... Pourquoi ne lui ai-je pas dit : et si on allait plutôt chez moi ? » Ou bien dans la lumière tamisée d'un bar au lieu d'un grand café très laid ? Mais quand il poussa la porte vitrée, il se félicita de ne pas l'avoir dit, car la fille d'Erik Blake n'était pas seule. Et n'avait jamais eu l'intention de rester seule à seul avec lui.

Elle était assise au fond, sur une banquette, à côté d'un homme. Même de l'entrée, Rick vit qu'ils portaient tous les deux des alliances assorties. Pendant un long moment de déception, il envisagea de tourner les talons et de s'en aller, mais elle l'aperçut, se leva et lui fit signe de venir à leur table.

— C'est tellement passionnant ! dit le mari qui se leva pour le saluer. Je m'appelle Harvey Feldman.

Grand, athlétique, il avait le visage d'un petit garçon. Rick le reconnut. Il faisait partie de la marée humaine qui avait assisté à sa conférence. Il semblait jeune. Pas aussi jeune que la fille, peut-être une trentaine d'années. « Un déca », se dit Rick. « Un déca, et tu t'en vas, pauvre con. Tu pensais chasser la gazelle et tu vas te farcir une resucée de ton séminaire avec son mari. Apprendras-tu un jour à ne pas écouter tes bas instincts ? »

— Je connais Bobo, votre oncle, déclara le mari qui fit un geste à l'intention d'une serveuse qui passait. Essie Baylis, ma grand-mère, faisait partie de la troupe des Busby Berkeley Girls. Elle habite aujourd'hui dans le même pavillon, à l'autre bout du couloir. Elle appelle ça le dortoir gériatrique.

Rick rit.

— Diane et moi, nous y allons tous les vendredis soir. Nous jouons aux cartes avec elle, et Bobo fait souvent le quatrième au bridge. C'est un bon annonceur. A quatre-vingt-deux ans, c'est incroyable !

— Lors de son prochain anniversaire, il en aura quatre-vingt-cinq. Dans quelques semaines, rectifia Rick.

— C'est drôle, intervint Diane. J'aurais juré qu'il m'avait dit quatre-vingt-deux.

— Vous faisait-il la cour à ce moment-là ?

Ils éclatèrent de rire tous les trois.

— Le monde est petit, n'est-ce pas ? fit Rick avec sa voix de charmeur chaleureux, comme disait Charlie. Bobo est un personnage haut en couleur.

Les Feldman buvaient un café et quand la serveuse arriva, elle se tourna aussitôt vers Rick.

— Un déca, lui dit-il. Léger, pas allégé.

Ce qui amusa beaucoup les Feldman.

— Vous savez, fit Harvey Feldman, la dernière fois que nous avons joué aux cartes avec Bobo, c'est-à-dire il y a deux ou trois semaines, il nous a dit que vous et moi, nous devrions nous associer. Je travaille dans un secteur où les histoires tragiques sont monnaie courante. Il prétend qu'il y a matière à faire un film avec presque tous les cas que je vois.

« Parfait », songea Rick. « Mon oncle Bobo se met à jouer les agents, et je suis victime de mes appétits sexuels. Ce crétin se sert de sa femme pour appâter et maintenant il essaie de me vendre sa salade. Désolé, mon vieux. Un déca et dehors ! Même si nous en sommes au moment le plus palpitant du récit. Et même si tu es assez gentil pour jouer aux cartes avec mon oncle. »

— Et que faites-vous donc pour avoir tant de belles histoires à vous mettre sous la dent ? demanda Rick en espérant que ce type lui ferait la grâce de lui répondre en trois ou quatre mots.

— Je suis spécialisé dans les adoptions où les parents naturels et les parents adoptifs de l'enfant se rencontrent et font connaissance.

— Pourquoi font-ils une chose pareille ? s'enquit Rick poliment.

Il souhaita, une fois de plus, que la réponse ne soit pas trop compliquée, mais Harvey n'eut pas le temps de répondre.

— Ricky ? appela une voix, et Richard Reisman leva les yeux.

Il y avait là deux filles. Deux greluches, deux vagues connaissances, dont il ne parvenait pas à retrouver le nom.

— Blair Phillips et Sandy Kaye, annonça l'une d'elles.

Rien. Cela ne lui disait rien du tout. Dieu tout-puissant ! Il ne savait pas le moins du monde qui elles étaient.

— Bien sûr, fit Rick en adressant un grand sourire à celle qu'il pensait être Blair. Ravi de vous voir. Comment ça va ?

— Génial. On ne s'est pas revus depuis le soir où nous sommes tous allés sur le bateau d'Henry, dit l'autre.

Des sauterelles, des nanas avec qui il avait fait la fête sur un bateau. Qui était Henry ?

— Merci d'être venues, les filles !

— Oui. Ça nous a fait plaisir, à nous aussi, de te voir, vieux, répondit l'une, puis elles se dirigèrent en se dandinant vers l'autre partie de la salle.

La serveuse posa le déca devant Rick. Il versa un peu de la crème que contenait le petit pot en aluminium, ouvrit un sachet d'édulcorant, fit tomber la poudre blanche dans la tasse et tourna. Il n'osait plus regarder les Feldman en face après ce qui venait de se passer, sans très bien savoir pourquoi. Ce genre de chose lui arrivait souvent. Peut-être était-il d'autant plus mal à l'aise que ses deux interlocuteurs connaissaient bien Bobo.

— Si les gens le souhaitent, répondit Diane pour son mari, reprenant la conversation là où ils l'avaient laissée, c'est que, pour un bébé en bonne santé, il y a, à Los Angeles, quarante couples et six ou sept célibataires qui sont candidats à l'adoption. La mère naturelle se trouve donc face à quarante-sept possibilités. En créant une situation qui permette à une jeune fille enceinte qui ne veut pas avorter de choisir le ou les parents qui lui semblent convenir le mieux à son bébé, on donne à des gens, que l'État écarterait d'emblée, la possibilité d'être choisis. Des couples âgés, des couples homosexuels, des gens seuls. Aussi les candidats rivalisent-ils pour convaincre la mère qu'ils sont les plus aptes à élever son enfant.

— Des histoires, enchaîna Harvey Feldman, j'en ai assez pour écrire une *dizaine* de films. Parce que, parmi les parents adoptifs, il y a vraiment de tout. Pas seulement des gens qui satisfont aux critères des agences étatiques.

L'article. Ce garçon était bel et bien en train de lui faire l'article. Pourquoi pas ? Après tout, la vie n'était-elle pas faite de ça ? Si les choses avaient été différentes, il serait lui-même en train de débiter des salades, au fond de son lit, à la grande et blonde Diane. Mais les rengaines du genre « ma vie est un roman » étaient de celles qu'il évitait systématiquement. Tous ceux qui étaient persuadés que leur existence ferait un film fantastique, c'est-à-dire tout le monde ou presque, essayaient de le coincer pour lui vendre leur petite histoire.

« Pas ce soir, les enfants », pensa-t-il. Puis il se glissa hors de la banquette et se leva d'un bond.

— Je suis vraiment désolé, lança-t-il pour qu'ils n'aient pas le temps de se dire qu'il était sans doute possible de le convaincre de rester une minute de plus, mais en ce moment, je n'ai pas le cœur aux mondanités...

— Nous comprenons, dit aussitôt Harvey Feldman.

Et la superbe blonde et son mari se levèrent à leur tour.

— Merci de vous être joint à nous, entendit Rick quand, sans même les avoir remerciés de l'avoir invité au Ships, de lui avoir offert un déca et proposé des histoires certainement très profondes dont il avait déjà oublié le sujet, il se retrouva sur le parking et se précipita vers sa voiture.

12

Le bar qui se trouvait dans le bureau de Rick et que le studio remplissait d'alcools divers, de vin et de jus de fruit était l'un des grands privilèges dont il jouissait, ce qu'on lui avait d'ailleurs bien fait remarquer. Dans la journée, aucun de ses visiteurs ne lui demandait de boisson alcoolisée. Les bouteilles posées sur des étagères de plastique n'avaient donc pas bougé depuis le jour de son arrivée, date à laquelle on les lui avait livrées.

Ce jour-là, tandis qu'Andréa lavait les tasses à café dans l'évier, elle remarqua que la bouteille de whisky était à moitié vide. Richard Reisman avait bu dans la journée. « Le pauvre », pensa-t-elle. Ces dernières semaines, elle l'avait vu s'éclipser au beau milieu d'une réunion, se réfugier dans un bureau vide et, elle en était certaine, pleurer, debout dans l'obscurité de la pièce. Pleurer pour faire sortir la douleur, car il était encore tellement affecté par la peine que lui avait causée la perte de Charlie que le moindre détail qui venait la lui rappeler suffisait à l'ébranler. Enfin, quand il avait repris ses esprits, il repassait devant son bureau avant de regagner sa réunion.

Ce soir-là, il assistait à une conférence tardive à l'étage supérieur, avec Nat Ross et quelques scénaristes. Tous ces hommes devaient discuter d'un nouveau projet que Rick souhaitait mettre en train. A cinq heures quarante-cinq, en partant, il dit à Andréa qu'elle pouvait rentrer chez elle, s'il n'était pas de retour à sept heures. Il était presque sept heures et, quand elle eut nettoyé toutes les tasses, elle essuya le comptoir en Formica et y posa une serviette en papier absorbant. Puis elle retourna les tasses sur la serviette pour les faire sécher, s'essuya les mains sur son jean, éteignit la lumière dans le bureau de Rick et partit.

Il était neuf heures et demie quand Rick passa prendre sa veste. Une nuit bleu sombre était tombée sur Los Angeles, mais il ne prit pas la peine d'allumer la lumière. Grâce à l'abondant éclairage des plafonniers fluorescents de la réception, il vit que sa veste était encore accrochée au dossier de son fauteuil. Quand il la saisit, ses clés tombèrent de sa poche. En se penchant pour les ramasser, il se rendit compte qu'il y avait quelqu'un d'autre dans la pièce. Assise, les jambes croisées, sur le canapé, et qui l'observait.

— N'aie pas peur. C'est moi.

Kate Sullivan. Mon Dieu !

— Il faut absolument que je joue ce rôle.

Il aperçut la lueur orange de la cigarette qu'elle fumait.

— Tu es conscient, bien sûr, ajouta-t-elle, que je pourrais simplement demander au studio de te retirer le projet et de me le confier. Ils accepteraient à coup sûr.

— Alors qu'est-ce qui t'en empêche ?

Il se sentait la langue épaisse. Peut-être devrait-il se servir un whisky. Cela l'aiderait sans doute à faire face à cette intrusion bizarre.

— Maintenant que Charlie Fall est mort, tu es la seule personne capable de me diriger dans ce truc.

Il s'avança vers le bar et versa du whisky dans un verre. Sans prendre la peine d'y ajouter un glaçon, il le but presque entièrement d'un trait.

— J'ai beaucoup vu Charlie avant sa mort, dit-elle calmement. Il m'aidait à organiser des galas pour recueillir des fonds pour les centres d'accueil des femmes battues.

Richard Reisman émit un grognement involontaire. Charlie... Au beau milieu du plus gros projet de sa carrière, il consacrait une partie de son temps si précieux aux femmes battues. Ce type était vraiment un saint, bon sang !

— Après les réunions, nous bavardions, quelquefois pendant des heures. Il m'a dit qu'il aurait beau s'échiner, il n'arriverait jamais à capter l'essence des comportements aussi bien que toi. C'est pour cela que ses trois derniers films étaient si ambitieux. Des films au long cours, disait-il. L'Inde, la Russie. Des œuvres monumentales où les personnages n'occupaient qu'une place accessoire.

Le whisky lui mit le feu à la bouche et à la gorge. Rick vida son verre et s'en servit un autre. Cette fille avait entièrement raison. Elle avait remporté beaucoup plus de succès que lui au box-office et elle pouvait donc obtenir un projet d'un simple hochement de tête.

— Il parlait de tes films avec un luxe de détails étonnant. La manière dont Al Pacino pose sa fourchette dans celui-ci, le regard de Jack Nicholson dans tel autre, le rire hystérique et contagieux d'une mauvaise actrice qui se révèle non seulement bonne mais excellente parce que tu l'as fait improviser et que tu as tourné la scène quand tu l'avais encore bien en main.

Dans la semi-pénombre, il vit qu'elle portait un jean, des bottes à hauteur du genou et un pull à col roulé. Il se rappelait avoir lu un article sur elle dans *Vanity Fair*, quelques mois auparavant, et s'être dit que la photo qui l'illustrait devait être retouchée. Aucune femme de son âge ne pouvait avoir l'air si jeune. C'était pourtant bel et bien vrai. Et comme pour le lui prouver, elle se leva, se dirigea vers le bureau de Rick et alluma la lampe qui s'y trouvait.

Encore une gorgée et son deuxième verre de whisky serait vide.

— Alors je les ai visionnés. Tous jusqu'au dernier. Et il avait raison. Tout ce que Charlie m'avait dit de ton travail était juste.

Richard se sentit faible, fatigué.

— Kate, je suis ravi d'entendre que Charlie m'aimait. Mais je le savais déjà. C'est pour cela que je suis comme un corps sans âme depuis que je l'ai perdu. Le fait que tu sois venue me dire tout cela ne me fera pas changer d'avis à ton sujet.

Elle était perchée sur son bureau, à présent, et tandis qu'il se servait un autre whisky, juste une larme cette fois, il comprit que Kate Sullivan allait tenter de le séduire. Elle était prête à le flatter, à se l'envoyer, à faire ce qu'il fallait pour obtenir non seulement le rôle qu'elle convoitait, ce qui serait facile, mais aussi qu'il assure la réalisation du film. Il termina son troisième whisky et se versa juste un demi-verre qu'il ingurgita en deux gorgées, puis il s'assit sur le sofa, la bouteille vide dans une main, le verre vide dans l'autre. Le seul son qu'il entendit pendant un long moment fut un bourdonnement monotone dans sa tête.

— Ça va être dur pour toi sans Charlie, n'est-ce pas ? fit-elle d'un ton intime.

Un ton qui ressemblait à celui de sa mère quand, petit garçon, il essayait d'être fort. « Qu'y a-t-il, mon amour ? » demandait-elle.

Et toutes ses bonnes résolutions tombaient à l'eau. C'était exactement ce qui était en train de se produire.

Les larmes affluèrent à ses yeux, il posa son verre et la bouteille pour se cacher le visage dans ses mains. Il craqua et pleura sans retenue. Pas seulement sur Charlie, mais aussi sur sa propre vie, sur cette foutue vie, solitaire, médiocre, narcissique, déconnectée des réalités, vide de sens. Peut-être parce qu'il se disait aussi que c'était Charlie, dont l'existence était si pleine de sens, qui aurait dû vivre et lui qui aurait dû mourir. Il s'efforçait de refouler sa tristesse et de tenir le coup en dépit de la quantité de whisky qu'il avait absorbée et à laquelle son organisme n'était guère accoutumé quand il sentit le bras de Kate autour de lui. Sentit son parfum, sentit ses lèvres sur ses mains, puis sur son visage humide, et ses mains sur son corps.

— Ne t'inquiète pas, disait-elle, et sa fraîcheur lui parut délicieuse à côté de la chaleur que le whisky avait fait monter en lui.

Peut-être n'était-ce pas le whisky qui lui avait embrumé le cerveau, qui avait fait ressortir ses sentiments douloureux, mais sa proximité, ce mélange de parfum, de shampooing et de cigarette qui se dégageait d'elle et cet indéniable désir de faire l'amour avec elle. De faire glisser son pull au-dessus de sa tête, de sentir la pointe de ses seins contre sa poitrine et de lui faire l'amour à lui faire sortir les yeux de la tête.

Bon Dieu ! Et pendant qu'elle faisait glisser sa fermeture Éclair, qu'elle le déshabillait, une petite voix tout au fond de lui lui murmurait que tout cela était d'une stupidité sans pareille. Qu'il ne voulait pas se comporter ainsi avec elle. Mais à présent qu'elle ôtait ses vêtements, Dieu sait qu'il avait envie d'elle ! Kate Sullivan, ses lèvres, sa langue sur son ventre, descendant doucement avant de poser sa bouche humide sur son sexe. Quand il la regarda faire, il se sentit aussi paralysé, détaché, étranger que s'il l'avait vue dans le viseur d'une caméra. Pendant un temps interminable, indéterminable, elle le travailla au corps, lui caressant les cuisses, lui explorant le bas-ventre de ses lèvres, de sa langue. Et quand elle s'étendit sur lui, elle l'invita en elle. Elle le chevaucha, le prit dans le tourbillon de ses propres mouvements.

Kate Sullivan. Le fantasme de tous les jeunes garçons. Il l'avait eue. « Non, pauvre con », pensait-il. « C'est elle qui t'a eu. » Même dans cet autre monde où il pénétrait avant l'orgasme, ce lieu où l'esprit n'était plus présent, il conserva, cette fois, assez de conscience pour s'en vouloir. D'avoir si désespérément besoin d'être pris dans des bras, d'être réchauffé, d'entendre des mots rassurants de n'importe qui, d'aller chercher la consolation dans le premier sexe féminin venu, dût-il appartenir à l'ennemie.

— Oh oui, oui !

Kate avait glissé ses mains dans ses cheveux, lui enfonçant ses ongles dans le crâne. Il sentait ses cuisses fortes et tendues de chaque côté de ses hanches, tandis qu'elle prenait appui sur ses genoux pour basculer le bassin, encore et encore, jusqu'à ce qu'il se laisse aller en elle. Mon Dieu ! Quel abruti ! Il allait jouir. Il le sentit monter en lui, cela lui échappait et, alors qu'il était étendu là, paupières closes, avant même le premier tremblement qui suit l'orgasme, elle se détacha brutalement de lui.

Quand il se dressa sur ses coudes pour la regarder, sans savoir ce qu'il allait lui dire, il éprouva une grande faiblesse, celle d'un être ravagé. Déjà rhabillée, elle avait quitté son bureau. Une minute plus tard, il entendit se refermer la porte qui donnait sur la réception. Il demeura quelques instants allongé, tira à lui un des coussins calés au fond du sofa, couvrit son sexe humide et ne bougea plus.

Qu'est-ce que cela signifiait ? Pensait-elle que ce serait tellement bon qu'il ne pourrait plus vivre sans elle et qu'il lui donnerait le rôle ? Essayait-elle de lui montrer qu'elle était capable de se conduire comme un homme et de faire l'amour sans éprouver le moindre sentiment ? Elle s'était servie de lui comme il s'était servi de tant de femmes au cours de son existence, et c'était probablement ce qu'elles avaient ressenti quand il se glissait furtivement hors de chez elles. Au bout de quelques minutes, il s'endormit.

Le bruit des seaux de l'équipe de nettoyage le réveilla. Il se dressa d'un bond, se vêtit en un clin d'œil et, pendant le bref instant où ils durent franchir la porte de la réception et entrer dans son bureau, il essuya le sofa humide et poisseux avec son mouchoir.

— Bonsoir, dit-il en hochant la tête, puis il s'engagea dans le couloir sombre et se demanda, l'espace d'une seconde, si, dans l'obscurité, il avait pu nettoyer le sofa.

La pendule du tableau de bord de sa Mercedes indiquait minuit. Minuit, l'heure du sexe. Et lui qui avait une réunion tôt, le lendemain matin ! Kate Sullivan. Une vague de dégoût pour lui-même l'envahit. Il eut hâte de rentrer chez lui pour prendre une douche chaude et se débarrasser de ce qui restait d'elle sur sa peau, à la force du gant de crin.

Il lui fallait encore lire le courrier du jour et les deux scénarios qu'il avait prévu d'examiner. Rick Reisman ouvrit la porte de sa maison et la première chose qu'il vit, ce fut la poule-au-pot, servie dans les assiettes de son beau service, les couverts raffinés et, à côté de chaque assiette, une plus petite où flétrissait de la salade. Dans un seau rempli de ce qui avait été de la glace il y avait une bouteille de champagne.

Il entendit ronfler dans la salle de séjour. Mon Dieu ! Il avait complètement oublié Bobo. Le mardi précédent, son merveilleux oncle, cet oncle si délicat, lui en avait pourtant parlé.

— Note la date dans ton carnet, lui avait-il dit.

Et il avait oublié son quatre-vingt-cinquième anniversaire.

— Je prendrai un taxi jusque chez toi et, quand tu rentreras du bureau, nous fêterons ça.

Bobo était venu, avait préparé le dîner, attendu Rick et il avait fini par s'endormir... et Bobo avait l'air d'un ange.

Le jour de l'anniversaire de Bobo, au lieu de se dépêcher de rentrer pour faire la fête comme il l'avait promis, il avait assisté à une réunion, s'était saoulé et s'était envoyé Kate Sullivan. Cette simple idée lui soulevait le cœur. Merde ! Il saisit un plaid tricoté au crochet qu'une fille, il ne se rappelait plus laquelle, lui avait confectionné il y avait quelques années et qui pendait au dossier de l'un des fauteuils de la salle de séjour, recouvrit Bobo et se dirigea vers sa chambre.

— Ricky, mon chéri, tu vas bien ? lui demanda la voix ensommeillée de Bobo.

Il se retourna. Bobo se leva lentement.

— J'étais mort d'inquiétude de ne pas te voir venir.

— Je suis désolé, dit Rick qui s'avança vers lui pour le prendre dans ses bras. Je suis désolé. J'ai oublié, c'est tout.

Bobo lui donna une petite tape dans le dos.

— Tu as une mine épouvantable, fit-il d'une voix où perçait une grande inquiétude. Va dormir. Avant que tu partes au bureau, nous prendrons le petit déjeuner ensemble.

— Merci, oncle B., répondit Rick qui attendit que Bobo soit dans la chambre d'amis avant d'aller se doucher dans la salle de bains.

Son odeur collait encore à ses vêtements, son corps avait gardé le souvenir de sa chair. Il se rinça jusqu'à ce qu'il n'y ait plus d'eau chaude, et s'effondra, nu, dans le lit où il s'endormit en cinq minutes. Il dormit jusqu'à ce que le vacarme de la sonnette vienne troubler ses rêves.

Ce devait être son imagination. Il avait sans doute rêvé cette sonnerie, mais il s'assit, écouta et entendit effectivement des voix à l'extérieur. Le temps qu'il enfile un peignoir et qu'il ouvre la porte de sa chambre, les voix se firent plus fortes. Une femme riait. Quand il sortit de la salle de séjour, la scène qu'il eut devant les yeux tenait du cauchemar.

Bobo, en pyjama de coton froissé, avait ouvert la porte et faisait des grâces et des politesses, en hôte accompli, à Animal, un dealer de cocaïne à qui Rick avait parfois eu recours autrefois, et à Gloria, une blonde trop maigrichonne, aux yeux verts et aux cheveux raides comme des baguettes de tambour, qui avait passé une nuit dans son lit. Peut-être deux.

— Aaaaah ! Ricky ! s'écria Gloria qui jeta ses bras fins comme des allumettes autour de son cou et l'embrassa sur les deux joues. Tu ne vas jamais me croire. Joseph et moi, nous avons fait connaissance à une soirée et nous étions là à nous demander ce que nous avions en commun, lui et moi. Et nous nous sommes rendu compte que nous te connaissions tous les deux et que nous t'aimions. Alors nous avons décidé de passer et de te le dire avant qu'il soit trop tard. Tu n'es pas content ? Tu n'as pas l'air très content.

— Qui est Joseph ? lui demanda Rick, mal à l'aise à l'idée que Bobo soit témoin de cette scène.

Gloria désigna Animal du doigt.

— C'est mon vrai nom, dit ce dernier en rougissant un peu.

— Eh bien ! C'est tout à fait charmant, vous deux ! s'exclama Rick.

Des dingues comme ces deux-là pouvaient fort bien être armés et prendre la mouche si on ne les traitait pas gentiment. Surtout s'ils étaient complètement défoncés.

— Mais je commence tôt demain et j'ai bien peur d'être contraint de vous demander de vous en aller.

— Tu veux que je reste ? demanda Gloria. Avec moi, tu t'es toujours endormi très facilement.

Rick était nerveux. Gêné. Quand Bobo lui rendait visite autrefois, il s'arrangeait pour ne lui présenter que les plus socialement acceptables de ses amis. Ces deux-là, c'était la lie de la société.

— Il veut que nous partions, Glory, dit Animal qui regarda Rick, Bobo, puis de nouveau Rick.

Rick n'osait pas croiser le regard de son oncle. Enfin, comme s'il lui proposait de signer un traité de paix, Animal sortit une fiole de la poche intérieure de son manteau.

— Tu veux un petit remontant ?

— Non.

— Pas cette fois, hein ? fit Animal avec un grand sourire qui découvrit ses dents gâtées. Et toi, vieux ? demanda-t-il à Bobo.

Bobo demeura muet comme une tombe. L'expression peinte sur ses traits fit baisser les yeux à un Animal déjà très nerveux.

— Ouais, bon, tu me passeras un coup de fil si tu changes d'avis. Allez, viens, Glory.

La fille eut l'air peinée, mais tenta de faire contre mauvaise fortune bon cœur.

— Tu m'appelles, hein ? dit-elle à Rick en lui tapotant la joue.

Puis ils franchirent le seuil. Une aube grise se levait déjà et Rick avait une migraine à se taper la tête contre les murs. Il se tourna vers Bobo qui lui lança un regard qui en disait long.

— Petit, fit Bobo après qu'ils se furent fixés pendant un long et triste moment. Dis-moi une chose. N'est-il pas temps de faire le bilan de tes actes ? De prendre la décision d'être un homme, pas un minable ?

Ces mots le piquèrent d'autant plus au vif qu'ils venaient de Bobo, un être si gentil, qui ne cherchait jamais délibérément à faire de la peine. Et ce discours lui parut indulgent en comparaison de ce qu'il pensait lui-même.

— Bon sang ! Tu approches de la cinquantaine, poursuivit

Bobo, comme si Rick ne le savait pas. Et que diable vas-tu faire ? Tu vas mourir avec la réputation d'un homme à femmes qui se drogue et qui a tourné deux ou trois films ? Aime quelqu'un, bon Dieu, vis, cesse de ne penser qu'au cul avant de devenir un vieil homme malade et ridicule, parce que c'est comme ça que tu finiras. Charlie Fall est mort mais au moins ses œuvres charitables continuent, son nom survit à travers ses enfants et Patty garde sa mémoire. Quand tu mourras, il n'y aura personne pour vérifier que ta pierre tombale ne s'est pas cassé la figure lors du dernier tremblement de terre. Ricky, tu es mon neveu depuis près de cinquante ans et, du plus loin qu'il me souvienne, même avant que tu deviennes si gros, quand tu étais beau et que tu sortais avec Farrah Fawcett ou que tu couchais avec Jacqueline Bisset, tu m'as toujours fait de la peine.

Bobo qui avait pris un taxi pour venir de Calabassas, avait préparé un dîner auquel personne n'avait fait honneur et avait été réveillé deux fois dans la même nuit, avait des cernes sous les yeux. Les deux hommes se faisaient face, en silence. L'odeur de la poule-au-pot flottait dans l'air, personne n'ayant desservi la table, ni eux-mêmes ni la domestique qui dormait encore.

— Que vas-tu faire ? Et tout de suite, parce que je ne peux plus supporter tout ça.

Les réponses se bousculaient dans le cerveau de Rick, et celle qui lui vint alors à l'esprit le surprit presque autant que Bobo.

— Je vais adopter un enfant, dit-il.

13

Quand Barbara eut repéré une de ces rares journées où il lui restait quelques heures de libres sur son agenda, elle décida de décrocher son téléphone et de prendre quelques rendez-vous personnels. Le psychiatre, le coiffeur et oh ! oui... La carte du cabinet de Howard Kramer lui faisait toujours signe. Du moins, cette fois, était-elle allée jusqu'à appeler Marcy Frank pour lui demander l'adresse d'une gynécologue. Mais où avait-elle donc mis le numéro ? Le problème, quand on a trois bureaux en trois endroits différents, c'était que ce fichu numéro pouvait se trouver n'importe où. Elle fouilla dans ses papiers et, à sa grande joie, tomba sur le numéro de téléphone du Dr Gwen Phillips, qu'elle avait griffonné la semaine précédente.

— Je m'appelle Barbara Singer. C'est Marcy Frank qui m'envoie. J'aimerais bien faire un bilan ordinaire.

— Le docteur est absent pendant trois semaines, répondit une voix. Et à son retour, son emploi du temps est surchargé, mais je peux vous mettre, voyons... au plus tôt, ce sera... dans six semaines.

— Merci quand même, fit Barbara qui raccrocha.

Tout en se félicitant d'avoir au moins fait un effort, elle fut soulagée de ne rien devoir changer à ses petites habitudes.

« La question du nouveau médecin est réglée », songea-t-elle en riant intérieurement. Elle pensait au personnage de Billy Crystal qui, dans l'émission du samedi soir, disait toujours : « N'oubliez pas qu'il est plus important d'*avoir l'air* bien que d'être bien. »

Forte de cet aphorisme, elle composa le numéro de son coiffeur.

— Eh bien, madame Singer, après le mois de décembre, je ne serai plus là pour m'occuper de vous. Vous feriez bien de trouver une autre coiffeuse pour faire votre couleur.

Barbara leva les yeux des notes qu'elle lisait pour passer le temps en attendant le signal qui lui indiquerait que la couleur avait pris et qu'elle pouvait regagner son cabinet. Un bref instant, elle aperçut son reflet dans la glace du salon de coiffure, le visage entouré de coton blanc, les cheveux étrangement mêlés par paquets et couverts de cette teinture gluante que Délia appliquait pour dissimuler des cheveux gris de plus en plus envahissants. La jolie Délia, mince comme un fil, glissait un gros peigne en plastique sur les extrémités, s'assurant que cette horrible substance avait bien imprégné chaque millimètre.

— Je veux un enfant, lui dit Délia, et tous ces produits chimiques ne sont pas bons pour les femmes enceintes. Alors, à la fin de l'année, je vais m'arrêter quelque temps.

— Je suis contente pour vous, Délia, et triste pour moi. Quand vous serez partie, peut-être garderai-je ma teinte naturelle pendant quelques mois. Je laisserai mes cheveux grisonner.

— Mon Dieu, vous plaisantez ! Ce serait un désastre, s'écria Délia avec un rire offensé.

Barbara ne plaisantait pas. C'était une idée qu'elle caressait depuis un certain temps mais que cette réaction lui fit reconsidérer. Quand ses cheveux furent teints et coiffés, elle se précipita vers sa voiture en se disant qu'après un tel affront c'était une excellente chose que de rendre visite à son psychanalyste.

Après tant d'années, Barbara Singer considérait Morgan comme un vieil oncle. Quand elle s'installa dans le fauteuil de cuir élimé, élimé en partie par ses soins, elle fut soulagée de raconter ce qu'elle avait sur le cœur.

— Je suis accablée, Morgs, lui dit-elle.

Cela faisait près d'un an qu'elle n'avait pas revu cet ami de la famille qui lui servait de psychanalyste épisodique depuis les années soixante. Il la fixa du regard par-dessus des lunettes en demi-lune sales, et sur son visage si vivant apparut une véritable inquiétude.

— Mes enfants ne sont plus des enfants. Heidi reste parfois plusieurs semaines sans appeler et Jeff entrera à l'université, Dieu seul sait où, à l'automne.

» Je passe cinq demi-journées à la clinique et cinq dans mon cabinet privé à recevoir des familles. Je dirige des groupes de parents toute la semaine et deux le samedi pour ceux qui travaillent et ne peuvent venir que le week-end. Et maintenant me voilà passionnée par la création d'un nouveau groupe ! Il s'agit de familles dont les enfants sont les produits de nouvelles technologies et de nouvelles procédures, comme l'adoption ou l'insémination. Je voudrais créer un contexte, un langage, une technique qui permettent à ces enfants de s'exprimer. Mais il faut que je vous le dise, je suis inquiète. Et si c'était une erreur ? Et si ces familles souhaitaient faire comme tout le monde, être traitées comme les autres ? Et si je n'apportais aucune réponse aux problèmes que posent leurs enfants ? Comment un couple peut-il dire à l'enfant d'un père homosexuel ce que signifient tous les mots affreux qu'on leur donne ? Que penseront des hommes ces deux petites filles nées par insémination d'un donneur anonyme et quelles relations entretiendront-elles avec eux quand elles seront des *femmes* ?

» La nuit dernière, j'ai fait un rêve. J'étais assise dans mon bureau quand entra une espèce d'étrange créature. C'était quelque chose entre Dumbo et un stégosaure. Elle était verte, hérissée de pointes, avec le tronc et les yeux bleus d'un adorable bébé. « Je suis venue me renseigner sur votre nouveau groupe », me dit-elle.

Elle fut prise d'un fou rire en pensant à la signification d'un tel rêve, un rire un peu hystérique, à en juger par l'expression qui se peignit sur le visage de Morgan.

— Je me suis inscrite dans une sorte de club de sport, j'ai payé le droit d'entrée et je suis partie au bout de dix minutes parce que ça me stressait de perdre mon stress. Au bout du compte, je pense que je raconte n'importe quoi. Je répète à l'envi que je vais réduire mes activités, prendre le temps de ne rien faire, et je n'arrête pas de m'en inventer de nouvelles. Je viens de vous débiter mon emploi du temps, Morgan. Alors, dites-moi, est-ce que ça ressemble au programme d'une femme qui recherche la paix ?

Morgan retira ses lunettes à la Benjamin Franklin et les essuya avec un mouchoir qu'il sortit de sa poche.

— Que pense votre mère de ce nouveau groupe ?

— Vous vous moquez de moi ? C'est tellement son truc que

je me demande parfois si je n'organise pas tout cela juste pour lui faire plaisir. Elle est persuadée que c'est la première chose vraiment importante que je fais depuis des années.

Morgan leva les sourcils et prit note. Le tic-tac régulier du réveil posé sur son bureau en noyer fit prendre conscience à Barbara qu'elle se lamentait depuis si longtemps que la moitié de la séance était déjà passée.

— Peu importe Gracie. Revenons à moi. Est-ce une bêtise de me coller sur le dos quelque chose d'aussi énorme ? Plus je lis ce qui paraît dans ce domaine, plus cela me semble compliqué, et je ne veux pas que tous ces gens croient que je détiens la réponse à leurs questions, alors que je ne l'ai pas. Nous tâtonnerons *ensemble*. Je sais comment aider une famille à résoudre un problème de développement, mais j'ai l'impression que cela va bien au-delà.

— Je crois, si je vous ai bien comprise... que vous serez là pour trouver les réponses avec eux. Dans ce cas, personne ne fera fausse route par votre faute.

Barbara contempla le visage de Morgan, qui lui faisait face, et pensa aux nombreuses fois où elle avait quitté son bureau certaine que ses sages paroles venaient de changer le cours de sa vie. A présent, l'idée même de se décharger de ses angoisses sur lui lui parut à la fois stupide, complaisant et absurde.

— Savez-vous qui est Lucy Van Pelt ? lui demanda-t-elle.

— Non.

— J'ai beaucoup pensé à elle. C'est un personnage de *Peanuts*, la bande dessinée, une petite fille qui tient un stand de psychiatrie comme si elle vendait de la limonade. Elle dispense ses conseils pour quelques sous. Et tout à coup, j'ai l'impression que la psychiatrie et la psychologie sont des choses très bêtes. Comme une bande dessinée.

— Ça ressemble beaucoup à ce que répète sans cesse votre mère.

— Je vous en prie. Ce n'est déjà pas drôle de s'entendre parler comme sa mère, mais quand cela vient de vous, cela ne fait que me rappeler la grave erreur de jugement que j'ai commise en choisissant un psychiatre qui la connaît.

— Ou un choix très intelligent. Pensez au temps et à l'argent que vous avez économisés, puisque vous n'avez pas eu à me raconter ce que je sais déjà.

— Un bon point, répliqua-t-elle, parce qu'elle aimait bien Morgan et qu'elle aurait été navrée de lui faire de la peine.

C'était sans doute aussi pour cela qu'elle ne s'en allait pas sur-le-champ, comme elle en avait tant envie, comme au club de sport.

— Alors Gracie pense que ce groupe, ce sera votre plus beau travail ?

— Absolument.

— Tss, tss, fit Morgan.

Un « tss, tss » significatif dont Barbara aurait bien aimé connaître le sens, mais on parlait déjà d'autre chose, de Heidi et de son impossible petit ami, du départ prochain de Jeff pour l'université. Tout était si embrouillé dans son esprit qu'au moment où sa voiture s'arrêta devant le guichet de Carl's Junior, elle avait oublié ce dont ils étaient convenus pour faire face à la situation. C'était comme si elle venait de jeter cent vingt-cinq dollars par la fenêtre.

— Un poulet grillé et un Coca *light*, commanda-t-elle dans l'interphone.

— Autre chose ?

— C'est tout.

— Trois dollars et quatre-vingt-dix cents, dit une voix désincarnée.

— Merci.

— Bonne journée.

— Sûrement, répondit-elle sans savoir si elle venait de s'adresser à un homme ou à une femme.

Une communication sans visage, comme son répondeur, son fax ou l'insémination artificielle. Si jamais elle réunissait ce groupe, elle y mettrait tout son talent, y engagerait toute sa responsabilité. On ne s'y ennuierait pas une seconde.

— Aïe !

— Désolé, marmonna Howard Kramer.

Elle avait craqué. Elle ne pouvait pas attendre et quand la secrétaire lui avait demandé : « Quelle heure vous conviendrait, madame Singer ? », Barbara s'était dit qu'elle ne serait jamais capable de renoncer à un luxe pareil. Et à présent, la lumière, cette lumière trop crue, jouait sur son crâne, l'éblouissait, tandis qu'il lui racontait les derniers potins de ses patients célèbres.

Barbara ne l'écoutait pas. Elle était inquiète pour Scottie Levine. Quand elle avait demandé à Ron Levine de venir seul pour s'entretenir avec elle, il lui avait déclaré :

— Ce gosse est paumé ? Vous croyez que je ne le vois pas ? Qui ne le serait quand on vit avec une telle mégère ? Et ça me brise le cœur parce que, vous savez, mon fils est pour moi la priorité des priorités.

— Quand pouvez-vous venir ? lui demanda Barbara.

Silence.

— Je consulte mon agenda, dit-il enfin. (Silence.) Vous savez quoi ? Je vais être obligé de vous recontacter.

Pauvre petit Scottie ! Comment l'aider ?

— Dans quelques années, cet enfant fera une thérapie intensive, disait Howard Kramer qui l'examinait sans l'ombre d'une délicatesse.

Barbara sursauta en entendant ce commentaire qui s'alliait si bien au cours de ses propres réflexions. Aurait-il lu en elle ?

— Quel enfant ? demanda-t-elle tandis que Howard Kramer retirait ses instruments.

Elle l'avait interrompu au beau milieu d'une histoire qu'il trouvait croustillante. Il suffisait de le regarder la débiter à toute allure pour en être convaincu. Et, bien qu'elle ne l'eût pas écouté, elle savait, en reprenant la conversation, qu'il parlait, comme d'habitude, d'une de ses clientes célèbres. Cette fois, c'était une femme qui avait peur d'être enceinte.

— Le bébé doit naître le mois prochain. C'est l'une de ces femmes qui ne devraient jamais se lancer dans la maternité. Tout d'abord, elle ne voulait surtout pas abîmer son superbe corps. C'est pour cela qu'elle a imaginé un moyen d'y échapper. Vous la connaissez. Vous l'avez vue dans *Dallas* ou dans *Les Feux de l'amour*. De toute façon, elle a fait inséminer sa sœur par son mari. Alors la mère du bébé sera sa tante et la tante du bébé sa mère. Un peu comme dans la chanson *Je suis mon propre grand-père*. Vous vous souvenez de ça ?

Howard Kramer lui appuyait sur le ventre avec ses gants de caoutchouc et, le visage rougeaud, riait aux larmes de sa propre plaisanterie.

— Je vais vous dire une chose : je pourrais écrire un livre parce que, pour en avoir vu, j'en ai vu !

Gracie avait raison, pensa Barbara. Rien que dans cette ville, il y avait probablement des milliers d'enfants qui venaient au monde de la manière la plus inhabituelle qui soit.

— Eh bien, tout semble parfait, conclut-il.

Il avait terminé son examen et retirait ses gants.

— Je vous appellerai s'il y a quoi que ce soit d'anormal dans le compte rendu de laboratoire. Vous ai-je vérifié les seins ? demanda-t-il d'un air absent.

Bien entendu, à force de se balader de salle d'examen en salle d'examen, de corps en corps, il avait sans doute oublié ce qu'il avait fait subir et à qui. Elle fut tentée de mentir et d'acquiescer, mais elle serait rentrée à la maison avec la peur d'être passée à côté de quelque chose.

— Non, avoua-t-elle en découvrant ses seins.

Puis elle croisa les bras derrière la tête pour qu'il puisse les tâter, un geste qui la mettait mal à l'aise et qui demandait certainement de la concentration, sauf à Howard Kramer qui poursuivit ses bavardages.

— Ma femme la connaît très bien. Elles ont le même coiffeur. Sandy prétend que c'est un pur produit de la chirurgie esthétique. Il y a un type à Santa Monica qui s'est spécialisé dans l'augmentation des seins. C'est lui qui les lui a refaits, et ils sont extraordinaires. Un soir, nous l'avons croisée au Jimmy's. Elle portait...

— Howie ! s'écria Barbara d'un ton abrupt. Et les miens ?

— Vos quoi ?

— Mes seins ! Il y a quelque chose qui ne va pas ?

— Non. Ils sont parfaits. De quand date votre dernière mammographie ? demanda-t-il en saisissant son dossier.

— Il y a neuf mois, dit-elle en descendant de la table le plus élégamment possible, bien que le haut de son corps fût vêtu d'un empiècement de papier et que le bas soit couvert d'une espèce de nappe également en papier.

— Vous êtes en grande forme, déclara Howard, une santé de jeune femme.

— Merci, dit Barbara qui disparut derrière le rideau de la minuscule cabine, lança un clin d'œil de conspiratrice à son image dans le petit miroir accroché au mur et se félicita de s'en être tirée aussi vite.

— Je suis en train de consulter votre dossier. Lors de la

prochaine visite, nous parlerons d'une ligature des trompes, l'entendit-elle dire.

— Super, répliqua-t-elle. C'est ça, on verra la prochaine fois.

— Transmettez mon meilleur souvenir à Stan, fit Howie en sortant de la salle d'examen dont il referma la porte.

— Il n'y aura pas de prochaine fois, se promit Barbara à voix haute.

— Oh ! Madame Singer ! s'exclama la secrétaire pendant que Barbara signait son reçu de Mastercard. Avant de vous en aller, remplissez cette carte pour que nous puissions vous l'envoyer au moment du prochain rendez-vous.

— Merci beaucoup, dit Barbara qui prit le carton, chercha un stylo sur le bureau et se mit à le remplir d'un air absent.

Le téléphone sonna, la réceptionniste décrocha et eut une conversation animée avec son interlocutrice. Il fallut un certain temps à Barbara pour se raviser. Elle reposa le stylo, glissa la carte blanche dans son sac, fit un signe de la main pour remercier la réceptionniste distraite et quitta le cabinet de Howard Kramer. Seule dans l'ascenseur, elle déchira la carte et, sur le chemin du parking, la jeta dans la première corbeille qui se présenta.

On s'affairait de tous côtés dans le couloir de l'hôpital. Elle se précipita vers son bureau pour se débarrasser des coups de téléphone à donner avant la réunion de l'équipe soignante. D'un signe de la main, elle salua Louise Feiffer qui lui barra la route.

— Une femme a laissé ça dans mon bureau. Elle était intéressée par le nouveau groupe, je crois. Elle a lu l'annonce.

Barbara ouvrit l'enveloppe. Il y avait une feuille de papier à lettre personnalisé au nom d'Elaine De Nardo.

« Je m'appelle Lainie De Nardo. J'ai lu votre annonce. J'aimerais d'abord vous parler, si c'était possible. Dans ce cas, prévenez-moi par téléphone, mais ne dites pas pourquoi vous appelez à moins que vous ne m'ayez personnellement. Je vous serais reconnaissante de votre discrétion. Merci. »

Barbara prit place à son bureau et appela Lainie De Nardo. Tandis qu'elle écoutait tout ce que cette femme pouvait lui révéler de son histoire, elle comprit que cette Lainie De Nardo avait désespérément besoin de son nouveau groupe.

14

Lainie n'en croyait pas ses yeux. Une de ses clientes venait toutes les deux ou trois semaines de La Jolla, dans une limousine conduite par un chauffeur. Et tandis qu'elle essayait des kyrielles de tenues diverses, le grand chauffeur noir en livrée lisait son journal, adossé à la carrosserie de la voiture, sous l'œil des clientes qui pouvaient l'apercevoir à travers la grande vitrine. Quand cette femme avait de nouveau revêtu les vêtements qu'elle portait en entrant, elle cherchait sa carte American Express dans son portefeuille et disait toujours la même chose à Lainie :

— Je parie qu'avec ce que je dépense ici, je pourrais payer les études de tous vos enfants.

Lainie plaçait la carte Premier sur la machine, faisait glisser le curseur sur le reçu où elle inscrivait le mot *marchandise*, suivi du montant de la facture, généralement six ou sept mille dollars.

— Mitch et moi n'avons pas d'enfants, lui rappelait-elle alors.

— Oh ! Quel dommage ! répondait invariablement la cliente en jetant un regard attristé à Lainie, comme si elle entendait cette nouvelle désolante pour la première fois.

Lainie glissait la tenue qu'elle venait de vendre dans une pochette blanche portant le logo de Panache, enveloppait pulls et accessoires de papier fin, et mettait le tout dans un grand sac blanc. Les deux femmes se disaient gentiment au revoir, tandis que le chauffeur, qui avait pu constater par la vitre de la porte d'entrée que la transaction était terminée, se précipitait pour porter les paquets jusqu'à la voiture.

Longtemps après que la limousine avait quitté le parking,

Lainie se surprenait à regarder encore à travers la vitre, ne parvenant pas à oublier le regard de cette femme qui se disait navrée. Elle avait vu ce même regard sur d'innombrables visages.

— C'est probablement ainsi que l'on regarde les lépreux, avait-elle dit un jour à Mitch en riant.

Puis une autre cliente venait bientôt interrompre sa méditation, lui demander si elle pouvait lui commander tel ensemble en rose ou si elle avait en stock telle paire de chaussures à bout ouvert en trente-huit. Elle cessait alors de penser au regard jeté au lépreux, jusqu'à la prochaine fois.

Les affaires étaient florissantes. On venait de Santa Monica, de Malibu, de Brentwood et de Beverly Hills pour faire ses emplettes chez Panache. Les costumiers des studios prenaient rendez-vous pour y acheter la garde-robe des émissions de télévision. Ils amenaient parfois des actrices connues, dont la présence scintillante provoquait un certain remue-ménage parmi les autres clientes.

Bien sûr, les tracas ne manquaient pas non plus. « De petits incendies à éteindre », disait Mitch. Quelques semaines auparavant, il avait surpris une vendeuse en train de voler un grand sac plein de pulls. Il avait donc dû la remercier. L'autre jour, un superbe travesti était entré dans une robe de Valentino et, quand la vendeuse qui le servait avait pénétré dans la cabine d'essayage et s'était rendu compte que c'était un homme, elle était sortie de la boutique en hurlant. Elle avait téléphoné plus tard pour les prévenir qu'elle ne voulait plus jamais avoir affaire à un individu pareil.

— Vous nous manquerez, lui avait dit Mitch, car le travesti avait acheté pour huit mille dollars d'articles, taille quarante-quatre.

Certaines clientes essayaient de leur rapporter des vêtements après les avoir portés. C'étaient souvent des femmes qui pouvaient parfaitement s'offrir tout ce qu'elles désiraient qui avaient l'audace de rendre une robe qu'imprégnait encore une forte odeur de parfum, de déodorant et même de cigarette. Pour expliquer leur geste, elles prétendaient alors qu'il y avait un défaut. Et quand Mitch leur disait : « Désolé, nous ne pouvons pas reprendre cela ; de toute évidence, vous l'avez porté et nous ne reprenons pas les tenues de soirée », ces clientes laissaient exploser leur rage.

— Vous me traitez de menteuse ? lui avait demandé une brune très bronzée qui venait de Beverly Hills, le corps tendu par la fureur.

Mitch savait qu'elle était la femme d'un célèbre producteur de cinéma. Derrière elle, au-delà de la grande vitrine de la boutique, on apercevait sa Rolls Royce rouge et, sur la plaque minéralogique personnalisée, on pouvait lire MINDY.

Il lui jeta le regard le plus serein dont il fût capable, sans colère, sans reproche, sans jugement aucun, pendant qu'elle serrait les poings.

— Cette fichue robe est trop petite pour moi, déclara-t-elle, le visage distordu, d'une voix assez forte pour que tout le monde puisse l'entendre, et je ne l'ai prise que parce que votre vendeuse m'y a forcée. Si vous ne me la remboursez pas immédiatement jusqu'au dernier centime, j'informerai toutes mes amies de la manière dont vous m'avez traitée et je vous jure qu'aucune d'elles ne mettra plus les pieds chez vous !

Quand survenait ce genre d'incident, Lainie restait à l'autre extrémité du magasin, vers les portes des cabines. Elle aurait aimé se terrer jusqu'à ce que la cliente fût partie. L'idée que ses menaces pussent être mises à exécution, que la colère d'une seule cliente eût le pouvoir de ruiner leur commerce, la rendait malade. Elle demeurait médusée devant la sérénité de Mitch.

A la maison, il se comportait en Italien prompt à s'émouvoir face à une Lainie qui, très anglo-saxonne protestante, gardait la tête froide, alors qu'au magasin les rôles étaient inversés. Elle s'énervait, se consumait intérieurement quand Mitch faisait bonne figure. Même lorsque ladite Mindy reprenait la robe incriminée sur le comptoir, faisait une boule de paillettes d'une tenue qui valait quatre mille dollars et que, sans quitter Mitch des yeux, elle la jetait par terre avant de quitter la boutique et de disparaître dans sa Rolls Royce.

Quand elle fut partie, Mitch s'avança vers la robe, la ramassa et appela une vendeuse.

— Mettez ça dans une boîte et renvoyez-la chez elle. Elle l'a payée. Elle l'a portée. C'est à elle.

Et quand, quelques semaines plus tard, Mindy pénétra dans la boutique où elle venait chercher une tenue pour le mariage de la fille d'une amie, tous, Mitch, Lainie, les vendeuses qui avaient été témoins de la scène et Mindy elle-même se comportaient comme s'il ne s'était rien passé.

Lainie mesurait un mètre soixante-dix, avait un long corps souple, des cheveux blond cendré et des yeux bleu pâle. Un rien l'habillait et elle portait toujours des vêtements provenant du stock de Panache. Quand des clientes voyaient un ensemble sur elle, cela leur donnait envie de l'essayer, Mitch le savait, et elles finissaient par l'acheter, le cœur plein d'espoir. Le coup faisait parfois long feu quand la cliente venait se placer à côté de Lainie, qui avait l'air d'un ange en veste courte ou en mini-jupe et qu'elle se trouvait ridicule. On voyait, de temps à autre, la dame sortir comme une tornade, frustrée, au bord des larmes et les mains vides.

Mais la nouvelle boutique possédait un éclairage et des miroirs où tout le monde ou presque avait belle allure. Mitch n'avait pas lésiné sur cela, qui avait engagé un directeur de la photographie professionnel, renommé pour son travail avec des vedettes féminines particulièrement belles et exigeantes, et lui avait demandé de prêter attention à chaque recoin de cet espace de mille huit cents mètres carrés. Même dans les toilettes, les joues étaient plus roses que nature. Et quand on se plantait devant une glace en pied, en triptyque, le corps y paraissait plus long et plus mince.

Dans leur première boutique, ils disposaient de si peu de place pour exposer la marchandise qu'une partie du stock restait sur une tringle, dans la camionnette de Mitch, garée derrière le bâtiment. Quand une cliente lui demandait s'il avait tel article en trente-huit, il lui présentait ses excuses, sortait en courant par la porte du fond et descendait jusqu'au parking, parfois sous la pluie, pour vérifier. Dans ce nouvel espace, il y avait des kilomètres de rayons, une pièce pour ranger le stock de chaussures de toutes tailles, une buanderie, un pressing, une cabine pour les retouches et un bureau pour Mitch.

La première boutique était située au-dessus d'un restaurant crasseux de Ventura Boulevard, à Woodland Hills, en face d'un concessionnaire BMW où Lainie Dunn travaillait à mi-temps comme caissière. Le reste du temps, elle étudiait la littérature anglaise à l'université Cal State de Northridge. Mitch et Lainie s'étaient rencontrés au restaurant du coin où Lainie descendait déjeuner sur le pouce, pendant la pause. Il avait repéré son joli visage, posé son cheeseburger et son Coca sur une petite table, en face de sa salade au thon, et s'était assis.

— Ne me dites pas que je ne vous emmène jamais dans des endroits chics, lui avait-il dit.

Il était beau, drôle, et le savait. Il plaisait aux femmes et se disait qu'il n'y avait aucune raison pour qu'il déplût à celle-là. On pouvait deviner, à la médiocrité de ses vêtements, qu'elle n'avait pas d'argent, mais elle possédait un style dont témoignait sa manière de nouer son foulard autour de son cou, de retourner le col de sa veste et de remonter ses manches. Sa beauté devait faire des ravages, ce qui ne gâtait rien. Lainie sourit de ce bon mot destiné à la séduire et jeta un coup d'œil à la main gauche de Mitch pour voir s'il portait une alliance.

Lainie était la seule femme parmi les membres du personnel du concessionnaire BMW. Depuis le premier jour, ses collègues lui faisaient la cour. Ils étaient tous mariés, mais cela n'entamait en rien leur assiduité. Gino, qui s'occupait des pièces détachées, d'une femme et de quatre enfants, était tellement pendu à ses basques qu'un beau jour il força la porte des toilettes dans l'espoir de voir ses jupes relevées. Son espoir ne fut pas déçu. Mais il fut abasourdi et se détourna quand il s'aperçut qu'elle était en train de se faire l'injection d'insuline que nécessitait son état diabétique. Plus tard, Lainie raconta la scène à sa mère en se moquant de l'expression peinte sur le visage de Gino. La vision de l'aiguille plantée dans sa cuisse l'avait dérouté. Depuis ce jour, il avait cessé de l'ennuyer.

— Célibataire, fit Mitch qui avait suivi son regard. Et vous ?

Lainie hocha la tête. Son visage s'empourpra quand elle croisa son regard sombre sous ses longs cils. Ses cheveux noirs lui tombaient sur les épaules. « Il est superbe ! » pensa-t-elle. Et peu de temps après, elle lui raconta ce qu'elle appela plus tard, en toute franchise, la « version fantaisiste » de sa vie.

Elle travaillait chez BMW parce qu'elle aimait les belles voitures et qu'elle avait besoin de quelques dollars pour terminer ses études d'anglais à l'université. Sa mère, chez qui elle vivait, travaillait chez Bradford et Freeman, un cabinet d'avocats très renommé de Beverly Hills. Elle ne dit pas qu'elle ne suivait que deux cours par an parce que ses activités professionnelles ne lui laissaient pas plus de temps, ni que sa mère était réceptionniste dans ce cabinet d'avocats.

Mitch hochait la tête en écoutant fort peu son récit, car elle avait des traits si beaux qu'il était impatient qu'elle se lève pour voir son corps. Mais il lui restait encore la moitié de son sandwich, qu'elle grignotait à peine entre deux phrases, et elle ne semblait guère pressée.

Mitch lui apprit que son père venait de mourir et leur avait légué quelque argent à lui et à chacune de ses sœurs. Il était comptable mais, comme ce métier ne le satisfaisait guère, il avait décidé de monter un magasin de prêt-à-porter féminin au-dessus de l'endroit même où ils se trouvaient. Il lui avoua également qu'il avait le plus grand mal à conserver ses vendeuses, car il était très chien comme patron. A son grand sourire, elle devina qu'il plaisantait.

Quand elle se leva, il lui proposa de lui offrir son sandwich, mais elle l'avait déjà payé.

— Je vous en dois un, conclut-il.

Tandis qu'il la raccompagnait vers la porte, il remarqua que son corps était encore plus splendide que son visage. Lorsque Lainie eut regagné les locaux de BMW et repris place derrière son bureau, le téléphone sonna. C'était déjà Mitch.

— Je pense que vous devriez venir travailler chez moi. Un de ces jours, vous conduirez une de ces belles voitures au lieu d'en rêver. Pourquoi ne donnez-vous pas votre démission à votre patron ?

— Ne soyez pas idiot, répondit Lainie en riant avant de raccrocher le téléphone.

Puis elle y réfléchit quelques secondes, se leva, sortit son sac du tiroir supérieur du bureau où elle le rangeait habituellement, quitta son emploi et traversa la rue.

Mitch ne s'était pas trompé sur ses dons en matière d'élégance, des dons qui se révélèrent payants. Elle savait si bien vous convaincre que telle paire de boucles d'oreilles faisait ressortir la couleur de vos yeux ou qu'en achetant deux chemisiers vous auriez davantage l'occasion de porter cette veste que les ventes quotidiennes progressèrent de manière spectaculaire.

A la mort de sa mère, Mitch avait quatre ans et ses trois sœurs aînées, qui avaient respectivement huit, neuf et onze ans à l'époque, se chargèrent de son éducation. Leur père ne s'était jamais remarié. Les jeunes filles dirigeaient la maisonnée et la vie de Mitch. Elles le cajolaient et le traitaient comme une poupée vivante. Elles lui choisissaient sa garde-robe, l'accompagnaient chez le coiffeur pour qu'on lui coupe les cheveux comme ci ou comme ça, l'aidaient à faire ses devoirs, critiquaient ses amis. C'était exactement comme s'il avait eu trois mères. Le bon côté de la situation, c'était qu'il était trois fois plus gâté, le mauvais côté, qu'on l'ennuyait trois fois plus et que l'on s'immisçait trois fois plus dans ses affaires.

Heureusement, l'entreprise de plomberie de Joe De Nardo lui procurait suffisamment d'argent pour que tous puissent s'habiller convenablement, que l'on puisse offrir à Mitch sa première voiture à seize ans et que l'on paye un mariage sophistiqué à chacune de ses sœurs. Mitch les aimait toutes les trois à la folie. Betsy, très « Hollywood » avec sa crinière, aimait les bijoux scintillants et les tenues un peu voyantes. Avec des yeux noirs et brumeux, des cheveux raides et soyeux, Mary Catherine était grande, avait de longues jambes et portait toujours des tailleurs affriolants, des vestes strictes et des jupes très courtes qui faisaient sensation. Toute sa vie, elle avait vainement tenté d'entrer dans le show-biz, passant des auditions pour décrocher un rôle dans un spot publicitaire. Kitty habitait Calabassas et aimait monter à cheval. Elle ne s'intéressait d'ailleurs qu'à cela, à son mari et à ses enfants. Kitty ressemblait aux mannequins qui posent pour les affiches de Ralph Lauren, avec ses jeans et ses pulls en shetland. C'était de toute évidence auprès de ses sœurs, si belles, si élégantes, que Mitch avait acquis un certain sens du style et appris à connaître ce qui plaît aux femmes.

Quand ses sœurs eurent vent que Mitch était amoureux d'une fille qui travaillait dans son petit magasin, elles défilèrent tour à tour. Mary Catherine et Kitty lui donnèrent leur feu vert, puisqu'elle était jolie, aimable et qu'elle semblait adorer leur frère. Mais Betsy ne se laissa pas aussi facilement conquérir.

— Je l'ai emmenée déjeuner et, croyez-moi, j'avais plein de questions à lui poser. Elle a un appétit d'oiseau. Je lui ai demandé si c'était à cause de Mitch qu'elle surveillait sa ligne. Elle m'a dit que non, qu'elle faisait attention pour raisons de santé.

Les trois sœurs étaient réunies chez Betsy à Sherman Oaks, un après-midi, pour que les enfants puissent profiter de la piscine.

— Eh bien, quand j'ai insisté pour savoir de quoi il retournait, elle m'a avoué qu'elle était diabétique et qu'elle devait se piquer avant chaque repas. Mitch le sait et s'en fiche !

— Il a raison ! La belle affaire ! Il y a des tas de gens diabétiques. Ce n'est pas comme le cancer. Ça se soigne très bien, dit Kitty.

— Les gens comme ça ont toujours des problèmes, déclara Betsy. C'est mauvais pour les yeux et puis ils font tout le temps pipi, ce qui n'est pas bon pour les reins. Sans compter que la grossesse comporte certains risques.

Les deux autres s'inquiétèrent à leur tour. Mitch était le seul susceptible de transmettre leur nom. Les trois sœurs s'étaient dit qu'un jour ou l'autre il serait amoureux, se marierait et aurait des centaines d'enfants.

— Ce n'est peut-être qu'une passade. Il ne l'épousera pas forcément.

Mais ce n'était pas une passade, loin de là. Lainie et Mitch étaient unis, inséparables, pendus l'un à l'autre, et n'avaient jamais l'ombre d'une dispute. Leurs différences d'origine et de personnalité les rendaient curieux l'un de l'autre, mystérieux l'un pour l'autre. Elle était intriguée par cet homme passionné, fougueux, qui riait, pleurait, se disputait avec ses sœurs au téléphone avec férocité, se ravisait et les rappelait pour s'excuser avec la douceur d'un petit chien. « Je suis un crétin. Je reviens sur tout ce que j'ai dit. Je t'aime. » C'était ainsi que l'on se comportait au cinéma.

Quant à Mitch, il avait trouvé une femme dont il aimait dire : « Elle connaît les ficelles du métier. » Aimable, bien élevée, Lainie savait comment se conduire dans n'importe quelle situation. « Elle m'est bien supérieure », reconnaissait-il volontiers.

Il la demanda en mariage à genoux, avec ce romantisme qui s'attachait au moindre de ses gestes. Mais avant de lui dire oui, Lainie devait lui révéler ce qu'un médecin de Panorama City lui avait appris quelques années auparavant des dangers de la grossesse pour les diabétiques. L'effort imposé à ses reins pouvait être trop important et, s'il y avait la moindre complication, elle risquait de terminer son existence sous dialyse. Et pire encore, le bébé pouvait présenter une malformation ou naître aveugle. Mitch pâlit, mais lui répondit ce qu'elle avait espéré avec ferveur.

— Tout ça m'est égal. Ce qui m'importe, c'est de passer le reste de ma vie avec toi.

Quand leur comptable leur annonça que les locaux situés au-dessus du restaurant étaient devenus trop exigus, ils dessinèrent les plans d'un nouveau magasin, le magasin de leurs rêves, dont ils supervisèrent la réalisation brique par brique, cintre par cintre. Ils y avaient prévu deux étages, deux grandes baies à chaque niveau, des cabines d'essayage spacieuses, un prêt-à-porter provenant de nouveaux créateurs californiens qu'ils choisiraient avec soin, des tenues simples et habillées, et toute une collection de chaussures et d'accessoires. Ils s'occuperaient eux-mêmes des achats, mais ils auraient besoin d'une armada de vendeuses, d'une retoucheuse experte et d'une équipe de nettoyage.

Quelques semaines avant la grande inauguration, Mitch prit la main de Lainie, l'interrompit au beau milieu d'une conversation avec le peintre qui lui parlait des touches de couleur à placer çà et là et l'entraîna vers sa voiture.

— Monte ! lui dit-il.

— Où allons-nous ? Nous avons des milliers de choses à faire.

— Monte !

Il quitta le parking et prit Ventura Boulevard en direction de l'ouest.

— Chéri, où allons-nous ?

Mitch lui caressa la jambe.

— C'est une surprise.

Au bout de quelques kilomètres, il s'arrêta sur Ventura Boulevard, en face de leur ancienne boutique.

— Pourquoi t'arrêtes-tu ici ?

— Voilà pourquoi ! s'écria Mitch en désignant la vitrine du concessionnaire BMW.

Sur le devant, trônait une berline avec un gros nœud rouge, une 7351 blanche, et, sur une grande pancarte à côté, on pouvait lire :

LAINIE, JE T'AIME, JE T'AIME TANT. M.

Il fallut quelques secondes à Lainie pour comprendre.

— Mitch, tu es fou ! Nous n'avons pas les moyens de nous offrir une telle voiture.

— Mais si. Grâce à tout le travail que tu as fourni, à toutes ces journées où tu es restée douze heures d'affilée à la boutique. Tu es mon associée et je tiens à te l'offrir pour que tu saches à quel point je t'apprécie. Laisse-moi le plaisir de te regarder sortir d'ici au volant de cette voiture, je t'en prie.

— Tu es absolument…

— L'homme le plus adorable et le plus généreux qui soit sur terre ? demanda Mitch en quittant la place du conducteur pour ouvrir la portière de Lainie.

— Oui, dit-elle, puis elle se laissa conduire à l'intérieur du magasin pour prendre possession de sa nouvelle voiture.

Deux semaines plus tard, alors que le dernier employé de l'équipe de nettoyage emportait un aspirateur industriel vers son camion en leur criant bonsoir, Mitch éteignit toutes les lumières et prit Lainie dans ses bras.

— C'est exactement ce que doit éprouver un producteur de Broadway avant la première, déclara-t-il.

Lainie mit ses bras autour de son cou et glissa les doigts dans ses épais cheveux noirs. Mitch la serra fort contre lui et plongea son regard dans ses beaux yeux.

— J'espère que le type au gros aspirateur a vraiment bien nettoyé la moquette, dit-il avec, dans la prunelle, la petite lueur de la séduction amoureuse.

— Et pourquoi donc ?

Lainie connaissait la réponse.

— Parce que, dès que ce camion aura mis les voiles, nous allons nous rouler dessus.

Malgré la fatigue accumulée pendant les semaines où il avait surveillé chaque détail, il avait envie de la prendre là, sur le sol de la boutique. La grande pièce était étrangement éclairée par les réverbères et par les phares des voitures qui passaient. Mitch l'embrassa avec une fougue insistante.

Heureuse de la bonne nouvelle qu'elle ne lui avait pas encore annoncée, légère et emplie de désir, Lainie sentit s'évanouir toutes ses inhibitions. Elle ne pensa plus aux vitrines tandis que Mitch faisait glisser son chemisier. Il ôta son soutien-gorge, dégrafa sa jupe, la laissa tomber sur le sol et fit doucement glisser ses bas de ses cuisses jusqu'aux chevilles. En quelques secondes, elle fut nue dans ce grand espace, entourée de mannequins raides, élégants dans leur tenue de soirée. Celui qui se trouvait près d'elle ne portait qu'un collier de perles en sautoir.

Mitch, qui était encore habillé, retira le bijou pour le mettre au cou de Lainie. Il enserra chacun de ses seins d'un rang de perles dures et froides, les pressant jusqu'à lui faire mal. Tout en lui agaçant la bouche de sa langue, il enfonça ses doigts entourés de perles dans son sexe. Cette sensation inhabituelle stimula le désir de la jeune femme. Mitch allait de plus en plus loin le long de ses tendres parois.

Quand il eut lentement introduit tout le collier au plus profond d'elle, il le fit redescendre tout doucement et s'en servit alors comme d'une corde pour lier les mains de Lainie derrière son dos. Il se mit à genoux, le bout de ses doigts caressant les pointes de ses seins durcies, tout en faisant danser sa langue sur son clitoris. Enfin il se pressa contre elle. Quand la douleur fut telle qu'elle craignit que ses genoux ne se dérobent, la chaleur si intense qu'elle eut envie de crier, il se détacha d'elle et retira ses vêtements.

— Demain, celui qui achètera ces perles paiera le prix fort, lui dit-il d'une voix rauque en lui déliant les poignets.

— Mitch...

Lainie était trop excitée pour soutenir une conversation. Elle glissa sur le sol, entraînant Mitch avec elle. Il vint sur elle et la pénétra d'un mouvement de hanches.

Elle l'aimait. Elle aimait la manière dont il maîtrisait, par ses mouvements, l'intensité de leur corps à corps. Elle sentit venir le plaisir juste avant l'orgasme qui précéda de peu le gémissement de Mitch. Et quand leur passion s'apaisa, qu'ils se retrouvèrent sur la moquette de leur nouvelle boutique, tremblants, à bout de souffle, ils ne purent s'empêcher de rire d'eux-mêmes. Lainie se dit que le moment était venu de lui apprendre la bonne nouvelle.

— Je suis allée voir un autre médecin, dit-elle en l'embrassant doucement. Une femme qui assiste à mon cours de littérature m'en avait parlé. C'est un endocrinologue qui traite les diabétiques. Il m'a dit que, si je me surveille bien et que je fais tous les examens nécessaires, je pourrai suivre une grossesse normale et avoir un bébé normal.

Mitch se redressa, prit son visage dans ses mains et la regarda longuement.

— C'est vrai ? Lainie, c'est incroyable. Pourquoi ne m'as-tu rien dit ?

— Je ne voulais pas t'en faire part avant d'avoir obtenu la réponse que j'espérais. J'ai vu ce médecin il y a deux ou trois semaines, un jour où tu avais rendez-vous avec un fournisseur, mais j'ai attendu que tu ne sois pas trop préoccupé pour te l'annoncer.

Il lui prit la main, la couvrit de baisers.

— Alors quand pourrons-nous... ?

— Commencer ? fit Lainie en souriant.

Il hocha la tête.

— Si j'ai bien consulté mon calendrier, aujourd'hui même.

15

Mais la nuit d'amour aux perles ne donna rien.

— Il faut longtemps et beaucoup de prières pour que ça marche, dit Lainie à Mitch.

— J'aurais peut-être dû prendre un rosaire, la taquina-t-il.

Leur nouvelle boutique faisait des affaires en or, plus qu'ils n'en avaient jamais fait, mais ils n'avaient guère le temps de prendre des vacances en amoureux, d'oublier le stress. Le mois suivant, au moment de l'ovulation, ils empruntèrent le bateau d'un ami dans la marina, emportèrent de quoi faire un pique-nique agrémenté d'une bouteille de champagne. Quand ils firent l'amour dans la superbe cabine, le bateau se balança au rythme de leurs mouvements. Mais deux semaines plus tard, ils se rendirent compte que cela n'avait pas été plus efficace. Pas plus que la nuit passée à l'hôtel Bel-Air ou dans le cottage qu'ils avaient loué dans le ranch San Ysidro, à Santa Barbara.

Pendant un an et demi, ils essayèrent toutes les méthodes dont des amies ou des vendeuses de la boutique avaient parlé à Lainie. Bien entendu, les sœurs de Mitch y mirent leur grain de sel. Lainie avait tout tenté, bu des tisanes achetées dans un magasin de diététique, fait le poirier après l'amour pour faciliter la fécondation.

Elle ne prenait plus sa BMW que pour se rendre chez le médecin ou presque. Elle acceptait tout ce qu'il lui suggérait, les frottis pour déterminer les dates d'ovulation, les rendez-vous juste après l'amour, où elle se sentait gluante, mal à l'aise, gênée. Le sperme était parfait, disait le médecin.

Elle s'était fait inséminer cinq fois sans succès pour éviter de malencontreuses réactions chimiques naturelles dues à une glaire spermicide. Elle essaya tout ce qu'elle avait lu dans divers magazines, même l'acupuncture sur le bas-ventre pour « ouvrir les chakras [1] bloqués qui entravent la libre circulation des flux naturels ».

Un jour, Lainie bavardait avec Karen, l'une des vendeuses du rayon des chaussures de Panache, rebaptisée Carin depuis que son astrologue lui avait conseillé de changer l'orthographe de son nom pour donner une nouvelle direction à son existence. Carin connaissait une médium qui avait aidé deux de ses amies à démarrer une grossesse. Lainie éclata de rire.

— Entendre ça !

Lainie avait écouté le récit de ses diverses visites chez des numérologues, des liseurs de tarots, des médiums et des guérisseurs.

— Sommes-nous bien en Californie ? ajouta-t-elle en riant quand Carin inscrivit le numéro de téléphone de la médium en question au dos d'un reçu.

Celle-ci se nommait Katya et habitait une petite maison de stuc blanc dans les collines qui dominent Sunset Strip. Lainie suivit Katya, passant devant plusieurs pièces peintes de couleur sombre et embaumant l'encens qui brûlait dans des récipients, un encens comme on en vendait sur la jetée numéro un dans les années soixante. « C'est une plaisanterie », se disait-elle en avançant vers la pièce la plus reculée de la maison, « et je m'en veux d'être désespérée au point d'en arriver là. » Mais elle s'assit sur le sofa en face de Katya. Le parfum entêtant de l'encens commençait à lui donner la nausée.

— Vous avez du liquide ? lui demanda Katya.

— Oui.

— Posez-le devant moi.

— Combien ?

« Mon Dieu, j'espère en avoir assez », pensa-t-elle. Mitch se tordrait de rire quand elle lui raconterait cette scène. « Tu veux dire qu'elle n'acceptait pas la carte American Express ? » lui demanderait-il.

— Cinquante dollars.

Elle ouvrit son portefeuille et se pencha pour les poser sur la table.

---

1. Dans les doctrines tantrique et yogi, centres psychiques du corps où siège l'énergie.

— Vous ne pouvez pas avoir d'enfant, lui annonça Katya à ce moment-là.

Ces mots la décontenancèrent. Quand elle avait pris rendez-vous, elle n'avait pas mentionné le motif de sa visite. Carin. Carin avait dû parler à son amie du problème de Lainie, et l'amie avait prévenu Katya qui pouvait faire passer cela pour de la magie.

— C'est vrai, dit Lainie.

— Il y a beaucoup d'enfants dans votre famille, des sœurs ont des enfants, mais vous pas encore.

Lainie acquiesça d'un hochement de tête. De toute évidence, Carin lui avait donné tous les renseignements possibles. « C'est stupide. Je paie cinquante dollars pour qu'elle me répète ce que lui a révélé une de mes employées. »

Katya avait, à présent, les yeux fermés.

— Vous avez peur depuis longtemps à cause de votre maladie. Il est peut-être trop tard maintenant. Mais nous pouvons essayer.

Lainie était stupéfaite. Elle n'avait jamais parlé de son diabète au magasin et pensait qu'aucune des vendeuses n'était au courant. Peut-être Carin le savait-elle et en avait-elle parlé à son amie.

— Comment savez-vous que je suis malade ?

Katya ouvrit les yeux et regarda longuement Lainie.

— Je suis médium, ma chère enfant.

C'était impossible. Cela n'existait pas.

— Faites ce que je vous dis et vous serez enceinte.

Lainie l'écouta.

— Avant que votre mari et vous soyez de nouveau ensemble pour procréer, placez une Bible sous votre lit. A côté, dans une boîte, mettez un poisson mort.

— Un poisson ?

Peu importait la manière dont cette folle avait appris l'existence de son diabète. Tout cela était tellement stupide qu'elle ne put garder son sérieux.

— Quel genre de poisson ?

— N'importe lequel.

— Et ensuite ?

— Ensuite, vous concevrez.

Lainie fut prise d'un bruyant fou rire en se rendant chez sa gynécologue. Il restait un examen à pratiquer avant de la traiter au Clomid, un médicament favorisant la fécondité qui était, selon elle, très efficace et pouvait même la gratifier de naissances multiples. Elle ne lui parla ni de la Bible ni du poisson.

Après l'avoir examinée, le médecin parut inquiet.

— Madame De Nardo, lui dit-elle, nous allons repousser le traitement prévu. Je préférerais vous hospitaliser quelques jours pour pratiquer une petite opération exploratoire. Il n'y a pas péril en la demeure. Nous pouvons attendre le mois prochain, après l'ovulation, et voir si vous concevez, cette fois, mais si vous n'obtenez pas vite des résultats, j'aimerais bien y regarder de plus près.

Lainie ne parla jamais à Mitch de cette conversation. Une semaine plus tard, le jour de l'ovulation, elle se rendit dans un magasin spécialisé dans les articles religieux pour y acheter une Bible, puis dans une poissonnerie où elle fit l'acquisition d'un petit saumon qu'elle rapporta à la maison et plaça dans la boîte qui contenait ordinairement ses chaussures en lamé argent.

« J'ai du mal à croire que je suis en train de faire une chose pareille ! » songea-t-elle en ricanant.

Ce soir-là, quand Mitch se rapprocha d'elle, elle se dit que, si cette femme connaissait son diabète, peut-être connaissait-elle aussi les secrets de la maternité. « Allez, poisson ! Remplis ton office ! »

Faire l'amour pour avoir des enfants, c'est généralement trop calculé pour être excitant. Sauf avec Mitch. Il passait des heures à la caresser, à stimuler ce corps qui lui était si familier.

— Viens, bébé. Viens, mon bébé, dit-elle ce soir-là, tandis qu'ils atteignaient ensemble un orgasme enfiévré.

— Tu es toute ma vie, Lainie, murmura-t-il avant de s'effondrer dans un soupir, puis il s'endormit profondément.

Le lendemain matin, après que Mitch fut parti travailler, Lainie, qui aurait tout oublié si elle n'avait laissé tomber une boucle d'oreille qui avait roulé sur le sol, puis sous le lit, retira la Bible qu'elle rangea dans un tiroir et le poisson qu'elle jeta dans la poubelle.

Comme elle ne devait pas se rendre à la boutique avant midi, elle fit couler un bain et s'y glissa. Elle posait toujours le journal du matin près de la baignoire, sur le carrelage, et se penchait sur le côté pour tourner les pages. Mais avant même de le lire, elle comprit que quelque chose n'allait pas. Une crampe fulgurante lui traversa le bas-ventre, puis une autre, et quand elle baissa les yeux, l'eau du bain était rouge vif. Seule à la maison, elle était en train de perdre des litres de sang. Elle se leva lentement pour sortir de la baignoire, tandis que son sang dilué lui coulait entre les jambes. Elle parvint à regagner la chambre pour téléphoner à Mitch. A peine Lainie s'était-elle séchée, enveloppée dans un peignoir et étendue, les pieds levés, qu'il était déjà là.

— Ça va aller, ma chérie. Ça va aller, lui répétait-il en la portant jusqu'à la voiture.

Puis il démarra en trombe en direction de l'hôpital.

Margaret Dunn, la mère de Lainie, quitta son bureau pour rester près de sa fille pendant l'opération. C'était une femme maigre, aux cheveux gris, qui ne parlait pas beaucoup et n'attendait rien de personne. Mitch voulut qu'elle assiste à tous les entretiens qu'il eut avec les médecins et l'emmena déjeuner, en silence, à la cafétéria de l'hôpital, en attendant que Lainie sorte de la salle d'opération. Il suivit son trottinement, sur la pointe des pieds, jusqu'à la salle de réveil pour voir si Lainie avait déjà repris conscience. Trois sinistres perfusions étaient attachées à son bras.

Quand elle ouvrit enfin les yeux, ce fut d'abord le visage de Mitch, penché sur elle, qu'elle aperçut. A son expression, à ce qu'elle qualifiait, pour le taquiner, de face de « rude métèque », elle comprit aussitôt ce qui venait de se produire.

— Mitchie, lui demanda-t-elle, je n'aurai jamais d'enfants, n'est-ce pas ?

Mitch ne répondit pas, se contentant de hocher tristement la tête.

Quand ils eurent ramené Lainie à la maison, Margaret Dunn prit deux semaines de congé pour rester, chaque jour, au chevet de sa fille. Elle accompagnait Lainie aux toilettes, répondait au téléphone, remettait de l'ordre et lui servait sur un plateau des petits plats préparés par ses soins. Les amies de Panache lui rendirent visite et la couvrirent de jolies cartes lui souhaitant un prompt rétablissement, de cadeaux et de gâteaux. Sharon, une fille avec laquelle Lainie avait sympathisé au cours d'anglais de Northridge, lui apporta *Solitude face à la mer* d'Anne Morrow Lindbergh. Ses trois belles-sœurs vinrent en même temps et envahirent la chambre et l'appartement tout entier du mélange suffocant de leurs différents parfums, *Joy*, *Tea Roses* et *Opium*.

Tous leurs amis rivalisèrent de gentillesse et de compréhension. Ils compatissaient au chagrin de Lainie et de Mitch qui avaient perdu tout espoir d'avoir un enfant. Les trois sœurs prenaient des airs funèbres qui, de toute évidence, reflétaient parfaitement leur sentiment profond. Même les lis blancs qu'elles avaient apportés auraient été du meilleur effet au chevet d'une jeune morte. Assises sur le lit, elles chuchotaient d'un ton solennel.

Quand Lainie reprit des forces, elle commença un traitement chimiothérapique qu'elle devait subir deux fois par semaine. Mitch la conduisait à l'hôpital et l'attendait, la ramenait à la maison, s'asseyait derrière la porte des toilettes pendant qu'elle vomissait, puis la remettait doucement au lit où elle faisait une sieste. Alors seulement il retournait travailler. Ses cheveux tombaient par paquets, sa peau devenait terne et elle n'avait plus le moindre appétit. Elle s'efforçait de passer à la boutique le plus souvent possible. Elle avait assez d'énergie pour travailler un peu, mais son aspect physique la gênait d'autant plus que le regard plein de pitié des autres le lui renvoyait à la face.

Un jour, elle s'arrêta au parc de Sherman Oaks, resta assise dans la voiture, sur le parking, près des terrains de jeux et regarda les petits enfants jouer dans le bac à sable, les plus grands sur les différents appareils. Elle aurait voulu mourir. Quand, après plusieurs mois, la chimiothérapie prit fin, les médecins programmèrent une autre opération pour prélever des tissus de chaque organe et déterminer si le cancer était bel et bien guéri.

— Mitch, dit Lainie la nuit précédant la seconde opération. (Elle était nue contre son dos nu.) Si on trouve encore quelque chose, je ne veux pas subir une autre chimiothérapie. Je préfère mourir.

On ne trouva rien. Mitch lui envoya une gigantesque corbeille de fleurs. Il lâcha une dizaine de ballons qui s'envolèrent vers le plafond de sa chambre d'hôpital et la serra fort contre lui. Elle éclata de rire quand il grimpa sur son lit et vint tout contre elle.

— Dieu ne peut pas t'enlever à moi de sitôt. Je suis un type trop gentil !

Les affaires étaient florissantes et Lainie reprenait des forces. Ses cheveux repoussaient. La vie quotidienne était redevenue normale. Lentement, doucement, Mitch l'aida à reprendre une vie sexuelle. Il l'aimait, semblait-il, avec plus de tendresse que jamais.

Pour le trente-cinquième anniversaire de Mitch, Lainie organisa une soirée dans la boutique avec traiteur, disc-jockey, voiturier et piste de danse. Elle y invita les trois sœurs et leurs maris, toutes les employées de Panache et leurs époux, une bande de camarades d'université et les amis d'enfance de Mitch, ceux du quartier de la Vallée. Il y avait là Dave Andrews, propriétaire d'une entreprise de matelas, Frankie DeLio qui était, quant à lui, à la tête d'une chaîne de magasins d'alcools et Larry Weber, un grand avocat.

Quand le disc-jockey passa *Lady* de Kenny Rogers, Mitch l'entraîna sur la piste et ils dansèrent comme deux adolescents au bal de fin d'année. Il la serra contre lui sous les applaudissements des vendeuses.

« Tu es entré dans ma vie et tu m'as comblé... », chantait Kenny Rogers.

— Larry Weber m'a dit qu'il a un client dont la fille de seize ans est enceinte jusqu'au cou, crut-elle l'entendre murmurer à ses cheveux, et elle se demanda pourquoi il lui disait cela. Tellement enceinte qu'elle est susceptible d'accoucher à tout instant.

Lainie le regarda droit dans les yeux pour comprendre où il voulait en venir.

— Et alors ?

— Eh bien, c'est une gosse, et ses parents n'ont pas voulu qu'elle avorte. Pendant quelque temps, la mère avait décidé de garder l'enfant et de l'élever comme si c'était le sien. Maintenant, ils se disent que ce ne serait pas bon pour leur fille. Il faut qu'ils lui trouvent un foyer au plus vite.

— Regardez-moi ce couple merveilleux ! s'écria Carin qui passait devant eux, dans les bras de son petit ami.

Pendant quelques minutes, Lainie ne sut que dire. Ils dansaient en rythme, l'un contre l'autre. Puis elle s'arrêta net, se planta au milieu de la pièce, dans l'éclairage tamisé, et le regarda.

— Comme ça ? Dans quelques jours ? On nous dépose un bébé ?

— Je sais. Ça paraît fou, n'est-ce pas ? Mais c'est peut-être le destin. Larry étant là, il m'a demandé pourquoi nous n'avions pas d'enfants et je lui ai raconté les épreuves que nous avions traversées...

Lainie détourna le regard. Un rire en cascade monta du groupe compact que formaient les sœurs de Mitch et leurs maris.

— Nous étions peut-être destinés à recueillir l'enfant de cette pauvre petite fille. Voilà ce que je voulais dire.

Lainie avait toujours pensé que Mitch était opposé à l'adoption. Un enfant adopté n'aurait pas le patrimoine génétique des De Nardo. Et il était en train de lui demander d'accepter le bébé d'une étrangère dans les heures qui suivaient. Il commençait à désespérer.

— Qu'en penses-tu ?

— Je ne sais pas. C'est tellement soudain ! Nous n'avons rien préparé du tout.

— De quoi a-t-on besoin ? Il pourra dormir dans notre lit. J'irai dans n'importe quel drugstore acheter des couches et du lait maternisé, tout de suite, s'il le faut.

Il avait l'air d'un petit garçon suppliant ses parents de lui acheter un chien. Il était sur le point de lui jurer qu'il donnerait le biberon et qu'il changerait l'enfant.

— Je t'aiderai. Et puis flûte ! Nous pouvons quand même nous offrir une nurse à plein temps.

« Je me perds en ton amour... », chantait Kenny Rogers.

Les jours qui suivirent, on se rendit chez l'avocat, on signa les papiers au cabinet de Larry Weber, puis on courut acheter des meubles pour enfants, une table à langer, un berceau et une balançoire musicale.

— Vous ne pouviez pas vous contenter de les commander ? demanda Margaret Dunn. Et ne les faire livrer qu'après la naissance ?

Mitch se moqua de la superstition de sa belle-mère et ordonna à la boutique de tout livrer le soir même. Ainsi aurait-il le temps de rentrer chez lui au plus vite, de nettoyer la troisième chambre et de la préparer pour l'arrivée du bébé.

Le lendemain matin, Larry Weber les appela au moment où ils déverrouillaient la porte du magasin, pour leur annoncer que l'accouchement avait commencé.

— Nous sommes prêts, répondit Mitch en souriant.

— C'est un garçon, leur annonça Larry Weber juste avant qu'ils rentrent à la maison où ils avaient l'intention de passer le reste de la journée.

Mitch saisit Lainie et la fit tournoyer.

— Ce sera Joey De Nardo. Nous allons avoir un garçon !

Le soir, Lainie apporta un dîner-pique-nique dans la chambre du bébé et posa une couverture sur le sol. Ils dînèrent en se demandant ce que serait leur vie avec un petit dans cette pièce, tous les jours. Ils burent beaucoup de Santa Margharetta Pino Grigio et quand, à onze heures, le téléphone sonna, ils étaient au lit, un peu ivres, et faisaient l'amour.

— Nous aurions dû faire ça dans le berceau pour lui porter bonheur, dit Mitch tandis que retentissait la deuxième sonnerie.

Lainie se retourna sur le ventre et se glissa jusqu'au téléphone qu'elle décrocha. C'était Larry Weber.

— Bonsoir, Larry ! dit-elle d'un ton enjoué, heureuse d'être allée au bout de ce projet.

Dans quelques jours, ils iraient chercher leur bébé, Joey De Nardo. Elle le tiendrait dans ses bras, l'embrasserait et l'élèverait comme s'il était sorti de son propre corps.

— Le bébé n'est pas tout à fait normal, lui dit Larry. Un problème cardiaque. On ne pense pas qu'il survivra.

Lainie ferma les yeux. Mitch lui taquinait le dos avec son nez, glissait les mains sous ses seins. Un bébé. Il y avait quarante-huit heures, elle avait accepté de ne jamais en avoir, brusquement, elle allait en avoir un, et maintenant Lainie avait l'impression d'avoir reçu un grand coup de poing dans les dents.

Aussi stupide que cela puisse paraître, elle était obsédée par le berceau et la table à langer. Pourquoi diable avaient-ils acheté tout cela ? C'était pour cela que le malheur les avait frappés. Il faudrait renvoyer ce berceau et cette table. Tout son corps lui faisait mal, tenaillé par une douleur terrible, violente. « Arrête », pensa-t-elle. « Tu ne vas quand même pas t'effondrer pour ça. C'est un bébé que tu n'as jamais vu. » Incapable de prononcer un mot, elle tendit le téléphone à Mitch.

— Allô ? dit-il. Oui. Oui. Oh ! Quel dommage, Larry ! Et la jeune fille, elle va bien ?... Au moins, elle va bien. Oui, merci.

Mitch raccrocha l'appareil et prit Lainie dans ses bras. Nue contre sa nudité, elle sentit sa poitrine se soulever bien qu'il essayât de contenir sa peine.

Pendant les mois qui suivirent, Lainie rêva de bébés. De bébés qui parlaient comme des adultes, de bébés sans visage. Un rêve revenait souvent, où elle entendait des pleurs d'enfant. Elle traversait une maison vide qu'elle ne parvenait pas à identifier, cherchait le bébé dont les cris se faisaient de plus en plus pressants. Lainie était prise de panique. « Je devrais peut-être consulter un psychiatre », se dit-elle.

Mais comment trouver l'aide dont elle avait besoin ? C'était une chose dont elle ne pourrait jamais parler à sa mère qui ne dévoilait pas ses sentiments devant les êtres qu'elle connaissait et qui ne comprendrait pas qu'elle le fît devant un étranger. Il fallait pourtant agir contre cette angoisse, ce chagrin et cette peur. Peur de perdre Mitch, peur que son désespoir la rende laide à ses yeux. Et qu'un jour ou l'autre il la quitte pour une autre et que cette autre soit enceinte au bout de quelques semaines.

Elle ressassait tout cela, se laissait submerger par l'angoisse, et tout ce que disait Mitch avait pour elle la couleur du rejet. S'il raccrochait trop vite le téléphone, quand elle l'appelait au magasin, ou s'il critiquait un peu trop la manière dont elle s'était occupée d'une cliente, elle craignait qu'il se retourne pour lui dire :

— Voilà. Je te quitte.

Un soir, alors qu'ils étaient encore dans la chaleur de l'amour comblé, Mitch prit appui sur un coude et contempla le visage de sa femme.

— Lainie, dit-il. Je voudrais te parler d'une chose grave. Crois-tu que tu pourras supporter le choc ?

Lainie se sentit à nouveau gagnée par la peur. Le moment qu'elle avait tant redouté était venu. Que pouvait-il y avoir de si grave après ce qu'ils venaient de vivre ? Était-il sur le point de lui annoncer qu'il la quittait ?

— Bien sûr que je peux, répondit-elle, les sourcils froncés.

— Lainie, pendant toutes ces années où nous pensions ne jamais avoir d'enfants, cela ne me posait aucun problème. Mais quand s'est posée la question de l'adoption, j'ai saisi l'occasion parce que je croyais que Dieu voulait nous montrer que nous avions besoin d'un enfant. Et quand le pauvre petit est mort, je n'ai plus su que penser. Maintenant, j'ai ça dans la tête et je veux que tu saches que, si tu ne veux pas de ce que je vais te proposer, j'y renoncerai. Pour toujours. Je te le jure. Tu es tout pour moi, tu le sais ? N'est-ce pas ?

Lainie lui effleura le bras et hocha la tête, soulagée de l'entendre réaffirmer son amour et honteuse d'avoir douté de lui simplement parce qu'elle ne se sentait pas à la hauteur.

— Tu as tant fait pour moi, Lainie. Quand je t'ai rencontrée, je démarrais mon affaire. Je pataugeais un peu et je n'avais aucune vie personnelle. Toi, avec ta douceur et ton amour si total, tu as donné un sens à ma vie. Je t'en serai toujours reconnaissant.

» Si notre boutique marche si bien, c'est surtout à cause de ton dévouement. Moi, j'aurais sans doute jeté l'éponge cinquante fois. Après l'inondation, par exemple, alors que nous n'étions pas assurés et que tout le stock était détruit. C'est toi qui as déniché cette petite blanchisserie en ville, spécialisée dans le daim, toi qui es restée sur leur dos jusqu'à ce que ces vestes aient de nouveau l'aspect du neuf. Nous les avons toutes vendues. Si nous avons réussi, c'est que, quoi qu'il arrive, tu étais toujours là, avec ta patience, pour me dire que nous allions nous en sortir. Tu es une perle, voilà ce que je pense. Aujourd'hui, je veux prendre le relais. Maintenant, *je* veux faire quelque chose pour nous. J'aimerais appeler un avocat pour lui demander de nous aider à engager une femme qui portera notre bébé.

La gorge de Lainie se noua presque jusqu'à l'étouffement.

— Au lieu d'adopter un bébé issu de deux étrangers, comme nous avons failli le faire, du moins serons-nous certains que cet enfant sera pour moitié un De Nardo. Une part de nous. Ce n'est pas un caprice, Lainie. Depuis ton opération, je cherche ce que je pourrais faire, et il me semble que c'est quelque chose que je peux nous offrir. Apporter à notre association. Dieu sait que nous avons été suffisamment bien ensemble depuis toutes ces années pour que tu penses, comme moi, que toi et moi ne faisons qu'un. Tu te rappelles cette vieille femme que nous avons vue à la télévision et qui disait que le mariage, ce sont deux chevaux tirant sur le même joug ? Eh bien, disons que d'apporter ma contribution biologique à la naissance de notre enfant, ce sera ma part de ce joug.

— Mitch, dit-elle en espérant aller jusqu'au bout sans pleurer. C'est une mauvaise idée. Tu sais ce qui se passe généralement dans un cas comme celui-ci. Ce n'est pas comme si nous mettions une part de toi et une part de moi dans une femme qui porterait notre enfant à notre place. Qui que nous engagions, elle aura un bébé qui sera à la fois le tien et le sien. Et quand viendra le moment de s'en séparer, elle devra renoncer à son propre enfant. Et si elle changeait d'avis ? Tu lui permettras de garder son bébé ? Tu ne le verras jamais ? Ou bien en partagerez-vous la garde ? Le laisseras-tu tomber, sachant que, quelque part, tu as un fils ou une fille que tu as abandonné parce que la mère porteuse n'a pas pu remplir son contrat ?

A l'étonnement qui se peignit sur le visage de Mitch, elle comprit qu'il ne s'attendait pas à une telle réaction. Elle fut elle-même surprise de sa violence.

— Crois-moi, Mitch, j'ai désespérément envie d'avoir un bébé, mais pas comme ça.

— Lainie, ne prenons pas de décision maintenant. Tu as une réaction épidermique et mieux vaudrait prendre le temps d'y réfléchir. Dans les cas que tu as évoqués, les mères n'avaient été ni convenablement examinées ni bien sélectionnées. Il suffit d'exiger toute une batterie de tests pour que ce risque-là disparaisse. Nous pourrions aussi rencontrer les enfants qu'elle a déjà, voir s'*ils* sont en bonne santé. Enfin, nous pouvons nous payer une bonne dizaine de psychiatres pour contrôler tout ça. En fait, ma sœur Betsy connaît un endroit...

— Betsy ! Je savais bien que cela venait de l'une de tes fouineuses de sœurs ! Qu'a-t-elle fait ? Elle a vu ça dans *Oprah* ? Non, cela ressemble davantage à *Geraldo* : « Ces femmes dont les maris fécondent des étrangères. »

Lainie s'entendit crier pour la première fois depuis qu'ils vivaient ensemble. Elle perçut comme des hurlements de mégère. Elizabeth Taylor dans *Qui a peur de Virginia Woolf ?* Mais elle ne regrettait rien. Elle vibrait de colère.

— Betsy et les deux autres sorcières n'ont qu'à se mêler de leurs affaires et cesser de fourrer leur nez dans ma vie !

— Tu te conduis comme une sale gosse égoïste.

— *Je* suis égoïste ? Si tu as tellement envie d'un enfant et que *tu* n'es pas égoïste, pourquoi ne pas essayer d'en adopter un ? Nous adopterons un garçon et il portera le précieux nom des De Nardo. Qu'est-ce qui te permet de penser que tes gènes sont si fabuleux que le monde ne peut pas s'en passer ?

— Lainie, ne me provoque pas, merde ! Ton attitude est vraiment très irritante. Cette idée me semble tout à fait valable pour nous.

Elle sentait monter la colère dans sa voix et savait qu'elle n'était pas de taille à lui résister longtemps mais, cette fois, il allait vraiment trop loin. Elle n'allait quand même pas céder à cette requête insensée.

— Je veux un enfant qui soit génétiquement à moi, déclara Mitch, furieux. Et c'est *possible*. C'est tout à fait banal et ça ne pose pas de problèmes. J'ai donné un certain nombre de coups de fil pour me renseigner, et ils m'ont tous assuré que l'on pouvait combler toutes les lacunes de la loi.

Lainie avait le plus grand mal à respirer.

— Mitch, ne m'accuse jamais plus d'égoïsme. On m'a retiré mes organes parce qu'ils étaient cancéreux jusqu'à la moelle. Il n'y a pas une journée où je ne passe par le parc, où je ne croise une femme avec une poussette, sans détourner les yeux en songeant avec le plus grand désespoir que je ne peux pas te donner d'enfant.

Ces derniers mots lui nouèrent la gorge et elle dut détourner le regard.

— Si ça te semble médiocre, égoïste ou mesquin, eh bien, je suis ainsi ! Mais je te préviens que jamais je ne supporterai de voir une autre femme porter ton enfant.

— Mais ce serait notre bébé. Le tien et le mien. Tu n'en veux pas ?

— Plus que tout au monde. Mais pas de cette manière. Je suis désolée.

— Il faut que tu changes d'avis.

— Non.

— Sois un peu adulte, Lainie. Si nous adoptions un enfant, il ne serait pas issu de ton corps. De cette façon, nous connaîtrons au moins l'un des deux parents naturels. Tu prétends que *je* suis narcissique ? N'en fais pas une question d'amour-propre.

— L'affaire est close.

— Non, elle ne l'est pas.

— Pour moi, elle l'est.

Ils ne s'adressèrent plus la parole pendant plusieurs jours.

Ils dormirent dans le même lit, dos à dos. Ils travaillèrent au magasin, se montrèrent aimables envers les clientes et les employées mais, quand ils se retrouvaient seul à seule dans une pièce, ils ne se disaient pas un mot. Lainie était complètement obsédée par sa peur d'être abandonnée. Une peur si enfouie dans son cœur et dans son cerveau qu'elle avait beau se maquiller, porter des tenues ravissantes, la femme qu'elle voyait dans la glace avait la laideur d'une harpie jalouse.

Elle songeait tantôt à faire ses valises, à s'en aller ailleurs, n'importe où, pour ne plus jamais revenir, tantôt à supplier Mitch de lui accorder son pardon et à céder à toutes ces demandes. Leur éloignement lui était insupportable. Un soir où tout le monde était parti et qu'ils étaient seuls dans la boutique, sur le point de fermer, elle lui posa la main sur le bras.

— Mitchie ?

— Oui ?

Il ne la regarda pas.

— Je ne dis pas oui. Mais je voudrais que nous en parlions davantage.

Il s'approcha d'elle et la prit dans ses bras en silence. Après ces quelques jours de séparation, son odeur si près d'elle lui donna envie de pleurer de soulagement. Depuis le jour de leur rencontre, l'odeur de Mitch avait toujours eu pour elle quelque chose d'irrésistible. Elle aimait se pelotonner contre lui, enfouir son visage dans la chaleur de son cou, le goûter, le sentir. C'était le meilleur homme que la terre ait porté. Une bénédiction en ce monde où il y a trop de divorces, de trahisons, trop d'histoires de femmes battues dans les magazines. C'était un homme qui la traitait comme une reine, l'exaltait comme s'il en était encore à la courtiser. Son dévouement, quand elle avait eu besoin de lui, faisait l'émerveillement de leurs amis.

Lors de la réception donnée en l'honneur de son trente-cinquième anniversaire, ils avaient été si nombreux à porter un toast à la fidélité de Mitch, à sa générosité, à son grand cœur, qu'il avait fini par se lever.

— Attendez une seconde, avait-il déclaré, tout cela est si beau que je me demande si je ne suis pas mort.

Lainie se remémora tous ces détails tandis qu'elle tenait son mari dans ses bras. Comment pouvait-elle lui refuser quoi que ce fût ?

16

— Votre mari avait raison, madame De Nardo.

Le psychologue du centre de maternité de substitution était un homme d'une bonne quarantaine d'années, séduisant, les cheveux gris. Lainie et Mitch s'entretenaient avec lui et avec Chuck Meyer, l'avocat spécialiste de la question. Ce matin-là, Mitch avait mis son plus beau costume comme s'il s'était dit, pensa méchamment Lainie, que plus il serait beau plus il aurait de chances de trouver une femme pour porter son enfant.

— La presse adore monter les choses en épingle. Les cas qui vous préoccupent ont fait sensation, mais ils sont très rares. La vérité, c'est que quatre-vingt-dix-neuf pour cent des mères de substitution ne changent pas d'avis. C'est une statistique bien meilleure que pour l'adoption ouverte, où la mère naturelle est souvent une jeune fille instable qui découvre brusquement qu'elle est enceinte et qui hésite d'abord à garder le bébé.

» Les femmes avec lesquelles nous travaillons sont des adultes, cultivées, appartenant à la classe moyenne, qui ont des raisons personnelles de faire cela. Et ces raisons ne sont pas financières. En fait, nos recherches les plus récentes prouvent que ces mères de substitution ne sont pas motivées par l'argent. Pour ce qui est de l'aspect psychologique, en plus des tests qui sont à la fois nombreux et très stricts, nous leur posons toutes sortes de questions difficiles. Et croyez-moi, nous ne négligeons rien.

» Je n'hésite pas à leur demander si elles sont prêtes à renoncer à avoir des rapports sexuels avec leur mari à partir de la signature du contrat. Je m'inquiète également de ce qu'elles répondront à leurs parents qui considéreront cet enfant comme leur petit-fils ou leur petite-fille. Nous leur donnons plusieurs mois pour y réfléchir. Pendant ce temps, nous nous entretenons avec les autres membres de la famille qui vivront cette expérience avec elles. Nous rencontrons leurs époux, leurs enfants, pour voir si l'un d'entre eux est susceptible de leur rendre les choses difficiles ou de leur poser un problème quelconque.

» Nous rejetons quatre-vingt-cinq pour cent des femmes qui se présentent. Au moindre risque, nous leur disons tout simplement qu'elles ne peuvent pas participer à notre programme. Et pourtant nous ne manquons jamais de candidates. Je comprends votre hésitation et je vais demander à quelques-unes des familles heureuses qui ont collaboré avec nous de vous contacter pour vous faire part de leur expérience. Ou bien je vous présenterai des mères de substitution pour que vous fassiez connaissance. Cela dit, vous êtes tout à fait libres de revenir me voir quand vous le souhaitez et de me dire : « Ce n'est pas pour nous. »

Lainie sentit peser sur elle le regard de Mitch. « Tu n'es pas obligée de te décider maintenant », disait ce regard, « mais plus tôt tu le feras, plus tôt nous aurons ce bébé. »

Ils choisirent la troisième femme qu'on leur présenta. Elle s'appelait Jackie. C'était une blonde aux yeux bleus, un peu ronde mais avec des formes charmantes. Lainie la préféra aux autres parce qu'elle était chaleureuse, d'un abord facile. Quand le jour de leur rencontre Lainie et Mitch entrèrent, Jackie les attendait. Elle prit Lainie dans ses bras. Cela la fit sursauter, mais c'était un geste gentil, et Lainie, quelque peu embarrassée, fut submergée par un nuage de Shalimar.

Dès qu'ils se furent assis, Jackie leur montra des photos de son fils, un adolescent né d'un mariage de jeunesse raté. C'était un grand jeune homme, beau et plein d'assurance.

— Je me suis inscrite aux Weight Watchers, leur déclara Jackie à la fin de la séance. Je suis toujours un peu boursouflée avant mes règles, et c'est le cas en ce moment. Je déteste faire ma propre publicité, mais si vous me choisissez, nous pourrons commencer tout de suite, dans deux semaines et deux jours. Je suis réglée comme du papier à musique.

Cette femme n'avait rien de menaçant. La première candidate était une ancienne actrice, jolie et rousse, qui voulait « vivre cette expérience pour enrichir son travail ». La deuxième candidate, une brune à la poitrine avantageuse, parut séduite par Mitch, ce qui était parfaitement déplacé. Jackie était irlandaise, drôle. Elle ressemblait à Lainie, en plus trapue, et disait ce qu'elle pensait. « Elle n'a pas de filtre entre le cerveau et la bouche », avait déclaré Mitch.

Selon un plan bien établi, Lainie retrouverait Jackie, à chaque rendez-vous chez le médecin, avec le sperme de Mitch, pris moins d'une heure auparavant. Le matin de la première insémination, Lainie avait oublié de prendre un récipient stérilisé. Elle stérilisa donc dans le lave-vaisselle un pot qui avait contenu des cœurs d'artichaut marinés. De la marque Cara mia.

Mitch eut une telle crise de fou rire quand elle lui tendit le drôle de petit pot qu'il craignit de ne pas pouvoir remplir son office. Il y parvint néanmoins et, avec un grand sourire, se lança dans une imitation impromptue de Mario Lanza.

— *Cara mia*, dis-moi ces mots divins. Je serai ton amour jusqu'à la fin des temps.

Lainie en riait encore dans la voiture qui la conduisait chez le médecin.

— Parlez-moi de Mitch, lui demanda Jackie dans la salle d'attente où l'infirmière devait venir la chercher.

Lainie ne savait par où commencer ni que lui dire.

— Eh bien, sa famille est italienne, sa mère est morte jeune et il a été élevé par ses sœurs...

— Et il est très proche d'elles, n'est-ce pas ? Ces Italiens et leur famille ! Ils ne peuvent pas s'en défaire. Les Italiens sont comme les Irlandais, vous savez. Ils pleurent devant les pubs de la Compagnie du téléphone, non ? Quelques notes d'une chanson qui vous demande de penser aux vôtres, et ils chialent comme des idiots. *Je* suis comme ça, moi aussi. Une vraie sœur de larmes !

La porte du bureau du médecin s'ouvrit.

— O'Malley ? demanda l'infirmière.

— C'est moi, dit Jackie qui se leva et se tourna vers Lainie. Pensez que ça va marcher, fit-elle en emboîtant le pas à l'infirmière.

Le cabinet du médecin se trouvait à Century City, au huitième étage d'un centre médical. Lainie regarda en bas, par la fenêtre de la salle d'attente, vers la piscine bleu azur de la résidence située de l'autre côté de la rue, où un nageur solitaire faisait des longueurs.

« Mon Dieu, j'attends là une femme que j'ai rencontrée il y a quinze jours et qui va porter l'enfant de mon mari. Un enfant que je vais lui prendre et élever comme si c'était le mien », songeait-elle.

Jackie, qui avait passé tous les examens possibles et imaginables, avait obtenu des résultats qu'aurait enviés Lainie, elle qui avait toujours souffert du diabète. Elle possédait un Q.I. élevé, et son profil psychologique était aussi bon que possible. Il n'y avait, bien entendu, aucun moyen de connaître l'action des hormones de grossesse sur l'état mental de quiconque ou sa réaction à la vue de l'enfant qu'elle avait promis d'abandonner.

— Il faut que vous soyez prêt, Mitch, à renoncer à l'enfant, l'avait prévenu le psychologue, si le scénario du pire se réalisait. Pensez-vous en être capable ?

Lainie avait levé les yeux vers Mitch. C'était durant l'une de ces nombreuses séances où cet homme leur avait fait prendre conscience des questions les plus difficiles. Lainie était heureuse qu'il procédât ainsi avec les mères porteuses, mais mal à l'aise quand Mitch et elle y étaient eux-mêmes confrontés.

— Vous commencez par me dire qu'elle est l'incarnation de la santé mentale, puis vous m'annoncez qu'elle pourrait fort bien changer d'avis, fit Mitch, sur la défensive.

— Il faut que nous sachions tous que tout peut arriver et que vous y soyez préparés pour parer à toute éventualité, insista le psychologue en se tournant vers Lainie, qui remarqua que Mitch n'avait toujours pas répondu à la question qui lui était posée. Et vous, pourrez-vous supporter de voir une autre femme enceinte de l'enfant de votre mari ? Je ne veux pas vous faire fuir, et vous n'êtes pas obligée de me répondre tout de suite. Mais répondez-y pour vous-même.

Au bout d'une heure, Jackie émergea du bureau du gynécologue.

— Il m'a fait allonger très longtemps, les pieds en l'air, pour mettre toutes les chances de notre côté. Vous allez mourir de rire. Après avoir été inséminée, je lui ai demandé : « Vous avez aimé ? » Il était plié en deux. Faites une prière, ajouta-t-elle en pressant le bras de Lainie.

Un peu plus tard, à une table de la terrasse d'un café de Robertson Boulevard, Jackie sortit une enveloppe remplie de photos de son fils.

— Il est superbe, hein ? fit-elle avec fierté. Quand nous sommes ensemble, les gens croient parfois que c'est mon petit ami.

— Il est charmant, dit Lainie.

— Ce bébé le sera aussi, déclara Jackie, qui but une grande gorgée de thé glacé avant de reposer son verre. (De sa main froide et humide, elle prit celle de Lainie.) Que tout ça ne vous rende pas malade ! Ce sera super pour nous tous. Entre-temps, vous et moi, nous allons faire connaissance, ce qui n'est pas si terrible. *Capisce ?* Ça veut dire...

— Je sais ce que ça veut dire, l'interrompit Lainie en souriant.

— Mon second mari était italien, lui expliqua Jackie.

Lainie ne se souvenait pas qu'il eût été question d'un second mari dans le cabinet de l'avocat. Jackie remarqua l'étonnement qui se peignit sur son visage.

— Ça n'a pas duré longtemps. Moins d'un an. Je ne porte même pas son nom. Mon Tommy était tout petit à l'époque, et ce type avait deux adolescents qui n'arrêtaient pas de frapper mon gosse. Je n'aimais pas ça. Nous nous sommes disputés à ce sujet, et je me suis aperçue que tout irait beaucoup mieux si je lui disais *adios*. Vous comprenez ?

Lainie hocha la tête tout en se demandant ce que Jackie leur avait encore dissimulé.

— Alors, Mitch et vous, c'est un mariage réussi, hein ?

Lainie sourit.

— Nous nous aimons et nous sommes très heureux.

— Ça ! s'écria Jackie en faisant signe à un garçon pour commander un café. Je vous envie ! Et un jour, je ferai pareil. Sûr comme deux et deux font quatre. Je vous le dis, j'y arriverai.

Deux semaines plus tard, Jackie eut ses règles.

— Écoute, nous avons tout le temps, dit Mitch à Lainie qui l'avait aussitôt appelé à la boutique pour lui annoncer la nouvelle. Ces choses-là prennent des mois, parfois des années. Ne baissons pas les bras, mon amour. Nous aurons un bébé à cajoler avant que tu aies eu le temps de dire ouf. Je t'aime, madame De Nardo, et, quand je serai rentré à la maison, je te montrerai à quel point.

— Moi aussi, répondit Lainie.

Elle l'aimait *vraiment*. Plus que jamais.

Ce fut le matin de la neuvième insémination que le patron de Margaret Dunn téléphona à Lainie pour la prévenir que sa mère était tombée, sans raison apparente, dans les toilettes et qu'on l'avait transportée à l'hôpital de Century City.

— J'arrive, dit Lainie, qui se souvint alors du rendez-vous avec Jackie, quelques heures plus tard.

Elle risquait de perdre un mois.

Quand elle descendit pour en parler à Mitch, il était habillé et lisait le journal du matin.

— Tu sais quoi ? lui dit celui-ci. Tu t'occupes de ta mère. Le petit pot de Cara mia et moi nous nous débrouillerons tout seuls, si tu vois ce que je veux dire. Nous sommes déjà très intimes. J'irai en ville et je le déposerai chez le médecin. A quelle heure le ventre arrive-t-il ?

— Mitch ! s'exclama Lainie en lui donnant une tape sur le bras. Elle arrive à midi.

Elle détestait qu'il prenne Jackie pour cible de ses plaisanteries. Les événements de ces derniers mois avaient créé un lien entre les deux femmes. Lainie était toujours impatiente de la retrouver. Pas seulement parce que chaque visite pouvait être la bonne, mais aussi parce que les déjeuners qui suivaient l'insémination donnaient lieu à de petites conversations intimes, comme il en existe entre deux amies. La conception mettrait fin à leurs rencontres, et la naissance du bébé à leur relation.

Il était convenu que Jackie ne connaîtrait jamais le nom de famille des De Nardo. La ligne téléphonique qu'ils avaient fait installer chez eux pour recevoir ses appels serait supprimée dès que l'enfant leur aurait été remis. Mitch l'avait exigé de l'avocat.

— Je ne veux pas qu'elle change d'avis un beau jour et vienne frapper à ma porte.

— Étant donné le succès de votre boutique, vous imaginez bien que Lainie et vous, vous êtes très intéressants, l'avait prévenu l'avocat.

Mitch était très soucieux de cela.

— Ne la laisse jamais jeter l'œil sur le reçu de ta carte de crédit, dit-il à Lainie. Paie tout en liquide.

Ce mélange de secret et d'intimité la mettait mal à l'aise mais, bientôt, avec l'aide de Dieu, ils obtiendraient le résultat escompté.

— Appelle-moi de l'hôpital, si tu as besoin de moi. J'irai tout de suite après avoir déposé mon petit pot, dit Mitch en l'embrassant une dernière fois.

Lainie était partie rendre visite à sa pauvre mère qui se plaignait de maux de tête depuis des semaines. Elle espérait que cette chute n'était pas due à des troubles neurologiques. Lainie n'avait pas parlé à sa mère de la maternité de substitution. Mais une fois que Margaret aurait surmonté cette crise, elle lui expliquerait tout. Peut-être serait-elle heureuse d'apprendre qu'elle serait bientôt grand-mère.

Mitch engagea la voiture dans le parking du centre médical, mais laissa tourner le moteur pour entendre la fin des informations. Puis il coupa le contact, chercha dans la poche de sa chemise le petit papier où était inscrit le numéro du service et, quand il l'eut trouvé, il prit le sac en papier et sortit.

— Merde ! dit une voix de femme dont l'écho retentit dans l'espace caverneux du parking. Ça a dégouliné partout. Flûte !

Mitch dirigea son regard vers l'endroit où se tenait la femme, près d'une vieille décapotable usée, le capot ouvert, tandis que le gardien du parking contemplait le moteur fumant d'un air idiot. Mitch avait pris la direction de l'ascenseur quand il reconnut Jackie et revint sur ses pas. Celle-ci l'aperçut et le salua d'une voix forte.

— Salut, Mitch ! Ça fait longtemps qu'on ne s'est vus ! J'ai un tuyau pété et, sincèrement, j'espère que *vous* n'avez pas ce genre de problème, dit-elle en riant.

Elle cessa brusquement de rire.

— Ne vous offensez pas ! J'y suis allée un peu fort, là. Comment va votre belle-mère ? Lainie m'a téléphoné ce matin pour me prévenir qu'elle ne serait pas là aujourd'hui et que c'était vous qui feriez le dépôt. J'espère que tout va bien.

— Ils vont lui faire des examens tout l'après-midi, et Lainie restera à l'hôpital pour lui tenir la main. C'est gentil de vous en inquiéter.

Un nuage de fumée s'échappa du capot ouvert.

— Et vous, ça ira ? demanda Mitch.

— Bien sûr, répondit Jackie. J'ai appelé le garage. Ils arrivent. Alors si vous voulez monter et donner ça au médecin, dit-elle en désignant le sac en papier du menton. Je serai là-haut dans quelques minutes pour le récupérer.

Elle sourit. Mitch lui rendit son sourire.

— J'espère que ça marchera, ajouta-t-elle.

— Moi aussi. C'est très important pour moi.

— Pour moi aussi, fit-elle en posant la main sur le bras de Mitch.

Après chacune des inséminations précédentes, Lainie avait dit à Mitch à quel point elle aimait cette femme rondelette, au visage si doux, cette femme si profondément bonne. Quand il la regarda, Mitch comprit que c'était vrai. Après avoir établi son profil psychologique, l'avocat leur avait fait remarquer, à plusieurs reprises, que l'altruisme était, chez elle, l'une des qualités les plus développées.

Mitch ne s'attendait pas à passer un tel moment avec la mère de substitution. A l'exception de leur première rencontre qui lui semblait déjà très lointaine, ils ne s'étaient jamais adressé la parole. Lainie s'occupait de tout, étape par étape : c'était elle qui avait choisi la femme, fixé les rendez-vous chez le médecin, elle qui s'était assurée que tout allait pour le mieux. Mais dans le parking en sous-sol du centre médical, quand il croisa le regard de Jackie, sachant ce que cette femme allait représenter dans leur vie si tout se passait comme prévu, Mitch se sentit dépassé par les événements. Ses sœurs l'avaient incité à agir ainsi, à avoir un enfant de son sang. Pourtant, elles avaient certainement ressenti, tout comme lui, qu'il y avait là quelque chose qui bafouait la sainteté du mariage.

— Pourquoi faites-vous cela ? s'entendit-il demander, surpris d'avoir posé une telle question.

— Parce que cela donne un sens à ma vie, répondit-elle. Parce que je crois que c'est l'une des rares choses que je puisse offrir. Personne ne me manipule, Mitch. J'ai très envie de faire un bébé pour un couple et, si je ne le fais pas pour vous, je le ferai pour un autre. Vous ne me respectez peut-être pas parce que vous avez une idée toute faite du comportement que l'on attend d'une femme et que cela ne lui correspond pas. Mais ne vous méprenez pas, vous n'êtes pas du tout en train d'utiliser le corps d'une pauvre petite bourgeoise contre son gré, parce qu'elle a besoin de cinq briques. Encore que ces cinq briques ne me feront pas de mal.

— Je n'ai jamais pensé...

— Laissez-moi finir. Je suis sûre que vous ne l'avez pas pensé mais au cas où ça vous traverserait l'esprit, je veux que vous sachiez que ça m'intéresse tout autant que vous.

— Je suis ravi de l'entendre, dit Mitch qui se rendit soudain compte qu'elle lui tenait toujours le bras.

— Bien entendu, je vous mentirais si je vous disais que *ça*, c'est une partie de plaisir. Je veux dire que ce toubib est un sale con, comme la plupart des médecins, et que l'insémination, ce n'est pas agréable. Ce qui me pousse à le faire, c'est de savoir que je vais être enceinte, Mitch. Enceinte. Avez-vous la moindre idée de la joie que cela procure ? Non, bien sûr ! Mais moi, oui, parce que je me rappelle ce que j'éprouvais quand j'attendais Tommy, et l'incroyable importance que tout cela avait. J'étais en train de fabriquer un être humain à l'intérieur de mon corps. Cette seule idée rendait chaque minute productive, créatrice, nécessaire, même le temps de la promenade ou de la sieste.

Sa main lui serrait le bras un peu trop fort, à présent, et ses beaux yeux bleus, du même bleu que ceux de Lainie, laissaient couler des larmes.

— Pourquoi n'y allez-vous pas ? dit-elle à Mitch par-dessus son épaule. Prévenez l'infirmière que je monte dès que j'en aurai terminé ici.

— Ça va, fit Mitch un peu froidement. Il était adossé à une Jaguar verte. J'ai deux minutes. Pourquoi ne vous attendrais-je pas ?

Deux semaines plus tard, l'avocat téléphona au magasin pour annoncer que Jackie était enceinte. Ce fut Mitch qui prit la communication et, quand Lainie l'entendit hurler : « Super ! J'ai un bébé ! », elle se précipita dans le bureau. Il la prit dans ses bras, hocha la tête pour lui confirmer la bonne nouvelle tout en poursuivant sa conversation avec l'avocat qui lui rappelait les détails de leur contrat. La prochaine grosse facture médicale serait celle de l'amniocentèse que l'on pratiquerait entre la quinzième et la dix-septième semaine de grossesse.

— Jackie est-elle en forme ? Dois-je l'appeler ? A-t-elle des nausées, le matin ? A-t-elle besoin de quoi que ce soit ? demanda Mitch.

Lainie sentit le corps de son mari trembler et leva les yeux vers lui en souriant. Elle éprouva alors un sentiment d'envie mêlée de colère, qui la saisit à la nuque et lui raidit les épaules, comme si une coquille s'était refermée sur elle.

L'attention que portait Mitch à Jackie n'avait rien d'extraordinaire. Alors pourquoi cela lui semblait-il si mal, si pénible ? Elle détesta l'extase qui se peignit sur son visage quand il lui répéta ce que l'avocat venait de dire.

— Elle a déjà pris deux tailles de soutien-gorge, lui annonça-t-il en riant.

« Les seins de Jackie », pensa-t-elle. « Je suis en train d'écouter mon mari et un autre homme parler des seins d'une femme. »

Lainie était écœurée. Pourquoi avait-elle accepté tout cela ? Comment allait-elle le supporter pendant neuf mois ? Elle donna une petite tape sur le bras de Mitch.

— Je rentre à la maison, murmura-t-elle d'une voix inaudible quand il la regarda.

Elle espérait qu'il raccrocherait le téléphone, qu'il lui dirait : « Non, non, nous allons fêter ça. Si on dînait au champagne quelque part, tous les deux ? » Mais il se contenta de hocher la tête, lui fit au revoir de la main et s'absorba à nouveau dans sa conversation téléphonique.

Lainie se dirigea vers leur nouvelle BMW, y pénétra sans très bien savoir que faire ni comment chasser cette angoisse maladive qu'avait fait surgir cette « bonne » nouvelle. Au lieu de rentrer à la maison, elle prit la route de Santa Monica. Là, elle gara sa voiture, s'assit sur le sable de la plage de Will Rogers State et contempla le mouvement des vagues. Quand elle rentra, il était près de six heures. Un vase contenant une dizaine de roses l'attendait devant la porte de l'appartement. Elle les prit et ouvrit l'enveloppe qui accompagnait le bouquet. *Merci à ma merveilleuse femme. Je t'aime, mon amour, M.*, lisait-on sur la petite carte.

La nausée ne la quitta plus, une nausée plus terrible que celles qu'elle avait connues au cours de sa chimiothérapie.

Une semaine plus tard, lors d'un dîner familial avec les sœurs de Mitch et leur famille, elle était toujours dans le même état.

— Au bébé et à la femme qui le porte, déclara Betsy en levant son verre.

Lainie eut alors l'impression qu'ils avaient tous les yeux rivés sur elle. Elle aurait aimé quitter la table, partir en claquant la porte de ces trois sœurs qui la regardaient de haut, avec leurs trois enfants chacune, leurs coqs de maris qui donnaient des coups de poing sur le bras de Mitch, des coups de poing de salaud, de macho, comme s'en donnent les hommes pour se féliciter de leurs prouesses sexuelles.

Et pourtant, c'était l'envie qui la faisait le plus souffrir. « Ça ira mieux demain », se disait-elle. Il n'y a que neuf mois à passer. Ensuite Jackie sortira de notre vie à jamais. Je peux quand même supporter cela pour que Mitch ait un enfant de son sang. »

Ce qu'elle ne savait pas, c'était que sa souffrance ne faisait que commencer.

17

Quand Harvey Feldman se leva pour saluer Rick Reisman, il comprit au visage rougi de la secrétaire qui fit entrer le célèbre réalisateur que celui-ci venait de lui faire des avances. Décidément, cet homme ressemblait de plus en plus à Orson Welles, pensa Feldman.

— Qu'est-ce qui vous amène ? demanda-t-il tandis que Rick s'installait en face de lui, dans un fauteuil de cuir.

— Je voudrais parler de l'adoption ouverte.

— De quoi précisément ?

— Des conditions requises.

— Pour la mère naturelle ou pour les parents d'adoption ?

— Les parents.

— Les conditions requises sont celles que la mère naturelle souhaite pour son enfant.

— Et cela signifie ?

— Cela signifie que j'ai placé des enfants chez des parents célibataires, des couples homosexuels, mais aussi chez certains couples qui auraient été considérés comme trop vieux pour l'adoption.

— C'est-à-dire quel âge ?

— La quarantaine. Vous voulez que je vous raconte ? J'en ai plein mes albums.

— J'ai presque cinquante ans.

— Et alors ?

— Est-ce que c'est impossible ?

— Je ne vous suis pas.

— Eh bien, c'est quoi, trop vieux ? demanda Rick, le nez baissé.

Le visage de Harvey Feldman s'illumina brusquement.

— Êtes-vous en train d'essayer de me faire comprendre que vous êtes venu me parler de vous ? Que c'est vous qui voulez adopter un enfant ?

Il y avait dans sa voix un mélange d'amusement et de déception. Rick comprit que le jeune avocat, avec ses fantasmes de show biz, avait imaginé qu'il était venu chercher des histoires vécues pour en faire des films.

— Exactement, dit Rick.

— Et qu'est-ce qui a déclenché *ça* ?

— L'approche de mon cinquantième anniversaire. La certitude relative, si désespérante soit-elle, que la femme qui m'aimera pour la vie n'existe pas et n'attend pas le cinéaste surmené, trop gros et pétri d'angoisses que je suis pour tirer parti de la fécondité de son corps. J'ai désespérément envie d'avoir une sorte de famille. J'ai perdu mes parents dans un accident d'avion, dans les années cinquante. Bobo est le seul membre de ma famille qui soit encore vivant.

— Ce sera difficile, déclara Feldman après avoir réfléchi un instant. Vous avez été marié ?

Rick fit non de la tête.

— Elles vont vous demander cela... les mères naturelles. Elles vont se demander si vous êtes homosexuel.

— Je leur apporterai les certificats des femmes que j'ai honorées.

— Avez-vous une préférence pour le sexe ?

— Je serais sans doute plus à l'aise avec un garçon, mais...

Il haussa les épaules, ressentit une brusque envie de se lever, de présenter ses plus plates excuses au jeune avocat pour ce moment de folie et de descendre en courant l'escalier qui menait au parking et à sa voiture. Mais ce type ne se moquait pas de lui, n'essayait pas non plus de l'en dissuader, et cela l'incita à rester dans son fauteuil.

— Si vous êtes sérieux, voici de quoi il est question, lui dit Feldman. Je vous ai déjà dit que chaque mère naturelle a quarante-sept choix possibles. Le seul moyen de l'emporter, c'est de convaincre l'une d'elles que vous êtes, sans nul doute, le candidat le mieux placé pour aimer et élever l'enfant qu'elle porte. Pensez-vous que vous pourrez le faire ? L'emporter sur des couples qui possèdent des palissades, des petits chiens et, dans certains cas, d'autres enfants ? Plus important encore, pensez-vous que vous *l'êtes* vraiment ? Adopter un enfant, c'est accepter d'être responsable d'un autre être humain pendant au moins vingt ans.

— Bien, fit Rick, qui, pour la première fois, jeta un coup d'œil autour de lui.

Derrière lui, sur une étagère, se trouvait une photo de Harvey Feldman, de sa ravissante femme et, sur leurs genoux, deux petites filles.

— Ma famille, dit Feldman.

— Je vois, répondit Rick.

Mais quand son regard se porta de nouveau sur Feldman, il s'aperçut que celui-ci désignait toutes les photos accrochées aux quatre murs de la pièce. Des bébés gazouillant, souriant, posant les fesses nues, dans des baignoires, à travers les barreaux d'un berceau, avec des chapeaux trop grands et des sourires sans dents. Parfois seuls, souvent dans des bras d'adultes rayonnants qui avaient dans les yeux une lueur que Rick n'avait jamais vue dans les siens.

Il se leva, décidé à partir. C'était vraiment une idée de fou. Un de ces moments où l'on se raccroche aux branches, comme au petit matin quand on est désespéré. Mais dans la lumière grise d'un Los Angeles embrumé, il n'y avait plus qu'un gros homme solitaire qui regardait la vérité en face, la vérité d'un homme qui a laissé la vie passer à côté de lui. Il tendit la main à Harvey, mais Harvey s'était retourné et sortait des dossiers d'un tiroir.

— Écoutez, lui dit l'avocat, il y a peu de chances. Je doute que l'on vous choisisse, mais bon... Je vais vous jeter dans la bataille et voir si cela intéresse quelqu'un. Remplissez une fiche de renseignements et je verrai.

Rick s'assit de nouveau. Harvey lui tendit le formulaire.

— Parlez-moi des revers de la médaille, fit Rick en cochant les différentes cases. Des dangers. Ce dont je dois m'inquiéter. On ne vous choisit pas et on ne vous apporte pas un petit paquet en vous disant : C'est à vous.

— Ce n'est pas du tout aussi simple que cela. Le revers de la médaille, c'est que la mère naturelle que vous entretenez les derniers mois de la grossesse a le droit de reprendre son bébé tant qu'elle n'a pas signé un consentement qui doit être accepté par le service des adoptions ou approuvé par le tribunal de grande instance de Los Angeles ou par les services sociaux de l'enfance du comté. Cela prend théoriquement six mois, parfois près d'un an. Il arrive donc que l'on entretienne la mère naturelle, que l'on paie tous les frais médicaux et hospitaliers, que l'on tombe amoureux de l'enfant pour se le voir retirer et avoir dépensé tout cet argent pour rien. Si vous avez vraiment envie d'un enfant, préparez-vous à ce que cette jeune femme enceinte vous brise le cœur.

— Cela arrive-t-il souvent ?

— Tout au long de ma pratique, une fois en quinze ans. Ce n'est pas trop mal. La mère naturelle a réclamé son bébé au bout de deux jours. Les parents adoptifs étaient désespérés, mais ils avaient tellement envie d'un enfant qu'ils ont trouvé une autre mère quelques mois plus tard. A présent, ils ont un fils.

Rick soupira, fit les cent pas dans la pièce et regarda avec attention chaque photo.

— Les chances que j'ai d'être choisi sont donc très minces, contrairement à moi-même. Supposons que j'essaie de les accroître en faisant un coup d'éclat, acheter une voiture ou un manteau de fourrure à la mère ?

— Ce serait du trafic de bébé et c'est illégal. Le tribunal est susceptible de vérifier chaque cent que reçoit la mère pour son entretien. Tout lui est soumis dans un acte financier sous peine de parjure. J'ai même un couple qui y a inscrit un cornet de glace acheté un jour où ils avaient emmené la mère sur la plage.

— Alors ma seule chance, c'est d'être sympathique. Assez sympathique pour l'emporter sur les chiens et les palissades.

— Mais, Rick, ne prenez pas la peine de remplir ce formulaire à moins d'avoir bien compris que ces relations, celles que vous aurez avec la fille, doivent principalement lui permettre de bien vivre sa grossesse dans un monde qui lui donne mauvaise conscience pour cette même raison. Pour qu'elle sache qu'elle est quelqu'un de bien et qu'en vous confiant son enfant, elle fait quelque chose de bien.

» J'ai autre chose à dire à propos de ces filles. Ce sont le plus souvent des groupes paroissiaux et des ligues pour le droit à la vie qui me les envoient. En général, elles n'en sont pas là parce qu'elles ont couru le guilledou. Elles ont souvent été violées par un ami de la famille ou forcées par un garçon à l'université, et sont trop mortifiées pour en parler. Quand elles pénètrent dans ce bureau ou y envoient une lettre parfois à peine lisible, elles n'ont encore dit à personne qu'elles étaient enceintes. Elles n'ont pas encore prononcé ce mot-là.

» Certaines n'ont même pas encore vu de médecin. Elles ont cassé leur tirelire pour s'acheter un test de grossesse qu'elles ont utilisé à la maison, enfermées dans la salle de bains familiale. Ou bien cela fait deux mois qu'elles n'ont pas leurs règles et elles s'efforcent de dissimuler leurs nausées matinales à la table du petit déjeuner, avec la peur au ventre. J'essaie de leur tisser un cocon. Un espace où leur grossesse ne pose plus de problème. Après tout, elles sont déjà enceintes. Elles ne veulent pas avorter. Alors pourquoi ne pas leur montrer que tout est bien ainsi, pas seulement parce qu'elles vont s'en tirer, mais parce qu'un couple gentil aimera le bébé qu'elles vont mettre au monde ?

» Vous verrez quand vous rencontrerez certaines de ces filles, Rick, et j'espère que vous en rencontrerez. Vous vous êtes dit que j'essayais de vous vendre ma salade quand je vous parlais d'histoires poignantes. Eh bien, quand vous aurez fait la connaissance de quelques-unes d'entre elles... nous en reparlerons.

Rick eut le sentiment que Feldman refoulait ses larmes et se demanda si l'avocat tenait toujours ce discours. Néanmoins, il baissa les yeux vers le formulaire qu'il avait complètement rempli et le signa.

Quand il regagna son bureau, Andréa semblait nerveuse.

— Le bureau de Nat Ross a appelé. Ils vous demandent de monter immédiatement.

La porte était ouverte, et il vit au premier coup d'œil qu'un groupe de quatre ou cinq personnes l'attendait. Nat Ross, Ian Kleier, l'adjoint de Ross, quelques sous-fifres et... merde ! Kate Sullivan et certains membres de son entourage habituel.

Rick était paralysé comme on peut l'être devant une catastrophe.

— Assieds-toi, mon ami. On peut aller te chercher un café, un Coca ou un verre de vin, et même un biscuit, ajouta Ross.

Rick se demanda un bref instant si ce salopard était en train de faire allusion à ses kilos superflus.

— Qu'est-ce qui te ferait plaisir ?

— Rien, merci, répondit Rick.

Il avait une telle envie de filer qu'il lui fallut faire un effort pour rester assis. Par une sorte de compromis, il se tenait au bord du fauteuil, les deux mains fermement appuyées sur les accoudoirs, prêt à prendre ses cliques et ses claques.

— Il faut que je te dise, commença Nat Ross, que Kate est folle de l'histoire de la Maison Blanche. Elle m'a déjà appelé, combien, Kate ? Huit fois ? Neuf ?

Rick ne la regarda pas mais, du coin de l'œil, il vit Kate se tortiller sur son fauteuil.

— Peut-être même plus, répondit-elle avec une modestie affectée.

— A mon avis, un film issu d'une collaboration entre vous deux ferait un tel tabac que j'en ai déjà les larmes aux yeux. Mais je tiens à être honnête, direct, je ne veux pas vous raconter de conneries. Alors je vous le dis à tous les deux, si nous pouvons nous comporter comme des grands et laisser tomber toute question personnelle, ce studio financera notre film à mille pour cent. Maintenant, je veux votre avis. D'accord ?

Il y eut alors un silence qui parut interminable. Rick réfléchissait à toute vitesse. Il était inconcevable qu'on le mît dans une telle position. L'affaire était claire. Ce film était devenu la propriété de Sullivan. S'il refusait, dès la semaine prochaine, on ferait appel à Sydney Pollack ou à Garry Marshall pour réaliser un projet sur lequel il travaillait avec amour depuis... depuis combien de temps ?

— Je passe, dit-il en se levant, puis il quitta la pièce, prit la direction de l'escalier sans se donner la peine d'attendre l'ascenseur. Le bruit de ses pas résonnait dans sa tête. Il respira profondément, ouvrit la porte qui donnait sur le troisième étage et traversa le couloir tapissé d'une épaisse moquette qui menait à son bureau.

— Rangez mes affaires, dit-il à Andréa.

— Pardon ? fit-elle en ôtant le casque de son baladeur.

— Je vous ai dit de boucler mes affaires. Je ne travaille plus ici.

Le téléphone sonna.

C'était Nat Ross. Andréa se dirigea vers la porte de son bureau pour le lui annoncer. Rick rangeait des photos dans une boîte qu'il venait de sortir du placard.

— Je ne suis pas là.

— Il sait que vous êtes ici.

— Nous n'avons plus rien à nous dire, déclara-t-il. Terminez cela, s'il vous plaît. Je pars.

Une fois dans le parking, il s'apprêtait à monter dans sa voiture quand Nat Ross vint vers lui. C'était étrange de voir Ross dans ce lieu. Personne ne l'y rencontrait jamais. On disait en plaisantant que pour peu que l'on arrive à six heures du matin et que l'on pose la main sur le capot de la voiture de Nat Ross, il était déjà froid. Et il ne s'en allait qu'à minuit, répétait encore la rumeur.

— Rick, ne sois pas stupide.

Il fit quelques pas en direction de la voiture.

— Je t'ai proposé un projet monté de bout en bout et une grosse somme d'argent alors que tes deux derniers films n'ont rien rapporté du tout. On ne peut pas dire que l'on s'arrache tes scénarios. En fait, ta cote est plutôt en chute libre. Et moi, je trouve le fric parce que je suis prêt à parier mon fauteuil que tu peux encore faire au moins un film, et que c'est aussi bien que ce soit nous qui le financions.

Rick mit le contact. Qui le blâmerait de passer sur le corps de cet emmerdeur ?

— Je te donne une vraie chance de te refaire. Avec la plus grande star du moment. Ne sois pas idiot ! hurla Nat, tandis que la voiture quittait le parking dans un crissement de pneus.

— Qu'est-ce que tu crois ? Que la vie est toujours rose ? lui demanda Bobo.

Ce matin-là, ses dents le tracassaient. Pendant qu'il jouait au gin-rummy avec Rick sur le lit, son dentier jauni leur souriait dans un verre posé sur une commode.

— Ton père et moi, nous avons passé notre existence à nous battre. Je t'ai dit que nous nous étions disputés avec ce salopard d'Harry Cohn à nous faire bouillir le sang dans les veines. Tu n'es qu'un bon à rien, trop gâté. Deux ou trois trucs s'écroulent, quelques bides, et te voilà en crise. Qu'est-ce que tu veux, bon sang ?

— Je suppose que j'aime que ma carrière soit comme les petits pâtés, répondit Rick. Chauds sur un toast, et en ce moment, ce n'est ni l'un ni l'autre. Le scénariste de *Temps passé* est tombé raide mort dans une pizzeria, la deuxième mouture de *Comptez sur moi* m'est revenue, une grande déception pour moi, j'ai perdu les droits d'*Une sacrée belle fille* et puis il y a cette Kate Sullivan ! Kate Sullivan va faire *La Première dame*, et pas moi. Ça fait deux ans que je travaille sur ce projet, et ils le lui ont donné, oncle Bobo. Alors je suis parti. J'ai pris mes affaires et je me suis tiré.

— Gin ! annonça Bobo en étalant son jeu sur la table.

— Quel salaud ! fit Rick en riant. Comment en es-tu arrivé là si vite ? Je n'ai rien, moi.

Rick posa son jeu à son tour.

— Tu ne sais pas battre les cartes et tu me dois soixante-trois cents, dit Bobo.

— J'ai décroché mon téléphone et ça fait des jours et des jours que je reste seul sans savoir quelle décision prendre.

Bobo le regarda, le sourcil froncé.

— Pourquoi es-tu inquiet ? Tu as le monde à ta pogne. Il y a des milliers d'histoires qui t'attendent. Des millions rien que dans ta propre vie. Fais un film sur ton père et sur moi. Deux jeunes gens de l'époque héroïque de Hollywood. Fais un film sur la vie d'un enfant dans les coulisses des studios, vu sous l'angle de l'enfant. Tu veux raconter une bonne histoire ? Parle de la mort de tes parents dans cet accident d'avion. La plus grande perte de l'histoire du show business.

Bobo battit les cartes en poursuivant la conversation, et Rick, le sourire aux lèvres, regardait ce vieux requin les manipuler, les mettre en éventail, les faire glisser en cascade, monter et retomber, véritable défi à la pesanteur.

— Non, dit Rick, je ne raconterai pas ça.

Bobo haussa les épaules et distribua les cartes avec une dextérité de professionnel.

— Mon cher, écoute-moi. Va donc proposer tes services à un autre studio. Ne reste pas là dans cette maison de vieux, au milieu de ces vieillards qui attendent la mort. *Je* me sens trop jeune pour vivre ici. Alors toi, veux-tu me foutre le camp d'ici !

Rick n'avait pas encore ramassé ses cartes. Celles de Bobo étaient déjà en ordre.

— Je suis en train d'apprendre ce que c'est que la retraite, dit Rick, parce que ce sera peut-être ma prochaine occupation.

Après avoir été délesté de sept dollars et dix-sept cents par son oncle, Rick prit congé du vieil homme et le serra dans ses bras. Il sentit l'odeur de cuir anglais de l'eau de Cologne dont Bobo s'aspergeait tous les matins.

— Ne fais pas de bêtises. Tu es exceptionnel, mon petit. L'imbécile qui t'a retiré ce projet devrait te baiser les pieds et te remercier de lui avoir accordé ce privilège.

— Je le leur dirai, répliqua Rick.

— En attendant, pour ne pas leur tendre une cible trop voyante, tu devrais perdre quelques kilos, ajouta le vieil homme en frottant avec rudesse le bras de Rick, comme le faisait son père quand il était petit garçon, un geste qui signifiait : « Fais ce que je te dis, sinon tu le regretteras. »

— Oui, oui, oui, dit Rick, puis il se dirigea vers la porte.

Cela faisait trois semaines que ses activités étaient pratiquement réduites à néant. Il s'était bourré de saletés, il avait regardé des jeux télévisés et des sitcoms, invité de temps à autre une femme à lui préparer le dîner et à s'étendre entre ses draps. C'était ainsi qu'il avait un jour décrit à Charlie ses rendez-vous amoureux :

— Elles m'appellent. Je leur dis d'apporter le dîner. Elles me nourrissent, on fait l'amour, je m'endors. Avec un peu de chance, elles sont reparties avant le petit déjeuner.

C'était une pratique qu'il affectionnait entre ses liaisons « durables », celles qui duraient six mois.

Un matin, au début de la quatrième semaine, il était encore au lit à dix heures à compter les nœuds dans les poutres du plafond voûté et se disait que cinquante ans, c'était l'âge idéal pour faire une crise quand le téléphone sonna. Harvey Feldman ne s'annonça pas. Dès qu'il entendit la voix de Rick, l'avocat lui exposa ce qu'il avait à lui dire.

— Si vous pouvez m'assurer que cela vous intéresse toujours, j'ai pour cliente une jeune fille de quinze ans, enceinte. Elle s'appelle Lisa. Elle vient d'Akron dans l'Ohio. Depuis qu'elle est arrivée ici avec sa sœur, elle a déjà rencontré plusieurs familles. Je lui ai parlé de vous. Cela ne semble pas l'inquiéter que vous soyez célibataire. En fait, elle est assez curieuse de vous rencontrer. Il y a très peu de chances pour que cela marche. Mais si vous le souhaitez, je peux la convoquer.

Rick fut incroyablement surpris de sa propre réaction. De la panique. Une angoisse comme il ne se souvenait pas en avoir éprouvée depuis des années. Le trac.

— Écoutez, j'ai besoin d'un peu de temps pour récupérer,

me raser, me doucher et... Enceinte de combien ? Quand le bébé doit-il naître ? Mon Dieu, Harvey, je ne sais même pas si j'ai le droit de gaspiller le temps de cette jeune fille.

Il avait eu tellement de mal à surmonter l'échec qu'il venait de subir au studio que cette histoire d'enfant lui était complètement sortie de l'esprit. C'était un coup de tête, une folie qu'il avait imaginée au beau milieu d'une nuit, un moyen de trouver le salut. Pris de panique, il s'était rué chez Feldman et en était ressorti écrasé sous le poids de sa propre bêtise. Comment pouvait-il accepter un tel entretien, comme s'il passait une audition pour décrocher un rôle ? C'était de la démence.

— Rick, lui dit l'avocat, si vous avez changé d'avis, si cela ne vous convient pas, si vous n'en avez pas le désir profond, raccrochez. Je vous ai prévenu qu'il fallait s'engager à fond pour que cela se passe bien. Et il n'y a que vous qui puissiez le savoir.

Rick demeura silencieux, le visage toujours tourné vers le plafond.

— A quelle heure ?

— Quatre heures, cet après-midi ?

— D'accord.

C'était une ligue de défense du droit à la vie qui avait envoyé Lisa à M. Feldman. Ce fut du moins ce que lui dit la jeune fille, enceinte de six mois. Elle était blonde, elle avait les yeux verts, le teint rose, et portait une longue chemise de maternité, sans doute achetée dans une friperie, sur un jean élimé. Sa sœur aînée attendait dans une voiture garée dans l'allée qui menait chez Rick. Celui-ci avait pourtant insisté à plusieurs reprises pour que Lisa aille la chercher.

— Elle ne veut pas s'en mêler, déclara Lisa.

Chaque fois qu'il répondait à l'une de ses questions, Lisa cochait une case au Bic sur une fiche.

— Continuerez-vous à vous rendre à votre travail quand vous aurez adopté mon bébé ? lut-elle sur la feuille sans le regarder.

— Oui, répondit Rick, mais j'engagerai quelqu'un de très qualifié pour s'occuper de l'enfant quand je ne serai pas là.

Lisa prit note.

— Combien d'heures par jour travaillez-vous ?

— Cela dépend. Quand j'en suis au stade de préparation du projet, je rentre parfois à la maison à six heures. Quand je tourne, il m'arrive d'être absent jour et nuit.

Il se dit soudain que les mots *préparation* et *tournage* n'avaient sans doute aucun sens pour elle. Il allait les lui expliquer quand elle le regarda droit dans les yeux, les sourcils froncés.

— Monsieur Reisman, je crains que vous ne voyiez pas l'enfant assez souvent. Et que vous n'ayez pas d'autre famille pour s'en occuper. Vous ne m'avez parlé que de ce vieil oncle, et je doute que cela l'intéresse. En toute franchise, votre corpulence m'inquiète, surtout à votre âge. Vous risquez de mourir alors que le bébé n'aura qu'un an. Que lui arrivera-t-il alors ? Vous n'avez pas de femme et, d'après ce que j'ai cru comprendre, vous n'avez pas non plus l'intention d'en trouver une, occupé comme vous êtes. Et puis tout ça me paraît un peu bizarre. Telles que je vois les choses, il n'y a donc pas lieu que je continue à vous poser des questions sur l'éducation de mon enfant et tout ça. N'est-ce pas ? Parce qu'il n'y a aucune chance que je vous choisisse, et j'espère que vous comprendrez.

C'était tellement abrupt que Rick faillit éclater de rire, mais il y avait, sur le visage grave de cette jeune fille, quelque chose qui l'en empêcha.

— Je comprends, dit-il en se levant.

Elle se leva à son tour. Son ventre rond pointa sous la tunique. Elle prit son carnet et son stylo dans sa main gauche et tendit la droite à Rick. Puis elle se dirigea vers la porte d'un pas vif et disparut.

Rick baissa les yeux vers le somptueux buffet qu'il avait demandé à sa femme de ménage de disposer sur la table basse et qui était censé impressionner cette jeune fille qui n'y avait pas touché : plateau de fromages élaboré, mousse de caviar, gâteau au chocolat et aux noisettes fait maison et fruits. Quand il entendit la voiture qu'avait louée la sœur s'éloigner, Rick s'assit et dévora une grande partie de ce qu'il avait devant lui.

18

Au bout de quelques semaines, Richard Reisman constata avec soulagement qu'en dépit de l'opinion qu'avait exprimée Nat, il intéressait encore quelques studios. Son avocat lui négocia bientôt un contrat avantageux avec Universal.

— Je te l'avais bien dit ! s'écria Bobo.

Quelques jours auparavant, on avait transféré le vieil homme du pavillon à l'hôpital. Il souffrait de douleurs aux jambes. En le voyant étendu sur un lit, les pieds en l'air, suspendus à une espèce de treuil, Rick fut pris de panique.

— Maintenant, tu vas avoir des projets en train et oublier cette idée insensée d'adopter un bébé, espèce de fou, n'est-ce pas ?

Trois autres futures mamans avaient rejeté Rick ces deux derniers mois et, chaque fois, il avait demandé à Harvey Feldman de rayer sa candidature de son fichier.

— C'était une erreur. Je n'en suis pas capable. Je vous en prie, ne m'appelez plus.

Mais Feldman persévéra. Une jolie fille de vingt ans était un jour entrée chez Rick.

— Tu parles, Charles ! avait-elle dit après lui avoir jeté un seul coup d'œil.

Puis elle avait tourné les talons.

Après ce dernier échec, Richard s'était sérieusement mis au régime.

— Mon cher, lui dit Bobo, je suis censé prendre un calmant, et l'infirmière ne répond pas quand je presse la sonnette. Veux-tu me rendre un service ? Va voir dans leur bureau.

— Bien sûr, oncle Bobo, répondit Rick qui tomba sur l'infirmière quand il eut atteint la porte.

— Me voilà, monsieur Reisman, dit-elle à Bobo. Pourquoi ne sortez-vous pas un instant pendant que je lui donne le bassin ? ajouta-t-elle en se tournant vers Rick.

Tandis qu'il longeait le couloir moquetté de l'hôpital, Rick s'aperçut qu'on lui faisait un signe de la main. C'était Harvey Feldman.

— Essie est ici. On va l'opérer, dit le jeune avocat en s'approchant de Rick. Comment va Bobo ?

— Bien, je pense.

— Écoutez... fit Feldman.

— N'insistez pas ! dit Rick qui l'interrompit d'un geste.

— J'ai une idée. Il y a Doreen, une jeune fille du Kansas dont la grossesse est très avancée et qui commence à être très inquiète...

— Non !

— Attendez ! Elle devait confier son bébé à des clients qui l'ont fait venir ici par avion pour faire sa connaissance. Ce couple, je suis désolé d'avoir à dire ça, fait partie de ce que vous appelleriez les « gens huppés ». Quand elle est descendue de l'avion — vous ai-je dit qu'il s'agissait de leur avion privé ? Peu importe —, enfin quand ils l'ont vue, petite, les dents mal plantées, avec ses lunettes, ils l'ont renvoyée.

— Des gens charmants, dit Rick.

— Doreen est très malheureuse, cela va sans dire, fit Harvey, et elle ne voudra sans doute pas revenir ici. Mais d'un autre côté...

— Pas pour moi. Honnêtement, Harvey, je suis désolé de vous avoir fait perdre votre temps. J'ai assez de mal à gérer ma propre existence pour ne pas prendre la responsabilité de...

— Monsieur Feldman.

Une infirmière sortit d'une pièce au fond du couloir, la chambre de sa tante.

— Appelez-moi, dit Feldman en se tournant vers Rick, si vous changez d'avis.

La photo de Kate Sullivan faisait la couverture de deux magazines du kiosque de l'aéroport. Sans l'ombre d'un doute, c'était une fille superbe. Richard Reisman acheta du chewing-gum, le *Wall Street Journal*, prit un paquet de M&Ms, mais il se ravisa, décidé à se montrer raisonnable. Il plia le journal sous son bras et descendit le couloir en observant les gens qui passaient de chaque côté, cadrant chaque scène du regard, comme s'il s'agissait d'une prise de vue : instant pittoresque où deux femmes, visiblement la mère et la fille, tombaient dans les bras l'une de l'autre sans retenir leurs larmes, un Sikh et un vieux Juif hassidique allant du même pas.

« Je perds la tête », songea Rick. « Cela fait des années que je cours comme ça. A présent, je suis arrivé. Dans exactement quatre minutes, si j'en crois l'horaire affiché sur l'écran de télévision accroché au-dessus de ma tête, un avion va atterrir et, dans cet avion, grâce aux billets que j'ai payés avec ma carte de crédit, il y aura Doreen Cobb, une fillette de quatorze ans, enceinte et originaire du Kansas, et sa mère, Béa. Si notre conversation se passe bien, conversation qui se tiendra dans cet aéroport selon le vœu de la maman, Béa laissera Doreen ici et je l'installerai dans l'appartement de ma secrétaire pour qu'elle puisse y attendre la venue de mon enfant. »

Si les choses ne se passaient pas bien, Doreen reprendrait l'avion pour le Nevada avec sa mère. Celle-ci repartirait le soir même pour rendre visite à son fils aîné et à sa femme. Harvey Feldman leur avait expliqué que Rick serait la dernière chance de Doreen. Si l'on ne parvenait pas à s'entendre, la jeune fille accepterait d'abandonner l'enfant dans une pouponnière du Nevada.

« Je ne devrais pas me prêter à cela », se disait-il avec un sentiment de culpabilité mêlée de crainte. « Tout le monde risque d'en souffrir, la fille enceinte, la mère, moi, mais surtout cet enfant innocent qui va naître. Je n'aurais pas dû faire cela. Alors pourquoi suis-je si bouleversé à mesure que ce projet avance ? Cette fille a déjà été blessée par des minables, aussi minables que moi, devrais-je dire, qui la trouvaient trop laide pour leur fournir le bébé de concours auquel ils croyaient pouvoir prétendre. Un autre rejet ne serait-il pas trop lourd à porter pour cette adolescente ? Ne suis-je pas affreusement égoïste de lui faire courir ce risque une seconde fois ? »

« Non », pensa-t-il en arrivant à la porte.

Il regarda par la vitre le gros transporteur qui s'avançait vers le terminal. « Parce que je ne la rejetterai pas. Si elle m'accepte comme père adoptif pour son bébé, je saisirai cette chance et je ferai tout pour que cette expérience soit bénéfique pour la mère et pour l'enfant. »

Il avait désespérément besoin d'amour dans la vie. D'en donner, d'en recevoir, d'en partager, de s'y accrocher, car il commençait enfin à comprendre que c'était la seule chose importante au monde. Et que, sans amour, il s'enfonçait dans le néant. Bobo, Charlie, Patty et leurs enfants avaient été sa plus grande source de joie, sa force, les seuls êtres auprès desquels il s'était senti bien. A présent, Charlie était parti et la vie de Bobo ne tenait plus qu'à un fil. Il fallait absolument trouver l'objet de tout cet amour qu'il avait à donner, et peut-être qu'un petit bébé serait l'aboutissement de cette quête. Les bébés ont tant besoin d'attention. Ainsi cesserait-il enfin de ne se préoccuper que de lui-même.

« C'est pour cela que je suis ici », pensa-t-il en se joignant au groupe qui attendait l'arrivée des passagers. Tandis que le flot s'écoulait, il observait chaque visage avec soin jusqu'à ce qu'il aperçoive la mère et la fille, bras dessus, bras dessous. Ce ne pouvait être qu'elles. Il ne fallut qu'un bref instant à la petite femme aux cheveux gris pour le repérer dans la foule. Elle lui lança un regard perçant, donna une tape sur le bras de sa fille qui écarquillait les yeux et qui, à sa vue, se mit à rougir. Elles avancèrent vers Richard jusqu'à ce qu'ils soient tous trois face à face.

Richard tendit une main que Béa, très femme d'affaires, dédaigna.

— Où allons-nous ? demanda-t-elle.

— Nous pouvons nous installer dans l'une des salles de conférence du Club du Tapis Rouge, leur proposa-t-il, mais Béa repoussa sa proposition d'un geste et désigna un bar qui se trouvait à proximité.

— Pourquoi pas cet endroit ?

Pour la première fois de sa vie, Richard ne menait pas la danse. « Je ne vais pas faire de vagues », se dit-il. « Je ferai ce qu'elle voudra. »

— Ça me va très bien, acquiesça-t-il.

Les deux femmes marchaient main dans la main. Rick observa le visage de la jeune fille qui le regardait à la dérobée. Quand leurs regards se croisèrent, ils se sourirent de ce sourire gêné, timide et inquiet, que s'adressent sans doute les couples qui ont fait connaissance par correspondance. « Si ça marche », se disent-ils, « cet étranger ou cette étrangère va entrer dans ma vie pour toujours. »

Elle correspondait très exactement à la description qu'on lui en avait faite. Elle portait des lunettes, avait la lèvre supérieure saillante des gens qui ont des dents proéminentes et ressemblait beaucoup à sa mère, qui avait une constitution plus massive et quelques centimètres de plus. Mais les cheveux de Doreen étaient fins, blonds et ondulés, ceux de sa mère gris et coupés ras.

Le bar exhalait une odeur maltée d'alcool rance. Béa Cobb, plissant les yeux pour s'adapter à la pénombre, repéra une table dans un coin, entraîna sa fille dans cette direction et les deux femmes y prirent place. Il n'y avait pas de serveur, mais un unique barman qui prit la commande. Au bout de quelques minutes, il apporta deux Coca *light* et une bière sans alcool pour Rick.

— Bien, dit Béa en le fixant des yeux, tandis que Doreen laissait errer son regard dans la pièce. Comment se fait-il que vous ne soyez pas marié ? C'est la première chose que je veux savoir.

— Je ne peux pas vous en donner l'explication. Je *voudrais* ne pas avoir laissé passer tout ce temps sans avoir une femme à aimer, une femme dont je me sente proche, mais je suppose que j'avais peur.

— Peur de quoi ? s'enquit-elle. Pourquoi auriez-vous peur ? Le mariage, la famille sont les meilleures choses qu'il y ait au monde. Vous pensez qu'il est plus important de faire des films ?

Rick serrait fort son verre de bière froid et cherchait ses mots. Il repensa à ces derniers mois, à son désir d'impressionner la jeune fille qu'il avait rencontrée dans le bureau de Harvey Feldman et reçue dans sa salle de séjour. Plus il se donnait de mal, plus la ruse paraissait grossière. « Pauvre idiot », se dit-il alors, « respire un bon coup et dis la vérité. »

— Quand j'étais petit garçon, mes parents étaient considérés comme les rois de Hollywood. Mon père était un brillant réalisateur doublé d'un producteur, ma mère l'une des actrices les plus belles et les plus douées de sa génération. Quand leur avion privé s'est écrasé, mon père pilotait. Ce fut une tragédie. J'étais leur seul enfant. Ils étaient fous de moi. Mon père était un homme d'affaires avisé qui avait sagement placé son argent.

Après leur mort, adolescent brisé, en manque sur le plan affectif, je me suis retrouvé à la tête de millions de dollars. Les journaux publièrent l'information et, quand le numéro en question fut en vente, je suis devenu très populaire. Après mon installation chez mon oncle Bobo et ma tante Sadie, il ne fallut pas longtemps avant que les femmes défilent devant ma porte. Des dizaines de femmes, de toutes tailles et de tous âges. Certaines d'entre elles avaient même l'âge de ma mère.

» Ce n'est pas exactement ce dont rêvent les garçons. Trop et trop tôt. Mais j'ai su instinctivement que je ne pouvais pas leur faire confiance. Car ce n'était ni pour mes beaux yeux ni pour tout ce qu'elles prétendaient trouver de séduisant qu'elles me couraient après. J'étais un petit garçon, ma mère me manquait, et c'était pour cela que je sortais avec elles, ce qui ne résolvait en rien mes problèmes. Alors je me suis mis à manger. Parce que là, il n'y avait pas de tromperie, mais un plaisir immédiat sans arrière-pensée.

» Je n'ai jamais vraiment été obèse. Tout juste assez rond pour éloigner de moi certaines femmes. La plupart du temps, l'argent et mes premiers succès compensaient la disgrâce de mon physique. Elles étaient toujours nombreuses à se porter au secours de ma névrose. Finalement, quand j'ai atteint l'âge où j'aurais dû m'engager vraiment, j'étais devenu tellement cynique, tellement blasé, que je n'ai réussi à m'entendre avec aucune.

« Quelle histoire pitoyable ! » pensa-t-il, « mais c'est la triste vérité. »

La mère de Doreen fit claquer sa langue, ce qui sortit Richard de sa rêverie.

— Cet accident, c'était il y a longtemps ?

— Trente-deux ans. J'avais dix-huit ans.

— Vous en avez cinquante ?

— Cette année, acquiesça-t-il.

— Comme moi, répliqua-t-elle en riant, comme si cette seule pensée lui semblait hilarante.

Richard Reisman fut surpris. A Los Angeles, il ne connaissait pas une femme qui, à cinquante ans, aurait gardé ses cheveux gris, ni même admis qu'elle avait cet âge.

— Je suis déjà sept fois grand-mère et vous voulez adopter un bébé ? fit-elle en riant de nouveau. Je crois que vous êtes fou.

Il sourit. Elle posait à présent sur lui un regard plus amical, comme si cet âge commun les avait rapprochés.

— Que fera ma fille ici dans les mois à venir ?

— Une jeune femme qui est ma secrétaire depuis plusieurs années possède un grand appartement dans un quartier agréable. Je paierai la quote-part du loyer de Doreen pendant qu'elle y résidera et je pourvoirai à toute autre dépense. Elle bénéficiera des meilleurs soins et, si elle le désire, je l'aiderai à suivre un cours de formation permanente dans une université de la région.

La mère de Doreen hocha la tête, un hochement approbatif, espéra Richard.

— Mes sept autres enfants se sont réunis cette semaine. Ils prétendent que je suis complètement folle de laisser Doreen entre les mains d'un aigrefin prêt à lui acheter son enfant. Ils pensent qu'il vaudrait mieux qu'elle le mette au monde dans un établissement quelconque et que nous oubliions toute cette histoire.

— Et pourquoi pensez-vous différemment ?

— Parce que, répondit-elle en jetant un coup d'œil à sa fille qui lui lança un regard mélancolique, comme si elle savait ce que sa mère allait dire, je n'ai pas eu huit enfants. J'en ai eu neuf. Le premier est né quand j'avais l'âge de Doreen. Mais à cette époque, l'adoption ouverte n'existait pas. Alors mon enfant, mon fils aîné, qui aura trente-six ans cette année, se trouve quelque part, et je ne sais pas où. Je ne connais rien de lui, sauf la date de son anniversaire, le 3 mars. Et ce jour-là, j'ai toujours une pensée pour lui. J'allume une bougie chaque année.

— C'est très triste.

Elle soutint son regard quelque temps, puis un grand sourire se dessina sur ses lèvres.

— Cinquante ans ! s'exclama-t-elle. Nous étions adolescents en même temps. Vous aimiez Elvis ?

— Pour moi, c'était le King, répondit-il en souriant à son tour.

— Pour moi aussi, se souvint Béa Cobb.

— J'ai eu la chance de le rencontrer, ajouta Richard.

— Non, ce n'est pas possible ! Comment l'avez-vous rencontré ?

— Dans les années soixante-dix, j'avais une secrétaire qui

avait été danseuse. Elle avait participé à certains de ses films et ils étaient devenus très amis. Alors elle m'a invité sur le plateau, un jour où l'on tournait une émission spéciale qui lui était consacrée. Et je lui ai serré la main.

— Avec *cette* main ? demanda-t-elle en prenant la main droite de Rick entre les siennes.

Il acquiesça.

— Oh ! dit-elle, puis elle fit mine de frissonner. J'ai touché la main qui a touché le King.

Béa Cobb et Rick Reisman éclatèrent de rire.

— Je voudrais vous dire une chose, d'accord ? Et même si vous n'êtes pas d'accord, je vous dirai quand même ce que je pense. Vous ne savez pas dans quelle galère vous allez vous embarquer. Vous pensez qu'on adopte un enfant comme on achète une nouvelle voiture. Que ça va vous redonner le moral, vous rendre plus séduisant.

» Eh bien, croyez-moi, ce n'est pas du tout ça. Quand je serai partie, vous allez probablement vous dire : Cette plouc n'y connaît rien. Mais ça ne fait rien parce que je me fiche de ce que vous pensez. Je peux vous dire, par expérience, l'expérience de toute une vie, qu'élever un enfant, ça vous fait tourner en bourrique comme vous n'auriez jamais pu l'imaginer. Ça vous apprend la patience, l'humilité, ce que c'est que la souffrance. En plus, les enfants vous obligent à dire la vérité parce qu'ils ne gobent pas les mensonges. Et on voit, à vos yeux pleins de peur et de tristesse, que vous avez dû en raconter pas mal pendant toutes ces longues années.

Cette journée avait quelque chose d'irréel. Et c'était bien cela le plus étrange. Être déshabillé par cette curieuse petite bonne femme qui lisait en lui comme à livre ouvert. Il était triste, il avait peur et il voulait adopter un enfant pour toutes ces raisons. C'étaient des raisons suffisamment fortes pour qu'il aille jusqu'au bout de cette épreuve.

— Alors maintenant, dit-elle, je voudrais un autre Coca-Cola. Puis il sera temps de regagner la porte d'embarquement.

« Bon », songea Rick. « C'est un refus clair et net. » Il tenta de dissimuler sa déception. « Tu savais que tu avais peu de chances et, de toute façon, c'était une idée folle... »

— Et toi, Doreen ? Tu veux autre chose ? demanda Béa.

— Oui, si tu veux, répondit Doreen.

C'était la première fois que Rick entendait sa voix. Il soupira et se leva pour aller chercher les boissons. Et quand il eut le dos tourné, un long moment passa, pendant lequel la mère et la fille prirent leur décision.

— Si j'étais vous, dit la jeune fille dans un éclat de rire, je renoncerais à la bière pour un Coca *light*. Il va falloir être en forme si vous avez l'intention d'être père.

19

Tous les quatre ou cinq jours, Andréa quittait la Vallée pour se rendre en ville et, chaque fois, elle passait chez Rick pour y déposer « la fille ». C'était ainsi que Bobo appelait Doreen. Mais le vieil homme eut beau hocher la tête, faire tous les « tss, tss » qu'il voulait et tempêter contre la démence des temps nouveaux, Rick n'en avait pas moins remarqué une pointe de respect bougon dans son regard le jour où Doreen l'avait battu au gin-rummy. Rick se plaisait à observer la manière dont Bobo buvait du petit lait quand elle lui posait des questions sur sa carrière cinématographique. Film par film, elle avait loué et visionné toutes les œuvres produites et réalisées par Bobo et Jake, le père de Rick.

— Cette gosse est une éponge, dit Andréa à Rick, un jour qu'ils étaient tous deux au bureau. Elle s'est inscrite à un cours de littérature dans une école de la Vallée, parce que j'habite à quelques pâtés de maisons de là. Je n'ai pas encore réussi à lire le programme, et elle a déjà avalé la moitié des bouquins. En plus, elle lit à voix haute pour son bébé.

— Ah ?

— Elle a vu quelque part que, quand la mère parle et chante, le fœtus se sent bien. Le son de sa voix le rassure. Elle prétend qu'elle chante mal. C'est pour ça qu'elle a pris tous ces livres d'enfants à la bibliothèque et, tous les soirs, au lit, elle lit des histoires à son ventre.

Cela plut beaucoup à Rick que, dans le patrimoine génétique de Doreen, il y eût les chromosomes des jeux de cartes, de l'apprentissage en général et de la lecture en particulier. Compter les mois jusqu'à la venue du bébé lui redonnait le goût de vivre. Chacune de ses décisions n'en revêtait que plus d'importance. Il savait, à présent, que tout cela, il ne le faisait pas pour lui-même mais aussi pour l'enfant. Son enfant. Il mangeait encore plus que de raison, mais ni aussi maladivement ni autant que naguère. Plus d'une fois, il annula un rendez-vous galant pour emmener Doreen dîner quelque part ou refusa une visite pour se reposer avant l'arrivée du bébé, suivant ainsi les conseils répétés de son entourage.

— Harvey Feldman m'a déconseillé de vous poser cette question, dit-il à Doreen un soir qu'il l'avait emmenée au restaurant.

Il avait commandé une aile de poulet grillée, Doreen une soupe à l'oignon, une salade, un cheeseburger au bacon et un lait fraise. Elle cessa brusquement de boire et sa lèvre supérieure s'ourla de petites bulles roses.

— Ne le faites pas. Je ne vous dirai rien du père du bébé, déclara-t-elle en levant la main. Et si vous cherchez à le savoir, je retournerai tout droit au Kansas et j'oublierai notre contrat. Il était grand et en bonne santé. C'est tout ce que vous saurez.

Elle était très déterminée. Il renonça donc à lui en demander davantage.

Richard commençait à apprécier les moments qu'il passait en sa compagnie. C'était une fille franche qui aimait la contradiction, un point lumineux dans son univers de coups de Jarnac et d'egos hypertrophiés. Il l'emmenait parfois à des projections privées. Ces soirs-là, il l'avait remarqué, elle maquillait ses joues déjà roses et teintait de mascara ses cils blonds et invisibles. Et comme elle avait regardé la télévision nuit et jour pendant des années, elle reconnaissait, dans l'assistance, plus de visages que lui.

— Il y avait Michael Keaton et Jack Nicholson, l'entendit-il dire à sa mère au téléphone, avant de pousser un cri enthousiaste.

Dans le pavillon, deux portes plus loin, Bobo avait Arnold Viner pour voisin. Viner, qui était autrefois agent publicitaire, s'était occupé de Bobo et du père de Rick pendant des années.

— C'est exactement comme dans Sartre, dit Bobo. Si l'on m'avait demandé en 1939 de décrire l'enfer, j'aurais sans doute dit : c'est de vivre à côté d'Arnold Viner et d'être trop vieux pour décamper dès qu'on le voit arriver.

Bobo et Viner s'étaient disputés au début des années quarante au sujet d'un article paru dans un journal. Ils se querellaient encore à ce propos dix minutes avant que l'on transporte Viner, qui venait de faire une crise cardiaque, à l'hôpital. Bobo insista pour rester à ses côtés dans le service des soins intensifs.

C'était le jour de la visite de Rick. Il s'installa dans la salle d'attente, lut les scénarios qu'il avait dans sa mallette et prit des notes tandis que les heures passaient. Quand les divers appareils cessèrent d'émettre des bips sonores et que les médecins vinrent lui confirmer la mort de Viner, Bobo, les yeux rougis, regagna la salle d'attente et saisit la main de son neveu.

— J'étais sûr que son heure était venue. Alors je suis resté, dit-il. Je pensais bien que l'ange de la mort passerait et que je pourrais lui demander de faire d'une pierre deux coups et de m'emmener aussi. Ce serait bien, n'est-ce pas ? Je me suis endormi dans le fauteuil et j'ai raté toute la transaction.

Rick lui mit un bras autour de l'épaule et le raccompagna jusqu'au pavillon. Ils n'avaient pas encore atteint la porte de sa chambre quand il entendit un haut-parleur appeler son nom.

— Richard Reisman, téléphone.

Il prit l'appel dans la chambre de Bobo. C'était la voix d'Andréa.

— Doreen perd du sang. Beaucoup. Elle m'a téléphoné au bureau et j'y suis allée tout de suite. Nous avons essayé de vous joindre toute la matinée, mais vous n'étiez pas dans la chambre de Bobo. Alors je l'ai emmenée chez le médecin. C'est un cas de *placenta praevia*. Elle devra rester au lit jusqu'à la fin de sa grossesse. Tout le temps, même pour prendre ses repas. Elle pourra se lever un peu pour aller aux toilettes ou pour prendre une douche. C'est tout. Écoutez, elle est adorable, mais je n'ai pas une vocation d'infirmière et je dois aller au bureau tous les jours. Que faire ?

— Préparez ses bagages et amenez-la chez moi. La femme de ménage est là en permanence. Doreen peut s'installer dans la chambre d'amis. On s'occupera d'elle dans la journée. Si ça ne suffit pas, je prendrai une infirmière à temps complet.

— Nous serons chez vous quand vous rentrerez, lui promit Andréa.

Une hémorragie. Harvey Feldman, l'avocat, avait oublié de lui parler des risques de fausse couche, n'avait jamais évoqué non plus la naissance d'un prématuré, d'un enfant mort-né ni toutes les autres issues possibles d'une grossesse. Et pour une raison ou pour une autre, Richard n'avait jamais envisagé de perdre l'enfant au cours de la grossesse. Il avait toujours éprouvé le sentiment vague que cet enchaînement peu naturel de circonstances pouvait se terminer par une catastrophe. Peut-être était-ce ce qui était en train de se produire. Il passa rapidement aux studios Universal pour prendre quelques scénarios qu'il devait lire, puis il se dépêcha de rentrer chez lui.

Il fut soulagé de voir Doreen au lit, déjà ragaillardie, quand il pénétra dans la chambre fraîchement peinte en jaune. Il y avait sur son visage une expression un peu confuse, alors qu'elle était allongée, les pieds surélevés par une pile de coussins.

— Maman va être très contrariée.

— L'hémorragie ?

— Non, le fait que je sois chez vous. Elle pense que nous ne devrions pas vivre ensemble avant d'être mariés.

Puis elle esquissa une grimace et se mit à rire.

— Très drôle, répliqua-t-il. Avez-vous appelé l'école pour prévenir que vous ne suivriez plus les cours ?

— Oui, répondit-elle tristement. Mais je continuerai quand même à lire. Le problème, c'est que je n'ai plus grand-chose, et je vais être coincée pendant un long mois.

Comme il était venu directement du garage à la chambre de Doreen, il tenait encore entre ses mains la pile des scénarios qu'il avait rapportés. Il les laissa tomber sur le lit avec un bruit sourd.

— Voilà, dit-il. Lisez ça. Il faut que je m'y mette ce week-end. Vous ferez la part des bons et des nuls.

— Vraiment ? Vous plaisantez ? Vous voulez réellement que je lise des scénarios que vous êtes susceptible de tourner ? Moi ?

— Absolument, fit-il en s'asseyant au pied du lit. Vous voulez bien faire ça pour moi ?

— Pour vous, oui, dit-elle, avec un petit visage rond et sérieux, les cils battant derrière ses lunettes. Mais n'oubliez pas que, si je me montre critique, c'est parce que j'étudie les classiques.

— Je tiendrai compte de votre formation littéraire dans l'appréciation que je porterai sur vos critiques.

— Oh, merci beaucoup ! rétorqua-t-elle d'une voix qui se voulait hautaine.

Elle ouvrit la couverture bleue du premier scénario, celui qui se trouvait au-dessus de la pile, et lut le titre.

— En voilà un qui va faire merveille dans votre carrière. Ça s'appelle *La Main du destin*. Je vais commencer par celui-là et je les examinerai un à un.

Il se dirigea vers la porte.

— *Vous*, dit-il, vous êtes un sacré numéro.

— Qu'y a-t-il pour le dîner ?

— Je vais demander à Nellie.

— Nellie est rentrée plus tôt. Sa mère est malade.

On ne pouvait être plus clair. Il n'y avait plus que lui pour préparer le dîner.

— Vous aimez quoi comme pizza ?

— Vous allez nourrir de pizza la femme qui est nutritivement responsable de votre enfant ?

— Je vais faire une salade, bougonna-t-il.

— N'oubliez pas les protéines ! lui cria-t-elle.

Debout dans la cuisine, il éclata de rire en se demandant quelle serait la personnalité de l'enfant né d'une telle fille. Une fillette toute rose et un brin hargneuse ? Un petit dur à la langue bien pendue ? Encore quatre semaines et, si Dieu le voulait, il tiendrait ce petit être entre ses bras.

Quelques jours plus tard, Doreen, qui s'était endormie sur l'un des scénarios, fut réveillée par le bruit de la sonnette. Le médecin lui avait dit qu'elle pouvait se déplacer jusqu'à la salle de bains. La porte d'entrée n'était pas beaucoup plus éloignée. Alors pourquoi ne pas aller ouvrir ? Qui que ce fût, celui ou celle qui se trouvait là faisait un raffut de tous les diables avec le heurtoir en cuivre. Doreen ne trouva pas sa robe de chambre. Un vieux peignoir de Rick pendait à la porte. Elle l'enfila sur sa chemise de nuit et se hâta pour voir ce qu'il y avait de si urgent.

La femme qui se tenait sur le seuil était si belle, du moins aux yeux de Doreen, que celle-ci la prit pour une star de cinéma. Ce n'était pas Candice Bergen, mais elle lui ressemblait beaucoup.

— M. Reisman est-il chez lui ?

— Non, répondit Doreen.

— Rentrera-t-il bientôt ?

Doreen hocha la tête.

La femme fit un pas en avant, contraignant Doreen à reculer dans la salle de séjour.

— J'attendrai ici.

Puis elle s'effondra dans un fauteuil et prit un magazine qu'elle se mit à feuilleter.

— Vous savez, dit-elle à Doreen sans même la regarder, je prendrais bien un whisky avec un peu d'eau.

— Très bien, répondit Doreen qui était sur le point de regagner sa chambre et son lit quand la femme blonde ajouta :

— Vous me le préparez, n'est-ce pas ?

Doreen la regarda droit dans les yeux.

— Ma chère, je ne sais même pas quelle est la couleur du whisky. Préparez-le vous-même, fit Doreen qui retourna dans sa chambre.

Au bout de quelques minutes, elle entendit une voix forte. La visiteuse devait sans doute téléphoner, car l'on ne percevait aucune autre voix. « Oh, oh ! » pensa Doreen. « Et si elle appelle à l'autre bout du pays ? Et si Rick ne la connaissait même pas et que je l'aie laissée entrer chez lui ? Je ferais mieux de la surveiller du coin de l'œil. »

Elle revêtit un peignoir et reprit le chemin de la salle de séjour. La femme était en train de boire de l'alcool dans un verre qu'elle avait trouvé dans un placard et fumait une cigarette. Le mégot de la cigarette précédente était déjà écrasé dans une belle assiette de porcelaine que cette dame avait, de toute évidence, également sortie du placard, ne trouvant pas de cendrier.

— Je m'imaginais que, si j'attendais assez longtemps, ce salaud retrouverait son bon sens et me donnerait un coup de fil. Pas un mot, merde ! Quel connard ! Au bout de quelques semaines j'ai appelé trois fois à son bureau. Il ne m'a jamais rappelée. Et cette salope de secrétaire, cette Andréa qui répète sans cesse : « Désolée, Mona, mais il est tellement occupé, vous savez ! » Et voilà que je lis dans *Variety* que le studio l'a laissé tomber !

» Bon, tu sais que je suis une tendre. N'est-ce pas ? J'ai eu pitié de lui. Je lui ai envoyé un mot gentil auquel il n'a jamais répondu. J'ai de nouveau téléphoné chez lui, laissé message sur message sur ce foutu répondeur. Il ne m'a toujours pas rappelée. Alors j'ai lu dans le *Hollywood Reporter* qu'il venait de signer un contrat chez Universal. Je lui ai envoyé des fleurs là-bas et crois-tu qu'il m'ait appelée une seule fois ? Bernique ! Pas même un mot de remerciement ! Kate Biggard m'a dit qu'elle l'avait vu sur la plage de Malibu la semaine dernière et qu'il devait être mal en point parce qu'il avait perdu des kilos et des kilos. Tu sais quel gros porc il a toujours été ! C'était répugnant de le voir nu. De toute façon, je me suis tellement inquiétée pour lui que j'ai accouru ici. La naine qui bosse pour lui et qui ouvre la porte n'a même pas voulu me donner un verre. Je te le dis, je suis écœurée et j'en ai vraiment marre ! Écoute...

Doreen en avait entendu assez.

— Ce n'est pas un cendrier, dit-elle en retirant l'assiette des mains de Mona qui tapotait une autre cigarette, laissa tomber des cendres incandescentes sur ses doigts et poussa un hurlement. Doreen saisit le téléphone.

— Ce n'est ni un salaud ni un porc, déclara-t-elle avant de raccrocher brutalement l'appareil.

Puis elle saisit Mona, un mètre soixante-quinze, par le bras et la reconduisit vers la porte d'une main de fer.

— Je ne suis pas une naine et *vous*, dit-elle en ouvrant grand la porte et en poussant Mona à l'extérieur, vous n'avez rien à faire ici !

— Merde, qui êtes-*vous* ? beugla Mona, ahurie, avant qu'elle ait eu le temps de la refermer. Je vais raconter ça à Rick et il vous congédiera, espèce de petite boule. Vous allez me dire immédiatement qui vous êtes.

— Moi ? fit Doreen qui se rendit compte qu'elle portait le peignoir de Rick.

Elle en dénoua la ceinture, le laissa tomber sur le sol en un geste dramatique et annonça à une Mona éberluée :

— Je suis la mère de l'enfant de Rick Reisman.

Puis elle claqua la porte au nez de Mona.

Sa mère lui avait appris comment on devait se conduire avec les hommes, Doreen s'en souvint : « Attends qu'il ait l'estomac plein pour lui annoncer une mauvaise nouvelle. » Elle attendit donc la fin du dîner que Nellie leur avait préparé. Et juste avant d'allumer la télévision, elle lui parla de la visite de Mona. Il n'eut pas la moindre réaction avant la fin de son récit. Alors, à la grande joie de Doreen, il partit d'un grand rire. Un grand rire de soulagement. La petite Doreen éjectant la grande Mona, c'était une idée assez réjouissante.

— Je suis désolé, dit-il en espérant que Doreen ne serait pas offensée par son rire, mais il était incapable de le retenir.

A Universal, tout marchait à merveille. Les derniers projets qu'on lui avait confiés étaient passionnants et, dans un mois, l'un d'eux se concrétiserait certainement. Il retrouverait enfin son terrain de prédilection. Établir un échange avec les acteurs, faire des gros plans du comportement humain. C'était quand il faisait surgir ces instants de vérité qu'il se sentait le plus à l'aise.

Mais il y avait un scénario auquel il tenait plus qu'à tout autre. Le personnage principal était un savant génial qui découvrait un traitement anticancéreux. L'histoire était celle de ses luttes contre un milieu cauchemardesque de gens qui ne voulaient pas que l'existence de ce traitement fût divulguée.

— Robert Redford, dit Doreen dès qu'elle en eut terminé la lecture. Et personne d'autre. Si c'est vous qui dirigez, peut-être que Clint Eastwood pourrait s'en tirer.

Rick devait parfois refouler un éclat de rire quand il l'entendait parler ainsi. Depuis qu'elle avait commencé ses lectures, elle avait pris le ton des agents de chez William Morris, un peu punaise et très branchée.

— Redford est parfait, poursuivit-elle, parce que le personnage doit posséder ce genre de rayonnement puisque, dans le film, toutes les femmes tombent amoureuses de lui.

— Je vais l'envoyer à son agent, dit Rick.

— C'est exactement ce qu'il faut faire, conclut-elle avant de passer au scénario suivant.

Il ne restait que deux semaines avant la naissance du bébé et, les derniers jours, elle se traîna de pièce en pièce, de fauteuil en fauteuil. Le grand événement de la journée, c'était, sans l'ombre d'un doute, le moment où elle appuyait sur le bouton de la télévision pour regarder *Jeopardy*, son jeu préféré.

— C'est quoi la prison de Soledad ? l'entendit-il demander à voix haute, répondant à la question posée par une autre question, comme le faisaient les candidats. Qui était Geppetto ?

Et quand elle ne trouvait pas la bonne réponse, elle s'écriait : « Doreen, quelle idiote ! »

— L'année dernière, au lycée, nous avons eu une grande discussion sur l'homme idéal, dit-elle à Rick, un soir où il rentrait au moment où défilaient sur l'écran les chiffres des gains. Devinez qui j'ai choisi ?

— Qui ?

— Alex Trebek. Il est vraiment très intelligent, ce qui est, à mes yeux, la plus grande qualité que l'on puisse avoir dans la vie.

— J'ai le bac et deux maîtrises, répliqua Rick, qui se rendit compte qu'il était jaloux de l'animateur.

— Je sais, dit-elle. Quand j'ai appris que j'allais vous rencontrer, je me suis rendue à la bibliothèque de Kansas City et j'ai lu tout ce qu'il y avait sur vous dans ce gros livre consacré aux réalisateurs, qui est sorti il y a quelques années. On y trouve les détails de votre vie. Il y avait vraiment tout, vos parents, l'oncle Bobo, et même des photos d'eux jeunes.

— Kansas City, c'est bien loin pour vérifier le C.V. de quelqu'un.

— Pas de n'importe qui, rétorqua-t-elle d'un ton abrupt, du père du seul bébé que j'aurai peut-être jamais. Les gens de Los Angeles, les premiers que m'a présentés M. Feldman, j'avais l'impression qu'ils n'avaient pas grand-chose à espérer de l'existence, et c'est pour ça que je ne les ai pas choisis.

Mensonge. Pensait-elle qu'elle devait mentir à Rick, lui dissimuler cet échec ? Il eut envie de lui tendre la main, de lui effleurer doucement les cheveux et de lui dire qu'il connaissait la vérité et que cela n'avait aucune importance pour lui. Mais il y avait, dans la fermeté de ses mâchoires, quelque chose qui l'incita à la laisser réécrire ce malheureux épisode où elle s'était sentie rejetée, la laisser en modifier la conclusion.

— C'est pour cette raison que je suis allée vérifier tout ça à la bibliothèque.

— Comment ai-je supporté la comparaison ? s'enquit Rick d'une voix douce.

— Pas mal, répondit-elle.

Sid Sheinberg appela ce soir-là pour prévenir Rick que non seulement Robert Redford était très intéressé par le projet mais qu'il souhaitait le rencontrer le quinze, dans moins d'une semaine. Ce que Rick apprit aussitôt à Doreen.

— Vous voyez bien, dit-elle en hochant la tête.

Lors de la dernière visite, le médecin avait donné à Rick un émetteur spécial.

— Au cas où vous ne seriez pas dans votre bureau quand le travail commencera, lui avait-il expliqué, et où nous aurions besoin de vous dans les plus brefs délais.

Tous les matins, avant de partir, Richard Reisman attachait l'appareil à sa ceinture et l'effleurait d'une main délicate.

— Pas de fausses alertes, lui promit Doreen. Je sais que vous êtes très occupé et je ne vous appellerai que quand je serai certaine que je suis prête à éclater.

— Je viendrai sans faute, lui jura-t-il en retour.

Lorsque l'on se trouve dans la même pièce que Robert Redford, on éprouve un sentiment indescriptible. Même pour Rick, qui avait connu et travaillé avec de nombreuses vedettes. Peut-être était-ce le simple fait de constater que son beau visage, son allure, son côté petit garçon aux yeux vifs ne devaient rien à l'artifice de la caméra, que c'était la réalité.

— Il ne sera en ville que pendant huit heures. Il prend l'avion à cinq heures et demie et quitte le pays pour six mois. Il aime beaucoup votre scénario. Il aime le personnage, il aime aussi votre travail. Il souhaiterait modifier quelques détails, très peu cependant.

C'était tout ce qu'avait retenu Rick des propos de son agent. De quels détails pouvait-il bien s'agir ? Le personnage du savant n'était pas parfait, loin de là. C'était un névrosé, un grand buveur. Redford n'avait-il pas apprécié cela ? Mais lui enlever ces traits de caractère, c'était ôter tout le sel du récit.

— Vous êtes conscient, j'en suis certain, que s'il dit oui, c'est un projet qui se fera. A mon avis, si vous éliminez ces trois points-là, il sera prêt à tourner dès son retour.

Redford. Le petit visage de Doreen, le jour où elle lui avait fait cette suggestion, lui revint en mémoire, tandis qu'il évoquait devant l'acteur la genèse du projet et les raisons de son choix. Redford hocha la tête et sourit. A chacune de ses interventions, Rick vit qu'il était en parfait accord avec le ton général de l'œuvre. *Dieu merci !*

Doreen. La veille, en passant devant sa porte, il l'avait entendue lire à voix haute *Alice au pays des merveilles*. Elle accoucherait bientôt, et son bébé verrait enfin le jour. Un bébé. Durant leur entretien, Robert Redford et Rick en vinrent à parler des enfants, sans que l'on sût très bien comment. Phillips, le héros du scénario, avait, il est vrai, des enfants. Redford demanda donc à Rick s'il était aussi père de famille.

— Eh bien... presque, répondit Rick qui lui raconta l'histoire de Doreen, de la naissance imminente de l'enfant et de l'adoption.

— Voilà un sujet en or pour un film ! s'écria Robert Redford.

Tous les participants, producteurs exécutifs et agents, s'esclaffèrent. Puis vint le moment le moins agréable de la réunion. Robert Redford allait lui parler des modifications qu'il souhaitait apporter. Rick savait que c'était à lui de déterminer si ces changements amélioreraient son film ou le réduiraient à néant. Il allait donc orienter la conversation vers cet inévitable sujet quand l'émetteur sonore qu'il portait à la ceinture se déclencha. Le bruit emplit toute la pièce. Tous se retournèrent et les regards convergèrent sur Rick.

— Ce doit être ce que j'ai mangé au déjeuner, plaisanta Rick qui se leva d'un bond.

Doreen. Le bébé, son bébé allait naître. Venir au monde, être son héritier, sa famille. Et cela arrivait maintenant, au beau milieu de cette réunion tant attendue avec Robert Redford, une réunion que l'on ne pouvait pas reporter avant au moins six mois, six mois après lesquels ce projet aurait perdu tout intérêt pour Redford et toute chance de se réaliser.

— Messieurs, dit Rick en inclinant la tête, notre savant et son traitement anticancéreux devront attendre, parce que je suis sur le point d'être papa.

Et d'un pas léger, il quitta la réunion et Robert Redford, puis il rentra chez lui pour conduire Doreen Cobb à l'hôpital.

20

Un jour où elles se trouvaient toutes les deux dans la boutique, Carin apprit à Lainie comment une mère adoptive pouvait allaiter elle-même son bébé. Il suffisait d'attacher au sein un minuscule tuyau relié à un récipient de lait maternisé. L'enfant suçait le tube et le sein, ce qui activait les hormones de la mère et faisait monter le lait. Lainie ne dit pas à Carin, si bien intentionnée, que son corps était incapable de produire les hormones en question. Elle se contenta de la remercier du renseignement.

Lainie et Jackie étaient convenues que mieux valait ne pas se revoir avant l'amniocentèse, dans quatorze semaines. Le temps passait vite et pas de nouvelles, bonnes nouvelles. La grossesse de Jackie se déroulait à merveille. Quand le téléphone sonna sur la ligne particulière, Lainie décrocha et entendit la voix désormais familière de Jackie.

— J'ai l'air d'une baleine. Vous allez avoir un choc en me voyant.

— J'en suis impatiente, répondit Lainie en toute sincérité.

Quand elle ouvrit la porte de la réception du cabinet de médecine néonatale, Lainie n'en crut pas ses yeux. Cela n'avait plus rien d'abstrait. La preuve était là, une preuve ronde et gonflée, que cette femme portait bien l'enfant de Mitch.

— Qu'en pensez-vous ? demanda Jackie, qui écarta les jambes, se hissa péniblement pour venir embrasser Lainie et la plongea dans les effluves de Shalimar.

— Je vous trouve superbe, dit Lainie.

Jackie recula et baissa les yeux vers son ventre arrondi.

— Notre petit trésor est *là*. Et aujourd'hui, nous allons le voir.

A l'autre extrémité de la salle d'attente, une jeune femme brune posa le magazine qu'elle lisait, leva les yeux vers les deux femmes et sourit.

— Nous attendons un bébé ensemble, lui dit Jackie.

La jeune femme leva les sourcils, ne sachant trop que dire, et parut soulagée quand l'infirmière demanda à Lainie et à Jackie de passer dans la salle d'examen.

De la chaise pliante que le médecin lui avait installée dans un coin, au fond de la pièce, Lainie n'apercevait que le haut du ventre rond, luisant de gel, de Jackie. Le médecin, un bel homme aux cheveux gris et au visage très jeune, étrange association, lui en avait doucement recouvert le ventre, comme un amant enduit sa partenaire de crème solaire. Ainsi le petit appareil qu'il tenait à la main glissait-il plus facilement sur la peau.

La pièce était faiblement éclairée pour que Jackie, Lainie, l'infirmière et le médecin voient mieux la silhouette tachetée et recroquevillée sur le minuscule moniteur, accroché juste sous le plafond, à l'autre extrémité de la pièce. Cela ressemblait à une image brouillée par une mauvaise réception mais cette image, elle l'avait tant attendue ! Le médecin s'en servit pour déterminer l'emplacement du liquide amniotique qu'il allait ponctionner. Avec l'aide de l'infirmière qui maintenait un pointeur sur l'écran, il montra soigneusement à Lainie et à Jackie que le bébé avait bien cinq doigts et cinq orteils, une colonne vertébrale parfaite et un rythme cardiaque régulier.

— Mon Dieu, quand mon Tommy est né, il n'y avait pas ce genre de truc, dit Jackie, allongée sur la table. A cette époque, on croisait les doigts en espérant que tout irait bien. Pouvez-vous déjà nous dire ce que c'est, docteur ?

— Oui. Il est évident que c'est un bébé, plaisanta le médecin.

Jackie émit une sorte de jappement, et l'image granuleuse de l'échographie se mit à sauter.

— Je veux parler du sexe.

— Pas avec ça, mais dans quelques semaines, nous le saurons. Souhaitez-vous que nous vous en informions, madame O'Malley ?

— Évidemment. N'est-ce pas, Lainie ?

Lainie n'avait pas songé à la question et ne savait donc pas si elle le désirait ou non. Elle avait demandé à Jackie de pratiquer une amniocentèse pour s'assurer que l'enfant ne présentait aucun défaut génétique. Mais le sexe ? Elle ignorait totalement ce que Mitch en penserait.

— Absolument, dit Jackie au médecin. Comme ça, ils sauront s'ils l'appelleront Jackie ou Jack, selon que ce sera une fille ou un garçon, ajouta-t-elle en riant, une fois de plus. C'est une blague, docteur, *je* m'appelle Jackie, mais c'est *leur* bébé !

Le médecin hocha la tête en esquissant un léger sourire.

— Regardez, fit Jackie en pointant le doigt sur l'écran. Chaque fois que je ris, il rebondit. Il est adorable, non ?

Lainie avait beau se concentrer sur l'écran, elle ne parvenait ni à repérer les membres de l'enfant ni à le distinguer de son environnement avec précision. Cela ressemblait aux illustrations des livres qu'elle avait achetés dès qu'elle avait appris que Jackie était enceinte, *Un enfant est né*, *La Vie secrète de l'enfant à naître*. A présent, elle clignait des yeux, car l'infirmière avait rallumé les lampes fluorescentes, qui diffusaient une lumière crue.

— Madame O'Malley, je vais pratiquer une légère anesthésie locale à l'endroit où je vais ponctionner le liquide amniotique. Vous sentirez un petit picotement, c'est tout, dit le médecin.

— Et quand vous allez planter cette grande aiguille ? demanda Jackie d'une voix presque enfantine.

— Ça ne devrait pas vous faire mal.

— Vous avez beau jeu de dire ça, rétorqua-t-elle avec un rire nerveux.

Le médecin ne réagit pas.

— Lainie ? fit Jackie en relevant la tête pour la tourner vers l'angle éloigné où se trouvait la jeune femme.

— Oui ?

— Pourriez-vous vous rapprocher et... me tenir la main ?

— Bien sûr, répondit Lainie qui jeta un regard interrogateur au médecin.

Celui-ci hocha la tête. Elle s'approcha de la table pour prendre la main de Jackie dans la sienne. Tandis que l'on pratiquait la ponction et que Jackie pressait la main de Lainie, les deux femmes se regardaient dans les yeux tout en parlant vêtements de maternité et boutiques spécialisées. L'amniocentèse fut bientôt terminée.

Une heure plus tard, elles se retrouvèrent chez Lady

Madonna, à Encino. Lainie avait si longtemps détourné le regard, chaque fois qu'elle passait devant un magasin de prêt-à-porter pour futures mamans ! Ce jour-là, elle y entra et fit tourner un présentoir où étaient exposés des polos et des pantalons, pour y choisir une tenue pour Jackie.

— En gris, je vais ressembler au bonhomme Michelin, cria Jackie de la cabine d'essayage. En rose, à un petit cochon !

— Le noir est amincissant. C'est du moins ce que l'on dit, répondit Lainie qui saisit un grand T-shirt noir et un pantalon avec une ceinture élastique sur le devant et les passa au-dessus du rideau de la cabine.

L'ouverture du rideau révéla une Jackie nue avec des seins énormes, calés sur son gigantesque abdomen. Lainie recula, mais Jackie ouvrit grand le rideau et poussa son ventre en avant avec fierté.

— Ça vous choque ? Et je n'en suis qu'à dix-sept semaines ! Il se pourrait bien, petite maman, que nous ayons un éléphant.

La somme de dix mille dollars remise à la mère de substitution ne comprenait pas de budget pour les vêtements de maternité. Mitch accepta d'y ajouter quelques centaines de dollars pour couvrir ces dépenses. Il était content que Lainie accompagne Jackie dans les magasins.

— Vous avez très bon goût, lui avait dit cette dernière. Venez donc m'aider pour que je ne prenne pas des trucs dans lesquels j'aurai l'air ridicule.

L'ensemble noir lui seyait à merveille, tout comme le pantalon rouge et le polo de marin, la robe bain de soleil, les quatre T-shirts, les quelques jeans de maternité, les quatre soutiens-gorge neufs et la demi-douzaine de slips. Tout était si cher ! Jackie n'avait pas besoin de chemises de nuit. Elle dormait dans de grands T-shirts pour hommes.

— Malheureusement, sans homme d'une taille correspondante, ajouta-t-elle en riant.

Quand Lainie sortit une liasse de billets de son portefeuille, la vendeuse parut surprise.

— Nous avons très peu de clientes qui paient en liquide, dit-elle d'un ton presque soupçonneux.

— Il ne faut pas laisser de traces, intervint Jackie qui, avec un grand sourire, donna un coup de poing amical dans les côtes de Lainie.

Lainie détestait cette situation. Le secret. Ne pas pouvoir

parler à Jackie de certains aspects de son existence. Tandis que la vendeuse glissait leurs achats dans des sacs, Lainie regarda autour d'elle les ensembles que l'on avait rembourrés pour leur donner la forme d'un corps de femme enceinte et essaya de s'imaginer ainsi.

— Vous lui achetez une véritable garde-robe, fit la vendeuse pour engager la conversation. C'est votre sœur ?

Lainie fit non de la tête.

— Votre cousine ?

Lainie fit à nouveau non de la tête.

— Ce n'est pas une parente ?

— Non.

— Étonnant. Il y a une telle ressemblance ! Excepté le fait qu'elle est...

— Enceinte, termina Lainie.

— Grosse, rectifia Jackie, et les trois femmes éclatèrent de rire.

La vendeuse tendit le paquet à Lainie qui le donna à Jackie. Puis elles partirent déjeuner.

Quand Jackie eut atteint le sixième mois, Lainie prit la décision d'en parler à sa mère. Elle se rendit donc à Beverly Hills et déjeuna avec elle au Bedford Café, un petit restaurant de quartier que sa mère adorait. Il était situé tout près du cabinet d'avocats où elle travaillait. Margaret Dunn y allait souvent seule et lisait le journal en dégustant un pain de viande, la spécialité de la maison.

— Je sais que c'est bizarre, et je ne t'en voudrais pas d'émettre des réserves mais, crois-moi, nous avons la situation bien en main. Et si nous pouvons avoir un bébé en bonne santé, un enfant de Mitch, je serai une femme heureuse.

— Hum ! fit Margaret Dunn, le visage contracté par la désaprobation.

— Maman, nous savons toutes les deux que j'ai failli mourir. Je ne suis pas morte. Maintenant, chaque jour que je passe sur cette terre est, pour moi, une bénédiction. Tu te rends compte de la chance que j'ai d'avoir un bébé, moi aussi. Je t'en prie, comprends mon bonheur.

— Ma chérie, je suis heureuse que tu aies ce que tu désires. Mais je crains fort que cette histoire ne se termine mal. Cette façon de faire des enfants, c'est encore un moyen de plaire aux hommes, dit-elle d'une voix crispée, en regardant par-dessus l'épaule de Lainie.

Elle portait toujours son regard au loin dans les rares moments où elle avait une conversation sérieuse avec sa fille.

— Qu'est-ce que ça veut dire ?

— Que sur cette terre, cela ne satisfera jamais pleinement ni l'une ni l'autre des deux femmes.

Lainie regarda sa mère, puis la serveuse qui s'avançait vers elles, avec l'assiette contenant le pain de viande et un sandwich à la dinde.

— Tout ira bien, maman, la rassura Lainie.

Mais elle pensait : « Tu as raison, maman, tu as tout à fait raison, mais il est trop tard à présent. »

Quand Jackie atteignit la fin du septième mois, la plupart des amis de Mitch et de Lainie étaient au courant. Certains ne purent dissimuler leur étonnement.

— Je n'aurais jamais pu faire ça, dirent une ou deux femmes. Tu es si courageuse !

Au mois de mai, quelques vendeuses de la boutique organisèrent une petite fête, un dimanche après-midi, chez Carin, à Laurel Canyon.

— Qui d'autre faut-il inviter ? demanda Carin.

— Eh bien, il y a ma mère, mes trois belles-sœurs et quelques camarades de l'université.

Le jour de la réception, le temps était dégagé, contrairement à l'habitude. Lainie fut enthousiasmée par le gâteau en forme de couffin, posé sur une table recouverte d'une nappe blanche. A côté de cette table se trouvait un véritable couffin en osier blanc, l'un des nombreux cadeaux de Betsy et, à l'intérieur, on apercevait la multitude de paquets enrubannés et empilés les uns sur les autres qu'avaient apportés les autres sœurs. Les trois femmes s'étaient assises ensemble et bavardaient entre elles. Lainie crut entendre Betsy demander à Carin :

— La mère porteuse vient-elle ?

— Oh non ! répondit Carin d'un ton qui visait à la réduire au silence.

Sharon, une vieille amie de Northridge, était elle-même enceinte.

— Je suis allée acheter de la layette et j'ai pris un article de chaque modèle pour toi.

— Merci.

Chaque T-shirt, chaque épingle de couche combla Lainie de félicité.

Le visage bouffi et les chevilles enflées, Sharon dut rester assise.

— Je suis tellement fatiguée de porter ce bébé, se plaignit-elle. Si tu veux mon avis, c'est *toi* qui as choisi le bon moyen d'avoir un enfant.

Margaret Dunn dit un mot à chacune, avec cette amabilité de circonstance que Lainie ne lui avait vu afficher qu'au bureau, dans les grandes occasions. Elle lui en fut reconnaissante. Toutes ces gentillesses, tous ces visages attentionnés lui donnèrent le sentiment d'attendre vraiment son enfant, d'être entourée. Chaque fois qu'elle ouvrait un cadeau, elle était plus émue par les cris perçants qui s'échappaient du groupe que par le linge délicat qu'elle tenait entre ses mains. Si l'on en croyait les résultats de l'amniocentèse, ce serait une fille. Rose Margaret De Nardo. Les prénoms de la mère de Mitch, Rose, et bien sûr de Margaret Dunn, dont la bienveillance en cette circonstance était peut-être due au choix de ce prénom.

Carin, qui avait parfois un côté artiste, s'était procuré un petit fauteuil en bois brut, qu'elle avait peint en rose pâle. ROSE MARGARET DE NARDO, avait-elle inscrit sur le dossier, en lettres d'un rose plus soutenu, émaillées de fleurs. Faith, la retoucheuse de Panache, lui avait brodé un coussin au point de croix, avec un ruban noué piqué sur une bande pour que l'on puisse l'accrocher à la poignée de la porte de la nursery. *Chut ! Margaret Rose De Nardo dort*, y lisait-on.

L'un après l'autre, Lainie tendit ces cadeaux aux invitées, avant de les serrer contre son cœur. Elle avait reçu des petites robes à smocks et des chaussons de danse minuscules, des chaussettes ornées de rubans de satin et des plus petites perles qu'elle eût jamais vues. Quand la distribution des cadeaux et le gâteau furent terminés, les trois sœurs de Mitch s'éclipsèrent, pour différentes raisons, après avoir salué l'assistance. Les amies intimes de Lainie, celles qui savaient ce qu'elle avait vécu avant d'en arriver là, se regroupèrent autour d'elle et la prirent tour à tour dans leurs bras. Lainie pleura de joie, d'autres pleurèrent avec elle.

Sa mère l'aida à transporter ses cadeaux dans la BMW.

— C'est une réception très réussie, un bon début, dit-elle à

Lainie avant de regagner sa vieille Chevrolet. Prions le Ciel que tout se passe bien.

Il lui fallut faire trois voyages pour porter tous les paquets jusqu'à son appartement. Alors que Lainie fermait pour la dernière fois la porte du garage, le téléphone sonna. Ce devait être Mitch qui l'appelait du magasin où il s'occupait de la paperasserie et qui voulait sans doute lui demander comment s'était passée sa petite fête. Non, c'était la ligne de Jackie. Jackie. Lainie décrocha aussitôt l'appareil.

— Bonjour !

— Bonjour. J'ai essayé de vous joindre tout l'après-midi, dit Jackie qui semblait un peu contrariée. Je voulais vous voir aujourd'hui, parce que mon fils est là. Il est revenu de chez son père. Je lui ai parlé de vous et je pensais que nous pourrions nous retrouver quelque part.

— Oh, Jackie, je suis désolée. J'aurais tellement aimé faire sa connaissance, répondit Lainie.

— Bon, peut-être une autre fois. (Elle était visiblement blessée.) Où étiez-vous ?

Lainie allait tout lui dire de cet après-midi où elle avait été si comblée, mais quelque chose la retint. Elle respira profondément pour retrouver son calme.

— A une fête donnée en l'honneur du bébé.

— De *notre* bébé ? fit Jackie.

Lainie se mordit la lèvre.

— Oui.

— Ah ! s'exclama Jackie d'une voix alors enjouée. Comment était-ce ? Qui l'a organisée ? Quels cadeaux avez-vous reçus ?

— Mon amie Carin nous a invités chez elle. Tout était tout beau, tout rose, le buffet était sensationnel et on m'a confectionné et offert des tas de choses incroyables. Je n'imaginais pas qu'il existait des vêtements pareils !

— Oh oui, dit Jackie d'un ton mélancolique, les vêtements des filles sont mille fois plus mignons que ceux que l'on fait pour les garçons. Racontez-moi tout.

Lainie leva les yeux vers la table de la salle à manger où elle avait entassé les paquets. En les contemplant, elle se souvint de ce que contenait chacun, en fit une description détaillée à Jackie qui pouffait de rire à l'autre bout du fil.

— Et la chaise ! poursuivit Lainie, enchantée de revivre cet après-midi de rêve. La plus petite chaise au monde, peinte en rose, avec au dos écrit en lettres d'un rose plus sombre : Rose Margaret De Nardo. Vous imaginez ça ? Son nom au dos...

Elle s'interrompit brusquement. Ce nom qu'elle avait si longtemps tenu secret était à présent étalé au grand jour. Elle l'avait laissé échapper, sous l'emprise d'un stupide désir de parader. Mitch serait furieux. Stupide, stupide. Comment avait-elle pu être aussi stupide ?

— Ça n'a pas d'importance, dit Jackie au bout de quelques instants. Je connais votre nom depuis longtemps. Au début de cette histoire, j'ai fouiné dans le cabinet du médecin quand l'infirmière était aux toilettes. Je connais même votre magasin. Le plus drôle, c'est qu'une fois j'ai postulé pour un emploi dans l'ancienne boutique, au-dessus d'un restaurant. J'ai passé un entretien avec Mitch, mais il ne m'a pas engagée. J'ai cru le reconnaître le jour de notre première rencontre. Plutôt drôle, non ?

Lainie rougit d'embarras et ne dit pas un mot.

— Ne vous inquiétez pas, Lainie. Si je ne vous en ai jamais parlé, c'est que je savais que ce secret était très important pour vous et que, si je vous disais la vérité, vous seriez très contrariée. N'ayez crainte, je serai à la hauteur, faites-moi confiance.

— Je vous crois, dit Lainie.

Mais ce fut comme si l'on venait de retirer le filet de sécurité et elle eut peur.

— Je vous crois, répéta-t-elle.

— Bien, dit Jackie. C'est très bien.

21

A quatre heures, Rick était à l'hôpital, dans la chambre de Doreen, et tenait David, son fils, dans ses bras. Au fond de lui, il savait bien que Robert Redford ne ferait pas son film, mais cela n'avait plus d'importance. Pour distraire Doreen juste avant l'accouchement, pendant qu'on la préparait, il lui raconta comment il avait quitté la réunion. C'était un peu comme si tout cela était arrivé à un autre ou dans un rêve. En tout cas, pas quelques heures auparavant, dans cette même journée, au père de David Reisman. Et David était à coup sûr le plus beau bébé du monde. Il avait d'épais cheveux roux, de grands yeux, une fente sur le menton et une fossette juste au-dessus de la lèvre.

Doreen, qui n'était pas très à l'aise après l'accouchement, regardait Rick en souriant du lit où elle était assise. Il portait une blouse bleue stérile et bêtifiait sur son fauteuil, émerveillé par le tout petit être endormi.

— La nurse que vous avez engagée est-elle vraiment bien ?

— J'espère. Elle a l'air sympathique. Elle s'appelle Annie.

— Elle ressemble à Louis Armstrong.

Rick sourit.

— Elle fait ce métier depuis plus de trente ans. J'imagine qu'elle connaît par cœur bouillies, petits pots... enfin tout ce qu'ils mangent.

— Au début, ils ne mangent rien du tout. Ils *boivent* du lait maternisé. Ils m'ont fait une piqûre pour empêcher le lait de monter, dit-elle en regardant par la fenêtre.

Une infirmière passa la tête par l'entrebâillement de la porte.

— Comment allez-vous ? demanda-t-elle à Doreen.

— Aussi bien que possible.

— Je dois prendre le bébé quelques minutes, monsieur Reisman, fit l'infirmière. Le Dr Weil va commencer ses visites et il aimerait voir votre petit garçon à la nursery. Si l'un de vous désire lui parler, je vous l'envoie.

L'infirmière déposa David dans le berceau en Plexiglas, qu'elle poussa devant elle.

— Voulez-vous voir le pédiatre ? demanda Rick à Doreen.

— A quoi bon ? A la fin de la semaine, je ne le verrai plus jamais, dit-elle d'un ton raisonnable, sans colère.

— Qu'allez-*vous* faire ? s'enquit Rick en s'approchant du lit.

Doreen ne le regarda pas.

— Trouver du travail dans le quartier de la Vallée jusqu'à ce que je me sente prête à retourner à la maison.

— Vous savez que je subviendrai à vos besoins jusqu'à ce moment-là.

— Je le sais, dit-elle, bien que vous n'y soyez pas tenu. Je ne resterai que quelques mois, je vous le promets.

— Prenez tout votre temps. Vous pouvez rester six ou huit mois.

— Je ne veux être ni grosse ni fatiguée quand je rentrerai.

— Moi, j'ai toujours été comme ça, plaisanta-t-il.

— J'aimerais être un peu bronzée, les cheveux décolorés par le soleil, pour raconter à tout le monde que j'ai pris de longues vacances.

— Bonne idée, fit-il en caressant la couverture à l'endroit où ses pieds formaient une protubérance. Je reviens dans quelques minutes.

Quand il fut devant la porte, elle l'appela :

— Rick !

Il se retourna.

— J'ai quelque chose à vous dire. J'y ai beaucoup réfléchi, cela m'ennuie de vous confier ce bébé.

Il s'efforça de ne pas laisser paraître son inquiétude.

— Pourquoi donc ?

— Pour la bonne et simple raison que vous avez laissé tomber Robert Redford. Ce qui prouve, à mes yeux, que vous êtes complètement stupide.

Elle éclata alors de ce rire franc qu'il avait appris à aimer.

Deux jours plus tard, il vint à l'hôpital avec la nurse pour ramener David à la maison. La loi exigeait, comme preuve de l'abandon, que Doreen ne quittât pas l'établissement pour se rendre au même endroit que le bébé. Et ce matin-là, ce fut Andréa qui vint la chercher pour la conduire jusqu'à l'appartement de la Vallée où elles avaient vécu ensemble avant l'hémorragie.

Dans le parking de Cedars, une pâle Doreen embrassa le petit garçon rose avant qu'Annie l'installe dans le couffin, et Rick vit que son visage était tendu. Quand il prit dans ses bras son petit corps rond, elle perdit toute maîtrise d'elle-même et, tremblante, laissa éclater ses sanglots.

— Je ne sais pas si... commença-t-elle, aussitôt interrompue par une autre crise de larmes. Je ne sais pas si c'est le bébé qui me manquera le plus... ou si... c'est vous qui allez me manquer.

La petite fille au corps de chérubin renifla, le serra très fort.

— Promettez-moi une chose, c'est très important, dit-elle en levant les yeux vers lui.

— Dites-moi.

— Vous lui lirez des histoires. Il en a pris l'habitude, à présent. Il en a tant entendu ! J'ai laissé tous les livres d'enfants à la maison. Ils sont dans le placard de la nursery.

— Je le ferai, promit-il.

— Tout est prêt, monsieur Reisman, dit calmement Annie.

Les regards de Rick, de Doreen, d'Annie et d'Andréa convergèrent vers l'enfant qui dormait à l'arrière de la voiture, dans le petit ensemble jaune pâle que Béa Cobb lui avait tricoté et qu'elle avait envoyé du Kansas, deux semaines plus tôt.

— Bien, il ne faut pas le faire attendre, j'imagine, dit Rick.

Il serra Doreen une dernière fois dans ses bras et l'aida à monter à l'avant de la voiture d'Andréa. Debout à côté d'Annie, la nurse, il lui fit un signe de la main, tandis qu'Andréa disparaissait à l'horizon de cette chaude journée californienne.

Pendant des semaines, il s'éveilla aux premiers bruits du bébé qui s'étirait, suivit Annie de pièce en pièce, admira sa technique. Il lui demanda aussi de lui donner quelques conseils critiques quand il nourrissait David, lui faisait faire son petit rot, le baignait ou le changeait, pour être capable de subvenir à tous les besoins de son fils.

Et pour tenir la promesse qu'il avait faite à Doreen, il prenait le petit paquet sur ses genoux et lui lisait les livres que sa mère avait laissés. *Le Lapin vagabond*, *Petit Ours*, *Laissez passer les canards*, et *La Petite Poule rouge*. Ils étaient parfois tous deux allongés par terre, Rick maintenait le livre au-dessus de leurs visages et l'enfant levait les yeux vers les images en couleur en donnant des coups de pied et en agitant les mains dans tous les sens.

Il y eut quelques acteurs pour s'intéresser au rôle pour lequel il n'avait pas pu retenir Robert Redford. Rick travaillait sur quelques projets prometteurs et bientôt les réunions se succédèrent sans interruption dans un emploi du temps déjà bien rempli. Il s'arrangeait néanmoins pour rentrer tôt le soir et assister au dîner de David. Annie l'asseyait sur une chaise qu'elle plaçait sur la table de la cuisine. Rick lui donnait quelques cuillerées de céréales récemment introduites dans son alimentation et le regardait en recracher une grande partie. Quand David souriait, Rick riait aux éclats. Souvent Rick nourrissait l'enfant tout en poursuivant une conversation téléphonique pour ne pas culpabiliser d'être rentré à la hâte et de si bonne heure. Ainsi parvenait-il à traiter ses affaires sans négliger son fils pour autant.

Et puis il rendait visite à Bobo.

— Regardez-moi qui est père ! Je n'arrive pas à le croire ! s'écria Bobo.

Deux des amies du vieil homme entouraient Rick et l'enfant dans la salle à manger du pavillon de la maison de retraite. Rick tenait le biberon d'une main experte et regardait son fils engloutir son lait, gramme par gramme.

— Je t'ai nourri au biberon exactement comme ça, dit Bobo à Rick. Mais tu n'étais pas *aussi* mignon.

Le vieil homme rit et donna un coup de coude à Essie Baylis, la tante de Harvey Feldman.

— C'est par Harvey que vous avez eu ce bébé ? lui demanda la vieille dame.

Chaque fois que Rick la voyait, il songeait qu'elle avait été l'une des Busby Berkeley Girls. Il tentait de retrouver, dans ce visage, les traits qui avaient dû être beaux et de l'imaginer jeune, dans l'un de ces costumes ridicules que portaient les artistes de la troupe.

— Tout à fait, répondit Rick.

— Il est génial, fit Essie Baylis en souriant.

— Comment se fait-il que vous ne soyez pas marié ? demanda Stella Green, l'amie d'Essie, une toute petite bonne femme qui s'aidait pour marcher d'un support en aluminium.

Elle avait été la secrétaire de Jack Warner pendant des années.

— N'abordons pas ce sujet, intervint Bobo. Il n'est pas marié parce que c'est un imbécile.

Stella Green hocha la tête, comme si elle comprenait ce que Bobo entendait par là. Rick éclata de rire.

— Oncle B, maintenant que j'ai un fils, pourquoi aurais-je besoin d'une femme ?

— Je prendrai une soupe, dit Bobo à une serveuse qui passait, puis il tira une chaise et s'assit. Ma chère Essie, désirez-vous un bol de soupe ? Et vous, Stella ?

Les deux femmes déclinèrent son invitation et dirent au revoir à Rick et au bébé qui souriait d'un petit sourire arrondi autour de la tétine, un petit sourire qui les ravit.

— Qui s'occupe de ton bout de chou à la maison ? demanda Bobo en couvant David du regard. Il prend deux kilos par semaine. Regarde-moi sa taille ! Salut, petit ! Dis : salut, oncle Bobo ! Tu peux m'appeler grand-père, tu sais. Ça ne te coûtera pas plus cher si tu m'appelles grand-père.

Rick aimait à le voir jouer ainsi avec l'enfant.

— As-tu des nouvelles de la petite fille ? demanda Bobo, le visage grave.

— Pas un mot. Cela faisait partie de notre accord. Quand elle sera prête à retourner au Kansas, elle m'appellera et je l'y enverrai. Elle ne veut pas voir David. Peut-être plus jamais.

— Qui pourrait l'en blâmer, la pauvre enfant ? Tss, tss... Si j'étais plus jeune, crois-moi, j'irais trouver le salaud qui lui a fait ça et je le tuerais. C'est une bonne petite. Une dure à cuire.

David avait avalé tout son biberon.

— Donne-le-moi, dit Bobo. Je vais lui faire faire son rot. N'est-ce pas, petit dur ?

Bobo cala tendrement l'enfant contre son épaule et caressa, caressa, caressa son dos de sa main arthritique.

— Il lui faudrait peut-être un peu de potion au céleri du Dr Brown. Ça me fait toujours cet effet-là.

— A moi aussi, répondit Rick en riant.

David n'en eut pas besoin. Il émit un rot sonore et la serveuse qui venait de poser son bol de soupe devant Bobo applaudit cette fabuleuse performance.

— Je sais m'y prendre avec les enfants, lui dit Bobo. Pas comme le type en face de moi. Lui, il sait y faire avec les filles. Mais moi, les enfants m'adorent. Quand ce bébé sera un peu plus grand, je lui apprendrai à jouer à « Va pêcher et crache dans l'océan ».

David dormait sur l'épaule de Bobo. Rick saisit l'appareil photo qu'il avait toujours sur lui pour prendre une photo de son oncle et de son fils.

Le matin où David fêta ses six mois, Andréa téléphona.

— Je voulais souhaiter un bon anniversaire à David et vous dire que Doreen a l'intention de retourner au Kansas. Elle a perdu tout le poids qu'elle avait pris, un vrai miracle étant donné que ces derniers mois elle a travaillé dans le magasin de confiserie de M. Field. Elle se sent bien et aimerait partir lundi. Voulez-vous que je lui réserve son billet d'avion ?

Rick et Doreen ne s'étaient pas adressé la parole depuis leur séparation devant l'hôpital. Ce silence faisait partie de leur accord, signe qu'aucun des deux n'avait de grief contre l'autre.

— Je le ferai. Cela dit, si elle est d'accord, je préférerais qu'elle ne parte que lundi soir. J'aimerais l'emmener quelque part dans l'après-midi.

— Je vais lui en parler. Et si cela vous intéresse, elle n'a pas dit un mot du bébé. Même au petit matin, quand nous sommes en pyjama et que nous nous confions nos sentiments les plus profonds. Elle m'a surtout parlé de sa mère, qui lui manque beaucoup, et de l'inquiétude que lui causent Trish, sa sœur aînée qui est mariée, et ses enfants. De toute façon, Doreen a repris des forces. Elle téléphone à sa mère presque tous les jours. Il leur arrive même de prier ensemble, de chaque côté de la ligne.

— Elle me manque, dit Rick. Et elle me manquera encore plus quand je la saurai si loin.

— Moi aussi. C'est un ballon d'air frais dans cette ville étouffante.

Rick quitta l'autoroute à Vine Street et prit la direction du sud. Quand Doreen, qui n'avait pas prononcé un mot pendant tout le trajet, aperçut la marquise du théâtre Merv Griffin, elle poussa un cri.

— Mon Dieu ! Jeopardy ! Mon jeu télévisé ! C'est là qu'il est enregistré. Mon jeu ! Le jeu d'Alex Trebek !

Rick tourna à droite dans le parking.

Doreen baissa la vitre de la Mercedes et sortit la tête.

— On s'arrête ! On se gare ! Est-ce que vous allez... Est-ce que tous ces gens dans ces voitures vont voir le jeu ? C'est incroyable !

Ce fut le sourire de Rick qui lui apporta la réponse à toutes ses questions.

— On y va ! On y va ! Oh, merci ! Merci !

Elle bondissait littéralement sur son siège et à peine eut-il garé la voiture qu'elle ouvrit la portière et courut jusqu'à l'entrée du théâtre. Il y avait une longue queue. Elle revint vers Rick et lui saisit le bras de sa petite main.

— Venez ! Faisons la queue !

— Ça va, dit-il. Ne vous inquiétez pas.

Il la conduisit vers le hall où attendait un contrôleur en blazer bleu.

— Je suis Richard Reisman, lui dit-il, tout en tenant la main fébrile de Doreen dans la sienne. Nous sommes invités par M. Griffin.

Le contrôleur sortit une feuille de papier pliée de la poche de sa veste, l'ouvrit pour vérifier et fit signe à Rick et à Doreen de le suivre. Ils traversèrent le bâtiment où régnait une certaine fraîcheur, puis l'homme poussa la lourde porte du studio.

Doreen resta bouche bée devant le plateau qu'elle avait tant vu à la télévision. Au centre du premier rang se trouvaient deux sièges réservés et marqués par des bandes de ruban adhésif. Tandis que le contrôleur les y conduisait, Doreen étouffa quelques cris de joie.

L'homme décolla les rubans adhésifs pour qu'ils puissent s'asseoir.

— Nous enregistrerons deux émissions pendant que vous serez là, leur dit-il, et trois autres dans l'après-midi.

— Deux émissions ! s'écria Doreen qui, enthousiasmée, donna un coup de coude à Rick. Nous allons en voir deux, n'est-ce pas, monsieur ? ajouta-t-elle en s'adressant au contrôleur qui se tourna vers elle. M. Trebek est là ?

— Bien sûr.

Doreen poussa un petit cri de plaisir. Quelques secondes après le départ du contrôleur, les portes du studio s'ouvrirent. Une horde s'engouffra dans la salle et se rua vers les sièges. Le studio se transforma en une ruche bourdonnante, fébrile, et toute cette agitation se refléta dans les yeux de Doreen. L'équipe des cadreurs se regroupa, tandis qu'un présentateur du nom de Johnny Gilbert chauffait la salle, mais ce ne fut qu'après l'entrée en scène d'Alex Trebek que Doreen s'assit au bord de son fauteuil pour ne plus en détacher les yeux, le visage ébloui.

Quand Trebek s'avança vers le public, elle donna de petits coups sur le bras de Rick.

— Une feuille de papier. Oh, pourquoi n'ai-je pas pris de feuille de...

Rick tira une feuille blanche à en-tête du *Bureau de Rick Reisman* de l'une de ses poches et un stylo qu'il tendit à Doreen. Celle-ci s'était déjà dressée d'un bond et lançait sa feuille au nez du bel Alex, qui lui sourit.

— S'il vous plaît, dit-elle, pouvez-vous le dédier à Béa Cobb, qui est la meilleure mère du monde ?

— Si je disais une chose pareille, *ma* mère serait jalouse, plaisanta Trebek.

— Oh ! Elle n'en saura rien, rétorqua Doreen qui lui lança un sourire un brin séducteur.

— Vous avez raison, fit-il, puis il lui tendit la feuille de papier signée avant de passer à l'admiratrice suivante.

Doreen serra l'autographe contre son cœur et murmura un merci à peine audible.

— Maman va être dingue, dit-elle en regagnant son siège.

Tantôt elle contemplait le message, tantôt elle le serrait contre elle. Elle le garda entre ses mains pendant toute la durée de l'enregistrement et dans la voiture, pendant que Rick la raccompagnait chez Andréa. Quand vint le moment des adieux, elle n'avait pas dit un mot du bébé, au grand étonnement de Rick.

— Appelez-moi en PCV si vous avez besoin de quoi que ce soit, dit-il.

— Peut-être une photo de David. Pour Noël ? fit-elle.

— Vous l'aurez, lui promit-il.

22

Lainie se laissa doucement réveiller par les caresses de Mitch, par ses mains sur son corps, par sa langue qui descendait lentement jusqu'à son ventre. Elle avait dû s'endormir pendant qu'ils regardaient la télévision au lit, et Mitch était resté éveillé. Une émission lui avait peut-être donné des idées. Non, Mitch avait toujours envie de faire l'amour. Mitch, merveilleux Mitch qui avait toujours envie d'elle.

— Mon amour, dit-il, je t'aime. Comme je t'aime, ma belle...

Et le téléphone sonna.

— La répondeur... dit Mitch. Le répondeur prendra la communication.

Il était en elle, à présent, plus fougueux que jamais.

— Le répondeur s'en chargera, répéta-t-il.

La sonnerie du téléphone ne s'arrêta pas pour autant. Peut-être était-ce...

— La ligne de Jackie, fit Mitch, comme s'il avait lu dans les pensées de Lainie.

Mais la sonnerie cessa. Mitch poussa un soupir de soulagement. Il l'embrassa, pressa son torse musclé contre ses seins, puis se mit à genoux et leva les jambes de Lainie pour les enrouler autour de sa taille, le plus haut possible. Il avança au plus profond d'elle pour qu'elle le sente entre ses reins.

— Mon Dieu, Mitch, mon Dieu...

Le téléphone sonna de nouveau, qui brisa leur élan. Mitch, frustré, s'effondra sur elle et tendit la main vers l'appareil.

— Oh, mon Dieu, Mitch ! pleurait une voix à l'autre extrémité de la ligne. Mon Dieu !

— Jackie ?

— Le travail a commencé et j'ai si mal !

— Avez-vous appelé le médecin ? demanda Mitch qui se détacha de Lainie et s'assit au bord du lit pour poursuivre sa conversation avec Jackie.

Lainie comprit à quel point il était anxieux.

— Oui, oui, et Chuck Meyer aussi. Ils me retrouveront tous deux à l'hôpital.

— Et la voiture avec chauffeur ?

Mitch tenait l'appareil loin de son oreille et Lainie, dont le bassin vibrait encore de la rudesse de la séparation, entendait chaque mot.

— Avez-vous demandé une voiture ?

— Elle arrive mais, Mitch, je vous en prie ! Je sais que j'avais dit que je ne le ferais pas, mais j'avais oublié à quel point ça fait mal et comme on a peur quand on est seule. Je ne peux appeler personne d'autre. Nous avions décidé que vous n'assisteriez pas à l'accouchement, mais je vous en supplie ! Il faut que vous veniez. Dites-moi que vous allez me rejoindre à l'hôpital. Après tout, c'est aussi *votre* bébé. Je ne peux pas rester avec un avocat que je connais à peine et un chauffeur que je n'ai jamais vu avant. J'ai besoin de vous.

— J'y serai, dit Mitch. Gardez votre calme, Jackie. N'est-ce pas ? Vous me le promettez ? demanda-t-il d'un ton très doux.

Il s'habilla à toute allure. Comme engourdie, Lainie le regarda faire. Elle attendait qu'il lui dise : « Viens, allons-y ! » Mais une minute plus tard, il avait ses clés de voiture à la main et glissait son portefeuille dans la poche de son pantalon.

— Mitch...

Pourquoi Jackie ne l'avait-elle pas demandée, elle ? Peut-être pensait-elle que Lainie refuserait, alors qu'à ce moment-là Mitch ferait tout ce qu'elle voudrait ?

— Mitch !

Mitch s'arrêta net et regarda sa femme, puis il porta la main à son front, comme pour dire : « Que diable suis-je en train de faire ? » Il ne lui était même pas venu à l'esprit qu'elle pourrait l'accompagner. Il eut l'air embarrassé et son trouble s'accentua brutalement.

— Oh, ma chérie ! Je suis désolé. L'inquiétude m'a fait perdre la tête. Je sais que nous en avions décidé autrement, mais je crois qu'il faut y aller. Elle a l'air paniquée. Je n'arriverai probablement pas avant la fin mais, si le travail se prolonge, que se passera-t-il ? Et s'il faut prendre une décision pour le bébé ?

— Qu'aimerais-tu que *je* fasse ?

— Qu'est-ce que tu *veux* faire ?

Il attendait, nerveux, à la porte de la chambre. On avait l'impression qu'il aurait aimé s'entendre répondre : « Appelle-moi quand ce sera terminé » pour pouvoir s'en aller, mais elle n'en fit rien. Elle bondit hors du lit et ouvrit son placard.

— Fais démarrer la voiture. Je t'accompagne.

Elle l'entendit descendre l'escalier quatre à quatre et se diriger vers le garage, tandis qu'elle sortait plusieurs tenues. Cette situation lui faisait horreur. Que mettre ? « Qu'importe ! », pensa-t-elle en enfilant un jean et un gros gilet de coton. Jackie serait l'objet de toutes les attentions. Pas elle.

Quand elle fut habillée, Mitch klaxonna. Elle n'avait le temps ni de se maquiller ni même de se brosser les dents. Elle sortit dans le froid de la nuit et monta dans la voiture. Ils descendirent Ventura Boulevard jusqu'à l'autoroute, sans prononcer un mot. Une horloge à affichage digital accrochée au-dessus d'une banque leur indiqua qu'il était une heure dix. Il y avait très peu de circulation. Lainie se sentait heurtée, malmenée, elle en voulait à Jackie de n'avoir pas respecté leur pacte. Leur amitié pendant cette grossesse avait été une bonne chose, mais elle avait bien prévenu Mitch qu'elle ne supporterait pas de le voir aider Jackie pendant l'accouchement. Ils l'avaient précisé dans le contrat qu'ils avaient préparé avec Chuck Meyer, l'avocat : ils se rendraient à l'hôpital quand le bébé serait bien en sécurité à la nursery. Elle regarda par la vitre et se souvint que la vie n'avait pas beaucoup gâté Jackie et que c'était pour cela qu'elle n'avait pas tenu parole. Jackie savait qu'après la naissance de l'enfant elle n'entretiendrait plus aucune relation avec Mitch et Lainie. Alors pour une nuit, elle avait encore besoin d'eux. Une nuit de plus, et peut-être un ou deux jours d'hôpital. Ensuite, ils auraient leur bébé, et c'était la seule chose qui importait.

Les portes coulissantes s'ouvrirent. Lainie suivait Mitch de loin, tandis qu'il s'engouffrait dans le hall et traversait l'hôpital, tournait à l'angle des couloirs, franchissait des portes, descendait des rampes, passait devant la salle très éclairée réservée aux infirmières et devant les portes ouvertes des chambres des patientes où Lainie aperçut des bras reliés à des perfusions.

Quand elle arriva en salle de travail, Mitch, le chauffeur de la limousine, une infirmière et Chuck Meyer, l'avocat, entouraient Jackie qui, allongée sur un lit, sous perfusion, tenait séance. Lainie resta tranquillement dans l'embrasure de la porte. Ce ne fut que quand le chauffeur lui eut dit au revoir et lui eut souhaité que tout se passe bien, que Chuck Meyer fut sorti pour appeler sa femme, que Jackie aperçut Lainie debout dans un coin, derrière Mitch qui lui relevait une mèche de cheveux.

— Hé, Lainie ! s'exclama-t-elle. N'est-ce pas merveilleux ? Nous allons avoir un bébé.

— Merveilleux ! répéta Lainie.

« Mon Dieu, c'est pourtant vrai », pensa-t-elle. Cela lui rappela ce spot publicitaire qui, il y avait de cela quelques années, vantait les mérites d'un produit nettoyant que l'on vaporisait dans le four et qui travaillait pour vous. On y voyait une femme jouer au tennis. Elle marquait un point à la volée et disait en fixant la caméra : « Je nettoie mon four. » Lainie était là, en jean dans la salle de travail, et songeait : « Je suis en train d'avoir un bébé. »

Dans quelques minutes commencerait la phase la plus pénible du travail. Mitch et une infirmière se tenaient de chaque côté du lit, tandis que Lainie demeurait dans son coin. Sa chemise Lacoste collait au dos de Mitch. Bientôt le médecin fit une entrée digne d'une star, se plaignit qu'on l'eût tiré du lit douillet de sa petite amie et examina Jackie. L'anesthésiste était une femme. Elle arriva quelques instants plus tard, retourna Jackie sur le côté et fit la péridurale. Ensuite tout alla très vite. On leur tendit des masques, des blouses, des bottes et des bonnets stériles. On poussa le chariot vers la salle d'accouchement. Et de nouveau, Lainie, vêtue de coton bleu de la tête aux pieds, se tint seule dans un coin de la pièce carrelée.

Elle observa le groupe réuni autour de la table de travail où Jackie était étendue et bavardait nerveusement. Elle ne voyait que leurs yeux. Il lui fallut plusieurs minutes pour les distinguer les uns des autres mais, quand elle y fut parvenue, elle se rendit compte que Mitch était à la tête de la table et tenait la main de Jackie.

« Je ne m'attendais pas à vivre ça », pensait Lainie. Tout son corps vibrait sous l'effet de la panique. Elle ne voulait pas regarder, elle avait peur du sang, ne songeait plus qu'à sa propre opération. Au jour où on l'avait conduite en salle d'opération. Elle se souvint qu'au moment où elle sombrait dans le sommeil provoqué par l'anesthésie, elle en connaissait déjà l'issue. Elle savait que l'on pratiquerait une ablation de l'utérus, des ovaires, et qu'elle n'aurait jamais, jamais...

Le cri de l'enfant qui jaillit du corps de Jackie et fut recueilli par les mains du médecin ramena brusquement Lainie à la réalité.

— Voilà votre fille... fille... une petite fille, entendit-elle autour d'elle.

Elle contempla l'enfant sanguinolent que l'on tendait à Mitch. Il criait et Mitch le regardait tendrement. Lainie sentit les bras de l'infirmière autour de ses épaules, qui la poussaient au centre de la pièce pour qu'elle puisse voir Mitch redonner l'enfant à Jackie. C'était une petite fille minuscule, toute rose, qui ressemblait à Jackie.

Celle-ci observa longtemps le bébé, pinça fort les lèvres, ferma les yeux et le tendit à Lainie. Ses cris ressemblaient aux gémissements d'un petit chien. Tandis que Lainie contemplait le visage de l'enfant, le médecin lui plaça une pipette dans les narines pour en extraire le mucus et le sang, dans un bruit de succion. Lainie sentit la présence de Mitch à ses côtés. Le médecin lui retira l'enfant des mains pour s'en occuper.

— Merci. Oh, merci ! dit Lainie, qui riait et pleurait en même temps. (Puis elle se pencha vers Jackie pour la serrer dans ses bras.) Mon Dieu, comment pourrais-je jamais vous remercier ? Que pourrais-je faire pour vous, que pourrais-je vous offrir qui soit aussi important que cette petite vie si précieuse que vous nous avez donnée, à Mitch et à moi ? Oh, merci ! répéta-t-elle.

Et tandis qu'elle étreignait Jackie, elle respira l'odeur caractéristique de Shalimar et sentit le visage moite de la jeune accouchée contre sa peau fraîche.

— Excusez-moi, dit quelqu'un qui poussa Lainie.

Puis on conduisit le chariot de Jackie vers la salle de réveil.

Mitch l'entoura de ses bras. Elle se retourna et le serra fort contre elle. Ils pleuraient tous les deux. Ils étaient trop émus pour parler. A travers ses larmes, Lainie vit passer des infirmières qui, sans doute habituées à ce que l'on se comporte ainsi dans le service de maternité, souriaient d'un air entendu. Enfin, en silence, Lainie et Mitch quittèrent l'hôpital et se dirigèrent vers le parking, chacun enveloppant de son bras la taille de l'autre.

Aux premières lueurs du jour, ils étaient au lit, dans les bras l'un de l'autre. Quand Lainie ouvrit les yeux, Mitch était déjà réveillé et la regardait, rayonnant.

— Nous avons un bébé.

— Oui, répondit-elle avec un grand sourire.

Ils s'embrassèrent et restèrent enlacés.

— Si on allait le voir ? fit Mitch.

— Et comment !

Ils prirent une douche, s'habillèrent à la hâte tout en évoquant les événements de la nuit précédente.

— J'étais complètement déboussolé, n'est-ce pas ? demanda Mitch.

— Tu as été parfait.

— Et ça n'a pas été trop dur pour toi ? Non ? fit-il en toute sincérité. Je veux dire... que ça se soit passé comme ça ? Que nous nous soyons retrouvés à l'hôpital hier soir, au lieu de nous pointer le lendemain pendant les heures de visite ?

— Chéri, nous avons notre bébé. C'est ce qui compte. Le docteur a-t-il dit quand nous pourrons le ramener à la maison ?

— Nous verrons cela aujourd'hui.

Le parfum des fleurs de l'énorme bouquet qu'avait envoyé l'avocat avait envahi la chambre de Jackie. Elle était dans la salle de bains quand ils arrivèrent. Mitch avait l'intention de lui proposer de les accompagner jusqu'à la nursery, « dernier beau geste ».

Lainie regarda, sur la table de chevet, les produits de beauté de Jackie. Rouge à lèvres, blush et la grande bouteille ronde de Shalimar. Quand la porte de la salle de bains s'ouvrit et que Jackie en sortit, Lainie s'étonna de sa bonne mine. Jackie les accueillit par un petit cri perçant.

— Le bébé est tellement beau ! L'avez-vous vu aujourd'hui ?

— Non, nous irons ensemble, dit Mitch.

Bras dessus, bras dessous, ils longèrent le couloir, et l'on entendit le frottement des pantoufles de Jackie qui traînait un peu les pieds.

— Voilà ! dit-elle en désignant un berceau, tout au fond, muni d'une pancarte où l'on lisait : O' MALLEY-FILLE.

Ce bébé, ce merveilleux bébé, était sans doute le plus beau de la nursery.

— Mon Dieu ! fit Mitch. Elle est vraiment extraordinaire. Elle n'a aucune de ces petites taches qu'ont habituellement les bébés. Dieu du ciel, c'est vraiment un miracle !

Lainie avait le cœur plein d'espoir. Ça avait marché. L'idée de Mitch était devenue réalité. Malgré ses craintes, sa souffrance et ses doutes, elle allait enfin ramener un enfant à la maison. Elle était perdue dans ses pensées quand elle entendit Jackie dire :

— Eh bien, mon vieux, nous avons réussi ! Nous avons bel et bien réussi.

— C'est la pure vérité, répliqua Mitch d'une voix triomphante. C'est sûr, nous avons réussi.

Quand Lainie se retourna et aperçut le regard qu'ils échangèrent, Jackie si comblée et Mitch si fort, ce fut comme si elle recevait un coup de poing dans la poitrine. Ils fêtaient tous les trois la naissance de leur bébé. Le père, la mère et la mère de substitution, la remplaçante. « Mais », songea Lainie, « il n'y a aucun doute possible, la mère de substitution, c'est moi. »

23

Clint Eastwood s'intéressait à présent au rôle que Robert Redford avait failli accepter. Rick prenait donc plusieurs fois par semaine l'avion pour Carmel. Cependant, il s'efforçait toujours de rentrer à temps pour voir David, ne fût-ce qu'un instant, chaque soir. Ce beau petit garçon à la peau claire avait rendu son univers plus léger et transformé le regard qu'il portait sur les autres aspects de son existence. Un soir tard, il était assis à la table de la cuisine et il dînait tout en annotant un scénario quand Annie, la nurse, entra.

— Monsieur Reisman, il dort. Il est dix heures et je viens d'avoir ma sœur au téléphone. Elle n'a pas le moral. Je me demandais si je ne pourrais pas me rendre chez elle, au bout de Western Avenue, pour m'en occuper un peu. Je serai de retour demain matin, de bonne heure. Le petit David a fini son biberon et il ne bougera sans doute pas jusque-là. Mais je vous ai laissé des tétines stériles au cas où il se réveillerait et où il aurait faim. Vous n'aurez plus qu'à dévisser un biberon de lait prêt à l'emploi, à placer la tétine et à le lui donner. Vous saurez faire cela ?

— Bien sûr, Annie. Allez voir votre sœur. David et son vieux père se débrouilleront très bien tout seuls.

— Oh ! Et puis il y a sa tétine. Il mâchouille, à présent. Il adore ce truc-là mais il la perd parfois et se met à pleurer. Il suffit de la lui remettre dans la bouche. Il se rendort aussitôt. S'il pleure beaucoup, il faut s'y reprendre à deux ou trois fois pour la replacer… alors soyez patient ! D'accord ?

— D'accord, dit Rick.

Il était très fier d'avoir déniché cette femme formidable pour s'occuper de son fils. Il l'entendit s'affairer, se préparer pour passer la nuit chez sa sœur.

— Voulez-vous que je vous laisse le numéro de téléphone de ma sœur ? lui demanda Annie avant de partir.

— Ce n'est pas nécessaire, répondit Rick qui lui adressa un signe d'adieu avant de refermer la porte.

A onze heures et demie, il venait de s'installer devant une émission tardive quand la sonnette de la porte d'entrée retentit. Mon Dieu, cela risquait de réveiller le bébé ! Il se précipita pour voir qui lui rendait visite. Une vision. La jeune secrétaire du bureau de production voisin du sien à Universal. De longs cheveux bruns tombant jusqu'à la taille, des yeux immenses, une robe noire qui lui découvrait les épaules.

— J'assistais à un dîner dans le voisinage, lui dit-elle avant qu'il ait eu le temps de prononcer un mot. Et j'ai eu votre adresse grâce à ce numéro de *Vanity Fair* que je vous ai emprunté au bureau. Elle était inscrite dessus. Alors quand je me suis rendu compte que vous habitiez ici, je suis passée en espérant que vous seriez seul.

— Je suis seul.

— Alors... je peux entrer ?

Il ouvrit grand la porte. Ce n'était pas parce qu'il avait un enfant qu'il allait renoncer à tous les plaisirs de la vie.

— Cette maison est superbe ! s'écria la fille en lui tendant le fameux numéro de *Vanity Fair*.

Puis elle fit le tour de la pièce.

— Vous aussi.

Elle rit.

— Vous êtes charmant, lui dit-elle, puis elle s'immobilisa pour mieux l'observer. Et j'ai vu tous vos films.

— Lequel préférez-vous ? demanda-t-il en se rapprochant d'elle, tout près.

Elle fut bientôt serrée contre lui et se tortillait pour faire glisser le haut de sa robe. Elle posa les mains sur sa ceinture, déboutonna son pantalon. Sa robe tomba à terre. Et David poussa un cri aigu.

— Qu'est-ce que c'est ? demanda la fille, étonnée.

— Mon fils.

— Vous avez un fils ? Un bébé ? Avez-vous une femme ? Mais, mais, je pensais que vous étiez célibataire.

— Je le suis, dit Rick qui se précipita dans la chambre de

l'enfant en remontant la fermeture Éclair que cette jeune femme avait...

Il ne connaissait même pas son nom, mais elle n'en avait pas moins défait son pantalon. Il saisit la tétine qui était tombée près du visage hurlant de David et la replaça doucement dans sa bouche en espérant que le contact du caoutchouc sur sa langue le calmerait. David la rejeta et hurla de plus belle.

— Prends ta tétine, bébé. Davey, la voilà. Papa te donne ton merveilleux petit joujou et...

— Nyaaaah ! reprit David avec véhémence.

— Chéri, tu devrais peut-être mettre quelque chose dessus, dit la fille.

Elle se tenait, nue et splendide, dans l'embrasure de la porte de la chambre d'enfant.

— Mes parents faisaient toujours ça, ajouta-t-elle. Je vais voir si je trouve quelque chose.

« Tu es sur le point de faire l'amour avec une très jeune fille qui se souvient encore de ce que ses parents mettaient sur sa tétine », pensait Rick qui était resté près du berceau et caressait le dos de l'enfant en pleurs. Elle réapparut une minute plus tard avec un pot de miel. Rick l'ouvrit, plongea la tétine dans le miel et se pencha sur le berceau pour la replacer dans la bouche du bébé.

— Mmm, mmm, mm ! fit David en suçant.

Il s'endormit en quelques instants.

La fille nue se pressa contre Rick.

— Si nous plongions ça aussi dans le miel, dit-elle en se laissant lentement glisser sur le sol de la chambre de l'enfant, entraînant Rick avec elle.

— Son transit intestinal m'inquiète, lui dit Annie, un matin, au petit déjeuner.

— Son quoi ?

Rick avalait son café à la hâte, pour attraper un des premiers avions pour Monterey et se rendre à Carmel où il avait rendez-vous avec Clint Eastwood.

— Le petit David. Il n'en a pas.

— Il n'a pas quoi, Annie ?

— De transit intestinal.

— Pas du tout ?

— Aucun.

— Depuis quand ?

— Quelques jours.

— Le pédiatre. Nous allons appeler immédiatement le Dr Weil, dit-il en regardant sa montre.

Il était sept heures et demie du matin, mais il y aurait certainement un service téléphonique qui pourrait contacter le médecin à son domicile.

— Il n'est pas là, répondit l'opératrice, mais le Dr Solway est de garde.

— Alors passez-le-moi, ordonna Rick.

— Je vous rappellerai, monsieur.

Il lui donna son numéro de téléphone. David, qui, d'habitude, agitait les bras et gazouillait, restait apathique entre les mains d'Annie.

— Les premiers jours, j'ai cru qu'il était simplement constipé, comme cela nous arrive à tous. Mais là, il n'a pas l'air bien et je commence à croire que c'est plus grave que cela, ajouta-t-elle d'une voix soucieuse.

— Vous avez déjà vu ce genre de chose ?

— Pas que je me souvienne, répondit Annie. La constipation, oui. Mais pas à ce point.

Le téléphone sonna.

— Monsieur Reisman.

Ce devait être l'opératrice du service téléphonique.

— Ne me dites pas que vous n'arrivez pas à joindre le docteur, aboya-t-il.

— Je suis le docteur, monsieur Reisman, répondit une voix de femme. Le Dr Solway, l'associée du Dr Weil. Que puis-je faire pour vous ?

Une femme.

— Mon fils... qui a neuf mois, est constipé depuis... combien de temps ? demanda-t-il à Annie.

— Au moins cinq jours.

— Cinq jours, dit-il au médecin. On a l'impression qu'il a perdu toute énergie. Il est tout calme. Faible.

— Amenez-le tout de suite, fit le médecin. Je vous verrai au cabinet dès votre arrivée.

Adieu le vol de huit heures quinze. Adieu Clint Eastwood.

— Nous arrivons, répondit Rick.

A l'arrière de la voiture, Annie prit la main de David dans

la sienne. Rick appela Andréa chez elle et lui demanda d'annuler son rendez-vous.

— Tout ira bien, petit amour. Tout ira bien, chantonnait Annie au bébé silencieux.

Dans l'ascenseur du bâtiment où se trouvait le cabinet du médecin, Rick contempla l'enfant amorphe qui reposait sur l'épaule d'Annie et fut pris de panique. Qu'est-ce que c'était que *ça* ? Et s'il s'agissait d'une maladie terrible, grave, qui le laisserait handicapé ou qui ne guérirait pas ? Et s'il fallait, toute sa vie, le traîner de médecins en spécialistes sans jamais lui voir recouvrer la santé ? Non, ce n'était rien.

Lee Solway, une grande femme aux yeux bleus et aux cheveux bruns, prit le bébé dans ses bras et le déshabilla délicatement. D'un coup d'œil, elle avait jugé Annie et Rick, et deviné très vite que c'était à la nurse qu'il fallait poser les questions sur les habitudes de l'enfant, ses rythmes et son alimentation. Annie y répondit avec minutie. Rick restait assis, anxieux, et regardait le médecin examiner son enfant, passivement étendu, beaucoup trop calme.

— Avez-vous remarqué s'il tête son biberon avec moins de force ?

— En réfléchissant bien, oui, dit Annie, mais j'ai mis ça sur le compte du manque d'appétit.

— Lui donnez-vous des aliments solides ?

— Oui. Le Dr Weil a introduit les céréales le mois dernier.

— Prend-il des céréales complètes ?

— Une espèce de mélange.

— N'avez-vous introduit que les aliments autorisés par le Dr Weil ?

— Je ne lui donne que cela. Et Cora aussi. C'est la femme qui me remplaçe pendant ma journée et demie de congé.

— Il n'y a donc aucune raison pour que vous ayez donné du miel à ce bébé ?

Le médecin qui gardait la main posée sur le petit corps se tourna vers Annie.

— Non, madame.

Rick se leva. Il n'avait écouté les questions qu'à demi, puisqu'il ne connaissait pas les réponses, mais le mot *miel* le fit sursauter. Il se figea.

— Pourquoi le miel lui ferait-il du mal ? *Je* lui ai donné du miel la semaine dernière. J'en ai mis un peu sur sa tétine.

Le médecin regarda Rick.

— Eh bien ! Je crains fort que le miel ne soit responsable de ce qui lui arrive aujourd'hui. Je vais le faire entrer à l'hôpital des enfants, ce matin, pour en avoir confirmation, en espérant qu'il ne soit pas constipé au point que je ne puisse pas pratiquer les examens nécessaires. A mon avis, c'est une crise de botulisme infantile. Constipation et affaiblissement musculaire, tout semble l'indiquer.

— A cause du miel ?

— On a isolé le germe du *Clostridium botulinum* dans des échantillons de miel donnés à des enfants qui développèrent ensuite la maladie. Ce sont les enfants de moins d'un an qui sont le plus susceptibles d'être touchés. Je ne veux pas vous faire peur mais, selon certaines théories, les cas de botulisme non détectés seraient à l'origine du syndrome de mort subite du nourrisson. Sa respiration est également très superficielle. Je vais appeler une ambulance.

Les oreilles de Rick se mirent à bourdonner. Ce n'était pas possible. Le médecin retourna dans son bureau, tandis qu'Annie habillait David, qui pleurait faiblement. Rick entendit Lee Solway appeler l'ambulance.

— Nous partons, dit-elle en sortant, puis elle passa devant eux au pas de charge. Ils nous attendent en bas, sur le parking.

Le miel. La raison pour laquelle Rick avait donné du miel à l'enfant lui revint brusquement en mémoire et lui fit l'effet d'un coup de poing au visage. Pour s'envoyer en l'air. Pour le faire taire et rouler sur le sol de sa chambre avec cette fille qui avait frappé à sa porte et laissé tomber sa robe. « Dieu va me prendre la vie de mon fils pour me punir d'être l'homme le plus bas, le plus méprisable, que la terre ait porté. Je vous en prie, que cet enfant ne souffre pas à cause de ma vanité, de mes excès et de ma faiblesse ! » se disait-il.

Rongé par le remords et par la terrible appréhension qui le déchiraient, il monta dans l'ambulance avec Annie, le bébé et le médecin. Quand le véhicule s'engagea sur la chaussée, il dissimula son visage dans ses mains, submergé par la honte et le désespoir.

24

Pendant quelque temps, les sentiments négatifs de Lainie s'estompèrent. Il lui suffisait de se réveiller et de se dire qu'un bébé l'attendait dans la chambre voisine pour connaître, chaque matin, l'émerveillement d'un jour de Noël. La douce odeur de talc qui emplissait la nursery, l'exquise délicatesse de ces petites fossettes sous le menton, tout était source de joie.

Elle sortait la petite boule chaude de son couffin et la couchait tendrement dans le lit, à côté de Mitch qui tendait la main dans son sommeil et caressait les pieds de l'enfant. Lainie était aux anges.

Sa famille. Enfin. Elle ne permettrait pas à ses incertitudes de gâcher tout cela. Pas même les premiers mois où elle avait fait les cent pas avec sa fille dont le visage était froissé, contracté par les coliques successives. Quand Mitch la tenait dans ses bras, il était transformé. Toutes les tensions de la journée de travail, et même ce regard inquiet qu'il avait toujours au magasin, disparaissaient à la maison. Il était alors tellement détendu que, plus d'une fois, assis dans le fauteuil à bascule où il donnait le biberon à l'enfant, il s'était endormi après elle.

Chaque jour, la joie, le bonheur de la voir évoluer peu à peu semblait rapprocher Lainie et Mitch. L'après-midi, Lainie l'appelait à la boutique pour l'informer du déroulement de chaque repas, de chaque gramme pris, et Mitch l'écoutait avec une attention soutenue.

— Ne raccroche pas, chérie, lui dit Mitch un de ces après-midi.

Elle entendit un clic. Il allait sans doute décrocher le téléphone du bureau pour parler plus librement qu'à la caisse.

— Écoute, fit-il quand il reprit la ligne. J'ai invité mes sœurs et leur famille à dîner, la semaine prochaine.

Lainie ne dit pas un mot. Elle savait que Mitch s'était éloigné de ses sœurs. Que depuis qu'elle était entrée dans sa vie, ils n'avaient plus partagé cette intimité qui était la leur quand il était encore célibataire. C'était parce qu'ils n'avaient pas d'enfant qu'était apparue cette fêlure. Du moins en avait-elle parfois l'impression.

— Peut-être que maintenant que nous avons nous aussi un enfant, les choses iront mieux entre nous, dit Mitch, comme s'il avait lu dans les pensées de sa femme.

— Peut-être.

— Tu sais ce que disait ma mère quand je me disputais avec l'une d'entre elles ?

— « Les liens du sang sont plus forts que tout », tu me l'as déjà dit, répondit Lainie.

— Elles sont parfois stupides, leurs maris aussi. Mais la vérité, c'est qu'à part toi et mon petit bout de fille, elles sont tout ce que j'ai. Il faut que je fasse un effort. Je veux quand même être sûr que ça ne te déplaît pas de les avoir à dîner samedi avec leurs enfants.

— Bien sûr que non, mon chéri. J'adore les enfants, tu le sais bien. Et ils seront tellement ravis de faire la connaissance de leur nouvelle cousine !

— Je t'aime, Lainie, dit Mitch. Il n'y en a pas deux comme toi.

Et il raccrocha.

Lainie posa le combiné et prit un papier et un stylo pour dresser la liste des courses pour le samedi suivant. Quelque chose la fit étrangement frissonner. Était-ce le sentiment que Mitch venait d'exprimer ? Il avait dit cela d'un ton bizarre, comme si quelqu'un était entré dans son bureau à ce moment-là. Il y avait, dans sa voix, quelque chose de tendu, de forcé.

Folie. Les insomnies de l'enfant l'avaient tellement épuisée que cela avait fini par influer sur son humeur. Elle était devenue hypersensible. L'autre jour, elle avait littéralement agressé Carin. Chère Carin, si douce ! Quand elle trouvait une araignée dans les toilettes de la boutique, elle l'enfermait dans un morceau de papier et la relâchait au-dehors pour ne pas la tuer.

— Je suis bien contente que vous n'ayez plus jamais entendu

parler de cette femme, avait-elle dit à Lainie, parce que j'ai toujours redouté qu'un beau jour elle ne se pointe et ne veuille reprendre le bébé.

Les yeux de Lainie lançaient des éclairs.

— Il n'a jamais été question de cela ni pour Mitch ni pour moi. Alors mêlez-vous de vos affaires, s'il vous plaît !

Carin s'était confondue en excuses tout au long de la journée.

Lainie devait absolument s'efforcer de retrouver son sang-froid avant le dîner de samedi pour bien recevoir la famille de Mitch. A part sa mère, les trois sœurs De Nardo, leurs maris et leurs enfants étaient la seule famille de la petite Rose. Et comme Lainie, Rose serait un enfant unique. Quoi qu'il lui en coutât, mieux valait qu'elle entretînt de bons rapports avec ses cousins.

Mitch aimait porter son tablier de barbecue, surveiller les hamburgers, les retourner de temps en temps jusqu'à ce que la cuisson soit parfaite. Les enfants couraient les uns après les autres dans le minuscule jardin, sur lequel s'ouvraient les portes coulissantes. Lainie aurait souhaité trouver une maison avec un grand jardin dans le quartier de la Vallée. Les enfants pourraient y jouer à chat perché et Rose Margaret se joindrait à eux.

— Vous savez quoi ? s'écria Hank, le mari de Betsy, tout en observant sa nièce. Ce qui est étrange, c'est qu'elle ne ressemble pas du tout à Mitch, mais à Lainie. C'est curieux, non ?

Kitty et Mary Catherine se levaient de temps à autre pour séparer des enfants qui se battaient mais, le reste du temps, elles restaient l'une à côté de l'autre, la main autour du verre de vin blanc que Lainie leur avait servi. Elles ne l'invitèrent à participer à leur conversation qu'au moment où elle s'approcha d'elles avec la petite Rose dans les bras.

— Est-ce qu'elle dort mieux ? Mitch nous a dit qu'elle avait quelques problèmes.

On allait parler bébé. Lainie se rendit compte que ce n'était que cela, mais du moins fut-elle contente qu'on lui adresse enfin la parole.

— Pas encore, répondit-elle. Elle se réveille une ou deux

fois par nuit. A quel âge les vôtres ont-ils eu des horaires réguliers ?

En leur demandant leur avis, Lainie espérait combler le fossé qui s'était creusé entre elles, réchauffer un peu l'atmosphère.

— Environ neuf ans, dit Mary Catherine qui, de toute évidence, plaisantait.

— Je te jure, mon Chris se réveille encore à trois ou quatre heures du matin, mais il y a des bébés qui font leur nuit à six mois, ajouta-t-elle. Ça passera très vite.

— Qui veut du fromage sur son hamburger ? demanda Mitch à la cantonade.

— Moi ! hurlèrent quelques enfants.

— Pas moi, dit Lainie en tapotant le derrière de sa fille.

Elle s'efforçait de suivre son régime. Les horaires irréguliers de l'enfant la contraignaient à prendre ses repas à la va-vite, quand elle en avait le temps. En deux mois, elle avait pris cinq kilos. Mitch ne s'en plaignait pas, qui disait qu'il « en avait davantage à se mettre sous la main ».

— Ne me dis pas que *tu* fais un régime ! s'exclama Betsy.

— Je fais attention, c'est tout, répondit Lainie.

— Ah, c'est vrai ! Ce doit être à cause de ton diabète. C'est ça ?

— Les hamburgers arrivent ! claironna Mitch. Lainie, où sont les assiettes ?

— Tu veux que je la tienne pendant que tu aides Mitch ? lui proposa Kitty.

Le premier réflexe de Lainie fut de refuser, mais le but de cette petite réunion n'était-il pas d'être gentil les uns avec les autres ? Elle tendit donc le bébé à sa belle-sœur avant de mettre la table. Folle. Peut-être était-ce à cause de sa frustration et de quelques kilos superflus qu'elle prenait mal tout ce qu'on lui disait. Il lui faudrait se montrer plus tolérante.

A table, tout le monde dévora et Rose s'endormit sur l'épaule de Mitch. Puis on rit des histoires de la grand-mère Rose et du grand-père Mario De Nardo. Lainie était heureuse d'avoir accepté de recevoir la famille. Dans l'ensemble, ils étaient assez inoffensifs, mais pas très intelligents. Et tant qu'elle ne leur donnait pas de prise sur elle, Mitch pouvait entretenir avec eux les meilleures relations du monde.

Au dessert, les adultes avaient bu un peu trop de vin rouge.

Sauf Lainie qui était alors la seule personne sobre de l'assistance et qui remarqua que l'ivresse des autres ne faisait qu'empirer. Elle apportait un plateau de biscuits quand Mitch donna un coup de cuiller sur son verre et se leva. Le bébé était toujours dans ses bras.

— Maintenant je vais porter un toast, dit-il. Avec toute ma gratitude, à la femme que j'aime tendrement et passionnément ! A ma bien-aimée et à la maman de Rose !

Pendant quelques instants, on n'entendit plus que le chant des criquets.

— Eh bien ! s'exclama Hank. Maintenant, tu ferais bien de porter un toast à Lainie.

Cette plaisanterie d'un goût douteux glaça l'assistance qui resta sous le choc. Lainie, quant à elle, fut tellement abasourdie qu'elle éclata de rire. Tous les autres rirent alors avec elle. Leurs rires éveillèrent le bébé qui se mit à pleurer. Et Lainie, soulagée, saisit ce prétexte pour s'éloigner. Elle posa les gâteaux sur la table et se précipita dans la cuisine pour chercher un biberon de lait.

Elle resta plantée devant le réfrigérateur, le regard fixe, ayant oublié pourquoi elle était venue là. Quand la mémoire lui revint, elle sortit le biberon, le laissa tomber, prit un torchon et se pencha pour nettoyer le verre brisé et le lait qui s'était répandu sur le sol. Elle entendit l'enfant pleurer dans le jardin, emporta un autre biberon et le tendit à Mitch.

A ce moment-là, les autres avaient oublié cette mauvaise blague et échangeaient de nouveau des anecdotes familiales. La soirée se termina par des promesses, « La prochaine fois, ce sera chez nous », « Les enfants adorent te voir », et les sœurs et leurs maris disparurent enfin.

— Merci, chérie, dit Mitch en serrant Lainie dans ses bras.

La petite Rose était entre leurs deux corps.

Quand Rose eut un peu plus d'un an, Lainie reprit ses études, trois soirs par semaine. Mitch était alors ravi de rentrer plus tôt pour s'occuper de l'enfant et lui préparer son repas. Il confiait quelques-unes de ses responsabilités à ses vendeuses. Souvent il emmenait Rose se promener au parc de Sherman Oaks.

Lainie se plaisait à l'université. Elle travaillait tard le soir, après que Mitch et l'enfant étaient endormis, mais, certains jours, elle s'asseyait dehors, dans le patio, tandis que Rose jouait dans son parc ou dormait dans son landau. Ce jour-là, elle était particulièrement épuisée après avoir passé une longue nuit à arpenter le plancher avec un bébé surexcité. Elle avait beaucoup grossi et, quand elle apercevait son image dans la glace, elle se disait qu'elle ressemblait à Jackie. A mesure que l'année passait, elle se consacrait davantage à son travail. Pour elle, il était devenu beaucoup plus important de mener ses études à bien que de perdre son temps chez le coiffeur, dans les clubs de sport et dans tous ces endroits qu'elle aurait dû fréquenter pour être plus belle.

L'enfant dormait dans son landau par ce beau matin clair et ensoleillé. Lainie décida donc de glisser quelques ouvrages dans le bas de la grande poussette bleue et de s'installer dehors. Pendant que sa fille dormirait au grand air, elle lirait deux ou trois chapitres. A peine avait-elle franchi le seuil que, dans son jardin, elle aperçut Mme Lancer, une femme plus âgée qui habitait dans l'appartement d'à côté.

— Oh, c'est votre petit bébé ? demanda celle-ci en courant vers la palissade pour regarder dans le landau. Comme elle est mignonne ! Et vous, vous êtes formidable. Vous vous occupez si bien d'elle et, en plus, vous arrivez à suivre des études, n'est-ce pas ? Pardonnez-moi, je m'occupe de ce qui ne me regarde pas, je le sais, mais je vous ai vue plusieurs fois sortir avec tous vos livres. Alors j'ai pensé...

— Je suis à Northridge, dans la section d'anglais, déclara Lainie non sans une certaine satisfaction.

— Et pourtant, vous trouvez encore le temps d'être superbe !

Superbe. Cela faisait bien longtemps que Lainie ne s'était pas sentie superbe.

— Quand nous nous promenons, mon mari et moi, autour du terrain de jeux du parc de Sherman Oaks, il nous arrive de vous croiser avec votre mari et votre bébé. Vous êtes toujours ravissante, toujours très élégante. « Comment fait-elle ? » dis-je à mon époux. Je suppose qu'à votre âge vous pouvez tout vous permettre.

La femme poursuivait son monologue, mais Lainie ne l'écoutait plus. « Le parc de Sherman Oaks », pensait-elle. Elle n'y était pas allée depuis plus d'un an. Mitch s'y promenait souvent avec l'enfant. Lainie ne les y accompagnait jamais. La voisine avait dû les confondre avec un autre couple. Très élégante. « Superbe », avait-elle dit. Du moins Lainie était-elle persuadée qu'elle ne parlait pas d'*elle*. Elle était trop grosse, mal dans sa peau.

Au bout de quelque temps, la femme d'à côté lui dit au revoir. Lainie poussa le landau jusqu'au petit patio, prit ses livres et resta longtemps assise en plein air. Alors elle se rendit compte qu'elle n'avait pas lu une seule ligne. Elle fixait la page des yeux en songeant au parc de Sherman Oaks. Puisque l'enfant était encore endormie, peut-être pourrait-elle s'occuper tranquillement de la lessive. De toute façon, elle ne parvenait plus à se concentrer. Elle rangea ses livres sur le support placé au bas du landau, sous l'épais édredon rose, et rentra à l'intérieur de la maison.

— On rentre, murmura-t-elle à la petite fille endormie.

Puis elle gravit l'escalier quatre à quatre pour aller chercher, dans le panier d'osier de la salle de bains, le linge sale qu'elle redescendrait dans la buanderie. Elle aperçut le soleil resplendissant par la fenêtre ouverte de la salle de bains et sourit. « Mitch, mon Mitch », pensa-t-elle. « Après toutes les épreuves que nous avons traversées, notre petit monde est enfin bien ordonné. »

« Au lieu de suivre des cours n'importe comment, je vais essayer de passer des examens. Et si les affaires de Panache sont toujours aussi florissantes, nous pourrons bientôt engager une nurse. Alors je serai comme ces femmes qui ont tout dont on parle dans les magazines. Un mari, des enfants, une carrière... », songeait-elle tout en serrant la chemise de Mitch contre son cœur. Mais à présent qu'elle l'avait sous le nez, son euphorie s'évanouit brutalement. Elle fut secouée par une onde de choc. L'odeur qui imprégnait cette chemise ne lui était pas inconnue. La chemise de Mitch sentait Shalimar.

Dans le bureau de Barbara Singer, face à la jolie psychologue brune, elle avait du mal à croire à ce qu'elle était en train de raconter.

— Je crois que mon mari me trompe avec la mère de substitution.

Cela lui sembla tellement absurde qu'après avoir prononcé

ces paroles elle laissa échapper un petit rire, puis reprit sa respiration pour ne pas pleurer.

— Mon Dieu ! fit-elle avant de tout révéler à Barbara.

— Lainie, si vous affrontez Mitch, que redoutez-vous ? lui demanda celle-ci quand elle eut terminé son récit.

— Peut-être qu'il ne sort pas avec Jackie et qu'il se moquera de moi. Nous sommes propriétaires d'un magasin de prêt-à-porter féminin très élégant. Tous les jours, il y entre des femmes qui l'embrassent pour lui dire bonjour, et il est fort possible que l'une d'entre elles porte Shalimar.

— Et ce que vous a dit votre voisine ?

— Elle est un peu tête de linotte. Elle a pu voir n'importe qui au parc et les confondre avec Mitch et moi. Ce que je veux dire, c'est que je me sentirais très bête si je l'accusais à tort.

— Et que ressentiriez-vous si vous aviez raison ? demanda Barbara en la regardant droit dans les yeux.

Lainie détourna le regard.

— Je ne pourrais pas surmonter une telle souffrance.

— Lainie, dit Barbara, vous êtes une femme très forte. Vous vous êtes battue contre le cancer et vous avez gagné. Est-il possible que ce soit aussi grave que cela ?

— Pire, répondit Lainie. J'aime cet homme. Il est toute ma vie. Si j'ai accepté tout cela, c'est uniquement parce que j'avais peur que Mitch ait tellement envie de cet enfant que si je disais non...

Il lui fut trop pénible de terminer sa phrase.

— Il vous quitte ? acheva Barbara.

Lainie, qui pleurait, fut tout juste capable de hocher la tête.

— On attrape si facilement le sida. Je ne sais pas ce qu'est la vie de Jackie, à présent. Ni même ce qu'elle a *jamais* été en ce qui concerne les hommes. Mais si mon mari me trompe vraiment, il est peut-être en train de me tuer.

Barbara ne fit aucun commentaire.

— J'ai vu votre annonce pour le groupe dans *Parents à L.A.* Cela m'a enthousiasmée. J'ai eu l'impression que c'était exactement ce qu'il nous fallait. J'allais demander à Mitch de m'accompagner pour discuter de la manière dont nous parlerions à Rose de sa naissance quand elle serait plus grande. Mais là, je suis venue vous dire que j'ai besoin de votre aide pour quelque chose de plus urgent que cela. J'ai tellement peur !

— Amenez Mitch aux séances de notre groupe, lui conseilla Barbara. Peut-être le groupe vous donnera-t-il le courage de vous confronter à lui. De toute façon, vous ne pourrez plus vivre très longtemps avec cette peur.

— Je ne peux pas, pleura Lainie. Vous avez raison, je ne peux pas.

25

En pédiatrie, le service des soins intensifs est un endroit où l'on souhaite ne jamais mettre les pieds. Les patients dont on s'occupe viennent, en général, directement de la salle où ils sont nés et, quand ils le quittent enfin, c'est souvent parce qu'ils sont morts. Les parents qui veillent auprès des berceaux redoutent tous, dans le même silence, d'être les prochains à regagner leur foyer. Sans leur bébé.

Quand Rick, Annie, un David à présent inconscient et le Dr Solway qui arborait une mine sévère arrivèrent à l'hôpital, ils se rendirent immédiatement aux urgences pédiatriques. Il y avait quatre autres berceaux à côté de celui dans lequel on déposa l'enfant muet et apathique. Rick se détourna quand l'infirmière introduisit l'aiguille de la perfusion dans le bras du bébé et quand il se retourna, il vit qu'un médecin plaçait un masque minuscule sur son visage inexpressif. Ce masque, expliqua le Dr Solway à Rick et à Annie qui se frottait les bras comme si elle avait froid, mesurait le débit respiratoire de David pour déterminer si l'on devait le mettre sous respirateur artificiel. Ce fut nécessaire.

La perfusion permettait de lui administrer des médicaments pour qu'il tolère mieux l'opération suivante, qui portait le nom de tubage. Pour l'intuber, leur expliqua soigneusement le Dr Solway comme si elle s'adressait à une classe, les médecins allaient introduire dans la narine de David un tube qui descendrait jusqu'au bas des poumons. Ce tube serait relié à un appareil respiratoire qui respirerait à sa place. On demanda à Rick et à Annie de quitter la pièce pendant l'intubation.

Debout dans le couloir, Rick s'efforçait de ne pas imaginer

ce qui se passait de l'autre côté, observant la grosse femme noire qui encore se frottait toujours les bras. Elle tenait le petit gilet bleu dont elle avait vêtu David quelques heures auparavant. « A quoi pense-t-elle ? » se demanda-t-il. A la vérité ? Que Rick avait rendu son fils gravement malade parce qu'il était incapable de se passer d'une putain ? Qu'il l'avait peut-être tué ? Annie devait savoir exactement ce qui s'était produit.

Elle était arrivée tôt ce matin-là, le lendemain du soir où Rick avait enduit cette tétine de miel. Elle était revenue de bonne heure, comme promis. La voiture de la jeune secrétaire était sans doute garée dans l'allée, là où Annie se garait d'habitude. Annie avait donc patiemment cherché une place dans la rue, marché jusqu'à la porte d'entrée et remis de l'ordre dans la salle de séjour. Elle avait certainement remarqué le petit tas que formait sur le sol la robe noire de la fille.

Et dans la chambre du bébé vers laquelle elle s'était sans aucun doute dirigée ensuite... les vêtements de Rick. Partout. Elle avait dû les jeter dans le panier à linge sale et, l'enfant sur la hanche, elle était entrée dans la cuisine où elle avait fait la vaisselle de la veille et préparé le petit déjeuner de David. Peut-être était-elle en train de lui donner à manger quand la fille était sortie, nue, de la chambre de Rick où ils avaient tous deux passé ce qui restait de nuit et épuisé ce qui restait d'eux-mêmes. Rick était plongé dans un sommeil inconscient. La fille avait peut-être salué Annie. Peut-être s'était-elle extasiée devant l'enfant avec force démonstration avant d'enfiler sa robe, de ramasser ses chaussures et de s'en aller.

Vingt minutes de silence avaient passé quand le médecin rappela Rick et Annie. David dormait à présent. Le Dr Solway se tenait près du berceau. Annie poussa un profond gémissement en voyant ce que l'on avait fait à l'enfant. Rick prit appui sur le dossier d'une chaise.

— La sonde d'intubation trachéale est reliée à l'appareil respiratoire que vous entendez et qui respire à sa place. Là, vous avez le monitoring cardiaque et là, la perfusion. Nous l'aiderons à respirer mécaniquement et nous le nourrirons ainsi pendant quelques jours. Ensuite, il commencera à reprendre le dessus. Nous l'espérons du moins. En tout cas, assez pour que l'on puisse le nourrir avec une sonde gastrique.

Rick aperçut une femme qui se tenait auprès du berceau le

plus éloigné de leur petit groupe. Elle pleurait doucement en contemplant ce qui avait été son enfant, un enfant très malade.

— Quel traitement lui donnerez-vous ? demanda Rick au médecin.

— Aucun. Chez l'adulte, on peut utiliser un anti-infectieux, mais chez le petit enfant, le seul traitement consiste à l'aider en attendant qu'il se remette tout seul. Je suis désolée, mais il n'y a, pour l'instant, rien d'autre à faire. Si vous le souhaitez, je peux vous faire préparer une chambre au bout du couloir, pour que vous puissiez rester avec lui. Vous pouvez aussi rentrer chez vous et venir le voir. Je suggère que l'un de vous deux reste ici. Parce que même si David est trop faible pour soulever les paupières, il sera souvent éveillé, donc capable de sentir et de penser. A ce moment-là, le son de la voix et le contact d'une personne avec laquelle il a établi un lien seront d'une grande importance pour son bien-être.

Un lien. Un terme du jargon parental. Le nouveau père était un homme total qui consacrait du temps à son enfant, s'efforçait de créer cette espèce de lien que, jadis, les bébés n'avaient qu'avec leur mère. Ce bébé n'avait ni mère ni père qui passent leur temps à s'occuper de lui. Annie. Pour David, la voix la plus familière était la sienne, la caresse la plus recherchée et la plus apaisante, la sienne, pensa Rick. Il se surprit à envier la grosse femme noire qui ne parvenait plus à détacher les yeux de l'enfant inconscient dans son berceau. David semblait mort.

— Pauvre bébé, fit doucement Annie. Pauvre petit bébé.

— Vous pouvez le toucher, dit le Dr Solway.

Les lèvres de la jeune doctoresse ne tremblaient pas et aucune émotion ne perçait dans son regard. Rick se demanda combien de temps elle avait passé dans cette pièce et combien d'enfants elle avait vus dans un tel état.

Annie posa sa grande main noire sur le petit bras rose, celui où il n'y avait pas de perfusion.

— Nous sommes là, mon chéri. Ton papa et moi, nous serons là tout le temps.

Elle regarda Rick.

— Je peux rester à côté de lui toute la journée, si vous voulez faire la nuit. Ou l'inverse. Comme vous le désirez, monsieur Reisman.

— Annie, dit-il, vous prendrez la relève. Qu'en pensez-vous ?

— Que voulez-vous dire ?

— Cela signifie que vous pouvez entrer et sortir, lui parler, le toucher autant que vous voulez. Et si, le Ciel m'entende, est vivant quand on débranchera cet appareil, vous pourrez même le prendre dans vos bras. Mais à part quelques heures de sommeil, je resterai jour et nuit dans cette pièce.

Annie lui tapota doucement le bras.

— Je vais voir dans le bureau des infirmières si je peux vous faire préparer une chambre, dit le Dr Solway à Rick.

Et elle laissa Annie et Rick anxieux devant ce qui ne ressemblait plus qu'à l'enveloppe du petit David, écouter le bruit répétitif de l'appareil respiratoire qui lui apportait le souffle de vie.

Quand le Dr Weil rentra de vacances, il appela un spécialiste de la région de San Francisco pour confirmer le diagnostic du Dr Solway. Le spécialiste parvint à prélever des selles que l'on expédia dans un laboratoire de Californie du Nord. Pendant les visites des divers médecins qui se succédèrent au chevet de l'enfant, Rick s'éloignait pour leur permettre de s'approcher de son fils.

Annie venait deux fois par jour et, quand elle était là, Rick se rendait dans une pièce voisine où il prenait le repas qu'elle lui avait apporté. Annie restait assise auprès de l'enfant, le caressait et lui parlait. Mais à part ces brèves pauses et les trois heures par nuit où il dormait dans une chambre d'hôpital spartiate, il ne quitta jamais le berceau où gisait son fils, immobile.

De temps à autre, il faisait une petite sieste dans un fauteuil jusqu'à ce qu'un cri perçant le réveillât. Il aurait aimé que ce fût celui de David. Mais, triste réalité, c'était le cri d'un bébé à l'autre bout de la salle. Il entendait des bribes de conversations des autres parents. Ici, un diagnostic de cancer. Là, l'espoir qui renaissait devant les progrès d'un petit malade.

Il observa un couple très californien, toujours en survêtement, dont le bébé n'était pas relié à un appareil respiratoire. Le père et la mère le prenaient tour à tour dans leurs bras. Il se demanda qui était cette femme, qui, toujours en robe de chambre, avait l'air malade. De toute évidence, elle venait d'une aile de l'hôpital où elle était elle-même soignée. Il y avait aussi ce couple oriental qui se tenait la main. Ils se penchaient vers un enfant qui pleurait souvent, un cri rauque, inconsolable.

Un jour, une idée traversa son esprit engourdi. Il devrait appeler Patty Fall et lui dire ce qui se passait, mais il ne pouvait se résoudre à décrocher son téléphone pour parler à quiconque. Il se souvenait, souvenir vague et lointain, qu'elle devait passer un mois ou deux en Europe avec les enfants. Jour après jour, il lisait à haute voix les livres qu'il avait si souvent lus à David, dans le rocking-chair. *Le Chat dans le chapeau*, *Babar*, *Georges le curieux*. Des histoires idiotes, drôles, merveilleuses, pour que, quand son fils pourrait l'entendre, le son de sa voix soit là, présent.

— Les poupées et les jouets étaient au bord des larmes. « Voilà une autre locomotive ! » s'exclama le petit clown. « Une petite machine bleue, toute petite. Peut-être nous aidera-t-elle ? » La petite locomotive s'avança dans un joyeux tchou-tchou. Quand elle aperçut le drapeau du petit clown, elle s'arrêta net. « Que se passe-t-il, mes amis ? » demanda-t-elle gentiment. La petite locomotive bleue écouta les plaintes des poupées et des jouets. « Je suis toute petite », dit-elle. « Mais je crois que je peux, je crois que je peux vous aider. » Et elle vint s'accrocher au petit train. Elle tira, tira, tira pour le remorquer et, lentement, le convoi démarra. « Tchou-tchou-tchou », fit la petite locomotive bleue. « Je crois que je peux, je crois que je peux. »

Rick se frotta les yeux avec le pouce et l'index, des yeux fatigués derrière ses lunettes et, quand il les releva, il aperçut son oncle Bobo dans l'embrasure de la porte.

— Deux semaines d'affilée que tu plaques un pauvre type sans même lui dire pourquoi. Que diable se passe-t-il ?

C'était vrai. Cela faisait deux semaines que Rick n'avait pas quitté cette salle. Il n'avait pensé à rien ni à personne d'autre qu'à son enfant. Bobo s'appuyait sur une canne et regardait Rick en fronçant les sourcils.

— Oncle Bobo, comment es-tu venu ici ?

— J'ai appelé vingt fois chez toi. J'ai enfin eu la nounou qui m'a dit où tu étais. Alors j'ai demandé à un gosse de me conduire jusqu'ici. Un des volontaires de la maison de retraite. Il m'attend en bas.

— Je suis désolé, dit Rick. J'aurais dû te prévenir.

— Qu'est-ce que tu as là ? demanda Bobo.

— Un livre de contes. Le médecin m'a dit qu'il nous entendait. Alors je lui parle, je lui fais la lecture.

— Et moi, je suis quoi ? Une tranche de foie ? Je ne peux pas lui parler, *moi* ?

Lentement, à l'aide sa canne, Bobo s'avança vers le berceau où le bébé reposait, silencieux.

— Davidel, murmura le vieil homme. C'est ton oncle préféré.

Bobo, qui était un peu dur d'oreille, parlait toujours trop fort. Rick craignit que cette intrusion ne perturbe les autres familles.

— Je vais te raconter une histoire sur ton papa, du temps où il était petit. Pas aussi petit que toi. Il avait peut-être deux ou trois ans.

Le couple oriental les regardait.

— Mon Dieu, il a une mine épouvantable ! dit Bobo en aparté, de sa voix de stentor, en se tournant vers Rick.

Puis il fit de nouveau face à l'enfant.

— Ton papa a toujours été très malin. Son papa et sa maman, Dieu ait leur âme, étaient *fous* de lui.

— Oncle Bobo... l'interrompit Rick, mais l'oncle Bobo leva sa canne et le menaça pour le faire taire.

— Bon, ton grand-père Jake, mon frère, était juif, mais Janie, ta grand-mère, était une goy. A la maison, on célébrait toutes les fêtes. Pâques et la Pâque, Noël et Hanoukka [1].

Rick remarqua que la femme en robe de chambre l'écoutait, que l'infirmière de jour, une rousse au visage rond, était entrée, un dossier à la main, et s'était arrêtée dans l'embrasure de la porte du bureau des infirmières.

— Tu te souviens certainement qu'après la poule-au-pot, ma grande spécialité, ce sont les galettes de pommes de terre, n'est-ce pas ? Dès que tu sortiras d'ici, je jure mes grands dieux que je t'en ferai. Donc, à chaque Hanoukka, la tradition

---

1. Fête religieuse juive, couramment appelée fête des Lumières, qui célèbre dans la joie, fin décembre, la purification du Temple par Judas Maccabée.

voulait que je me rende chez ton grand-père et ta grand-mère et que j'en prépare pour toute la famille.

A présent, Rick était bien calé au fond de son fauteuil. Il était inutile d'essayer d'empêcher l'oncle Bobo de raconter son histoire et même le couple californien s'était tourné vers lui pour écouter ce qu'il narrait à l'enfant inerte. La femme portait son bébé dans ses bras.

— Cette année-là, Noël et Hanoukka étaient à des dates rapprochées. Le sapin trônait et la menora était allumée. Ta grand-mère, une femme superbe, demanda à ton papa : « Rick, mon chéri, devine qui vient demain pour préparer les galettes de pommes de terre ? » Et ton papa a levé vers elle de grands yeux écarquillés : « Le père Noël ? » a-t-il dit d'un air interrogateur.

Tous les adultes qui se trouvaient dans la salle rirent. Surtout Rick. Dirigeant son regard vers le bureau des infirmières, il en aperçut trois qui avaient écouté son histoire. Elles riaient toutes de bon cœur. Pendant un instant, un instant de répit dont ils avaient tous bien besoin, la tension qui régnait en ce lieu s'estompa.

Bobo. Comme il avait bien fait de venir ! Rick se leva pour le serrer dans ses bras et, quand ils se retournèrent pour regarder David, pour la première fois depuis des semaines, le bébé leva le bras vers sa poitrine.

— Il a bougé, dit Rick.

— Qu'est-ce que tu crois ? fit son vieil oncle. Je me taille *toujours* un beau succès.

— Il a bougé, répéta Rick devant l'infirmière.

— Alors, dit Bobo à Rick, appelle-moi demain pour me donner de ses nouvelles.

— C'est promis, répondit Rick qui le serra à nouveau dans ses bras.

Bobo salua ses fans d'un mouvement de canne et s'en alla retrouver son chauffeur qui le reconduisit à la maison de retraite.

A partir de ce jour, David progressa de manière tangible. Au bout de quelques jours, il put remuer seul les bras et les jambes. Faiblement, mais Rick s'accrochait à la moindre lueur d'espoir. Rick avait perdu quinze kilos pendant ces interminables journées où il ne songeait guère à manger et ne s'alimentait que pour tenir quelques heures de plus au chevet de son fils, être présent pour entendre les statistiques concernant l'oxygénation du sang, de la peau, lire les chiffres du moniteur cardiaque et repérer la veine la plus apte à supporter une nouvelle perfusion.

Le jour où l'infirmière put enfin débrancher l'enfant, un bref instant, de l'appareil respiratoire, Rick le prit dans ses bras, le berça en chantant et le supplia de recouvrer la santé. Annie le câlina à son tour et lui dit à quel point il lui manquait à la maison. Quand il fut de nouveau relié à l'appareil, Annie s'assit sur la chaise. Sur le chemin de la cafétéria où il avait l'intention de dîner, Rick se rendit compte que c'était la première fois depuis plus d'un mois qu'il quittait l'étage où l'on soignait David.

L'enfant faisait des progrès d'une lenteur angoissante, mais il reprenait peu à peu vie. Pendant quelques jours, les médecins le testèrent en provoquant des « ruptures », courtes périodes où l'on éloignait l'appareil et où le bébé respirait sans aide. Un matin, on demanda à Rick et à Annie de quitter la pièce pour retirer le tube et laisser l'enfant respirer seul de manière permanente.

Pendant les jours qui suivirent, Rick le tint tout contre lui. Le réflexe de succion réapparut et il put enfin boire le biberon que Rick lui donna avec infiniment de tendresse. Chaque bulle à la surface du lait faisait naître en lui un sentiment de triomphe. Enfin, David était capable de se nourrir normalement.

— Nous rentrerons à la maison dans quelques jours, je crois, annonça-t-il au petit visage. Et je suis vraiment content. Content parce que cela signifie que tu n'es plus malade, et si cela me rend si heureux... c'est que je t'aime, petit bonhomme. Je t'aime énormément.

Les yeux de l'enfant clignèrent et une esquisse de sourire illumina ses traits, autour du biberon. Le père souriait aussi, tandis que le Dr Weil et le Dr Solway entraient dans la salle pour lui annoncer que, le lendemain matin, David pourrait rentrer à la maison.

— J'aimerais vous suggérer une chose, dit le Dr Solway à Rick d'un ton grave.

Il était en train de rassembler les vêtements et les produits de toilette qu'il avait gardés dans sa chambre d'hôpital.

Elle avait frappé à la porte et était entrée pour lui dire au revoir. Il la remercia de nouveau d'avoir su poser un diagnostic aussi rapidement et d'avoir ainsi sauvé la vie de David. Pour toute réponse, elle hocha légèrement la tête et fit un geste de la main pour lui signifier qu'il n'avait pas à la remercier.

— Toutes vos suggestions seront les bienvenues, répondit Rick.

— J'ai entendu parler d'un groupe qui démarre, poursuivit-elle. Un groupe de soutien pour les familles qui ont eu des enfants d'une façon un peu spéciale. A mon sens, on peut considérer que David et vous appartenez à cette catégorie.

Rick sourit.

— C'est un euphémisme.

— Il est organisé par une remarquable psychologue pour enfants que je connais et je pense que cela vous ferait du bien à tous les deux. Je pourrais lui donner un coup de fil et lui demander de vous y inscrire.

— Docteur, dit Rick, cela fait presque deux mois que je ne suis pas allé au bureau. Ma carrière est en dents de scie et les bas sont plus fréquents que les hauts. Je me suis tellement rongé d'inquiétude, de culpabilité, d'angoisse, ne pensant à rien ni à personne d'autre qu'à ce bébé, que, tout à l'heure, alors que je réglais la facture exorbitante que m'a présentée cet hôpital, je me suis rendu compte que, même debout, je me balançais. A force de le bercer, j'en ai pris l'habitude et je continue même quand il n'est plus avec moi. Et vous êtes en train de me dire qu'il faut que je consacre encore moins de temps à mon travail pour faire partie d'un groupe de gens qui ont eu des enfants de manière bizarre et bavasser en évoquant nos problèmes ?

— Oui, répondit laconiquement la pédiatre.

— Bon, j'irai donc sur mon trente et un.

26

On invita tous les parents du nouveau groupe à s'asseoir à l'extérieur pour regarder leurs enfants plonger les mains dans le sable, foncer sur des jouets à roulettes en poussant de toutes leurs forces et barboter dans l'eau du bassin. On avait en effet organisé ces diverses activités dans le jardin adjacent à la grande salle de jeux où les adultes devaient se réunir. Dana, une interne qui travaillait avec Barbara, faisait office d'assistante maternelle.

— On dirait que votre fils a une vocation de garde du corps, dit Shelly à un homme qui ne lui sembla pas inconnu.

Il l'avait déjà vu quelque part. Dans un cadre professionnel, il en était certain. « Merde ! » songea-t-il. « Pourquoi suis-je venu ici ? Je ne vais quand même pas participer à une espèce de thérapie de groupe, le genre "vraies confessions", et raconter mes problèmes à tout le monde. » Il n'avait nullement l'intention d'avouer sa séropositivité à cette bande d'étrangers qui, aussitôt, reculeraient d'un pas. Il en informerait ceux qui en auraient besoin mais, pour l'instant, c'était tout ce qu'il était disposé à accepter.

— Je m'appelle Rick Reisman, dit l'homme en tendant la main à Shelly.

Mon Dieu, c'était donc lui ! Rick Reisman, bien sûr. Shelly l'avait croisé un peu plus tôt sur le parking qui se trouvait en face de l'immeuble. Il se débattait avec sa poussette pliante, un combat que Shelly ne connaissait que trop bien. Mais alors il n'avait pas compris pourquoi cet homme lui semblait si familier. Ils s'étaient rencontrés, il s'en souvenait à présent, à un gala de bienfaisance donné dans la maison de Barbra Streisand, à Malibu.

— Shelly Milton, dit-il. Nous nous connaissons.

— Bien entendu, Shelly, fit Rick dont le regard témoigna qu'il l'avait aussi reconnu. Nous nous sommes vus à cette réception. Vous étiez là avec votre associée...

— C'est moi ! s'exclama Ruth qui s'approcha d'eux. Ruth Zimmerman, ajouta-t-elle en tendant la main à Rick.

— Alors vous avez adopté un enfant ? demanda Rick en regardant tour à tour Ruth et Shelly.

— Non, répondit ce dernier. Biologiquement parlant, c'est notre enfant.

Rick s'efforça de ne pas réagir. Ruth Zimmerman et Sheldon Milton étaient des auteurs de comédie très connus. Mais Shelly Milton était homosexuel. Rick se souvenait que Davis Bergman, un homme marié, associé d'un gros cabinet d'avocats du spectacle, s'était lui-même révélé homosexuel lors d'une liaison avec lui. Toute la ville en avait parlé.

— Insémination artificielle, poursuivit Shelly qui savait fort bien ce que pensait Rick et qui brûlait d'envie de saisir Ruth par la manche pour la traîner hors de cet endroit.

La séance n'avait pas encore commencé et déjà il était sur la défensive. Non, cela ne pouvait pas marcher.

— *Nous* aussi, nous avons fait ça, dit une jolie blonde.

Elle portait un ensemble pantalon crème, élégant, et, agenouillée sur le sol, elle changeait la couche de sa petite fille qu'elle avait couchée sur un matelas en plastique. « Comment peut-on avoir la taille aussi fine après avoir accouché ? » se demanda Ruth perplexe.

— Mais nous avons eu recours à une mère de substitution.

« Ha ! Ha ! », se dit Ruth. « J'en étais sûre. »

Le mari de la femme blonde, un bel homme brun, contemplait les dessins d'enfants punaisés sur les murs de la salle de jeux.

— Voilà un domaine où j'aimerais bien en apprendre un peu plus, déclara Ruth, parce que, si jamais j'avais un autre enfant, j'aimerais mieux qu'une autre accouche à ma place et me raconte tout ensuite. En fait, je préférerais même que l'on ne me raconte rien du tout.

La jeune femme blonde ne sourit pas. Elle semblait plutôt tendue. Elle ramassa la couche sale et les serviettes souillées, les rangea d'un geste efficace dans un sac à fermeture hermétique qu'elle jeta dans une corbeille qui se trouvait à proximité. Puis elle emmena sa fille et la laissa au milieu des autres petits.

David déversait des pelles de sable dans un seau jaune, tandis que Bob poussait d'une main un petit camion tout en gardant à la bouche un biberon orné d'un Mickey qu'il tenait de l'autre. Barbara Singer sortit et vint s'asseoir au bord du bac à sable pour observer les enfants et les inciter à poursuivre leurs jeux. Quand elle vit Lainie y déposer Rose, elle remarqua que Mitch était sorti lui aussi et jetait sur sa fille un regard attendri.

— Ma fille adore la fête, dit-il.

Lainie avait un poids sur la poitrine. « Oui », pensa-t-elle, « tout comme sa mère. Jackie. »

— Cette petite Rose est votre portrait tout craché, dit Ruth à Lainie qui s'efforça de sourire. Elle ne ressemble pas le moins du monde à son père. Comment était la mère de substitution ?

Lainie attendit que Mitch lui réponde.

— Belle, dit-il, comme ma femme.

Lainie fit un gros effort pour garder le sourire.

— Nous sommes Mitch et Lainie De Nardo.

— Bonjour tout le monde ! cria une voix forte qui venait de l'intérieur du bâtiment. Désolée d'être en retard !

C'était Judith Shea. Ses beaux cheveux roux flottaient sur ses épaules. Elle avait sur le dos, dans un porte-bébé, une petite fille au visage rond et éveillé, et dans les bras une autre fillette, dont les jambes potelées lui entouraient la taille.

— Dites bonjour, les filles ! leur demanda Judith.

« Sa chaleur explosive contraste heureusement avec l'expression nerveuse des autres », se dit Barbara.

— Deux autres petits trésors pour votre groupe, dit Judith en posant Jillian, ce qui lui libéra les mains. Judith Shea... Inséminée, annonça-t-elle en riant, puis elle fit le tour des autres participants pour se présenter.

Rick leva les yeux vers elle. Très sexy, la taille un peu épaisse, mais elle venait d'avoir des enfants. La jolie Jillian se joignit au groupe du bac à sable. Maintenant que tout le monde était là, Barbara s'avança pour dire quelques mots aux enfants.

— Pendant que vous jouez avec Dana, je vais rentrer avec vos mamans, vos papas et la petite sœur de Jillian. Nous allons prendre un café et apprendre à nous connaître mieux. Alors si vous vous sentez un peu seuls, que vous avez envie de venir dire bonjour, vous n'avez qu'à pousser cette porte. Nous serons là jusqu'à ce que vienne le moment de grignoter un petit en-cas.

Aucun d'entre eux ne daigna même la regarder mais, à l'expression qui se peignit sur leurs visages, elle comprit qu'ils l'avaient entendue. Les parents rentrèrent et prirent place sur les chaises d'enfants qu'elle avait disposées en rond près d'une petite table où se trouvait un percolateur électrique qui exhalait un riche arôme de café fraîchement torréfié.

— Tout d'abord, j'aimerais vous demander des sièges plus grands, dit Rick. De toute évidence, ces chaises sont conçues pour des nains.

L'assistance éclata de rire.

— J'essaierai d'en trouver de plus grandes pour la prochaine fois, répondit Barbara qui jeta un regard circulaire sur le groupe.

Quatre familles, cinq enfants. « Pas mal pour un début », pensa-t-elle. « Suffisamment de gens pour que la discussion soit enrichissante et suffisamment peu pour qu'elle soit intime. »

— Je vous souhaite à tous la bienvenue. Ce groupe est tout à fait unique, spécifiquement conçu pour des familles dont les enfants sont nés dans des circonstances particulières. Je crois en la nécessité d'un tel groupe, parce que la technologie moderne nous propose des moyens extraordinaires de mettre des enfants au monde et que notre société les a adoptés. Nul n'est mieux placé que vous pour le savoir. Mais ces enfants sont si particuliers qu'apparaissent pour eux et pour leurs parents des besoins et des problèmes sans précédent.

» Ces besoins engendrent des situations auxquelles nous n'avions jamais été confrontés et exigent des réponses qui, si nous les trouvons au sein de notre groupe, non seulement aideront ces enfants-là au cours de leur vie mais nous permettront aussi de tracer la voie pour d'autres familles.

De temps à autre, sa voix avait les accents de celle de Gracie. Pendant un bref instant, elle éprouva le sentiment étrange que, quelque part dans la pièce, en dehors de son champ de vision, Gracie était là, une cigarette aux lèvres. « Bien dit, ma fille », l'approuvait-elle.

— Chacun de vous a pris le risque d'avoir un bébé d'une manière peu orthodoxe. A présent, ces enfants grandissent, se développent et bientôt ils poseront des questions sur leur origine. Nous sommes ici pour traiter de vos responsabilités à leur égard et pour voir ce que vous êtes prêts à leur révéler sur eux-mêmes. Comment leur présenter les choses et comment aborder leurs particularités aux différents stades de l'existence. Nous allons également travailler sur les circonstances de ces naissances et sur la façon dont cela continue de vous affecter, vous et votre conjoint, mais aussi tous les gens qui vous importent, les autres membres de la famille élargie, parents, frères et sœurs, etc.

» Quand Bob, Rose Margaret, David, Jillian et même la petite Jody demanderont : « D'où est-ce que je viens ? », nous aurons préparé des réponses qui nous auront été inspirées par l'amour. Des réponses que nous trouverons ensemble. Littéralement, car je ne sais pas encore moi-même ce qu'elles seront. Mais je crois qu'il est important de traiter ces enfants et leurs questions de manière à les aider à grandir en se sentant aimés, aimants et sûrs d'eux-mêmes.

— Comment peut-on répondre à la question : « D'où est-ce que je viens ? » autrement que par la vérité ? demanda Rick.

Le bébé de Judith pleurnichait. Celle-ci la sortit du porte-bébé et la berça contre son épaule.

— J'imagine, intervint-elle, que cela dépend du plus ou moins grand malaise qu'engendre cette vérité. Je n'ai pas particulièrement envie d'annoncer à mes filles : « Votre père était un numéro sur un échantillon de sperme. » J'aimerais dire les choses plus joliment.

— Dire la vérité à de jeunes enfants, fit Barbara, cela ne signifie pas qu'il faille tout leur révéler tout de suite. Il y a des moyens plus adéquats que d'autres de les renseigner. Et puis on peut leur dévoiler les choses par étapes. Mieux vaut leur donner les grandes lignes en toute honnêteté que des détails qu'ils ne seraient peut-être pas capables de digérer. Judith, à mon avis, c'est une excellente idée de dire à vos filles que c'est un être bien vivant qui a donné ce sperme. Parce qu'une fois qu'elles auront compris qu'elles sont issues de lui, elles y penseront comme à quelqu'un de très particulier.

Ces propos amenèrent Lainie à songer à Jackie. A Mitch et à Jackie. Elle tressaillit sous l'effet de la surprise quand Mitch lui prit doucement la main et la garda dans la sienne. « Pourquoi me tient-il la main ? Essaie-t-il de leur faire croire que nous sommes heureux ? Essaie-t-il de me le faire croire ? »

— Pour avoir un enfant, j'ai eu recours à l'adoption ouverte, déclara Rick. La mère naturelle de David a vécu chez moi, les derniers mois de la grossesse.

— Voit-elle encore le bébé ? demanda Lainie.

— Elle ne l'a pas revu depuis la sortie de l'hôpital.

— Où est-elle ? s'enquit Shelly.

— Au Kansas.

— Suffisamment loin, intervint Judith.

— Cela ne me poserait aucun problème qu'elle veuille voir David. Je la considère comme sa mère. Il a sa pugnacité, son teint rose et son sang coule dans ses veines. Et puis, c'est une fille intelligente, sensationnelle. Quand il sera en âge de comprendre, je veux qu'il sache qui est sa mère.

— Vous réagissez comme ça parce que vous êtes célibataire, dit Ruth. Si vous aviez une femme qui souhaitait lui servir de mère, je parie que les choses seraient différentes.

— Peut-être, fit Rick.

— C'est ce genre de question complexe que nous analyserons au sein de ce groupe, intervint Barbara. Je suppose que les relations avec les parents naturels posent des problèmes délicats. Notamment, Rick, si un jour vous décidez de vous marier.

— Aucune chance, répliqua Rick.

— Êtes-vous homo ? lui demanda Judith.

— Pas que je sache, répondit Rick. Vous voulez que nous nous éclipsions dans la pièce voisine pour vérifier ?

— Vous n'aimez pas les homosexuels ? demanda Ruth à Judith.

— Ce n'est pas ça ! s'exclama Judith. Je me demandais juste pourquoi un célibataire séduisant refusait catégoriquement de se marier.

Ruth changea de sujet.

— Et vous deux, entretenez-vous une relation suivie avec la mère de substitution ? fit-elle en se tournant vers Lainie et Mitch.

Le cœur de Lainie battait à tout rompre. Du coin de l'œil, elle vit Barbara se raidir.

— Non, dit Mitch pour répondre à la question de Judith. Nous n'avons aucune communication avec elle. Aucune.

Le regard de Barbara croisa celui de Lainie l'espace d'une seconde, puis Barbara se tourna vers Rick.

— Comment parvenez-vous à concilier le fait d'avoir un bébé et vos liaisons amoureuses ?

— Je demande à mes petites amies d'arriver à minuit et de repartir à six heures du matin, rétorqua-t-il d'un ton badin. Comme ça, David ne sait pas qu'elles sont là.

— Vous m'avez déplu dès que j'ai posé les yeux sur vous, dit Judith à Rick, sur le ton de la plaisanterie.

— C'est évident, répliqua ce dernier sur le même ton. Néanmoins, je n'ai pas oublié qu'il y a une minute vous me trouviez séduisant.

Judith rit.

— Écoutez, tout ça n'est pas sérieux. Je ne sais pas exactement comment faire. J'ai renoncé provisoirement aux rendez-vous de ce genre et peut-être qu'un jour je trouverai la femme de ma vie. Bien que ce soit de plus en plus improbable. En général, je tombe sur des femmes auxquelles je ne confierais pas mon enfant.

— Ça en dit long sur vos goûts, dit Judith.

— Vous allez finir par me causer des ennuis, répliqua Rick avec un grand sourire.

Les autres éclatèrent de rire.

— Connaissez-vous aussi le père naturel du bébé ? demanda Mitch à Rick.

— Non, je n'ai pas la moindre idée de son identité. La jeune fille qui est la mère de David n'a pas voulu me le dire. Peut-être ne le sait-elle pas elle-même. A mon avis, on peut supposer qu'il s'agit d'un étudiant qui l'a plaquée.

— Et vous deux ? demanda Barbara en fixant Shelly du regard.

Il ne présentait aucun signe apparent qui eût pu laisser croire qu'il n'était pas en parfaite santé. Il avait posé le bras sur le dossier de la petite chaise de Ruth.

— Avez-vous songé à ce que vous alliez dire à Bob quand viendra le moment où il commencera à vous poser des questions ?

— Je lui dirai de s'occuper de ce qui le regarde, plaisanta Shelly, qui déclencha l'hilarité de l'assistance.

— C'est très spirituel, fit Barbara, mais cela ne répond pas à ma question. Je sais que vous êtes scénariste et que la comédie est votre spécialité, mais je sais aussi que vous avez eu ce bébé pour des raisons profondes. Et je me demande vraiment comment vous allez lui en parler.

— Eh bien, fit Ruth en regardant Shelly, nous pouvons parfaitement lui dire que nous nous aimons beaucoup et que c'est pour cela que nous l'avons fait. Nous sommes d'excellents amis, expliqua-t-elle aux autres. Shelly est homosexuel et Bob est un « bébé poire ».

— Et s'il vous demande *comment* vous l'avez fait ? insista Judith.

— Ce serait plus facile à décrire que l'acte sexuel, répondit Ruth.

Ce qui provoqua de nouveaux rires.

— Nous n'en savons rien, dit Shelly, et j'imagine que c'est pour cela que nous sommes ici.

— Bob est extraordinairement intelligent, intervint Ruth, qui se tenait bien droite sur sa chaise et songeait aux joies que lui avait données son fils. Un sens de l'humour étonnant. Il s'exprime déjà comme un enfant beaucoup plus âgé. C'est du moins ce que je pense, puisque les gens s'étonnent de ses réflexions.

— Comme l'autre jour, enchaîna Shelly.

— Ce n'est pas ce que j'ai voulu dire, dit Ruth dont les traits trahirent la colère soudaine.

— Je sais, mais c'est important. C'est l'une des raisons pour lesquelles nous sommes venus ici.

Ruth expliqua l'incident auquel Shelly avait fait allusion de telle manière que Barbara comprit qu'elle contenait sa fureur.

— Bob avait été invité chez un camarade, un petit garçon du voisinage. Quand il rentré à la maison, son langage s'était enrichi d'un nouveau mot : « pédé ».

Ruth et Shelly se serraient fort la main.

— Nous nous sommes rendu compte que, pour nous, allaient commencer les explications et nous souhaitons le faire le mieux possible.

— Nous ne voulons pas qu'il croie que nous faisons chambre à part parce que je ronfle, intervint Shelly. Je tiens à ce qu'il sache que je suis homosexuel et que tout est bien ainsi, quoi qu'en disent les autres, ceux qui ne font partie ni de notre famille ni de notre foyer. Que je n'en suis pas moins son père et que nous ne nous en aimons pas moins pour autant.

— Il saura que vous vous aimez et que vous l'aimez, dit Barbara, parce qu'il le sentira. Je vous aiderai à trouver les mots pour l'exprimer et le lui faire comprendre verbalement.

Barbara Singer se réjouit de voir Ruth et Shelly échanger un regard soulagé et pria le Ciel d'être en mesure de tenir cet engagement.

— Vous voyez, fit Shelly d'un air rêveur, je pense que, si on ne le met pas vite au courant, il n'aura jamais la moindre idée de qui j'étais.

— Étais ? Vous prévoyez donc qu'il n'aura pas le temps d'apprendre à vous connaître ? intervint Judith.

Barbara entendit Shelly respirer profondément, tandis que Ruth regardait par la fenêtre en direction de Bob.

— Aucun de nous ne sait combien de temps il nous reste à vivre, dit doucement Barbara. Bref, il semble que les critères habituels du comportement ne nous sont plus d'aucune utilité lorsque nous sommes confrontés à des situations complètement nouvelles.

Après un moment de silence, la discussion reprit et l'on évoqua les problèmes quotidiens que rencontrent tous les parents — l'usage de la tétine, les caprices. Elle fut brusquement interrompue par un « Maman ! » retentissant qui provenait du terrain de jeux. Ruth, Lainie et Judith se levèrent d'un bond et se précipitèrent vers la porte. C'était Bob qui avait crié. Il s'était renversé du sable sur la tête. Ruth le prit dans ses bras et le frotta tendrement.

— Ils commencent tous à avoir faim, déclara Dana.

— Qu'ils viennent. On va les changer et leur donner à manger, dit Barbara.

Lainie, Rick et Judith se dirigèrent vers le bac à sable pour nettoyer leurs enfants. Barbara observa leur comportement et ne put réprimer une certaine anxiété.

« Mon Dieu », pensa-t-elle. « J'espère que je n'ai pas vu trop grand. Ce sont des situations difficiles, complexes, que vivent des gens intelligents, et ils ne se préoccupent pas seulement de l'avenir. La vie de tous les jours leur pose aussi des problèmes. Rick Reisman a peut-être réussi à établir un lien avec son petit garçon lors de sa maladie, mais il est encore incapable d'avoir une vraie relation avec une femme. Quant à

Shelly Milton, chaque jour, il est confronté au sida. En ce moment, il a l'air en forme. Il court autour de la pièce avec son fils sur les épaules, mais le spectre du virus pointe toujours à l'horizon de leur vie familiale. Et les De Nardo ? Mitch a-t-il vraiment une liaison avec la mère porteuse ? Il faudra que ce secret-là aussi éclate bientôt. »

Barbara observa Mitch qui se tenait à côté de sa femme, la main posée sur son dos, tandis qu'elle nouait les lacets des chaussures de la petite Rose qui était assise sur ses genoux. Si les soupçons de Lainie n'étaient pas sans fondement, tout le monde en souffrirait, non seulement Mitch et sa femme, mais aussi et surtout leur enfant.

— Je ne veux pas me montrer trop didactique quant au fonctionnement de ce groupe, déclara Barbara tout en versant du jus de pomme dans des gobelets en carton ornés d'un dinosaure. Par expérience, je sais qu'une séance trouve généralement son rythme. Les gens parlent de ce qui les préoccupe sur le moment. Mais j'ai quelques idées en ce qui concerne le point de départ des débats et les directions que nous pourrions suivre. Par exemple, nous pouvons évoquer ce que nous souhaitons dire à nos enfants et quand. Comment créer un système de soutien, comment faire face aux exigences irréalistes en matière de vacances. Comment les aider à ne pas rompre la continuité avec leur famille naturelle, en leur racontant des histoires ou en leur lisant des lettres. Rick vous pourriez faire un album pour David, dans lequel vous mettriez des photos de sa famille naturelle et de sa famille adoptive en remontant jusqu'aux grands-parents. Ainsi David connaîtra-t-il bien ses origines.

La conversation se poursuivit, légère et canalisée, tandis que l'on grignotait des crackers, des raisins secs et du fromage. On chanta *Deux Eskimos autour d'un brasero*, *Les Roues du bus*, *Sur le plancher*, *Une araignée se tricotait des bottes*. Puis Barbara lut *Le petit chien va à la ferme*.

Quand tout le monde fut parti, Barbara et Dana empilèrent les petites chaises les unes sur les autres et les rangèrent dans un coin. Après que Dana eut quitté les lieux, Barbara, qui se félicitait de sa capacité à regarder d'un œil clinique ses groupes de travail, s'assit sur l'une des chaises en plastique bleu. Et après avoir passé en revue tout ce qui s'était dit ce jour-là, elle fondit en larmes, sans très bien savoir pourquoi.

27

Artie Wilson, l'un des producteurs de la chaîne chargés des programmes de comédie, dit en passant à Shelly qu'il était très mince. Cette simple remarque l'obséda pendant des heures.

— Shel, c'était un compliment à ses yeux, le rassura Ruth. Il sait très bien que nous lui en voulons de nous avoir obligés à retirer la blague des coquillages du scénario de la saison passée, qu'il trouvait trop suggestive. Il voulait te faire du charme, à la manière des producteurs.

— Ces deux termes me semblent tout à fait incompatibles.

— Tu ne sais pas encore qu'à Hollywood, quand on te dit que tu es mince, c'est qu'on veut te flatter ?

Les dix auteurs de l'équipe ressemblaient tous à des aliénés mentaux. A chacun sa névrose, à chacun son style particulier.

— Apporte-moi le fouet et la chaise, il est temps de dresser les fauves ! disait Shelly avant d'entrer en réunion.

Mais il disait cela avec humour, en sachant parfaitement que ces fous étaient taillés dans le même bois que Ruth et lui. Cependant, en tant que producteurs, ils se devaient de contrôler leur production, donc de maintenir dans la ligne tant l'écriture que les auteurs.

Il fallait les protéger, soigner leur moral et les faire travailler dans une ambiance aussi plaisante que possible. Cela faisait partie de leur métier, considéraient-ils. Parfois Ruth leur confectionnait avec amour des beignets pour les réunions matinales. Malheureusement, il n'y avait aucun moyen de protéger l'équipe de Zev Ryder, le producteur exécutif, qui était constamment sur leur dos. Ruth l'évitait avec soin quand

Shelly ne venait pas travailler. Il la harcelait chaque fois qu'il parvenait à la dénicher dans un coin.

— Où est passé votre drôle de moitié ? lui demandait-il.

Ruth savait que, derrière leur dos, il les surnommait les « Dolly Sisters » et voyait, dans certains de leurs textes, « un humour de pimbêches ». Il méprisait tous les auteurs. Malgré lui et grâce au talent de Ruth et de Shelly, leur émission était remarquable. Mais il était parfois impossible d'empêcher le détestable Zev Ryder de nuire.

Ce fut notamment ce qui se produisit le matin où Jack Goldstein, un scénariste un peu maigrichon, aux grands yeux ébahis, avec une tignasse à la Einstein, dont les idées bizarres et hilarantes avaient quelque chose de psychédélique, entra comme une tornade dans le bureau de Ryder. Ce matin-là Ryder avait retiré l'un des sketches de Goldstein du scénario, sous prétexte qu'il « n'était pas drôle ». Le producteur était au téléphone. Goldstein lui arracha l'appareil des mains et raccrocha, puis il bondit par-dessus le bureau et saisit Ryder par son col de chemise.

— Dites-moi quelque chose de drôle ! lui hurla-t-il en pleine face. Vous êtes producteur exécutif d'une émission comique et je vous défie de me sortir un seul bon mot. Une seule réplique amusante et je ne vous tue pas ! Une plaisanterie, une blague, piquée ici ou là, un trait d'esprit emprunté pour me montrer que vous savez ce qui est drôle !

Il tenait dans son poing serré les deux extrémités du col et tirait sur le cou gras de Ryder. Sous le choc, les yeux du producteur se dilatèrent.

— Vous voyez bien, vous en êtes incapable, pas même pour sauver votre misérable vie, parce qu'il n'y a pas un seul petit marrant dans votre famille, espèce de salopard ! Allez-y, bon sang ! Dites quelque chose de drôle !

Ryder qui avait la bouche ouverte émettait d'étranges sons étouffés. Les autres scénaristes avaient entendu Goldstein hurler et s'étaient rassemblés à la porte du bureau de Ryder pour assister à la scène. Ryder était bleu. Il avait les yeux exorbités.

— Je meurs, parvint-il enfin à dire, au bord du désespoir, quand il les vit tous devant lui. Je vous en prie, je meurs.

A ce moment-là, Goldstein le rejeta dans son fauteuil.

— D'accord, répliqua-t-il. Vous m'avez eu. *Ça*, c'est drôle.

Puis il quitta le bureau de Ryder et, bien entendu, l'émission.

Cela faisait plus d'un an et Zev Ryder veillait à ce que Goldstein, qui était pourtant génial dans ce domaine, ne puisse plus retrouver de travail dans le milieu. Chaque fois qu'un scénario ne lui plaisait pas, il y allait de son commentaire :

— Faites bien attention, espèces de crétins, car il se pourrait bien que Jack Goldstein ait besoin de quelqu'un à qui parler quand il fait la queue à l'agence pour l'emploi.

Ce jour-là, le groupe des auteurs avait transformé la salle de conférence en parcours de golf miniature. Des tasses en plastique dont on avait enlevé le fond servaient de trous, les balles étaient faites de papier d'aluminium provenant de la livraison de beignets du matin et, en guise de clubs, ils tenaient des crayons et des stylos. Quand Ruth et Sheldon pénétrèrent dans la pièce pour ouvrir la séance, il y en avait deux debout sur la table, qui se disputaient sur un coup.

— Au travail ! s'écria Shelly.

Ruth tira une chaise, s'assit et attendit que cessent les grognements, les débats sur les petits pains à l'oignon et au seigle, l'état du pancréas de l'un des participants et les plaisanteries douteuses sur la femme enceinte d'on ne savait qui. Elle était sur le point de prendre la parole quand Jerry Brenner, un petit homme grassouillet d'une quarantaine d'années qui avait jadis fait de la scène, se mit à raconter une blague à Arnie Fishmann, son associé. Quand il vit que le silence régnait dans la pièce, il éleva le ton pour que tous en profitent.

— « Je ne sais pas quoi faire », dit une femme à son amie. « Mon mari vient de rentrer de chez le médecin. Celui-ci lui a dit qu'il avait soit le sida soit la maladie d'Alzheimer, mais il ne sait pas très bien laquelle des deux. Je suis tellement inquiète. Que dois-je faire ? »

On entendit grogner l'un, ricaner l'autre qui attendait la chute.

— Ce bon vieux Brenner a toujours aussi bon goût, déclara un troisième, mais Ruth, qui n'avait pas relevé la tête, ne sut pas de qui il s'agissait.

— « Voilà ce que tu vas faire », lui répond son amie. « Envoie-le au supermarché. Et s'il retrouve le chemin de la maison, ne couche pas avec lui. »

L'assistance daigna approuver, mais à sa manière : quelques

ricanements un peu méprisants, quelques « très drôles ! » à peine bougonnés, pas un rire. Ruth n'osait pas regarder Shelly. Elle était anéantie. Quant à Shelly, le nez sur un bloc jaune de papier administratif, il espérait que sa gêne ne se voyait pas trop.

Il fallut quelque temps à Shelly avant de parvenir à joindre Davis pour lui annoncer la nouvelle. Ça ne répondait pas chez lui, pas même un répondeur.

— M. Bergman est absent pour l'instant, lui répondit la secrétaire de Davis quand il appela son bureau. Mais il passera certainement. Puis-je lui dire qui a appelé ?

— Sheldon Milton.

— Puis-je lui dire à quel sujet ?

— C'est personnel, répondit Shelly, content de ne pas avoir eu affaire à Elsie, la secrétaire de Davis durant les deux années où ils avaient vécu ensemble.

Au bout de trois semaines environ, Davis le rappela. Il se montra plutôt froid, mal à l'aise au téléphone et, quand Shelly lui eut annoncé qu'il souhaitait avoir une conversation avec lui, ils décidèrent de se retrouver le jour même, à l'heure du déjeuner, à l'extérieur du musée des Beaux-Arts du comté de Los Angeles, à mi-chemin entre leurs deux bureaux.

— C'est bizarre, dit Shelly à Ruth, un peu plus tard, on s'inquiète, on redoute que cela se passe comme ci ou comme ça, et il se produit quelque chose que l'on n'aurait jamais imaginé.

Shelly était certain qu'une fois qu'il aurait mis Davis au courant, celui-ci serait inquiet pour lui-même et pour sa femme, Marsha. Peut-être lui ferait-il des reproches ou se montrerait-il sarcastique. Mais quand Shelly gravit les marches qui menaient au terre-plein entourant le musée dont le soleil blanchissait le ciment, s'avança vers le banc où Davis était assis, que celui-ci se tourna vers lui et le regarda droit dans les yeux, Shelly comprit aussitôt qu'il était lui aussi frappé par le sida. Et qu'il était en train de se demander comment l'annoncer à Shelly.

— Et Ruth et ton fils ? lui demanda Davis après que chacun eut informé l'autre de ce qu'il avait à lui dire.

— Ils ont tous les deux fait des analyses et tout va bien.

Un instituteur conduisait un groupe d'enfants qui passa, en rangs, devant leur banc. Après avoir écouté les instructions de son maître, le groupe disparut derrière les portes du musée, au milieu des rires et de l'agitation.

— Pourquoi ne m'as-tu pas appelé, Davis ?

— Parce que je ne le sais que depuis quelques jours, que je suis K.O. et que je voulais me ressaisir pour te l'annoncer sans m'effondrer. Je n'ai pas quitté la maison depuis que je l'ai appris. Je n'ai parlé à personne. Marsha a fait un test et tout va bien pour elle, mais elle est complètement anéantie. Elle va chez un psychiatre trois fois par semaine depuis des années, tu te souviens ? Maintenant, elle lui téléphone les quatre autres jours.

Il y avait là quelque chose de cocasse qui les fit rire tous les deux. Soudain Davis prit un air grave.

— Elle craint que je perde mon emploi si l'on découvre la vérité. Qu'aucun client ne veuille plus avoir affaire à moi, pour peu qu'on les mette au courant. Après deux semaines de suées nocturnes et de fortes fièvres, c'est elle qui m'a traîné pour que je fasse le test. Elle a lu, sur le sida, tout ce qui lui tombait sous la main. Ça l'obsède, ça la rend folle et moi aussi. Elle est de ceux que l'on aime avoir auprès de soi quand on est trop faible pour relever le front, ajouta-t-il avec ce demi-sourire ironique que Shelly n'avait pas oublié. Alors j'ai fini par l'accompagner et nous avons tous deux subi les examens nécessaires.

On entendit soudain crisser des pneus, puis un bruit de froissement de métal, de verre brisé. Une voiture venait d'en emboutir une autre sur Wilshire Boulevard. De loin, sur le banc devant l'entrée du musée, les deux hommes se retournèrent et regardèrent l'embouteillage qui était en train de se former, tandis que les deux conducteurs furieux émergeaient, l'un d'une BMW grise, l'autre d'une Cherokee rouge, chacun rejetant à grands cris la faute sur l'autre. A l'intérieur de l'un des véhicules, une femme héla un piéton sur le trottoir et lui demanda d'appeler une ambulance.

— Que puis-je faire pour toi, Davis ? fit Shelly qui détourna le regard de l'accident. Y a-t-il quoi que ce soit que je puisse faire ?

Le visage de Davis avait perdu de son éclat mais, derrière la douleur qui se peignait sur ses traits, derrière la pâleur de la maladie, Shelly reconnut l'homme pensif, extraordinairement intelligent qu'il avait aimé et avec lequel il avait vécu. Tant aimé que le simple fait de le perdre lui avait donné une raison suffisante de renoncer à la vie.

— Me pardonner la manière dont je t'ai quitté, dit Davis.

— Cela fait longtemps que je t'ai pardonné.

— C'est drôle, poursuivit Davis, j'en étais arrivé à penser que notre vie commune avait été la période la plus heureuse de mon existence passée. A présent, je me dis que ce fut le meilleur moment de toute ma vie.

— Il te reste encore beaucoup à vivre, fit Shelly.

— Ce serait plus facile pour Marsha s'il n'en était pas ainsi.

— Jamais je n'aurais imaginé que je pourrais un jour dire cela, répondit Shelly, mais que Marsha aille se faire foutre !

Ils échangèrent un sourire.

— Je t'aimerai toujours, dit Davis.

— Moi aussi, je t'aimerai toujours.

Le cri strident d'une ambulance retentit sur Wilshire Boulevard et Shelly se retourna. En quelques secondes, le véhicule s'était frayé un chemin jusqu'au lieu de la collision. Deux infirmiers en sortirent, ouvrirent la portière de la passagère de la BMW, dont ils extirpèrent un corps blessé et couvert de sang. D'un geste furibond, le chauffeur fit signe aux badauds ahuris qui s'étaient assemblés de dégager le passage. Les infirmiers étendirent la femme blessée sur une civière qu'ils firent lentement pénétrer dans l'ambulance. Puis ils refermèrent la double porte, se précipitèrent à l'intérieur et démarrèrent. Une sirène suraiguë déchira à nouveau l'atmosphère et la file de voitures se rangea sur la droite pour laisser passer l'ambulance. Quand Shelly se retourna pour reprendre sa conversation avec Davis, celui-ci avait disparu.

Quelques jours plus tard, le soir, Bob se réveilla en pleurant. Sa couche était souillée d'un liquide grisâtre qui avait taché tout le berceau. Quand Ruth l'eut changé, qu'elle eut remis des draps propres et nettoyé la table à langer, elle réhydrata l'enfant avec un biberon d'eau et le recoucha. A peine s'était-elle glissée dans son lit que son fils se remit à pleurer. Il était de nouveau sale.

Tout engourdi par le sommeil, Shelly se tenait dans l'embrasure de la porte de la nursery. Ruth sortit l'enfant de son berceau, s'apprêtant à le nettoyer.

— Qu'est-ce qui ne va pas ? demanda-t-il.

— Je sais que les médecins affirment que tout va bien, qu'il n'y a pas lieu de s'inquiéter, mais je ne peux pas m'en empêcher.

Quand elle l'eut mis au courant, ils échangèrent un long regard. Ils étaient tous les deux fatigués par un emploi du temps chargé et se sentaient coupables de ne pas passer plus de temps avec leur enfant. Ils restèrent là, devant la table à langer où Bob, trop malade pour pleurer, regardait son père et sa mère, serrés l'un contre l'autre.

— Il a attrapé un virus intestinal, c'est tout, la rassura Shelly en lui frottant tendrement la tête. Et n'oublie pas ce que disait Freud.

— Que disait Freud ? demanda Ruth, heureuse de lui donner encore la réplique, après toutes ces années.

— Que parfois un pet est juste un pet.

Le lendemain, la grippe intestinale avait disparu.

28

Le jour de la cérémonie d'adoption de David Reisman, l'assistance contempla avec émotion le petit garçon vêtu d'un costume de crêpe de coton bleu pâle et chaussé de tennis. Les cheveux d'un roux flamboyant que Rick n'avait pas eu le cœur de faire couper tombaient en cascade autour du joli visage de David. Au centre de la ville, dans ce tribunal au hall de marbre froid, Patty Fall, qui avait fait l'acquisition de ce costume et habillé l'enfant le matin, était venue partager ce moment de bonheur, accompagnée de ses deux fils. Le juge, un homme qui avait quelques années de moins que Rick, ne dissimula pas son étonnement. Malheureusement, l'oncle Bobo était trop mal en point ce jour-là pour descendre en ville. Mayer Fall, étudiant à l'école de cinéma de l'USC, lui dédia donc le film vidéo qu'il avait, de toute façon, l'intention de tourner.

Mayer demanda à tous ceux dont l'image apparaissait à l'écran de dire : « Bonjour, oncle Bobo ! » Des inconnus lui firent un signe de la main devant la caméra.

Même l'huissier en uniforme le salua, tout comme Harvey Feldman, l'avocat. Enfin, au beau milieu de la procédure, la journaliste judiciaire et le juge levèrent la main à son intention. Suivant les instructions qu'il avait reçues, David fixait l'objectif en bredouillant : « Onque Bobobobobo ».

Tous les invités se rendirent ensuite dans la villa des Fall, sur la plage, où les attendait un déjeuner tardif. A la fin de cette magnifique journée, Rick et Patty, seuls sur la terrasse, contemplaient les vagues qui se brisaient. Mayer Fall, un grand jeune homme de vingt et un ans, jouait dans le sable avec le petit David.

— C'est merveilleux de tisser des liens avec un bébé, impossible d'en avoir avec une femme. Les bébés ne vous demandent pas de leur acheter de bague de fiançailles pour leur prouver que vous les aimez. Les bébés ne boudent pas si vous souriez à un autre bébé. Aux bébés ! conclut Rick en levant son verre de vin.

Patty Fall lui versa un peu de vin en hochant la tête d'un air entendu.

— Eh bien, tu vas tomber de haut ! dit-elle en se servant à son tour. Quand les bébés grandissent, ils vous écrasent. Et s'ils sont à vous, tu le sais déjà, ils ont la faculté de vous briser le cœur plus que n'importe quelle femme ne le fera jamais. Je peux te garantir que, dans quelques années, ce gosse cherchera à te rançonner plus que n'importe quelle croqueuse de diamants, et tu sais quoi ? Tu lui donneras avec joie tout ce qu'il te demandera. Ça s'est toujours passé comme ça avec Charlie, ajouta-t-elle avec amour mais sans sentimentalité. C'était une poire à nulle autre pareille !

— Regarde ces deux-là ! fit Rick qui observait les jeux de Mayer et de David avec un grand sourire.

Mayer bâtissait des tas de sable que l'enfant démolissait à coups de pied, puis Mayer faisait semblant de se lamenter, dépité, et le bébé éclatait de rire. Patty, elle, regardait Rick.

— C'est sérieux entre Mayer et sa petite amie, dit-elle. J'ai du mal à le croire, mais il se pourrait que je sois bientôt grand-mère. Et toi, tu es papa d'un tout-petit.

Rick sourit.

— Je me souviens que le jour où nous avons fait connaissance, la mère de Doreen m'a à peu près dit la même chose. Elle avait mon âge, sept petits-enfants et le plus grand mal à comprendre pourquoi je tenais tant à cette adoption. Commencer une carrière de père à un âge décati.

— Oh ! Moi, je sais bien pourquoi. Tu as déjà énormément changé.

— Non, non, non ! Je suis encore un gros et vieux libidineux.

— Oui, mais un vieux libidineux plus tendre. Et plus si gros que ça. En fait, tu commences à être très séduisant.

— Oui, oui, oui, dit Rick qui sourit en regardant la veuve de son meilleur ami et lui prit la main.

Son visage doré était ridé par de trop nombreuses années de bronzage intensif sur les plages. Mais ses yeux verts étaient toujours aussi brillants qu'au temps où elle était jeune secrétaire dans le bureau d'un producteur à la Columbia, où le fabuleux Charlie Fall se rendit un beau jour. Son patron lui avait donné rendez-vous. Et pendant qu'il attendait que le producteur en question raccroche son téléphone, Charlie lui avait fait la cour et avait fini par la demander en mariage.

— Et toi, comment vas-tu en ce moment ? lui demanda doucement Rick. Parviens-tu à survivre sans lui ?

— Bien sûr, dit-elle. Ça va. Mes enfants m'entourent beaucoup. Ma mère prend l'avion de Seattle pour venir me voir tous les deux ou trois mois.

Elle ouvrit grand les yeux et tenta de retenir un drôle de sourire qui se dessina au coin de ses lèvres.

— J'ai même quelques soupirants qui me font la cour, ces derniers temps.

Pour une raison tout à fait inexplicable, Rick considéra comme un affront le simple fait que Patty puisse sortir avec quelqu'un et ne put refouler la première pensée qui lui vint à l'esprit.

— Mais qui pourra jamais être aussi bien que Charlie Fall ? C'est bien là le problème.

Les yeux verts lancèrent un éclair et Patty lui retira sa main.

— Il ne s'agit pas de cela, dit-elle calmement. Ce n'est pas un critère. Non que j'aie à m'en expliquer, mais j'ai aimé Charlie pendant vingt-sept ans et, s'il y a quelqu'un d'autre, ce sera quelqu'un d'autre. Je ne suis attachée à aucune conception précise de ce que doivent être mes relations avec un homme. Je ne me réfère à aucun archétype irréaliste auquel ne pourrait jamais correspondre aucun être vivant.

— Comme certaines personnes de ta connaissance qui, pour cette raison, ne se sont jamais mariées ?

— Qui se sent morveux se mouche, mon cher... fit-elle en souriant. Écoute, tu sais aussi bien que moi que Charlie Fall avait des défauts et, crois-moi, mon futur mari en aura aussi.

— Mari ? Tu as déjà quelqu'un en vue ?

— Non, mais j'aimerais bien. Contrairement à toi, j'ai besoin d'intimité. J'aime avoir la même personne dans mon lit, près de moi, tous les soirs et tous les matins. Avoir quelqu'un qui me bouscule et qui râle parce que je le mène à la baguette. J'aime qu'on fasse les mots croisés du *New York Times* sur mon épaule, qu'on se charge des définitions de sport et de géographie et qu'on me laisse les titres de chansons et les noms de dramaturges.

— Cela semble terrible.

— Va au diable !

— Je vais sûrement y aller parce que, moi, j'aime toujours voir défiler des nanas au joli cul à qui j'adresse à peine la parole pour la bonne et simple raison qu'elles sont incapables d'articuler trois mots. Je brûle de faire l'amour au corps nu d'étrangères exotiques, dans des endroits douteux, et découvrir à mon réveil des dessous en dentelle noire et tout un attirail sado-maso pendu à mon lustre, traînant sur mes meubles.

Le rire outré de Patty l'incita à poursuivre.

— J'aime commencer la journée en me demandant si la veille au soir, pendant les préliminaires, j'ai joué le rôle du berger qui s'envoie le mouton ou le rôle du mouton. Cela dit... tu veux m'épouser ?

Patty émit un son à mi-chemin entre le hurlement et l'éclat de rire.

— J'ai l'impression que nous formerions un couple béni des dieux, répondit-elle.

Le soleil, énorme, orange, était très bas dans le ciel. Ils regardèrent Mayer prendre David sur ses épaules et courir dans les vagues. Puis il regagna le rivage en fendant les flots, éclaboussant tout autour de lui, ce qui faisait hurler l'enfant de plaisir.

— Patty, dit Rick sans détacher les yeux des deux garçons qui jouaient sur la plage. J'ai idéalisé ma mère défunte au point de ridiculiser dipe, mais tu sais très bien que, ces dernières années, c'était à toi que je comparais toutes les femmes de ma vie. Tu es intelligente et drôle. Tu as donné à Charlie et aux garçons une famille que j'ai toujours enviée, admirée et aimée. Un de ces jours, tu trouveras quelqu'un et ce sera l'homme le plus chanceux qui ait jamais existé. Je tiens à te dire que, s'il ne vénère pas chaque jour le sol que tu foules de tes pieds, appelle-moi et je le tuerai. Promis ?

Patty lui prit de nouveau la main.

— Je te le promets.

Le téléphone sonna et Patty saisit l'appareil portable qui se trouvait près d'elle, sur la table en rotin.

— Allô ? Oui, Andréa, il est là. Je vous le passe.

Patty tendit le combiné à Rick.

— Mon assistante particulière ?

— Monsieur Reisman, écoutez-moi. J'ai Doreen sur une autre ligne.

— Doreen ? C'est merveilleux ! Mon Dieu, je serai ravi de l'entendre. Pouvez-vous me la passer ?

— Elle a l'air un peu déprimée, le prévint Andréa. Elle sait que c'était aujourd'hui l'adoption.

— Donnez-la-moi, fit Rick.

Il entendit quelques déclics, puis la petite voix triste de Doreen à l'autre extrémité de la ligne.

— Allô ?

— Bonjour, Doreen, dit Rick qui aurait voulu lui rendre les choses plus aisées.

— Je suis désolée de vous déranger. Je sais que je ne suis pas censée... mais c'est juste que...

— Vous ne me dérangez pas. Je suis très heureux d'entendre votre voix. Comment va Béa ?

— Béa va bien.

Il entendait le son étouffé de ses sanglots.

— Doreen, puis-je faire quoi que ce soit ? demanda-t-il doucement.

— Oh non ! Aujourd'hui, c'est une journée particulière pour David... et je voulais juste savoir comment cela s'était passé.

Rick l'écoutait renifler, sangloter, cherchait des mots pour l'apaiser.

— Ça s'est très bien passé, et David est un véritable tigre. Il marche. Il est bavard comme une pie. En fait, je le vois d'ici. Il se trouve à la limite du sable et de l'eau, il barbote dans les flaques avec ses petits pieds potelés et crie à pleins poumons chaque fois qu'une vague arrive.

— Oh ! C'est bien ! s'exclama Doreen, sincèrement heureuse de ce que venait de lui dire Rick.

— A propos, je fais partie d'un groupe de parents.

Il savait qu'elle trouverait cela étrange.

— Nous avons tous eu nos enfants d'une manière un peu particulière.

— C'est tout à fait charmant, dit-elle. Je parie que cela vous plaît beaucoup.

— Notre animatrice m'a conseillé de constituer un album pour David avec des photos de ses familles, sa famille d'adoption et sa famille d'origine. Je pensais donc vous appeler pour vous demander de m'en envoyer.

— Mon Dieu ! dit-elle en riant. Il n'y en a jamais eu une seule qui soit bonne.

— De Béa, de vos frères et sœurs et de leurs enfants pour que David voie ses cousins.

— Formidable !

L'idée de faire encore partie de la vie de David semblait lui avoir remonté le moral.

— Je vais commencer à les rassembler dès aujourd'hui. Je sais que Béa en a une de toute la famille réunie autour d'une table de pique-nique et... Quoi ? C'est un appel longue distance !

Quelqu'un venait d'entrer dans la pièce où se trouvait Doreen.

— Il faut que je raccroche, dit-elle brusquement et, sans même lui dire au revoir, elle mit fin à leur conversation.

Rick garda l'appareil à la main, comme s'il pensait qu'elle allait revenir, mais il n'entendit bientôt plus que la tonalité. Déçu, il reposa le téléphone sur la table.

— Cela ne me regarde pas, dit Patty, mais c'est là qu'à mon avis le dispositif s'écroule. Comment établis-tu la limite entre ta responsabilité envers cette fille et ta gratitude ? Je t'en prie, ne va pas croire que je désapprouve tout cela. Je connais l'importance qu'a cet enfant dans ton existence, Ricky, mais je ne saisis pas bien. Elle t'a choisi pour que tu t'occupes de son bébé. A mes yeux, c'est bien parce qu'elle a le sentiment d'avoir encore un droit de regard sur tout ça. Elle sait que la chair de sa chair est en de bonnes mains. Mais théoriquement, à part quelques cartes de Noël et une photo par-ci, par-là, la séparation est claire et nette depuis qu'elle te l'a laissé ?

— Théoriquement, dit Rick. Mais seulement sur le papier. Il s'est passé quelque chose. Pour moi, en tout cas. Peut-être parce qu'elle a habité chez moi, peut-être parce qu'elle est tout à fait unique. Je me soucie et je me soucierai toujours de son bien-être. Toute sa vie, chaque fois que la douleur sera trop forte, chaque fois qu'elle craquera, elle pourra m'appeler et retrouver un peu de joie à l'idée que son enfant prospère. Non que je sois expert en la matière, mais je ne comprends pas comment on peut agir autrement. Comment une femme pourrait-elle faire comme si elle n'avait jamais eu d'enfant ? Comment une mère pourrait-elle ne pas regarder le calendrier le jour où elle l'a mis au monde et ne pas se demander où il se trouve ?

— Tu te rends compte que, si elle avait placé David dans une autre famille, ils se seraient peut-être montrés moins compréhensifs ? Une famille où la mère se serait sentie menacée par cette intrusion ?

— Oui. Mais elle m'a choisi, et sa mère l'a laissée faire. C'est peut-être pour cela. Parce que, instinctivement, elles savaient toutes les deux que je ne leur refuserais pas tout contact avec ce bébé. Ni avec moi, même si je me marie un jour. Toi et moi, nous le savons.

— As-tu la moindre idée de l'identité du père ?

Mayer rentrait de la plage. David trottinait à ses côtés en gazouillant.

— Autant que je sache, dit Rick, pour ce qui est des influences paternelles, cet enfant n'a affaire qu'à moi.

— Dieu nous ait en sa sainte garde ! s'exclama Patty qui sourit à Rick, tandis que David grimpait sur ses genoux, plein de sel et de sable.

Rick le posa par terre et lui retira son maillot de bain trempé.

— Je vais le rentrer et le laver, dit-il.

Et le maillot descendu sur les cuisses, David inonda son père adoptif.

— Eh bien ! voilà ce qu'il pense de la situation, déclara Rick.

— Ton papa ferait mieux d'aller prendre une douche *avec* toi, suggéra Patty à David qui, réjoui par cette proposition, battait des mains.

Quelques jours plus tard, Rick Reisman trouva dans son courrier les photos de Doreen. David se contenta de les disperser aux quatre coins de la pièce ou de les mordiller, seule manifestation de l'intérêt qu'il leur portait, mais Rick les regarda toutes. Il sourit devant une photo de Doreen et de sa mère, et se souvint du jour où il était venu à leur rencontre à l'aéroport, de ce jour qui avait bouleversé son existence.

Il observait chaque détail avec un œil de réalisateur, même ces clichés de Doreen et de ses sœurs. Contrairement à Doreen, Cheryl, la plus jolie, semblait avoir confiance en ses attraits.

Les lèvres de Susan esquissaient un sourire, mais ses yeux inquiets et tout ce qu'exprimait son corps trahissaient une existence malheureuse.

La photo de famille, avec les enfants et les conjoints, lors de ce qui ressemblait à un pique-nique dans un joli parc, racontait des milliers d'histoires. Les poses que prenaient les participants, la place qu'ils s'étaient choisie, l'expression de leur visage en disaient long. Il examina, une fois encore, la pile de clichés et observa un long moment celle du pique-nique, car il aperçut alors quelque chose qui lui fit peur. Était-ce possible ? Il rejeta cette pensée, pur produit d'une imagination trop fertile, et rangea les photos.

29

Après sa journée de travail, Judith allait parfois chercher ses deux petites filles qui restaient toute la journée avec la femme de ménage et les emmenait au parc. Elle subit donc l'épreuve consistant à dégager du siège-bébé un enfant gigotant, à glisser le petit corps résistant à l'intérieur du porte-bébé, puis à déplier la poussette au son des gémissements impatients de Jillian et se demanda alors si elle n'avait pas adopté une position un peu trop intransigeante à l'égard des hommes, une opinion trop tranchée sur les relations que l'on pouvait entretenir avec eux.

— Tous les couples concluent un marché, lui avait dit un jour son amie Jerralyn, au cours d'un déjeuner. Généralement tacite... et tant que les deux respectent le contrat, tout se passe bien. Il fournit les vêtements et paie les voyages, elle reste à la maison. Il la trompe, elle ferme les yeux. Elle joue les séductrices, il trouve cela charmant. On se retrouve donc avec le partenaire qui vous propose un marché acceptable et vice versa.

Judith n'avait pas demandé à Jerralyn quel marché elle avait conclu avec Tom, son mari.

— J'imagine que je n'ai pas encore rencontré d'homme qui me propose un marché qui me convienne, répondit-elle laconiquement.

Mais l'idée de conclure un marché, tacite ou non, lui semblait détestable. Ce soir-là, elle portait Jody sur ses épaules et poussait la balançoire de Jillian quand un petit garçon entra en trombe dans le terrain de jeux en hurlant :

— Papa ! Papa !

Jillian se balançait d'arrière en avant en serrant de ses petits poings les chaînes de la balançoire et, fascinée, elle regarda l'enfant. Puis, la mélodie lui plaisant, elle reprit en chœur :

— Papa ! Papa ! cria-t-elle, et l'écho de sa voix d'elfe retentit dans le parc.

Chacun de ses cris transperçait une Judith angoissée à l'idée qu'il n'y aurait peut-être jamais personne pour y répondre. Il devait pourtant exister un homme bien quelque part, songeait-elle, tandis qu'un crépuscule gris commençait à tomber autour d'elle. L'air se rafraîchit brusquement, Judith enveloppa ses deux filles dans son pull et reprit la direction de la voiture en les serrant contre elle. « Je vais m'en trouver un », décida-t-elle. « Je demanderai à Jerralyn qui veut toujours me refiler les amis de Tom ou le type qu'elle a rencontré aux sports d'hiver. Elle leur dira que, malgré tous mes refus passés, j'ai changé d'avis et que je suis prête à tenter le coup. »

Le premier qui figurait sur la liste de Jerralyn était informaticien. Il était si beau qu'il aurait pu faire la couverture de *Photo*. C'était le type que Jerralyn et Tom avaient rencontré aux sports d'hiver. Il parlait beaucoup de sa forme physique et de ses habitudes alimentaires. Quand on en arriva aux détails de la vie de Judith, il parut fasciné par la manière dont elle avait eu ses deux filles.

— C'est magnifique ! s'exclama-t-il tout en buvant son café. Vous êtes vraiment une originale. A mon avis, c'est une sorte d'extrapolation de la masturbation, ajouta-t-il, hélas, et Judith sut aussitôt que c'en était fini de leur idylle balbutiante.

— Pardon ?

— Je veux dire que c'est quelque chose que l'on peut faire tout seul s'il le faut absolument, mais que c'est tellement mieux avec un partenaire. Vous ne trouvez pas que c'est une excellente comparaison ?

Le deuxième était banquier, la quarantaine, très bien habillé. Il l'emmena dîner au Bistro. Quand il lui demanda ce qu'elle faisait dans la vie, elle lui parla de ses enfants et de leur mode de conception. Un dégoût terrible se peignit alors sur son visage. Elle poursuivit néanmoins son récit, évoqua l'anonymat, le fichier de la banque du sperme et ses renseignements restreints.

— Comment pouvez-vous savoir que le donneur n'a pas commis de meurtres en série comme ce type du Midwest qui a tué plein de gens et les a mangés ? lui demanda-t-il au moment où le serveur lui apportait son assiette.

Elle ne sut que lui répondre et fut tout aussi incapable d'absorber la moindre bouchée de ce dîner fort coûteux.

— Je suis désolée de t'avoir fait perdre ton temps, dit-elle à Jerralyn.

— Encore un, donne-moi encore une chance. Celui-ci est différent et, pour mettre toutes les chances de notre côté, je lui ai déjà parlé de toi et de tes filles. Après le score lamentable que m'ont valu les deux premiers, je me suis dit que, si celui-ci n'était pas capable de prendre cela à la rigolade, ce n'était même pas la peine de te l'envoyer.

— Et alors ?

— Cela l'a intrigué. Il n'a jamais été marié et n'a jamais eu d'enfants. Pour lui, c'est quelque chose de nouveau et d'amusant. C'est l'un des plus vieux amis de mon mari. Charmant, barbu, il se dégarnit un peu mais il est séduisant. Frank est très séduisant. Il travaille dans l'immobilier. Il aime la plongée sous-marine, le surf...

— Jerra, quand je t'entends, j'ai l'impression que tu me lis la fiche d'un donneur de sperme, dit Judith, et les deux femmes éclatèrent de rire, un rire plein de l'espoir que celui-ci serait peut-être le bon.

Jerralyn ne s'était pas trompée sur un point : Frank était très séduisant. Il lui prit la main et la regarda droit dans les yeux avec un air complice et amusé qui ne manquait pas de charme. Judith sentit qu'elle avait bu un peu trop de vin. Elle retrouvait ces hommes au restaurant pour que ses enfants ne soient pas en contact avec eux et vice versa. Telle était sa politique. Mais ce soir-là, au milieu du dîner, l'alcool lui montait à la tête, et elle aurait préféré qu'il fût venu la chercher à la maison. Mieux valait ne pas prendre le volant dans cet état. Comment allait-elle rentrer chez elle ? Elle commanda un café et un dessert, but plusieurs tasses de café noir et fut soulagée de constater qu'elle retrouvait ses esprits.

La question des enfants ne fut évoquée ni par lui ni par elle. Il lui parla du marché immobilier, du bateau qu'il possédait dans les Caraïbes et des divers voyages qu'il avait faits à son bord. Elle lui parla de l'agence de publicité où elle travaillait, de ses clients. Quand ils eurent terminé le repas et épuisé les sujets de conversation superficiels, il régla l'addition et ils s'en allèrent.

— Merci pour le dîner, dit-elle en lui tendant la main. J'ai été ravie de faire votre connaissance.

Il prit doucement sa main.

— Où êtes-vous garée ? demanda-t-il.

— Derrière.

— Venez, je vous accompagne jusqu'à votre voiture.

— C'est le break avec les deux sièges-bébés, fit-elle en se demandant si l'occasion était bien choisie de lui parler de ses enfants.

Jerra ne lui avait-elle pas dit qu'il était au courant ?

— Ah oui ! s'exclama-t-il. Les bébés nés par insémination.

Elle s'était garée derrière le restaurant parce qu'à son arrivée le parking situé à l'entrée était plein. Le quartier était si dangereux le soir qu'elle s'était hâtée de rejoindre le restaurant, paniquée à l'idée que l'on puisse la guetter dans l'ombre. Quand une main la saisit, elle poussa un cri étouffé.

C'était Frank. Devant sa voiture, dans ce parking désert, il la contraignit à se retourner, la pressa contre la carrosserie et l'embrassa de force. Sa barbe sentait encore l'ail des pâtes et ce baiser humide et douceâtre lui déplut. Elle détourna le visage, mais il lui prit le menton dans la main et l'obligea à lui faire face.

— Ne vous détournez pas comme ça, dit-il.

Son corps pressait le sien avec insistance. Judith était mal à l'aise, un peu effrayée.

— Il faut que je rentre chez moi, fit-elle.

— Retrouver vos enfants ? demanda-t-il avec un sourire, mais ce sourire n'avait rien d'affable.

— Oui, répondit-elle en tentant de se dégager.

Elle comprit alors que ce qu'elle avait pris pour un léger échauffement était, en réalité, une force incontrôlable. Son cœur se serra sous l'effet de la panique. Plus excité que jamais, il posa les mains sur ses fesses et plaqua ses hanches contre son ventre.

— Non, dit-elle en essayant, une nouvelle fois, de lui échapper.

— Qu'y a-t-il ? fit-il. J'ai du sperme. Vous ne voulez pas un peu du mien ?

Judith fut prise de nausée et, quand il approcha de nouveau

son visage barbu et nimbé d'une forte odeur d'ail, elle lui planta son talon aiguille dans le pied. Il poussa un grognement de douleur, mais ne lâcha pas prise. Il parlait à présent d'une petite voix douce, étrange, qu'il pensait sans doute séduisante.

— Je cherche à vous plaire, mon chou, c'est tout. Vous ne voulez pas ?

— Si, et voilà comment ! fit-elle en s'efforçant de contenir sa rage. Allez vous faire foutre ! Ça, ça me plairait énormément.

— Connasse, maugréa-t-il, puis il la plaqua violemment contre la carrosserie et tourna les talons.

— Vous voulez savoir pourquoi les femmes ont recours à des donneurs anonymes ? Regardez-vous dans une glace, espèce de porc ! hurla-t-elle.

Dans la voiture, elle cria à pleins poumons pendant quelques minutes et se maudit d'avoir été assez bête pour accepter ce rendez-vous. Quand elle appuya sur le bouton de son autoradio, la cassette qu'avaient écoutée les enfants dans la journée se remit en route. « Un jour, mon prince viendra », chanta Blanche-Neige de sa voix de soprano léger.

Quand elle évoqua cette soirée devant le groupe, à sa grande surprise, Judith se sentit réconfortée. C'était déjà une thérapie que de déverser une telle horreur. Ruth et Shelly, qui ne furent pas avares de bons mots, lui firent aussi quelques suggestions affectueuses, allant jusqu'à chercher, dans leurs relations, un célibataire susceptible de lui convenir.

— Même moi, en dépit de l'insensibilité notoire qui me caractérise depuis si longtemps, je dois reconnaître que les types avec lesquels vous êtes sortie sont des monstres, intervint Rick Reisman, qui se tourna vers elle.

— Ne devrions-nous pas évoquer tour à tour toutes les bêtises que nous disent les autres et toutes les occasions où nous avons eu envie de les leur faire ravaler ? suggéra Ruth.

— Bien vu, mon impitoyable, fit Shelly. Ce qu'elle veut dire, c'est que nous pourrions chercher comment répondre avec élégance aux questions stupides.

— Oui, avec élégance, répéta Ruth. Par exemple, comment répondre élégamment à cette question qui me rend malade au point de me donner envie de tuer : « Vous voulez dire que Shelly est *vraiment* le père de Bob ? Comment est-ce *possible* ? » Je leur répondrais volontiers : « Venez donc chez nous avec votre mine de constipé. On arrangera ça ! »

L'assistance hurla de rire.

— Il y a une chose que l'on me dit tout le temps et qui va certainement vous plaire, dit Rick. « Ce qui sera merveilleux quand votre fils aura vingt ans, c'est qu'il pourra pousser votre chaise roulante autour de la maison de retraite, comme vous le faites pour votre oncle. »

Ruth cria au scandale, tandis que les autres s'esclaffaient.

Puis Shelly leur fit part d'une réflexion dont il n'avait jamais parlé à personne, pas même à Ruth.

— Et celle-là ? On m'a déjà demandé deux fois, dans des circonstances différentes : « Ne redoutez-vous pas qu'en grandissant Bob soit homosexuel ? »

— Non ! s'exclama Ruth sans réfléchir. Je ne sais pas pourquoi je suis surprise, ajouta-t-elle aussitôt, puisqu'on m'a aussi demandé si j'avais fait l'amour avec Shelly pour voir si ça marcherait.

Un grognement scandalisé s'éleva du groupe.

— Et : « N'as-tu pas souffert quand tu as appris que tu ne pourrais pas avoir d'enfant de Mitch et qu'une autre femme le pourrait ? » avança Lainie.

Les rires cessèrent et tous observèrent son visage sérieux. Barbara s'étonna de voir Lainie prendre la parole. Bien que Mitch et elle aient, jusque-là, assisté à toutes les réunions, elle était toujours restée très silencieuse.

Mitch regarda sa femme et ne put dissimuler son étonnement.

— Tu plaisantes ! dit-il. Quel est l'imbécile sans cœur qui a sorti une chose pareille ?

— Ta sœur Betsy.

Et ce fut de soulagement qu'elle rit avec les autres, bien que Mitch eût pris un air grave et embarrassé.

— Eh bien, il semble que la seule chose qui distingue vos enfants des autres, ce soit la manière dont ils ont rejoint leur famille. Parce que, pour ce qui est de leur développement, ils me paraissent en bonne voie, déclara Barbara.

— C'est vrai, dit Rick. En venant ici, je pensais à ce que chacun d'entre nous avait traversé pour les avoir, pour inciter la cigogne à lui rendre visite. J'ai fini par en rire en me disant que nous devrions nous appeler le club de la Cigogne.

Cette suggestion plut à tout le monde, et Ruth promit de faire faire des sweatshirts portant ce nom, pour les parents comme pour les enfants.

— J'ai l'impression que notre discussion d'aujourd'hui devrait porter sur le langage propre aux naissances hors du commun. Voyons si, par la discussion, nous trouvons le moyen de régler cette question.

— Mon histoire semble titiller les gens, dit Rick. Chez les hommes, elle déclenche parfois des regards égrillards, comme si j'avais couché avec la mère de David.

— *Semble* titiller ? intervint Judith. Et je viens de vous parler de ce type qui a essayé de me coincer dans un parking !

— C'est comme si cela faisait surgir leur propre peur face aux deux grands phénomènes des années quatre-vingt-dix qui les effraient le plus : la haute technologie et le sexe, déclara Barbara.

— Pas nécessairement dans cet ordre, ajouta Shelly.

— Et quand on a peur, on est souvent agressif. Il ne faut surtout pas oublier que la relation que vous avez avec vos enfants n'a rien à voir avec la manière dont ils sont venus au monde. Et si cela pose des problèmes aux autres, c'est eux que ça concerne.

» La sémantique répond à bien des questions. Quand on vous parle de « vraie mère » ou de « vrai père », rectifiez et dites « mère naturelle », « père naturel » ou « parent biologique », un terme que je vous ai entendu utiliser, Ruth, dit Barbara. Mais il faut avant tout vous attendre à ce que l'on vous pose des questions stupides, les anticiper et savoir y répondre pour que, si cela se produit devant les enfants, ce qui ne manquera pas d'arriver, vous puissiez le faire avec calme, avec assurance.

— Alors *quelles* sont les réponses ? demanda Judith.

Barbara réfléchit quelques instants.

— Quand les enfants ont entendu et même s'ils n'ont pas entendu, les meilleures réponses dépendent sans doute du bonheur plus ou moins grand qu'ils ont apporté dans votre existence. C'est vraiment cela le critère. Ainsi, pour répondre à la question posée sur la mère de substitution, Lainie peut dire quelque chose comme : « Mitch et moi, nous sommes très heureux d'avoir Rose, notre merveilleuse petite fille, dans la famille, et c'est la seule chose qui compte pour nous. »

— Il y a de quoi vous clouer le bec, j'imagine ! fit Judith.

— Pas à Betsy, dit Lainie. Et le plus drôle, c'est que c'est elle qui, la première, nous a suggéré d'avoir recours à une mère porteuse.

— Donc la règle d'or, c'est : attendez-vous à ce que les gens soient idiots, conclut Judith.

Barbara hocha la tête dans le plus grand silence.

— Et dites-leur de garder leurs âneries pour eux ! s'écria Ruth Zimmerman, pour qui le mieux n'était jamais l'ennemi du bien et qui tenait à avoir le dernier mot.

Tous éclatèrent de rire.

30

Gracie avait la grippe. Elle pouvait se traîner de la chambre à la salle de bains, dit-elle à Barbara en insistant néanmoins sur le fait que la cuisine, pourtant située à peu près à la même distance, était beaucoup trop éloignée. Elle refusa catégoriquement d'introduire chez elle « quelqu'un qui fouinerait partout », dès que Barbara lui suggéra de prendre une aide. Tous les matins, Barbara faisait donc une halte sur le chemin de son cabinet pour lui acheter un petit pain au son. Puis elle entrait avec sa clé dans le vieil appartement situé à deux pas de Fairfax, préparait une tisane et lui apportait le petit déjeuner au lit.

Quand elle avait acheté ce duplex dans un quartier peuplé principalement de gens âgés, Gracie avait déclaré en plaisantant que c'était l'anthropologue qui s'était installée là pour étudier les mœurs des anciens. Elle avait à présent une foule d'amis et les femmes de son entourage se relayaient pour lui apporter quelque chose pour le déjeuner et pour s'occuper d'elle. Elle se délectait de l'attention qu'on lui portait, mais le virus l'avait néanmoins ébranlée, la laissant affaiblie et malade.

Au dîner, elle avalait une soupe de Center's Deli, un traiteur chez lequel Barbara passait chaque soir. Dans la minuscule cuisine de Gracie, elle versait la soupe fumante au poulet et aux nouilles, ou aux boulettes dans un bol, y ajoutait une tranche de pain et servait Gracie en lui racontant sa journée de travail. Jeff venait parfois l'y retrouver. Aux efforts qu'il produisait pour faire bonne figure, Barbara comprit qu'il supportait fort mal de voir cette force de la nature qu'était sa grand-mère quelque peu diminuée. Il ne restait plus qu'un mince filet de cette voix tonitruante au point d'ébranler les quatre murs de la maison, à peine plus qu'un murmure.

— Mamie va mourir, maman ? lui demanda-t-il un soir, en rentrant chez eux.

— Oui, mon chéri. Un de ces jours. Elle se remettra probablement de cette grippe et bientôt elle me fera courir sur San Vincente Boulevard, mais nous finirons quand même par la perdre. Et tu sais quoi ? Elle nous manquera terriblement, mais nous remercierons le Ciel pour toutes les années où nous l'avons eue et toutes les choses, drôles ou folles, qu'elle nous a apprises dans la vie.

Il hochait la tête en l'écoutant mais quelques instants plus tard, alors qu'elle était au téléphone avec Stan, elle vit Jeff s'éclipser dans les toilettes. Du comptoir de la cuisine devant lequel elle était assise, elle l'entendit sangloter derrière la porte close. Ses deux enfants avaient tissé des liens très forts, très profonds avec cette grand-mère beaucoup plus douée pour ce rôle que pour celui de mère. Quand Heidi apprit que Gracie avait la grippe, elle appela sans arrêt pour prendre de ses nouvelles. Barbara dut reconnaître qu'elle éprouvait quand même une certaine jalousie de l'attention que sa fille portait à sa mère.

Après la soirée de leur anniversaire de mariage, Heidi était retournée à San Francisco d'où, quelques semaines plus tard, elle informa Barbara qu'elle avait quitté son emploi dans les bureaux du Conservatoire de théâtre américain, pour la bonne et simple raison que le fameux petit ami qui aimait trop sa mère y travaillait aussi et qu'ils s'étaient séparés pour de bon. Elle songeait sérieusement à revenir à Los Angeles. Cette idée avait plutôt souri à Barbara jusqu'au moment où sa fille lui annonça qu'elle espérait bien reprendre son ancienne chambre, « seulement pour six mois ou un an, jusqu'à ce que je sois tirée d'affaire et que j'aie économisé un peu d'argent ».

— Ah bon ? fit Barbara, sidérée.

— Ça n'a pas l'air de t'emballer, maman, dit Heidi.

Barbara décela, dans la voix de sa fille, cet accent un peu vache que prenait, de manière regrettable, sa propre voix quand elle s'adressait à sa mère. Une fois le téléphone raccroché, elle se demanda si Heidi n'avait pas oublié que son ancienne chambre faisait maintenant office de bureau. Barbara avait en effet rempli la pièce de livres et de dossiers.

Si l'on devait de nouveau la transformer en chambre, il faudrait trouver un endroit pour en stocker le contenu. Le plus dur ne serait certes pas ce petit déménagement. En dehors des vacances scolaires, Heidi n'avait pas vécu à la maison depuis six ans. Durant ses quatre années d'université, elle avait même passé quelques étés très loin de chez elle. Une année, elle avait travaillé comme serveuse à Santa Barbara où elle suivait un cours. Une autre année, elle avait participé à un programme d'études et de formation professionnelle organisé par l'UC Davis. Cela faisait donc longtemps que la mère et la fille n'avaient pas partagé la vie quotidienne. Et Barbara s'inquiétait de ce qui allait advenir.

« Je ferai tout pour que cela se passe bien », pensa-t-elle. « Ce ne sera pas comme du temps de son adolescence. Elle ira travailler tous les jours et je ne la verrai qu'à la fin de la journée. Même pas, la plupart du temps, elle sortira. » Sortir. Comment Heidi pourrait-elle vivre à la maison, sortir avec un homme et ne pas rentrer pendant un jour ou deux ? A présent, elle fréquentait des hommes de trente-cinq ans. A l'hôpital, l'une des animatrices de groupe, qui avait l'âge de Barbara, était *mariée* à un homme de trente-cinq ans. Heidi à la maison ? Ce n'était pas une idée si bonne que cela. Même si, par certains côtés, c'était aussi une douce perspective. Si elle se décidait à revenir à Los Angeles, Barbara et Stan l'inciteraient à se trouver un appartement sans lui faire sentir qu'elle était indésirable à la maison.

Mères et filles. Pourquoi était-ce si compliqué ? Ce soir, tout en aidant Gracie qu'elle avait presque portée du lit au fauteuil avant de changer les draps que sa mère avait tachés pendant le dîner, elle se demandait si Heidi devrait un jour faire cela pour elle. Et soudain l'idée d'être une mère vieillissante lui parut séduisante, lui donna envie de se glisser dans des draps frais et de demander à Gracie de lui servir un peu de soupe.

— Mon nouveau groupe marche vraiment bien, dit-elle. Ils ont bien accroché. Ils ont beaucoup d'humour à l'égard d'eux-mêmes. Et c'est sans doute parce qu'ils en ont vu de toutes les couleurs pour avoir ces enfants qu'ils ne laissent rien entraver leur bonheur. Pour moi, c'est une véritable leçon.

— Je suis ravie que cela se passe bien. Je le savais, d'ailleurs.

Mais je me demande comment tu vas continuer à faire tout ça tout en préparant un mariage.

— Préparer quoi ?

— Aujourd'hui, j'ai eu une conversation avec ma petite-fille, déclara Gracie qui sourit et planta sa fourchette dans une boulette pour la couper en petits morceaux. Elle m'a dit que nous allions bientôt assister à un mariage.

— Comment ? demanda Barbara, sidérée.

— Oh, là, là ! Aurais-je vendu la mèche, comme on dit ? fit Gracie d'un air coupable. Ne t'a-t-elle pas dit que son petit copain à éclipses s'était pointé pour lui annoncer qu'il ne pouvait pas vivre sans elle ?

— Maman, ce n'est pas sérieux !

— Je suis certaine qu'elle t'appellera ce soir et te le dira elle-même, dit Gracie, qui cala sa serviette dans le col montant de sa chemise de nuit en flanelle. Je ne sais pas ce qu'il faut en penser, mais elle semble folle de bonheur.

« Mauvaise nouvelle », songea Barbara. « Probablement une ruse de ce type pour mettre de nouveau Heidi dans son lit. » Ça ne durerait jamais jusqu'au mariage.

— En tout cas, maman, je ne vais pas me mettre à tartiner ni à confectionner des œufs mimosa, déclara-t-elle.

— A son âge, tu avais déjà deux enfants.

— J'avais aussi Stan. Ce Ryan est un drôle de zigoto. Elle en convient elle-même. Disons que ce n'est pas exactement le parfait gentleman.

— Eh bien, chère maman, lui rétorqua Gracie non sans ironie, comme tu me l'as si souvent dit, ce n'est pas à toi de choisir...

Puis elle éclata d'un grand rire franc qui aurait dû réjouir Barbara, puisque c'était le signe que sa mère allait beaucoup mieux. Mais Barbara n'y prêta aucune attention.

Quand elle arriva, ce matin-là, au cabinet de Wilshire Boulevard, Ronald Levine l'attendait à la porte. Il avait un teint de cendre et ses yeux lançaient des éclairs. Il n'avait pas pris rendez-vous, mais il était venu lui dire que sa femme, dont il était séparé, avait laissé un message sur son répondeur. Elle était partie pour Hawaï avec leur fils Scottie. Mais elle ne lui avait indiqué ni l'endroit de leur résidence ni la durée de leur séjour. Il fulminait et, lorsque Barbara ouvrit la porte de son bureau, il lui emboîta le pas.

Elle était en avance, car elle avait prévu de donner quelques coups de fil avant son premier rendez-vous. Le chagrin de Ronald Levine avait envahi l'atmosphère. Tandis qu'il faisait les cent pas devant elle, maudissant Joan et blâmant Barbara, il avait l'allure d'un homme brisé, une allure qui jurait avec l'élégance de son costume Armani. Barbara l'écouta sans dire un mot, le laissa vider sa colère. Enfin il s'effondra dans un fauteuil et se mit à pleurer, le visage enfoui dans le bras qu'il avait posé sur son bureau, le corps soulevé de sanglots de détresse.

— Regardez ce que nous nous sommes fait au nom de l'amour, bredouilla-t-il d'une voix étouffée, entre deux sanglots.

Au bout de quelques minutes, il releva le front.

— Avez-vous déjà été divorcée ?

— Non, répondit Barbara.

— Pouvez-vous imaginer l'effet que ça fait d'être obligé de partager son enfant avec quelqu'un que l'on hait ? Qui se conduit de manière abjecte, qui essaie de monter contre vous le seul être que vous puissiez aimer sans condition ? Non, vous ne pouvez pas l'imaginer, ajouta-t-il dans un murmure.

— Ce doit être terrible.

Quand il se leva, ses yeux reflétaient toujours la même colère.

— Ne me tenez pas le discours apaisant du psychiatre de service. Vous n'êtes qu'une salope méprisante ! hurla-t-il. C'est *pire* que terrible. Je veux vivre avec mon fils et je ne sais même pas où il est. Alors pourquoi suis-je venu ici ? Est-ce que je vous paye pour que vous me débitiez des inepties du genre : « Ce doit être terrible » ?

L'espace d'une seconde, Barbara crut qu'il allait sauter par-dessus le bureau et se jeter sur elle.

— Il faut que vous m'aidiez à obtenir la garde de l'enfant. Vous devez dire à la Cour, au juge, à toutes les autorités nécessaires que c'est moi qui suis sain d'esprit. Que sa cinglée de mère essaie, à chaque minute, de le rendre fou. Allez-vous dire ça ?

— Je dirai ce qui me semblera le mieux pour Scottie, répondit Barbara du ton le plus neutre dont elle fut capable.

Ron Levine sortit en trombe de son bureau. Le téléphone sonna. Barbara décrocha, comme engourdie par ce qui venait de se passer.

— Barbara Singer à l'appareil.

— Bonjour, maman.

C'était Heidi qui l'appelait pour lui annoncer la nouvelle qu'elle connaissait déjà. Elle était fiancée. Ryan lui avait offert une bague, dit-elle à sa mère, avec de l'émotion dans la voix chaque fois qu'elle prononçait son nom, comme s'il était et avait toujours été un type formidable. Ils s'étaient mis en quête d'un appartement assez grand pour contenir leurs deux bureaux personnels.

— Dont l'un, confia Heidi à sa mère, pourrait bien devenir la... hum... tu sais.

Et Barbara resta sous le choc, car elle avait parfaitement compris que ce « tu sais » signifiait « chambre d'enfant ».

« Ce n'est pas à toi de choisir », ces mots ne cessaient de lui trotter dans la tête comme les signaux lumineux qui se déplacent de lettre en lettre sur les panneaux publicitaires de Goodyear. Elle s'efforça de les oublier.

— Nous avons pensé vous demander, à papa et à toi, s'il était possible de faire ça à l'hôtel Bel-Air, dit Heidi.

Barbara n'avait encore jamais songé au prix d'un mariage, mais elle savait que l'hôtel Bel-Air, ses jardins luxueux et ses bassins remplis de cygnes, serait l'un des endroits les plus coûteux de la ville. Si elle avait respecté son futur gendre, s'il avait bien traité sa fille et s'il l'avait rendue heureuse, elle se demanda si l'idée d'organiser un mariage à l'hôtel Bel-Air, de dire oui à tous leurs désirs, lui aurait plu. Mais elle était sur la défensive, et cette nouvelle la contrariait.

« Comment se fait-il », songea-t-elle, « que le seul domaine que nous connaissions parfaitement par chaque parcelle de notre intuition, de notre intellect, et par des années d'expérience soit justement, ironie du sort, celui où nous sommes complètement impuissants ? »

« L'intuition ne signifie rien », l'avait prévenue Gracie, « et la critique, c'est le baiser de la mort. »

— Nous descendrons dans quelques semaines pour faire connaissance. Et nous parlerons de la date, du lieu, etc. Je t'aime, maman, dit Heidi en guise d'au revoir.

Barbara soupira en raccrochant le téléphone, referma la

porte par laquelle Ron Levine était sorti en trombe et ouvrit la porte d'entrée pour accueillir la première famille de la matinée.

31

David Reisman était d'un caractère fort exigeant et, bien qu'il acceptât d'être confié à une nurse pendant la journée, il n'était parfaitement heureux que lorsque son père était à la maison. Il aimait les soirs où l'on chahutait sur le lit. Quand, après une longue journée de travail, Rick tombait d'épuisement, David le prenait pour oreiller tout en regardant la cassette vidéo d'un quelconque feuilleton.

Bien sûr, ils aimaient tous les deux jouer dans la piscine. Rick maintenait le petit garçon à la surface de l'eau, l'incitait à battre des pieds, de ses petits pieds potelés. « Patty a raison », songea Rick qui tenait son fils dans ses bras. L'odeur de la crème dont on lui enduisait les fesses transperçait l'étoffe de son pyjama en forme de tenue de base-ball. « J'appartiens à ce bébé. Je me jetterais sous un camion pour lui porter secours et, chaque fois qu'il me lance un de ses sourires espiègles, je sens que je fonds. »

Ce soir-là, David grimpa sur ses genoux. Après lui avoir lu un de ses livres préférés, Rick saisit l'album qu'il avait complété quand il en avait eu le temps. Il avait fouiné dans les tiroirs et dans les armoires, et en avait tiré un véritable trésor de photos de famille pour que David connaisse aussi l'histoire de sa famille adoptive. Des clichés des Cobb et des Reisman. Rick les avait mêlés de page en page, mettant ses dons de réalisateur à contribution pour les juxtaposer et les assembler. Cet album devint le livre d'images que David réclamait le plus souvent, le soir avant d'aller se coucher.

Rick aimait lui aussi le feuilleter. Chaque image lui rappelait des souvenirs qui se bousculaient dans sa tête, souvenirs de son enfance à Hollywood, dans la grande maison de Bel-Air, de son père et de son oncle, deux jeunes coureurs de jupons, beaux, brillants, de ses incomparables parents dont la perfection aurait peut-être été ternie s'il les avait connus après l'adolescence. Mais il ne les avait pas connus et c'était finalement à l'âge de cinquante ans qu'il se rendait compte qu'en comparaison du souvenir qu'il en avait gardé, sans doute revu, corrigé et embelli, toutes les relations qu'il avait entretenues dans son existence lui avaient paru bien pâles.

« Qui se sent morveux se mouche ! » lui avait dit Patty lorsqu'ils évoquaient ces gens qui ne parvenaient pas à trouver l'amour parce qu'ils avaient, dans la tête, l'idée bien ancrée de ce que cela devait être.

— Oncle Bobo, grand-père Jake, récitait David en désignant ses photos préférées. Oh ! Grand-mère Jane, grand-père Jake !

Rick contempla cette photo qu'aimait tant David. C'était un vieux cliché de Jane Grant et de Jake Reisman, beaux, élégants, un cliché de studio destiné à la publicité. Le regard qu'ils portaient l'un sur l'autre témoignait de leur grand amour. Ce soir-là, cette image lui fit amèrement regretter les années perdues et Rick leur adressa une prière silencieuse.

« Aidez-moi », priait-il en contemplant leurs visages. Ses parents lui manquaient autant que trente ans auparavant. « Aidez-moi à changer, à changer vraiment, à me lier à une femme dans cette vie. Mon rôle de père m'a appris que je savais aimer, sentir, souffrir et faire passer les besoins d'un autre être avant les miens. Cet enfant, ce cadeau du Ciel, m'a presque donné une conscience trop grande de sorte que, certains jours, le ciel est presque trop bleu pour moi, la musique plus douce que toutes celles que j'ai jamais entendues et, maintenant, je sais que je veux partager cela avec une femme. »

David poussait un cri aigu devant chaque photo, prononçait le nom de chaque personne, se souvenait de la place qui était la sienne au sein de la famille. « Mère nanuelle », disait-il pour « mère naturelle ». « Doreen, ma mère nanuelle, grand-mère Béa, tatie Trish et plein de cheveux carotte », hurlait-il en désignant le mari de Trish et ses enfants. Rick regarda de plus près, de très près, et fut pris d'une violente nausée.

Le lendemain matin, Patty passa au bureau de Rick pour y déposer un sac venant de chez Saks, le magasin chic de la Cinquième Avenue. Quand Rick quitta un instant sa salle de réunion pour poser une question à Andréa, il aperçut une belle blonde de dos. Et quand la blonde se retourna, il constata avec étonnement que c'était Patty. En jean délavé et en sweatshirt, elle avait l'air d'une enfant.

— Bonjour, dit-elle, et son joli sourire illumina la pièce. Il y avait des soldes au rayon des petits garçons. Comme tu habilles toujours David en costume de polyester, j'ai pris la liberté, liberté que me confère mon statut de tante officieuse, de lui acheter deux ou trois choses.

Rick s'approcha pour lui donner un baiser, un de ces baisers hollywoodiens où l'on s'effleure la joue. A ce moment-là, il ne sut plus très bien si c'était le parfum de Patty, une alliance entre la crème solaire et Brise du large, qui lui donnait cette envie de la prendre dans ses bras ou si c'était simplement la longue période d'abstinence qu'il s'était infligée.

— Qu'as-tu contre les costumes en polyester ? demanda-t-il en faisant un pas en arrière.

Andréa plongea la main dans le sac dont elle sortit divers shorts, T-shirts et pantalons.

— Rien si c'est pour habiller l'oncle Bobo, fit Andréa. A propos, ne devriez-vous pas être déjà sur le chemin de la maison de retraite ?

Rick regarda sa montre.

— C'est vrai. Je vais mettre un terme à la réunion qui se tient dans mon bureau, aller chercher David et en route !

Patty ne dissimula pas sa déception.

— Quel dommage ! s'exclama-t-elle. J'allais justement te demander de déjeuner rapidement avec moi et de m'aider à résoudre les problèmes que me pose la succession de Charlie.

— Et si je te passais un coup de fil ? Nous verrons tout ça pendant le week-end.

— Parfait, dit Patty.

Sur la route de Calabassas, Rick songea qu'il aurait peut-être dû inviter Patty à se joindre à eux et à venir déjeuner à la maison de retraite du cinéma. Bobo l'adorait. « Une femme qui en vaut deux », disait-il d'elle. « Si j'étais un peu plus jeune, je lui ferais la cour. » Bobo n'attendait plus, comme naguère, à l'entrée de la maison de retraite. Le trajet depuis sa chambre était à présent trop long et trop pénible. Il disposait d'un déambulateur pour l'aider à marcher, qu'il refusait d'utiliser, sauf quand Rick et l'enfant venaient lui rendre visite. Encore n'acceptait-il que rarement qu'on l'aidât à se lever et à descendre le couloir pour faire le brave devant Rick et David, qu'il appelait « mes garçons ». Son corps affaibli puisait dans ses dernières ressources pour avancer ainsi aux côtés de Rick et derrière David qui trouvait l'endroit idéal pour trottiner.

Mais si le corps de Bobo était un peu défaillant, il avait encore l'esprit vif.

— J'ai eu une vie pleine de surprises, avait-il déclaré en hochant la tête devant le petit garçon. Si l'on m'avait dit qu'un homme qui a vécu autant d'années de ce siècle t'approuverait d'avoir adopté cet enfant... non, ne t'approuverait pas, te donnerait sa bénédiction, je l'aurais traité de fou, mais tu sais, c'est une excellente chose.

Ce jour-là, tandis que Rick passait dans le couloir, avec David sur les épaules, devant la salle des infirmières, celle qui y était assise leva les yeux vers eux.

— Ce sont vos visites en compagnie de cet enfant qui le maintiennent en vie.

— Bonjour, madame, dit David.

— Bonjour, petit, répondit l'infirmière en lui adressant un signe de la main.

— Mes garçons ! s'écria Bobo quand ils pénétrèrent dans sa chambre.

Le vieil homme était bien calé sur son lit.

— Onc' Bobobobo ! cria David qui grimpa sur le lit de son grand-oncle, s'assit à côté de lui et posa ses deux mains potelées sur le visage du vieil homme.

— Bonjour, onc' Bobo.

— Mais oui. N'essaie pas de me charmer, petit chenapan ! fit Bobo avec un sourire édenté.

Son appareil reposait dans un verre, à l'autre extrémité de la pièce.

Rick étendit une couverture sur le sol, y posa David et quelques jouets. L'enfant s'en empara avec joie. Rick saisit la main de son oncle.

— Oncle Bobo, j'ai besoin de tes conseils.

Puis il lui fit part de ses inquiétudes au sujet de Doreen.

— Rick, dit le vieil homme quand son neveu eut terminé son récit. Si ce genre d'opération n'existait pas de mon temps ou si cela se passait dans le plus grand secret, si personne ne le savait ou n'en parlait, il y avait une bonne raison à cela. C'est parce qu'il y a un moment où le système ne tient plus debout, où il y a trop... comment dit-on... de complications. Ce n'est jamais clair et net, quoi qu'en dise ce drôle d'avocat qui t'a conseillé. Voilà pourquoi ! Peut-on s'en aller comme ça et dire adieu pour toujours à cette petite fille ? Elle t'a donné la chose la plus précieuse au monde.

» Bien sûr, si tu n'avais pas de cœur, peut-être te dirais-tu : « Ce n'est pas mon problème. » Mais, même avec la vie de fou que tu mènes, tu es du genre à remuer ciel et terre pour ceux que tu aimes. Comment je le sais ? Combien de vieux bonshommes comme moi reçoivent des visites aussi régulières que les tiennes ? Il n'y a que moi !

Rick avait envie de dissimuler son visage sous la couverture pour pleurer. Comme il aimait ce vieil oncle, cet être généreux qui avait su voir ce qu'il y avait de bon en lui ! Et comme l'enfance de David serait triste s'il ne l'avait pas connu et s'il n'en gardait pas le souvenir !

— Je fais confiance à ton bon cœur. Tu trouveras le moyen d'aider cette enfant. En attendant qui est cette femme ?

— Quelle femme ?

— Ou ma vue baisse ou, depuis quelques semaines, tu es vraiment plus svelte.

— Svelte ?

— D'accord, svelte, c'est un peu excessif. Mignon serait plus adapté, dit le vieil homme qui découvrit des yeux rieurs. Il y a enfin une femme qui te plaît, grâce à Dieu ?

— Absolument pas.

— Ne mens pas à un mourant. En y réfléchissant bien, si, mens-moi, pour que je puisse sourire sur le chemin de la tombe.

— Tu délires, oncle Bobo.

Bobo rit de nouveau.

— Pas du tout.

Ce furent les seuls mots qu'il prononça avant de s'endormir.

« De quoi parle-t-il ? », pensa Rick qui rassembla les affaires de son fils, le remit sur ses épaules et descendit à nouveau le couloir, dont les murs étaient ornés des photos noir et blanc des stars de Hollywood, en direction du parking. Il ne s'engagea pas sur l'autoroute qui menait vers l'est, vers le studio. Il prit la direction de l'ouest, vers Malibu, pour rejoindre Patty.

Andréa allait appuyer sur la touche du répondeur avant de se rendre à la cantine. Elle avait déjà son sac à la main et Candy, la nouvelle qui travaillait dans le bureau d'en face, l'attendait à l'extérieur pour aller déjeuner avec elle. Le téléphone sonna. « Merde ! » pensa Andréa. « Je pourrais laisser sonner... » Rick venait de l'appeler de sa voiture pour l'informer qu'il ferait une halte quelque part avant de regagner son bureau et qu'il ne serait probablement pas rentré avant trois heures. Ce n'était donc pas lui.

— Andréa ! appela Candy dans le couloir. Est-ce que je pars devant pour nous retenir une table ?

— Non, j'en ai pour une seconde. Bureau de Richard Reisman.

— Heu... Bonjour. Heu, M. Reisman est-il là ?

— Non, il n'est pas là.

C'était une drôle de voix et, à la sonorité, Andréa comprit que l'on téléphonait de loin.

— Il devrait rentrer dans quelques heures. Puis-je lui dire qui a cherché à le joindre ?

— Vous êtes Andréa ?

— Oui.

« Allez, allez ! » pensait-elle. « Je meurs de faim. »

— C'est Béa Cobb, la mère de Doreen. C'est très urgent. Il faut que je lui parle immédiatement.

Elle avait l'air paniquée.

— Et si j'essayais de le joindre, madame Cobb ? dit Andréa. Je lui dirai de vous rappeler aussitôt.

Andréa reposa le combiné et se dirigea vers la porte.

— Candy, je ne peux pas venir déjeuner. Il se passe quelque chose de grave. Il faut absolument que je trouve Rick.

Il n'était pas à la maison. Il n'était pas dans sa voiture. Elle téléphona même au restaurant de hamburgers de Beverly Hills où il emmenait parfois David quand ils déjeunaient tard. Il n'y était pas non plus. Il serait désespéré de ne pas avoir répondu à cet appel, mais elle ignorait totalement où il pouvait se trouver.

— Eh bien ! En voilà une surprise ! s'exclama Patty Fall en ouvrant sa porte. J'étais en train d'arroser la terrasse. J'avais l'intention de m'y installer pour faire un peu de paperasserie ! Entrez tous les deux !

De son pas mal assuré, David traversa la salle de séjour et suivit Rick et Patty dans la cuisine.

— Ne devrais-tu pas être au travail ? demanda-t-elle à Rick.

— Je fais l'école buissonnière. Je viens de quitter Bobo et il est tellement évident qu'il n'en a plus pour longtemps que, parfois, j'ai peur de le laisser. Peur de ne jamais le revoir vivant. L'idée de le perdre m'est si pénible qu'il m'a paru bien futile de retourner au bureau pour m'occuper de la programmation d'une production.

— De toute façon, je suis ravie que tu aies décidé de venir ici, dit-elle.

Avec l'efficacité que donne l'expérience, elle rassembla quelques ustensiles de cuisine et récipients en plastique, prit David sous le bras et l'entraîna sur la terrasse avant de descendre sur la plage. Tandis que David versait du sable d'un récipient dans l'autre, Rick et Patty s'assirent côte à côte.

— La mort fait partie de la vie, Ricky. Bobo mourra un jour et tu poursuivras ta route. Il y a eu entre vous des liens exceptionnels. De plus, il a exercé une excellente influence sur toi.

— Quelquefois, j'ai l'impression qu'il n'a plus envie de vivre. Qu'il attend seulement que je me marie.

Patty rit.

— Et qui veut-il te faire épouser ?

— Il m'a attaqué bille en tête ! Aujourd'hui, il m'a accusé de le lui cacher ! Il m'a dit que j'étais trop beau, qu'il devait certainement y avoir une femme dans ma vie.

David avait retiré une de ses chaussures qu'il remplissait consciencieusement de sable.

— Il a raison, dit Patty en souriant.

Rick la regarda. Leurs regards se croisèrent, longuement. Il y avait une lueur interrogatrice dans les yeux de Patty.

— Y a-t-il une femme ? demanda-t-elle.

Rick ne s'attendait pas à éprouver les sentiments qui

l'assaillirent alors, un mélange de gratitude pour l'amitié qu'elle lui témoignait et de désir. Le besoin de la prendre dans ses bras, de l'embrasser et de pleurer avec elle la perte de Charlie et de Bobo. Et de se réjouir avec elle de la présence de David. Sur la terrasse, la sonnerie du téléphone retentit et rompit le charme de cet instant.

— Je reviens tout de suite, dit Patty qui monta quatre à quatre l'escalier de bois. Oui. Allô ?

Rick entendit l'écho affaibli de sa voix qui parvenait jusqu'à la plage.

Elle lui fit signe de venir. Il saisit donc David et courut jusqu'à la terrasse pour prendre la communication.

— Monsieur Reisman, je viens de recevoir un appel urgent de Béa, la mère de Doreen Cobb. Je peux la rappeler et vous la passer chez Mme Fall, si vous le souhaitez, dit Andréa.

— D'accord, fit Rick.

Patty attrapa David et essuya doucement le sable qui s'était collé à ses pieds.

— Allô ?

— Béa ?

— Je n'irai pas par quatre chemins. Avez-vous eu dernièrement une conversation avec ma fille ?

— Pas depuis plusieurs semaines. Pourquoi ?

— Je pensais qu'elle était peut-être chez vous. Pour vous voir, vous ou le bébé. Parce qu'elle s'est enfuie depuis quelques jours.

— Non ! dit Rick.

Enfuie. A présent, il savait qu'il avait vu juste quant à ce salaud de beau-frère. Bon sang ! Pourquoi ne lui avait-il pas parlé davantage le jour de l'adoption ? Pourquoi ne lui avait-il pas dit : « Doreen, c'est une formalité qui n'a rien à voir avec les liens réels que vous aurez toujours avec ce petit garçon ? Vous serez toujours la famille de David. Nous vous aimons. »

— Béa, avez-vous prévenu la police ?

— Eh bien, j'allais le faire, mais Don, mon gendre, m'a conseillé de laisser tomber. Il prétend que c'est une lubie d'adolescente, un problème qu'il faut qu'elle règle toute seule, que dans les cas comme celui-ci, la police ne peut pas faire grand-chose et qu'elle reviendra.

Le gendre espérait sans doute qu'on la retrouverait morte

quelque part. Rick se sentit impuissant, perdu qu'il était dans ses pensées, imaginant l'angoisse de Doreen. Au loin, il entendit Béa dire :

— Don est mon conseiller depuis la mort de mon mari. Il a pratiquement élevé Doreen. C'est le mari de Trish. Sur les photos que nous vous avons envoyées, c'est celui qui a les cheveux roux.

— Écoutez, lui dit Rick, en proie à une peur obsédante. Si j'étais vous, j'appellerais la police.

— Oui, peut-être, répondit-elle d'une voix telle qu'il comprit qu'elle n'en ferait rien.

— Et si j'ai de ses nouvelles... ajouta-t-il.

— Dites-lui de revenir à la maison, fit sa mère, parce que, dans la famille, tout le monde l'aime et ne veut que son bien.

Mais Rick, qui connaissait la vérité, craignait pour la vie de Doreen.

32

Il était évident que Mitch l'évitait, et c'était, aux yeux de Lainie, la preuve de sa trahison. Dans la boutique, en présence des clientes, il était toujours le même, le Mitch de leur beau couple, le bras autour de sa taille et une caresse sur sa joue. Mais, à la maison, il fuyait son regard. Quand elle allait se coucher, il veillait tard en prétendant qu'il avait du travail. Souvent le matin, il se levait et disparaissait sous la douche avant même que le bébé fût éveillé.

En revanche, l'attention qu'il portait à la petite Rosie qu'il prenait dans ses bras, qu'il couvrait de baisers, faisait d'autant plus ressortir une froideur qui n'était pas simplement due au souci que lui procurait un problème professionnel quelconque.

« Pourquoi est-ce que je ne lui dis pas que je suis au courant ? » se demandait Lainie, assise dans son lit, à trois heures du matin. Alors elle se souvint qu'autrefois, à l'aube, elle regardait par la fenêtre de sa chambre d'enfant. Elle apercevait son père qui rentrait de Dieu seul savait quel endroit, parfois tellement ivre qu'il en oubliait d'éteindre les phares de sa voiture. Elle l'entendait monter l'escalier sur la pointe des pieds. Et quand elle pensait qu'il s'était endormi, la petite Lainie descendait vite, en pyjama, éteindre les phares et retournait se coucher en courant vers son lit.

Elle éprouvait alors le même sentiment d'impuissance que celui que lui inspirait Mitch à présent.

« Est-ce ainsi que je dois agir ? » pensait Lainie. « Attendre que les choses se tassent ? Attendre, comme ma mère a attendu, qu'il meure, pour toucher l'assurance ? Pas moi, je ne vais pas vivre dans le mensonge. » Mais au lieu de dire quoi que ce soit, elle songea à sa vie, à la journée qui l'attendait, au bébé dont elle s'occuperait, au magasin où elle avait l'intention de passer, aux cours auxquels elle assisterait, incapable de poser cette question qui la démangeait, qui l'obsédait et lui rongeait le cœur.

Ce cocu vit en joie qui, certain de son sort,
n'aime pas celle qui le trompe ;
Mais, oh ! quelles damnées minutes il compte,
celui qui raffole, mais doute, celui qui soupçonne,
mais aime éperdument !

Un groupe d'étudiants d'un cours de théâtre lisait *Othello* devant la classe de Lainie. « Je n'ai pas besoin d'un Iago pour me tourmenter », pensait-elle en écoutant ce dialogue. « Je suis mon propre Iago. Je deviens folle, comme Othello. Ce n'est pas possible que Mitch, mon mari, couche avec cette femme », raisonnait-elle, cherchant à être logique. « Vraiment ? » susurrait le Iago qui s'était insinué en elle. « Si c'est vrai, sors de cette salle immédiatement et va au parc de Sherman Oaks. Mitch n'a-t-il pas dit qu'il y emmènerait Rosie ce soir ? Ne pensait-il pas que tu serais sagement à l'université et qu'il pourrait rendre visite à Jackie avec sa fille ? Sinon pourquoi tiendrait-il tant à cette promenade, s'il n'y avait rien entre Jackie et lui ? »

Non, Iago ! Avant de douter, je veux voir.
Après le doute, la preuve !
et, après la preuve, mon parti est pris :
adieu à la fois à l'amour et la jalousie !

L'acteur qui tenait le rôle d'Othello avait une voix puissante qui tranchait avec sa faible constitution. Assis sur sa chaise pliante, il parvenait à faire naître une émotion saisissante rien qu'en lisant son texte. Tous étaient tendus vers lui, comme s'ils ressentaient la douleur d'Othello. Quand vint l'heure de la pause, tandis que les autres étudiants se dirigeaient vers les distributeurs de boissons, Lainie regagna sa voiture.

Deux adolescents tiraient des paniers devant le poteau de basket. Une famille était installée à la table de pique-nique et un coureur faisait le tour de la piste au petit trot. Le terrain de jeux était désert. Un vent violent faisait voler le sable du bac et les balançoires montaient et descendaient comme poussées par des fantômes. « Je suis certain que Desdémone ne me trahit pas. » Dans sa voiture, Lainie maudissait la folie qui l'avait bêtement incitée à quitter ce cours sur Shakespeare pour se précipiter dans ce parc, pour voir si Mitch était avec Jackie. Si elle rentrait maintenant à la maison, il ne manquerait pas de remarquer qu'elle était là plus tôt et se demanderait pourquoi. Mais cela n'avait pas d'importance. Elle pourrait toujours lui dire que l'enfant lui manquait et qu'elle voulait la voir avant qu'elle soit couchée.

La voiture de Mitch était au garage et tout semblait calme dans la résidence quand Lainie monta l'escalier. Lorsqu'elle ouvrit la porte de la nursery, elle fut submergée par le soulagement, la joie et la honte d'avoir douté de son Mitch bien-aimé. Il était là, dans le fauteuil à bascule, endormi. Le bébé dormait lui aussi, pelotonné contre lui. « Malade, je suis tellement malade, tellement troublée par ce parfum que n'importe qui pourrait porter et par la réflexion d'une voisine que j'aurais pu commettre la folie de porter contre mon mari une accusation ridicule. »

Mitch De Nardo, le plus charmant, le meilleur des hommes, était simplement distrait par ses tracas professionnels. Elle le réveillerait puis, après avoir changé Rosie pour la nuit et l'avoir couchée dans son berceau, Lainie trouverait le moyen d'attirer Mitch au lit et de lui faire l'amour. Cela faisait si longtemps, et cela les rapprocherait enfin.

— Mitchie, fit-elle en l'effleurant tendrement.

— Hein ?

Mitch leva les yeux vers elle, se rendit compte qu'il s'était endormi au son de sa berceuse et contempla l'enfant qui sommeillait.

— Ce petit ange m'a épuisé, ce soir.

— Qu'avez-vous fait ensemble ? demanda Lainie qui lui prit Rose des mains et la posa délicatement sur la table à langer.

— Oh ! C'était merveilleux. Nous avons fait une grande promenade en voiture.

Le soir ? Dans les encombrements, ils étaient allés se promener ?

— Où ?

— Sur la plage, répondit Mitch en bâillant, puis il se leva et s'étira.

— Tu veux que je lui mette une couche pour la nuit ? demanda-t-il.

— Je peux le faire, dit Lainie.

— Parfait, répondit-il sans la regarder. Puisque tu es là, je retourne au magasin. J'ai une pile de factures à terminer. La comptable vient demain et je ne suis pas prêt. J'aimerais qu'elle s'occupe de la facturation et de nos comptes personnels.

Il tapota la poche de son pantalon où se trouvaient ses clés de voiture.

— Ne m'attends pas.

Ce furent ses derniers mots avant de disparaître.

Le lendemain, Lainie emmena Rose au zoo en compagnie de son amie Sharon et de son bébé. Rose pointa le doigt vers l'éléphant.

— Elatar ! s'écria-t-elle.

— Oui ! dit Lainie, ravie de constater que sa fille commençait à parler.

— La mienne n'a pas encore prononcé un mot, dit Sharon.

Lainie poussa la poussette de cage en cage. Sharon restait à ses côtés. Elle ne parvenait pas à chasser de son esprit le sentiment étrange qu'avait fait surgir l'attitude de Mitch. Mais elle n'était pas assez intime avec Sharon pour lui parler de ses états d'âme. En fait, elle ne se sentait proche de personne. Aussi curieux que cela puisse paraître, la seule femme avec laquelle elle avait partagé une véritable intimité, c'était Jackie. Pour des raisons évidentes — les mois au cours desquels avaient eu lieu les tentatives d'insémination, le fait étonnant, et qui n'avait jamais cessé de l'étonner, qu'elle portait l'enfant de Mitch — mais aussi parce que Jackie était un être qui appelait l'intimité, qui entrait sans crier gare dans votre vie et vous accueillait dans la sienne, sans crainte. Elle prêtait une attention chaleureuse à vos sentiments et vous parlait des siens.

Pas de cette manière rigide que l'on avait inculquée à Lainie. Si ces qualités étaient héréditaires, elle espérait que Rose les hériterait. Jackie était une femme bien, pensait Lainie qui, une fois de plus, se reprocha les peurs et les fantasmes stupides qu'elle entretenait quant à une éventuelle liaison entre Jackie et Mitch.

— Je me suis inscrite à un cours de gymnastique, dit Sharon, alors qu'elles s'étaient arrêtées devant une échoppe pour y acheter des sandwiches et pour donner aux deux petites filles les biscuits qu'elles avaient apportés. Parce que j'avais l'impression que je ne retrouverais jamais ma ligne et puis, Jerry ne m'a pas touchée depuis des mois. Tu sais, c'est drôle, quand j'étais enceinte, nous faisions l'amour tout le temps. Je ne pensais donc pas que mon embonpoint lui déplaisait.

Lainie déposa des petits morceaux de banane sur le plateau attaché à l'avant de la poussette. Sharon venait de lui en révéler plus sur sa vie privée qu'elle n'en avait jamais dit auparavant. Quand elles étaient ensemble, elles parlaient de leurs lectures ou des difficultés qu'elles rencontraient pour concilier leurs études et leurs enfants.

— Ma sœur m'a dit qu'elle avait vécu la même chose avec son mari. Dès qu'il y a eu l'enfant, son attitude a complètement changé. Comme s'il voulait lui dire : « Maintenant que tu es mère, je ne peux plus te désirer. »

Lainie hocha la tête d'un air compatissant. Cela lui redonnait le moral. C'était peut-être pour cela que Mitch ne lui faisait plus d'avances. Et s'il ne s'agissait que de ça, elle allait vite reprendre la situation en main. Elle l'emmènerait en week-end. Achèterait de la lingerie affriolante et lui ferait perdre la tête comme autrefois.

En rentrant du zoo avec Rosie, on s'arrêterait devant Panache pour voir papa. Lainie le prendrait à part pour lui parler de son projet de voyage. Sa mère garderait Rose pendant deux jours. Panache se passerait de Mitch pendant quarante-huit heures. Ils trouveraient un hôtel quelque part au bord de l'océan et ne penseraient plus qu'à l'amour pendant des heures et des jours.

Toutes les filles qui travaillaient dans la boutique poussèrent des ah ! et des oh ! en apercevant Rose dans les bras de sa mère. Dans sa petite main, elle tenait la ficelle d'un ballon de baudruche, acheté au zoo de Los Angeles.

— Comme elle est grande ! s'exclama Carin. Je peux la prendre ?

Rose lui adressa un grand sourire et s'avança sans l'ombre d'une crainte vers Carin.

— Mitch a dit qu'il devait aller à la banque, poursuivit Carin. Il sera de retour dans quelques minutes.

Puis elle prit Rosie et se planta devant le miroir à trois faces en disant :

— Regarde le beau bébé !

Lainie prévint Carin qu'elle allait s'installer dans le bureau, au fond du magasin. Elle appela sa mère pour lui demander les dates qui lui convenaient avant de les proposer à Mitch.

Le bureau était d'une propreté éclatante. La comptable avait visiblement terminé son travail. Dans une pile se trouvaient les factures courantes, les chèques attachés et prêts à l'envoi, dans une autre les factures personnelles de Lainie et de Mitch et les chèques correspondants. Lainie composa le numéro du cabinet d'avocats et feuilleta le courrier d'un air absent, tandis que la sonnerie du téléphone de Bradford et Freeman lui brisait les tympans.

— Cabinet juridique Bradford et Freeman. A qui désirez-vous parler ?

— Maman ?

— Oh, bonjour, ma chérie ! Reste en ligne. Je suis sur trois lignes en même temps. Ne raccroche pas.

La facture du gaz, très élevée, la facture de l'eau aussi, remarqua Lainie. L'épicerie Gelson : elle y avait un compte. C'était un peu extravagant, mais Lainie était très attachée à la qualité de leurs produits, à leur fabuleuse charcuterie, aux pains qui dégageaient un parfum si alléchant. Mais ce mois-ci, la note était vraiment exorbitante. La compagnie du téléphone, Pacific Bell. Une longue facture répertoriait chaque appel. Des pages et des pages. En attendant, elle souleva les chèques et jeta un coup d'œil à la liste.

West Los Angeles, Santa Monica, Studio City, le numéro de téléphone de sa mère. Encore West Los Angeles. Long Beach. Long Beach ? Qui connaissaient-ils à Long Beach, à part... ? Elle regarda le numéro de l'autre côté, et c'était bien celui de Jackie. Elle vérifia la date, puis le calendrier. Un soir où elle suivait des cours, il avait appelé de la maison à sept heures moins vingt, à peine Lainie avait-elle franchi le seuil pour se rendre à l'université. Sa main descendit le long de la feuille. Deux semaines plus tard, Long Beach. Dix-huit heures quarante-deux. Quand elle quittait Mitch, Mitch appelait Jackie pour lui annoncer qu'il venait la voir avec Rose, et Rose, qui ne parlait pas encore, ne trahirait pas leur secret.

C'était pour cela que Mitch ne lui faisait plus l'amour. Mon Dieu, c'était donc vrai !

— Bonjour, ma belle !

Elle se retourna en poussant un cri étouffé, comme s'il venait de la prendre, elle, sur le fait, alors qu'elle ne faisait que regarder sa propre facture de téléphone. Qu'elle ne s'était, jusqu'à présent, jamais donné la peine de vérifier, puisque Mitch s'en chargeait avec la comptable. Il savait qu'en principe elle ne jetait jamais les yeux sur ces papiers, qu'elle les épluchait moins encore. Elle raccrocha le téléphone.

— Mitch, dit-elle, le visage tremblant, sans savoir si elle aurait la force de lui poser la question qui lui brûlait les lèvres.

S'il répondait oui, toute sa vie risquait de s'effondrer. Elle se souvint de ce que lui avait dit Barbara Singer avec gravité. « Vous avez lutté contre le cancer, vous pouvez affronter cela », et cela lui donna le courage. De se jeter à l'eau :

— Est-ce que tu as revu Jackie ?

« Mon Dieu, pourvu qu'il dise non », pensa-t-elle. « Pourvu qu'il ne lui ait téléphoné que pour régler un problème juridique ou autre, une question d'honoraires médicaux impayés. »

Mitch avait les yeux rivés sur le sol et ne répondait pas.

— Tu l'as revue, dit Lainie, qui aurait voulu être morte, que le cancer l'ait tuée au lieu de la laisser vivre pour se retrouver dans cette pièce dans le rôle de la mégère malheureuse exigeant une réponse. Et tu as emmené Rosie avec toi ?

Pour toute réponse, il acquiesça d'un faible hochement de tête.

— Pourquoi ? Comment ? Qu'est-ce qui a bien pu te pousser à faire ça après tout ce que nous avons traversé, toi et moi, pour que cela marche ? Mitch, je ne me suis pas sentie à la hauteur pendant tant d'années que j'ai accepté que tu aies un enfant avec une autre femme. Mais il n'y a pas eu une seule étape de cette opération où je ne me sois pas retenue de te supplier de tout arrêter, parce que cela me faisait trop de mal. Ne comprends-tu pas que, si ce monde terrible dans lequel nous vivons ne s'arrête pas de tourner, c'est simplement parce que la femme veut sentir en elle l'enfant de l'homme qu'elle aime ? Non regarder une autre resplendir à sa place ! C'est comme si je t'avais regardé faire l'amour avec elle. Est-ce que tu as fait ça, Mitch ? As-tu fait l'amour avec Jackie ? Tu peux tout me dire maintenant que j'ai découvert le pot aux roses.

Ta chemise sentait son parfum, les coups de fil que tu lui as donnés sont inscrits noir sur blanc sur notre facture de téléphone. C'était mieux avec elle parce qu'elle a encore tous ses organes ?

Lainie hurlait. Sa voix montait jusqu'au plafond, l'écho s'en propageait, elle en était certaine, dans toute la boutique. Les vendeuses et les clientes devaient entendre chacun de ses mots. Enfin elle laissait exploser sa douleur, sa rage, la peine qu'elle avait éprouvée depuis tant de temps. Et Mitch n'essayait même pas de la faire taire. Il restait planté là, dans l'embrasure de la porte du bureau, les yeux rivés sur ses baskets de cuir noir.

— Maman ! cria Rose, quelque part dans le magasin.

Puis Lainie entendit Carin lui dire :

— Maman est occupée pour le moment. Et si on essayait des chapeaux ? Je parie que Rosie est très mignonne avec un chapeau. Viens, sois gentille.

— Je ne l'ai pas touchée, fit Mitch. Peut-être l'ai-je prise dans mes bras avant de lui dire au revoir. C'est sans doute comme ça que son parfum a imprégné mes vêtements. Si j'ai emmené Rose avec moi, c'est qu'elle est venue un soir, au magasin, juste avant que je ferme. Les filles ne savaient pas qui elle était, et j'ai failli tomber à la renverse en la voyant.

» J'étais persuadé qu'elle ne savait rien de nous, que c'était dans ce but que nous avions fait installer une ligne spéciale et que nous avions tout payé en liquide. Elle m'a dit qu'elle connaissait notre nom de famille depuis des années. Qu'un jour, elle s'était présentée à l'ancien magasin pour postuler un emploi et qu'elle y avait fait ma connaissance. Que la première fois où nous sommes entrés dans le bureau de l'avocat, elle s'est souvenue de moi, bien que je ne me la rappelle pas. Elle m'a dit aussi que, pendant sa grossesse, notre nom t'avait échappé par hasard.

» Elle s'est assise exactement là et m'a déclaré : « Mitch, ce n'est pas du chantage, ce n'est pas une menace, ce n'est que la vérité. Ce bébé est sorti de mon corps, de mon ventre, de moi, et j'ai besoin de le voir, de le connaître, besoin d'être avec lui. » Ce n'était ni du chantage ni rien de tout cela. Elle voulait simplement faire partie de la vie de Rose. « Dites à Lainie de ne pas s'inquiéter », a-t-elle ajouté en me suppliant. « Je ne détruirai pas ses liens avec l'enfant. »

» Je lui ai dit qu'elle était folle. Complètement folle de s'imaginer que *toi* ou moi, nous accepterions ça. Je n'ai pas cru qu'il ne s'agissait pas de chantage. Je lui ai proposé de l'argent, beaucoup d'argent pour disparaître à jamais. Je ne savais pas très bien d'où je sortirais une somme pareille, mais elle a refusé. Elle ne cherchait pas non plus à obtenir davantage. Elle ne voulait pas d'argent tout simplement. Et soudain je me suis rendu compte qu'elle n'était pas folle du tout. La folie, c'était que nous acceptions tous les trois de mettre un enfant au monde dans ces conditions. Et c'est moi qui suis à blâmer. A cause de mon colossal égocentrisme, j'ai fini par te faire subir les tourments des damnés, à Jackie aussi, et j'ai créé une situation qui ne sera jamais telle que nous l'avions imaginée.

— Et sans rien me dire ni rien me demander, tu as emmené Rose chez elle ?

— Je pensais que, si je te demandais une chose pareille, tu en mourrais, répondit-il, sur la défensive.

Lainie était folle de rage à l'idée qu'il ait pu songer un instant que sa position était défendable.

— Alors tu as menti. Et rendu cette enfant complice de ton mensonge.

— Je savais que, quand Rosie parlerait vraiment, je ne pourrais plus le faire. Et j'avais l'espoir que Jackie, après l'avoir vue une ou deux fois, comprendrait que c'était très dur pour nous tous et changerait d'avis. Ou bien que, d'une manière ou d'une autre, je parviendrais à t'avouer la vérité et que nous nous arrangerions. Lainie, c'est très mal d'avoir fait ça derrière ton dos. Mais le plus terrible, c'est de ne pas t'avoir dit, il y a quelques années : « Essayons d'adopter un enfant ! » au lieu d'y renoncer parce que nous avions eu une mauvaise expérience. Et j'aurais dû dire à ma sœur : « Mêle-toi de tes affaires, bon Dieu, je me fiche que ce bébé soit un De Nardo. Je veux que Lainie vive bien cela. » A présent, le mal est fait. J'ai eu un enfant avec cette femme, et je ne peux pas agir comme si cela ne s'était pas produit. Ni elle ni toi ne le pouvez non plus.

Lainie le regarda droit dans les yeux. Elle lui en voulait terriblement.

— Mitch, je rentre à la maison. J'emmène Rosie avec moi. Ce soir, en allant à mon cours, je la laisserai chez ma mère.

Pendant mon absence, je veux que tu ailles chez nous et que tu prennes tout ce dont tu as besoin, parce que je ne vivrai plus avec toi, je ne peux pas supporter l'idée que tu m'aies fait cela. Je ne veux plus te voir. Nous prendrons les dispositions nécessaires pour notre divorce et nous nous arrangerons pour la garde de Rose par l'intermédiaire de nos avocats.

— Lainie, je t'en prie...

— Non, Mitch dit-elle. La dernière fois que tu m'as dit : « Je t'en prie », j'ai accepté et cela a détruit la vie de trop de gens.

33

Barbara but une gorgée de café, regarda la pendule et comprit qu'il était temps de commencer.

— Il est tout à fait évident que nous parlons souvent de problèmes que rencontrent aussi les parents des autres groupes, angoisses de séparation, difficulté à se coucher ou à trouver le sommeil.

— Le sommeil ? Connais pas, intervint Judith. Au moment où Jillian a commencé à faire ses nuits, j'ai eu Jody. Je crois que ma dernière vraie nuit, c'est celle qui a précédé la naissance de Jillian.

On entendit quelques soupirs d'approbation, tandis que les autres prenaient place sur leurs sièges. Chaque semaine, les membres de ce groupe semblaient heureux de se retrouver. Il s'était créé, entre eux, une confiance assez exceptionnelle. Ils éprouvaient tous une certaine fierté d'être différents du commun des mortels. Barbara, qui espérait obtenir cette alchimie dans tous les groupes, n'y parvenait pas toujours.

Quand un groupe s'entendait bien, ses membres restaient liés bien après le temps des réunions. En revanche, si le courant ne passait pas, Barbara n'avait aucun moyen de les inciter à créer des liens entre eux. Pendant un an, les parents se regardaient en chiens de faïence et se séparaient avec soulagement à la fin de la dernière séance.

— La meilleure solution, pour moi comme pour mes filles, c'est de les prendre dans mon lit, le soir. J'ai lu *Le Lit familial* et je me suis demandé pourquoi un petit être devrait rester tout seul dans le froid, alors que nous pouvons très bien nous pelotonner les unes contre les autres, ce qui leur donne un sentiment de sécurité, dit Judith.

— S'il tremblait de froid, vous prendriez aussi un adulte ? lui demanda Rick.

— J'aurais dû m'en douter ! s'écria Judith. Il faut toujours que vous trouviez le moyen de plaisanter.

Puis elle éclata de rire et lui lança à la figure la couche de tissu qu'elle portait sur l'épaule et qui servait de bavoir à son bébé.

— Et croyez-moi, ajouta-t-elle, j'ai bien besoin de rire. Vous savez tous ce que m'ont fait subir les hommes. En plus de ce souci-là, je n'arrive pas à trouver une femme de ménage qui me plaise. Il y a des jours où ces enfants m'épuisent.

— Voulez-vous en parler ? s'enquit Barbara.

— Quel est le plus gros problème, les hommes ou la femme de ménage ? demanda Ruth.

— Bonne question, dit Barbara à Ruth avant de se tourner vers Judith. Lequel de ces deux problèmes est le plus important ? Les hommes ou la femme de ménage ?

Judith réfléchit un instant, puis un grand sourire illumina ses traits.

— Eh bien, vous savez combien il est difficile de se faire aider !

Un rire contagieux gagna tout le groupe. Puis l'on changea de sujet et l'on évoqua le sentiment de culpabilité qu'ils éprouvaient devant la nécessité de concilier leur travail et leur rôle de parents, et la douleur de la séparation quotidienne. Tous travaillaient sauf Lainie qui passait plusieurs soirées par semaine à l'université et consacrait la majeure partie de son temps à ses études.

Mitch n'avait pas assisté aux dernières séances et elle avait, chaque fois, trouvé un prétexte plausible. Il avait du travail au magasin. Ce jour-là, lors d'un des rares moments de répit qui émaillaient la discussion, elle leur avoua la vérité.

— Mitch et moi, nous sommes séparés. Je lui ai demandé de partir quand j'ai découvert que, sans m'en parler, il emmenait l'enfant chez la mère porteuse.

— Oh, mon Dieu ! s'exclama Ruth.

— Pourquoi a-t-il fait cela ? demanda Shelly.

— Elle est venue le voir et l'a supplié de lui laisser voir le bébé. Il a eu peur de m'en parler, persuadé qu'on ne pouvait pas le lui refuser... et il a accepté.

— A mon avis, on ne peut pas nier qu'elle est la mère de l'enfant, déclara Rick, toujours très concret.

Lainie eut l'impression de recevoir un coup de pied.

— Expliquez-nous pourquoi vous avez dit ça, Rick, fit Barbara, qui avait remarqué que l'atmosphère de légèreté qui régnait entre eux avait brusquement disparu.

— Je ne veux pas avoir l'air d'un imbécile, je n'ai pas dit la « vraie mère », mais cette femme a quand même un lien biologique avec l'enfant. Et d'après ce que vous laissez entendre, un lien affectif également. Si c'était mon enfant, je craindrais de briser ces liens. Rose, et ce qu'elle deviendra en grandissant, est issue de ce patrimoine génétique et de cette histoire. Écoutez, je ne connais pas bien Mitch, poursuivit Rick. En fait, le peu que je l'ai vu ici, il ne me plaisait pas particulièrement. Mais j'imagine qu'il y a en lui quelque chose qui lui dit que la mère génétique doit garder un contact avec l'enfant. Il s'est peut-être mal conduit. Je crois pourtant que son instinct ne le trompe pas. Ne prenez pas cela pour un reproche personnel, Lainie, mais je crois que l'idée même de mère de substitution est une catastrophe. Contrairement à l'adoption qui est un moyen de résoudre deux problèmes en même temps, le recours aux mères porteuses non seulement crée des problèmes mais contient en soi le germe d'éventuelles tragédies.

— Je le pense aussi, confessa Lainie, qui s'efforçait de conserver son sang-froid. Évidemment, c'est ce que je pense maintenant. Au moment où cela s'est produit, je ne savais trop que penser. J'ai eu l'impression qu'il fallait que je fasse quelque chose et que je le fasse vite. J'avais assez perdu de temps entre ma maladie et mes tentatives infructueuses. Mitch désirait tellement avoir des enfants ! Je me considérais comme une bonne à rien parce que je ne pouvais pas lui en donner. Aujourd'hui, je sais que je n'aurais jamais dû dire oui.

— Je comprends que la situation soit embrouillée, intervint Judith, car je ne vois vraiment pas comment on peut ne pas souhaiter avoir des relations avec sa propre progéniture. Savoir que le fruit de vos entrailles vit quelque part et ne pas sentir le lien qui vous unit à lui, ne pas avoir besoin de le connaître, ça n'a pas de sens. Ne vous méprenez pas, je considère Mitch comme un salopard d'avoir fait ça dans votre dos.

— Et vos donneurs de sperme ? demanda Rick à Judith. Vous avez envie qu'ils entrent dans votre vie ?

— Croyez-moi, rétorqua-t-elle, sur la défensive, j'aimerais bien qu'ils soient disponibles pour faire du baby-sitting. Non, sérieusement, j'aimerais seulement avoir une relation profonde avec quelqu'un dans la vie. Or je n'en ai pas. Alors je n'ai pas attendu cet homme hypothétique.

— J'ai l'impression que Lainie se sent trompée, et c'est là le nœud du problème. Les rapports avec la mère porteuse ont été faussés, alors que ce projet avait été prévu dans les moindres détails. Mitch a, semble-t-il, modifié les règles du jeu sans lui dire quelles étaient les nouvelles et détruit la confiance qui s'était établie entre eux.

— Le salaud ! dit Judith.

— Vous ne pouvez pas vous réconcilier ? En parler ? demanda Ruth.

— Je suis trop à vif, répondit Lainie. Je m'en veux à mort d'avoir accepté ça et je suis jalouse, choquée, qu'il ait pu me mentir. J'essaie de comprendre son comportement. En ce moment, j'ai l'impression que nous menions une vie agréable ensemble et que nous nous sommes débrouillés pour tout gâcher définitivement.

— Alors changez votre définition du bien, suggéra Judith. C'est ce que j'ai fait. Ne vous accrochez pas à l'idée qu'il n'y a qu'une sorte de famille possible. Si la famille n'était pour moi que le mari, la femme et les enfants, j'en serais encore à attendre que le téléphone sonne. Il doit bien y avoir un moyen pour que ça marche. Le moyen de trouver un arrangement qui convienne à Mitch, à vous et à la mère de substitution.

Lainie réfléchit.

— Je ne sais pas si je suis capable d'être aussi généreuse que vous tous, dans la vie. En fait, je sais que je ne le suis pas. Je me suis fixé des limites en matière de comportement, et Mitch les a franchies. Quelque chose me dit qu'en ce qui le concerne, je ne peux pas aller plus loin.

Son beau et long visage très pâle portait les marques de sa souffrance.

— Je vous en prie, laissons tomber ce sujet. Parlons d'autre chose.

Barbara jeta un regard circulaire pour voir qui souhaitait prendre la parole.

— J'ai reçu un coup de fil de la famille élargie de mon fils et j'ai besoin d'en parler ici, intervint Rick.

Il allait évoquer sa conversation avec Béa Cobb, mais, pour que cela leur paraisse plus clair, il revint en arrière et leur raconta comment il avait fait la connaissance de Doreen. A son grand étonnement, sa voix se mit à trembler quand il évoqua le jour où il avait rencontré Doreen et Béa à l'aéroport. Il leur fit part de son inquiétude devant la fragilité de l'état mental de la jeune fille et l'incertitude de son sort. Bien des jours avaient passé depuis le coup de téléphone de Béa et il n'en avait plus entendu parler.

— Vous êtes confronté à des émotions très complexes, dit Barbara. Doreen souffre et souffrira sans doute toujours d'avoir perdu David. L'adolescence est parfois source de traumatisme, même quand tout se passe de manière idéale. C'est une période où l'on fugue. Or cette jeune fille a connu le bouleversement d'une grossesse non désirée et d'une séparation avec l'enfant. Bien entendu, nous n'avons pas la moindre idée de ce qu'a été sa vie au lycée, avec ses amies, avec les garçons, sans parler des autres membres de sa famille. Il est évident qu'elle a dû surmonter beaucoup de choses.

» Il me semble, bien que je ne voie les choses que de loin, qu'elle traverse une période très difficile. Cette fugue est un appel au secours. J'ai l'impression que vous avez tissé avec elle des liens très forts. A l'avenir, je crois que vous devez faire confiance à la force intérieure qu'elle possède et qui l'aidera à surmonter cette épreuve. Sa famille a-t-elle appelé la police ?

— Non, répondit Rick qui fit un immense effort pour ne pas craquer. Et cela m'inquiète. Le chef de famille est le mari de sa sœur aînée, et je ne fais pas confiance à ce type. Je ne sais pas, je suis peut-être fou, mais j'ai le sentiment terrible qu'il a...

Ruth vint s'asseoir d'un côté, Lainie de l'autre, et chacune lui entoura une épaule de son bras.

— S'il arrive quoi que ce soit à cette petite fille... fit-il, mais l'émotion était trop forte pour qu'il termine sa phrase.

— Nous allons devoir analyser plus à fond les dilemmes que nous ont soumis Rick et Lainie, dit Barbara. Quelles obligations avez-vous envers les familles élargies de vos enfants et quels accords pouvez-vous conclure avec elles ? Faut-il que leurs besoins affectent votre vie ? C'est là un sujet qui nous concerne tous.

— Pas nous, dit Ruth.

— Je n'en suis pas si sûre, répliqua Barbara. Supposons qu'un jour l'un de vous deux trouve un partenaire et vive une histoire d'amour ?

Ni Ruth ni Shelly ne surent que répondre à cela. Il y eut alors un long silence embarrassé. On n'entendit plus que le craquement des chaises et quelques soupirs.

— Mon Dieu ! murmura Judith. Comme c'est pénible !

— Mais cela en vaut la peine, dit Ruth qui regarda, par la fenêtre, les enfants qui jouaient. Cela vaut vraiment la peine d'avoir un enfant.

Les autres acquiescèrent en silence.

« Il est beau », pensa Barbara en observant Ryan Adler qui se trouvait en face d'elle, à la table. « Je comprends pourquoi Heidi est tellement attirée par lui. Il est aussi très charmeur ! Un grand sourire, poli, respectueux envers Stan, envers moi. Et ma pauvre enfant est tombée folle de lui. Elle parle d'une voix suraiguë et fait des efforts visiblement pénibles pour paraître à l'aise. Elle tressaille, paniquée, chaque fois qu'il fait un geste dans sa direction. Quand le dîner sera terminé, ils partiront d'ici et iront passer la nuit à l'hôtel. Cela m'est insupportable. »

— Reprends-toi, ma chérie, lui dit Stan tandis qu'il rapportait le reste des assiettes à la cuisine.

— Pourquoi ?

— Parce que, poursuivit Stan, on a l'impression que tu es au bord des larmes. Ce devrait être un événement heureux, tu ne crois pas ?

— Je le déteste, murmura Barbara. J'ai oublié tout ce que j'ai appris en psychologie. J'ai envie de lui renverser du café bouillant sur les genoux et de lui envoyer de la crème glacée à la figure.

— Qui aurait trouvé grâce à tes yeux ? Souviens-toi que les mères n'y comprennent rien. Gracie me détestait.

— Au présent, mon chéri. Te déteste, te déteste.

— Voilà, et pourtant, je suis un prince charmant ! Alors peut-être serait-il temps que tu te décontractes.

— Tu as raison, dit-elle en espérant que la musique classique diffusée par les baffles empêcherait Heidi et Ryan de l'entendre. Je devrais me décontracter, je vais me décontracter. J'ai le droit de l'empoisonner avant ?

En riant, Stan s'empara du plateau du café et retourna dans la salle à manger. Barbara fit une petite prière pour retrouver un peu de force et lui emboîta le pas.

— Est-il trop tôt pour fixer une date ? demanda Stan en posant une tasse devant Ryan. J'ai un emploi du temps très chargé jusqu'à la fin de l'année et j'ai pensé que nous pourrions examiner les diverses possibilités qui s'offrent à nous. Avez-vous une idée du délai ?

Heidi et Ryan répondirent en même temps. Elle dit décembre, lui l'été prochain. Puis chacun regarda l'autre d'un air dédaigneux.

— C'est trop tôt, ma chérie, fit-il.

Barbara sentit son estomac se nouer.

— Qu'est-ce qu'on attend ? Aucun de nous d'eux ne suit d'études, gémit-elle.

— Trésor, pourquoi nous presser ? lui demanda Ryan, comme s'il s'adressait à une petite fille.

« C'est exactement ça », songea Barbara.

— Comme cela, tes parents auront davantage de temps pour tout organiser.

Il lui tapota la main. Elle la lui retira. Barbara connaissait si bien sa fille qu'avant même qu'une moue de dépit ne se dessine sur ses lèvres, elle comprit qu'Heidi était furibonde.

— Je ne veux pas attendre l'été, déclara celle-ci avec agacement.

Le tour que prenait la conversation ne déplaisait pas à Barbara qui, pour rien au monde, ne l'aurait reconnu. Ce fut bientôt l'escalade. Heidi se montra de plus en plus grincheuse, Ryan de plus en plus hautain. Plus tard, Barbara tenta de se remémorer à quel moment exact cela s'était produit. Était-ce quand il avait prononcé le mot *puéril* ou bien après qu'elle eut sournoisement insinué que tous leurs projets devaient s'insérer dans l'emploi du temps de la mère de Ryan ? En tout cas, Heidi bondit de son fauteuil et, en larmes, monta l'escalier quatre à quatre. Quand elle eut disparu, Ryan regarda Barbara et Stan en haussant les épaules, comme le font parfois les adultes entre eux. Un haussement d'épaules qui signifiait : « Les enfants, qui peut les comprendre ? »

Barbara aurait aimé rejoindre sa fille au premier étage et bloquer la porte d'Heidi avec un bureau pour l'empêcher de redescendre.

— Elle n'est pas commode, dit Ryan. Vous le savez bien, j'en suis sûr, mais je l'adore.

Barbara et Stan ne bronchèrent pas.

— Ce dîner était tout à fait charmant, poursuivit Ryan en se levant. Maintenant, je suppose que je dois regagner mon hôtel en espérant que tout ira mieux demain matin.

Barbara serrait les dents. Stan et elle se levèrent à leur tour. Ils se dirigèrent tous les trois vers la porte d'entrée et, en passant devant les photos de famille accrochées au mur, Barbara aperçut un portrait d'Heidi à trois ans, où elle avait la même expression que quelques instants plus tôt, quand elle s'était précipitée dans l'escalier.

Quand Ryan fut parti, Stan prit Barbara dans ses bras et lui demanda :

— Comment lui dire que ça ne marchera pas ?

— Malheureusement nous ne pouvons pas la mettre en garde, répondit Barbara. Il ne nous reste plus qu'à attendre qu'elle s'en rende compte toute seule.

34

Depuis que Mitch n'était plus avec elle, Lainie vivait au jour le jour, machinalement. Elle prenait soin de l'enfant et, les soirs où elle suivait des cours, elle déposait Rose chez sa grand-mère, Margaret, avant de se rendre à l'université. Mitch téléphonait et laissait sur le répondeur des messages où il se confondait en excuses, où il la suppliait de le rappeler, de lui parler, de le voir, d'accepter qu'il lui explique sa conduite, de le comprendre enfin.

Elle s'adossait au mur, ses livres à la main, écoutait les longs discours qu'il confiait à son répondeur. Elle le détestait et se languissait de lui. Parfois elle rembobinait la bande pour réécouter les passages où il lui jurait qu'il l'aimait. Assise sur le sol de la cuisine, Rose entendait sa voix et criait joyeusement : « Papa ! »

En l'espace d'une semaine, les messages de Mitch passèrent de la supplication à l'agacement, de l'agacement à la colère, de la colère à la fureur.

— Décroche ce foutu téléphone, Lainie, et rappelle-moi ou je t'envoie mon avocat !

Jamais il ne lui avait parlé sur ce ton et, au fond d'elle-même, elle n'était pas fâchée de le savoir excédé.

— Oui, Mitch, dit-elle le soir où il laissa ce message.

Elle décrocha l'appareil et éteignit le répondeur, soulagée que la petite fille, qui avait pris l'habitude de répéter tout ce qu'elle entendait, fût endormie.

— Tu as vraiment du culot, Lainie. J'ai quand même le droit de venir dans ma maison et de voir ma fille.

Il avait bien souligné les adjectifs possessifs. Ce n'était pas un effet de son imagination.

— A quoi ça sert d'ignorer mes coups de téléphone ? Où veux-tu en venir ? J'ai eu la gentillesse de ne pas forcer ta porte mais, crois-moi, s'il le faut, je le ferai. Je viendrai chercher la petite et je l'emmènerai loin d'ici.

— Non, Mitch. Parce que tu l'aimes et que tu sais parfaitement que la meilleure chose, c'est de la laisser avec moi. Pas avec toi ni avec Jackie.

— Je t'ai déjà dit qu'il n'y avait rien entre Jackie et moi.

— Plus depuis que je me suis tirée.

— Lainie, tout peut reprendre comme avant. J'aimerais tant que ce soit possible. Mais nous n'en sommes plus là. Je veux voir ma fille et n'essaie pas de m'en empêcher. Alors donne-moi une heure qui te convienne, je viendrai la chercher et je te la ramènerai plus tard. Ensuite nous parlerons des problèmes de garde.

— Tu travailles toute la journée et tous les jours, parfois tard le soir. Je suis à la maison et c'est moi qui m'en suis le plus occupée depuis le jour de sa naissance. Je ne suis peut-être pas sa mère biologique, ajouta-t-elle, bien que cette conversation lui parût irréelle mais, étant donné les diverses possibilités envisageables, ma disponibilité, ma fiabilité et ce que j'ai déjà vécu avec elle, je suis la mieux placée pour en prendre soin, et peu importe les gènes !

— Nous verrons, dit Mitch. Quand sera-t-elle prête ?

— A dix heures du matin.

Lainie fulminait et sa propre fureur bouillait en elle. Elle savait qu'à la boutique c'était l'heure la plus chargée de la journée, mais Mitch tint bon.

— J'y serai, dit-il avant de raccrocher.

Il lui sembla très étrange de voir son mari, assis dans leur salle de séjour, l'air mal à l'aise. Ils avaient choisi ensemble chaque meuble, chaque tableau accroché au mur. A présent, il avait l'air d'un étranger. Cependant, il lui manquait tant que s'il lui avait dit : « Je t'aime, tout cela est stupide », elle lui aurait sans doute répondu : « Tu as raison. Va chercher tes affaires et installe-toi pendant que je prépare le déjeuner. » Mais il ne lui demanda pas de revenir à la maison. Il resta assis, les mains sur les genoux, tel un jeune blanc-bec attendant la cavalière qu'il doit escorter au bal de fin d'année sous le regard critique de ses parents.

L'enfant s'était réveillée à cinq heures et n'avait pas terminé sa sieste de la matinée. Pendant un long moment, Mitch ne dit pas un mot. Quand il parla enfin, sa voix était tellement altérée par le chagrin qu'elle en était presque méconnaissable.

— Je veux la voir tous les jours. Ça me déplaît qu'elle ne vive pas avec moi mais, pour l'instant, je me donne un mal de chien pour faire tourner la boutique et je dois y passer tant de temps que ce que tu me disais hier soir était tout à fait vrai. Ce ne serait pas une vie pour elle.

Il avait répété ce discours, comme s'il craignait que la spontanéité ne lui fît perdre son sang-froid. Quand il se tourna vers Lainie, elle décela derrière sa belle façade une passion toujours vivante et une colère comme elle n'en avait encore jamais vue.

— Mais je te préviens, Lainie. Un faux pas et je ne te raterai pas ! Je fermerai ce maudit magasin, tant pis pour notre niveau de vie, et je l'élèverai. Alors tu pourras reprendre ton emploi chez BMW.

Le salaud, le fieffé salaud.

— Mitch, qu'attends-tu de moi ?

Les sentiments mêlés qui l'incitaient tantôt à le rouer de coups tantôt à se jeter dans ses bras en le suppliant de tout arranger la plongeaient dans une extrême perplexité.

— Tout ce que je veux, c'est que ma fille soit bien, fit-il. Le reste est secondaire. Donc, si pour l'instant elle est bien avec toi, c'est tout ce que je demande. Je ne te supplierai plus de comprendre, parce que je ne comprends pas moi-même. Et je peux te rassurer, je ne vais pas sortir de sa vie. Je vais même retourner aux séances de ce groupe, parce que je ne veux rien manquer de ce qui la touche de près ou de loin. Comprends cela et...

Ils entendirent un gémissement en haut de l'escalier, suivi d'un « Maman... ».

Lainie tourna les talons et se précipita dans la chambre du bébé. Quand elle y entra, Rose était debout, appuyée au montant du lit. Son petit visage s'illumina quand elle aperçut Lainie.

— Debout, maman, debout !

Son bébé. Sa douce petite fille. Il ne fallait surtout pas

qu'elle craque. Elle devait prouver à Mitch que, pour Rose, c'était elle la force la plus stable.

— Papa est là, mon amour, dit-elle en s'efforçant de sourire.

Une joie véritable se peignit sur le visage de Rose.

— Papaaa ! hurla-t-elle d'une voix perçante, tandis que Lainie la posait sur la table à langer.

Au moment où elle glissait la couche propre sous la peau tendre, elle sentit la présence de Mitch derrière elle. Si proche qu'un bref instant elle crut qu'il allait l'entourer de ses bras et lui dire : « Si nous redevenions une famille ? »

— Bonjour, mon ange, dit-il à Rose. Nous allons jouer tous les deux aujourd'hui.

Puis il s'écarta. Quand la petite fille fut changée et vêtue d'une tenue rose, Mitch glissa la bandoulière du sac de toilette sur son épaule.

— A cinq heures, dit-il en prenant l'enfant dans ses bras.

— Au revoir, maman, fit Rose qui ouvrit et ferma un petit poing dirigé vers son propre visage.

Lainie lui fit un signe de la main.

— Au revoir, ma douce petite fille.

Ce fut après cette journée que Mitch revint aux séances hebdomadaires du groupe. Il entrait en fanfare, comme s'il s'agissait d'une réunion d'affaires. Il lui arrivait même de prendre des notes. Il ne disait pas grand-chose, n'évoquait jamais l'épreuve que traversait leur couple. Et Barbara le laissait faire, attendait que l'un d'entre eux en parle, mais aucun n'en disait jamais un mot. Lainie le regardait prendre sa fille dans ses bras, l'embrasser en guise d'au revoir et partir. Elle avait toujours envie de le suivre, de l'attraper par la manche et de lui dire : « Et moi ? Je veux que, moi aussi, tu me serres dans tes bras. Je t'en prie, Mitch, reviens à la maison. »

Son absence avait laissé un grand vide dans sa vie. Elle essayait de tromper sa solitude en travaillant pour l'université. Elle s'inscrivit même à un cours de gymnastique, à Studio City, celui dont lui avait parlé Sharon. Quand Mitch prenait l'enfant, elle assistait parfois à la séance du matin, mais elle préférait les cours d'aérobic, en début de soirée. Elle déposait Rose chez une Margaret Dunn éternellement stoïque. Celle-ci avait acheté un tas de jouets qui attendaient Rose dans la salle de séjour.

Un soir, après avoir quitté la faculté, elle passa prendre l'enfant chez sa mère et prit la direction de l'autoroute. Une fois dans son garage, elle saisit le sac à dos plein de livres, fit le tour de la voiture, ouvrit la portière du passager et extirpa Rose du siège-bébé. Puis elle ferma la voiture à clé et s'apprêtait à sortir quand la terreur la cloua sur place. Une silhouette venait de surgir de l'ombre. C'était Jackie.

— Lainie, dit Jackie. Arrêtez ! Je ne suis pas une ennemie. Laissez-moi entrer et vous parler cinq minutes. C'est tout ce que je vous demande.

— Allez-vous-en, Jackie ! Vous avez conclu un marché avec Mitch et avec moi. Vous m'aviez dit qu'après la naissance du bébé vous sortiriez de notre vie. Vous avez menti.

Elle cherchait la clé de la maison tout en franchissant l'allée de dalles qui, entre les feuillages, menait à sa porte. Jackie la talonnait de près.

— Je sais ce que j'ai dit mais, Lainie, il faut que vous m'écoutiez.

Lainie ouvrit la porte et la regarda.

— Je m'en fiche ! Allez-vous-en ! Vous m'en avez assez fait !

La dureté de sa voix réveilla Rose qui ouvrit les yeux. Et bien qu'elle eût atteint un âge où l'on a peur des inconnus, elle sourit, découvrant des dents toutes neuves, et tendit les bras à Jackie. Ce n'était visiblement pas une étrangère.

— Bonjour, ma chérie, fit Jackie dont les yeux bleus s'embuèrent de larmes.

La petite fille sautait de joie.

— J'ai conclu ce marché par stupidité, dit Jackie à Lainie. Je pensais que l'on pouvait dissocier l'expérience de la grossesse de l'apparition d'une nouvelle vie. Mais ce n'est pas possible. J'ai besoin d'être avec elle. Écoutez, Lainie, Mitch, vous et moi, nous pourrions aller en justice comme d'autres l'ont fait dans le New Jersey ou comme dans toutes ces histoires moches. Peut-être perdrais-je. Et après ? Je suis sa mère. Elle porte mes gènes, elle a grandi en moi et elle grandira encore. Oui, il y a beaucoup de De Nardo en elle, mais un jour vous l'entendrez rire de mon grand rire un peu bête ou au téléphone, l'espace d'une seconde, vous la prendrez pour moi. Ou bien encore vous la verrez s'empâter aux mêmes endroits et, tout comme vous reconnaissez votre mère en vous, vous me reconnaîtrez en elle.

» Lainie, j'ai commis une erreur, une grande erreur. Mitch et vous aussi. Vous redoutiez sans doute qu'il vous aime moins ou qu'il vous quitte si vous refusiez. Et moi, j'avais besoin de me sentir importante comme lors de ma première grossesse et de la naissance de mon fils. Nous avions tous nos raisons pour nous engager dans cette voie et puis, avant que nous ayons eu le temps de dire ouf, ce bébé que j'avais fait avec votre mari a grandi en moi. Tout ce que je peux vous dire, c'est que, bien que je ne l'aie vue que très peu depuis sa naissance... je l'aime.

» Nous nous entendions bien quand j'étais enceinte. Pourquoi ne pas continuer et me permettre de la voir ? Regardez-moi, Lainie, et laissez la femme qui est en vous me répondre. Pas celle qui craint peut-être qu'un jour Rose me préfère à elle, pas celle qui redoute que sa mère ou les sœurs de Mitch la traitent de folle pour avoir accepté une telle situation, mais la femme sensible, tendre, qui sait ce que c'est de souffrir, de se sentir lésée, parce que je sais que cette femme-là pense qu'on n'est jamais trop aimé, qu'on n'a jamais trop de mères pour veiller sur soi.

» Je ne veux pas de Mitch. Croyez-moi, il n'a jamais été question de ça. Vous l'auriez deviné instinctivement et vous ne m'auriez jamais choisie comme mère de substitution. Mitch ne veut pas de moi non plus. Mais ce qu'il a compris, de manière viscérale, quand je suis venue le voir, l'a touché profondément. C'est pour cela qu'il m'a amené l'enfant. Il a compris qu'aucun document légal ne m'empêcherait d'être sa mère.

» En agissant ainsi, il vous a trompée. Et comment ! Plus encore que s'il avait couché avec moi, à chaque rencontre et dans toutes les positions. Parce que c'était un mensonge de l'esprit et que ce n'était pas bien que Rose y participe. Mitch aurait dû être honnête envers vous et vous dire : « Lainie, j'ai mal agi. J'ai commis une grave erreur. J'aurais dû essayer d'adopter un autre enfant parce que, tant que Jackie aura besoin de la présence de ce bébé, nous devrons nous en arranger. » Mais il avait peur. Il était tombé dans son propre piège de macho. Et puis il a vu à quel point vous aimiez cette enfant, comme vous vous y étiez attachée dès le premier jour et comme cela vous avait transformée. S'il mentionnait simplement mon nom, il craignait que vous ne lui en teniez rigueur ou que vous le quittiez, ou les deux.

» Lainie, qu'allons-nous faire ? Ne me retirez pas cet enfant. Laissez-moi la voir de temps en temps. Je vous en supplie !

« Mon Dieu ! » pensa Lainie. « Que puis-je faire ? »

Les deux femmes se fixaient du regard. Lainie se balançait d'arrière en avant, de la pointe des pieds aux talons, pour apaiser son bébé, comme le lui avait enseigné l'expérience. Rose avait posé sa petite tête contre sa poitrine et chantonnait doucement. Elle était sur le point de s'endormir.

— C'est un cauchemar, dit Lainie, et sa voix, lourde de peine, lui parut méconnaissable. Et ce qui rend les choses si difficiles, c'est que je vous regarde et que je me dis : « Cette femme a raison. » Si j'avais mis Rose au monde, peu importeraient les papiers signés ou l'argent reçu, il faudrait me tuer pour me l'enlever. Mon Dieu, pourquoi ai-je accepté cela ? Pardonnez-moi d'avoir participé à ça, Jackie. Je suis tellement désolée ! ajouta-t-elle, en pleurs.

Les deux femmes tombèrent dans les bras l'une de l'autre et pleurèrent en tenant l'enfant, leur enfant, endormie au milieu de leurs larmes. Quand Jackie eut disparu, après que Lainie lui eut promis de chercher une solution, le parfum de Shalimar flottait encore dans l'entrée.

35

Lors des funérailles de Davis Bergman, la cérémonie eut lieu dans la grande maison biscornue de Brentwood, que Shelly et Davis avaient complètement réaménagée quand ils vivaient ensemble. Lorsque Ruth et Shelly pénétrèrent dans la cour où étaient alignées, face à un podium de location, des chaises pliantes blanches, de ces chaises capitonnées qui coûtaient un peu plus cher que les autres, Ruth vit que Shelly s'efforçait de maîtriser ses émotions. En dépassant l'angle de la maison, il contempla la roseraie qu'il avait plantée et soignée. Elle était en pleine floraison. Une profusion de fleurs couleur pêche, fuchsia, rouge vif, arrêta ses pas. Il poussa un cri de douleur, comme s'il venait de recevoir un coup à l'estomac. Shelly resta longtemps immobile.

Marsha Bergman, la veuve de Davis, se tenait au milieu d'un groupe d'amis. Shelly et Ruth se dirigèrent vers l'endroit où elle se trouvait pour lui présenter leurs condoléances. Mais bien avant que ne vienne leur tour, on fit signe à Marsha de l'autre côté de la resplendissante piscine turquoise et, à leur grand soulagement, aucun des deux ne sachant très bien que lui dire, elle se détourna et s'éloigna dans cette direction. Shelly reconnut quelques collègues de Davis, mais Ruth ne vit pas un seul visage familier.

Dans le journal du matin, on attribuait la mort de Davis à une pneumonie. Ruth se demanda soudain pourquoi elle était venue aux funérailles d'un homme qu'elle avait haï. Elle éprouva un vif désir de tourner les talons et de s'en aller. Mais elle savait que Shelly y tenait, qu'il avait besoin qu'elle soit auprès de lui. Elle resta donc dans ce jardin, lui prit la main et sentit sa présence inquiète à ses côtés. Bientôt les chaises blanches se remplirent. Elle saisit le bras de Shelly et le mena au dernier rang, vers les sièges placés au bout de la rangée.

La cérémonie prit la forme d'une sorte de forum où les amis de Davis se levèrent tour à tour pour évoquer les souvenirs qu'ils avaient gardés de lui. Parfois deux personnes se levaient en même temps pour se diriger vers le podium. L'une s'effaçait alors devant l'autre et regagnait sa place. Davis était un homme merveilleux, disaient-ils tous. Il formait avec Marsha un couple exemplaire. Il leur manquerait. Ruth regarda Shelly pour voir s'il tenait le coup et, pour la première fois, remarqua qu'il avait à la main une petite pile de fiches. Quand il vit ce qu'elle regardait, il les lui tendit.

— Vite ! Donne un coup d'œil, murmura-t-il.

Ces fiches contenaient les notes que Shelly avait rédigées, de son écriture de pattes de mouche, en prévision du moment où il se lèverait pour évoquer la mémoire de Davis. Et sa relation avec lui.

A) Un sens de l'humour extraordinaire en ce qui concernait notre situation.

B) Chaque jour que j'ai passé avec lui fut un cadeau du Ciel.

Ruth releva le nez, regarda Shelly droit dans les yeux et secoua la tête.

— Shel, dit-elle, je t'aime. Mais ce que je viens de lire ne va pas du tout plaire à ces gens-là.

Elle savait très bien qu'il ne voudrait pas l'écouter, qu'il tenait à ce que l'on sache à quel point la mort de Davis l'affectait.

Un certain ressentiment se peignit d'abord sur son visage, quand il comprit qu'elle allait le priver de cet instant. Elle s'attendait à ce qu'il bondisse d'une minute à l'autre et fonce vers le podium dès que l'orateur aurait terminé son laïus. Puis le ressentiment se mua en résignation. Il reprit ses fiches et les contempla. Ils étaient au milieu des amis de Marsha, dans la maison de Marsha, et l'assistance n'avait nulle envie de l'entendre parler de son amour pour Davis. Pendant les derniers discours, il prit ses fiches une à une et les déchira en petits morceaux qu'il enfouit dans la poche de sa chemise.

A Hollywood, le monde du spectacle est petit. Il ne fallut

donc pas longtemps à Zev Ryder pour découvrir que Davis Bergman, qui était, de notoriété publique, l'ancien amant de Shelly Milton, était mort et comment il était mort.

— Oh, merde ! Et vous me dites que j'utilise les mêmes toilettes que ce type ? Je ne sais pas ce que vous en pensez, mais moi, j'irai désormais dans celles du bas. Et si les poignées de porte étaient contaminées ? Mon Dieu, il m'est arrivé, au cours d'une réunion, de prendre une moitié de beignet. Et s'*il* avait mangé l'autre moitié ?

Zev ne tint ce genre de propos ni devant Ruth ni devant Shelly, mais devant tous les autres. Personne n'eut le cran de le prier de se taire. Ruth eut vent de ses commentaires peu amènes quand la secrétaire de Ryder, une grande femme brune, sévère, à la peau blanche, que tout le monde surnommait Morticia, essaya de s'excuser.

— C'est le plus grand salaud de tous les temps, n'est-ce pas ? demanda-t-elle à Ruth, un matin où elles étaient toutes les deux dans les toilettes des femmes.

Ruth se rinça les mains en évitant soigneusement de se retrouver face à son visage épuisé qui se reflétait dans la glace.

— Si vous parlez de Zev, oui. C'est un fieffé salaud depuis toujours, mais c'est aussi un rat, un porc, un crétin. A part cela, quoi de neuf ?

Elle tira une serviette en papier du dérouleur métallique qui était accroché au mur et regarda Morticia appliquer sur ses lèvres un rouge sombre qui faisait ressortir la blancheur de sa peau.

— Mais ce qu'il raconte sur Shelly, ça dépasse quand même tout ce que l'on peut imaginer ! fit Morticia tout en pressant ses lèvres l'une contre l'autre dans un but qui, pour Ruth qui se maquillait rarement, demeurait insaisissable. Maintenant les scénaristes ont peur de manger les petits pains que vous faites. N'avez-vous pas remarqué ce qui reste à la fin de la journée ?

— Ce qui signifie ?

Morticia, dont le véritable prénom était Alice, avait visiblement du mal à détacher les yeux de son image dans le miroir. Elle y parvint enfin et jeta à Ruth un regard direct.

— Écoutez, Ruth, ne répétez jamais que je vous ai dit ça. J'ai une fille à charge et vous savez très bien que, si Zev l'apprenait, il me mettrait à la porte... Il cherche un moyen de falsifier le contrat de Shelly. J'ai surpris une conversation téléphonique avec la Société des Auteurs. Il recherche des failles, un moyen de le virer sans lui payer le salaire qu'il lui doit. Sans leur dire qui il était, il a demandé le service des contrats pour connaître les causes de rupture d'un contrat, les absences par exemple, qui permettent de renvoyer quelqu'un sans l'indemniser.

Ruth s'agrippa à la porcelaine blanche, le corps tremblant de colère.

— Qu'est-ce que c'est que cette histoire de petits pains ?

— Eh bien, quand il a appris que Davis Bergman était mort, comme tout le monde sait bien que Davis et Shelly étaient...

Elle gesticula, mima un semblant d'étreinte pour lui faire comprendre qu'elle ne savait pas quel terme utiliser pour exprimer la relation entre Davis et Shelly.

— Amants. Ils étaient amants... Poursuivez, dit Ruth.

— Eh bien, il a complètement perdu les pédales. Comme il sait que Shelly et vous habitez ensemble, que vous faites des petits pains... Vous n'ignorez pas à quel point Zev est soucieux de tout ce qui touche à la santé, si...

— Donc il fait campagne pour nous couler ?

— Pas vous. Shelly.

— Ça, ça n'existe pas. Nous formons une équipe, il n'a pas le droit de faire ça, bon Dieu ! C'est de la discrimination. J'appelle un avocat.

— Oh, merde ! s'écria Morticia. Si vous mêlez un avocat à cette histoire, je suis fichue. Il saura que c'est moi. Je détiens trop d'informations.

Le visage blanc pâlit encore quand Ruth lui prit les mains en la regardant droit dans les yeux.

— Alice, dit-elle, Shelly et moi, nous avons, nous aussi, un enfant à élever. Je ne vais pas laisser ce sale petit bonhomme intolérant détruire notre famille, comme je l'ai déjà vu faire. Je ne vous nuirai en aucune façon, je vous le promets. Mais je vous jure que je ne vais pas attendre que Zev Ryder démolisse notre vie.

Il y avait une répétition à deux heures. Quand Ruth descendit, son assistante lui tendit une pile de messages téléphoniques. Il y en avait un de Shelly. Il n'assisterait pas à la répétition, disait-il. Il avait dû partir brusquement pour se rendre chez le médecin. A l'intérieur du studio, elle se glissa au dernier rang et, quand Zev Ryder l'aperçut toute seule, il remarqua qu'elle annotait son scénario en s'efforçant de l'éviter. Ce soir-là, quand elle rentra à la maison, Shelly avait une grippe qui l'immobiliserait sans doute une semaine, si l'on en croyait le médecin. Ryder se servirait de cette absence comme prétexte pour les renvoyer sans les payer.

Très lasse, elle se débarrassa de ses chaussures, puis elle apporta un peu de soupe à Shelly, fit dîner Bob, joua avec lui, lui donna son bain. Shelly l'appela de sa chambre.

— Donne-moi les nouvelles pages pour que j'y jette un coup d'œil.

— Ne t'inquiète pas pour ça, je m'en suis occupée.

— Le médecin dit que je serai cloué au lit pour quelque temps, mais rien ne m'empêche d'écrire ici.

Ruth lui tendit le scénario de la semaine. Il pouvait, en effet, écrire dans son lit. Les modifications qu'apporta Shelly, ce soir-là, avant de s'endormir, valaient mieux que tout ce que pouvaient écrire les autres en une semaine de réunions. Mais cette maudite grippe l'obligea à garder le lit pendant quinze jours. Et à la fin de la deuxième semaine, un vendredi, Morticia lui téléphona.

— M. Ryder m'a demandé de vous informer qu'en raison de vos absences prolongées vous ne faites plus partie de l'équipe de l'émission.

— Ce sale petit rat n'a même pas les tripes de le faire en personne, dit Ruth.

— Cela fait un certain temps que je n'ai pas mis les pieds au bureau, Ruth. Il peut le prouver. Mais toi, tu n'as pas le droit de t'en aller. Il ferait tout pour te griller. Il faut que tu tiennes bon à cause du chèque hebdomadaire et de l'assurance médicale pour l'enfant. Promets-moi que tu vas continuer jusqu'à ce que nous ayons trouvé un autre moyen de faire bouillir la marmite.

Elle était folle de rage. « Pour rien au monde je ne continuerai à travailler pour ce monstre ! », avait-elle envie de hurler, mais elle regarda Bob qui montait sur les genoux de son papa.

— Bon, d'accord, dit-elle. Je te le promets.

Le lundi, la nurse ne vint pas et Shelly était trop faible pour quitter son lit. Ruth emporta quelques affaires et emmena Bob avec elle au bureau. L'enfant était déjà venu souvent au studio. Elle savait qu'il suffisait de le poser dans un coin, dans son parc, avec les jouets qu'il aimait, et qu'il s'amuserait avec son établi ou avec son tableau d'éveil. A l'exception de quelques cris perçants, il perturberait moins les réunions que la plupart des scénaristes eux-mêmes.

Ce jour-là, Ruth prit place à une extrémité de la table, près du parc, et comprit vite, au silence de mort qui pesait sur l'assistance, qu'ils savaient tout ou plutôt qu'ils en savaient un peu. Elle décida d'éclaircir les choses avant que la rumeur enfle.

— Écoutez, les gars, dit-elle, Shelly n'a pas le sida.

— Hou ! fit Arnie Fishmann en renversant son gobelet de café.

Le liquide brun dessina une grande tache sur son bloc-notes jaune avant de s'étaler sur la table de conférence.

Trois des autres participants se levèrent pour aller chercher des serviettes sur le chariot du café et se mirent à éponger. Ruth attendit que les serviettes aient été jetées dans la corbeille à papiers avant de poursuivre.

— Il est séropositif, mais il n'a pas le sida. Il est très vulnérable mais, plaise à Dieu, il a encore beaucoup de temps devant lui.

« Cette bande de clowns trouve un bon mot dans n'importe quelle circonstance », pensa-t-elle, « mais pour une fois et pour une raison que j'ignore, ils se conduisent comme des êtres humains. »

— Vous ne pouvez pas l'attraper en travaillant pour lui, en riant avec lui ou en partageant le même urinoir. Je ne l'ai pas, Bob non plus et, comme vous le savez tous, c'est l'enfant biologique de Shelly. Nous buvons tous les deux dans son verre, nous nous séchons avec les mêmes serviettes, nous le serrons dans nos bras et nous l'embrassons jour et nuit.

» Or Zev Ryder l'a renvoyé. Il prétend qu'il l'a mis à la porte parce qu'il est absent et ne fait pas son travail. Vous savez tous ce que je sais et ce que Zev sait également. Shelly peut fort bien nous communiquer par téléphone des gags beaucoup plus drôles que tout ce que nous aurons concocté dans cette pièce, même si nous travaillons jusqu'à minuit. Ce n'est que du sectarisme anti-homosexuel. C'est de la discrimination ! Et j'ai l'intention de prendre un avocat, d'attaquer ce salopard et de le mettre à genoux pour avoir nui à la carrière de mon partenaire, de mon meilleur ami et du père de mon fils. Mais je ne pourrai le faire que si vous êtes tous prêts à me soutenir et à témoigner non seulement de la contribution de Shelly à notre émission, mais aussi de la dangereuse mesure de rétorsion qu'a prise Zev à son égard. A notre égard. Et de l'horrible traitement qu'il nous fait subir en général, des femmes de l'équipe qu'il harcèle, des auteurs qu'il démolit moralement et régulièrement. Il faut que vous sachiez qu'en s'attaquant ainsi à l'un de nous, c'est à nous tous qu'il s'attaque et que, la semaine prochaine, ce pourrait être toi, Fishie, ou toi, Jerry, pour une raison ou pour une autre. Alors, je vous en prie, dites-moi que vous allez nous soutenir, nous aider à lutter contre cet homme et à lui botter le cul comme il nous le botte depuis si longtemps !

Pas un ne la regarda. Pas un ne broncha. Même Bob demeurait silencieux dans son parc. Le seul bruit que l'on entendait dans la pièce était celui du crayon qu'Arnie faisait tomber sans cesse pour le ramasser et qui résonnait sur la table de conférence. L'un soupira, un autre se râcla la gorge et, au bout de quelques minutes, Ruth comprit ce qu'il en était. Ils étaient tous bien trop morts de trouille pour lever le petit doigt, fût-ce pour venir en aide à un ami.

— D'accord, les gars, dit Ruth qui aurait voulu avoir assez de force pour renverser la table sur eux. Écrivons quelque chose de drôle.

36

— Aujourd'hui, je pense que nous devrions approfondir un peu la question des systèmes de soutien, dit Barbara aux parents qui portaient à présent les sweatshirts du club de la Cigogne que leur avaient apportés Ruth et Shelly.

— Pourquoi cette expression « système de soutien » me fait-elle toujours penser à un soutien-gorge ? demanda Rick.

— Parce que, comme d'habitude, vous avez l'esprit mal tourné, rétorqua Judith en riant.

— Il y a, dans votre existence, des gens qui vont enrichir l'univers de vos enfants, des familles ayant des enfants de leur âge, des groupes de mères et d'enfants dans les écoles, les temples et les églises de votre quartier. Essayez d'étendre la sphère de vos activités et de trouver des personnes qui rencontrent les mêmes problèmes que vous et dont les enfants aimeront jouer avec les vôtres.

» Je vous recommande aussi de rester en contact avec votre famille, de lui rendre visite et de l'inviter chez vous. Plus il y aura de gens qui aimeront vos enfants, mieux cela vaudra. Ruth et Shelly, vous avez la chance d'avoir des parents en vie et en bonne santé. Demandez-leur de venir voir Bob et emmenez-le chez eux.

— Vous ne connaissez pas nos parents, sinon vous n'auriez pas parlé de chance, en ce qui les concerne, plaisanta Shelly.

— Oh ! Je ne sais pas. Ils vous ont élevés tous les deux. Ils doivent donc quand même avoir des qualités, répondit Barbara.

— Vous avez raison, fit Shelly plus sérieusement. Nos familles devraient voir Bob davantage.

— Et vous, Judith ?

— J'ai des amis de travail, notamment Jerra et Tom qui

n'ont pas d'enfants. Ils aiment beaucoup que j'amène mes deux filles. Ils ont l'impression d'avoir une famille plus grande quand ils nous invitent à leurs fêtes.

Barbara se tourna vers Lainie.

— Notre situation est plutôt compliquée en ce moment. Nous sommes toujours séparés, mais ma mère et Rose s'entendent très bien. Elle s'occupe de ma fille quand j'ai des cours à l'université ou au club de gym. Et puis j'aime les voir ensemble. Quand je viens chercher Rose, j'ai l'impression que ça leur fait du bien à toutes les deux. J'ai aussi deux amies, Sharon à l'université et Carin à la boutique. Elles sont beaucoup plus proches de Rose que mes belles-sœurs. Sa prétendue vraie famille.

— Mes sœurs ont été très occupées ces derniers temps, fit Mitch, sur la défensive. Mais Rose voit parfois ses cousins. Quant à moi, je considère que la famille, c'est vraiment très important.

Sans même la regarder, Barbara sentit qu'à l'autre extrémité de la pièce Lainie était très tendue.

— Eh bien, grâce à notre groupe, nous avons donné une nouvelle définition de ce mot, déclara Barbara. Une famille, c'est ce que nous en faisons. Elle se compose de ceux que nous y accueillons. Et c'est la raison pour laquelle je crois qu'il est sain d'élargir le cercle de ceux qui aiment nos enfants, pour qu'il y ait pour eux des sources multiples d'affection et de chaleur.

— Vous savez, j'ai toujours été très fière que Shelly et moi, nous nous suffisions à nous-mêmes, que nous n'ayons besoin de personne mais, à présent, je pense que vous avez raison. Il est important, pour les enfants, que nous élargissions leur horizon, dit Ruth.

Barbara regarda Rick.

— Et vous, Rick ?

— Mon oncle Bobo était tout pour moi, mais il y a une autre personne qui m'a beaucoup aidé : c'est la veuve de mon meilleur ami. Elle ne ressemble à aucun être que je connaisse. C'est une mère merveilleuse pour ses propres enfants et une sorte de tante pleine de sagesse pour David, ce qui s'est révélé très important. Ses enfants sont comme des neveux pour moi.

» De toute façon, ajouta-t-il tout en songeant vaguement à

ce qu'avait fait Patty pour David et pour lui, c'est une très bonne amie et je la respecte de prendre le temps de...

A ce moment-là, il jeta un regard circulaire dans la pièce, constata que tous les autres lui souriaient d'un air complice et s'arrêta net.

— Qu'y a-t-il de si drôle ?

Personne ne répondit. Ils se contentèrent de sourire.

— Pourquoi souriez-vous tous bêtement ?

— Vous êtes amoureux d'elle, dit Judith.

Les joues de Rick s'empourprèrent, tandis que les autres explosaient comme des écoliers chahuteurs.

— Cela nous semble tout à fait évident.

— Oh, je vous en prie ! s'écria-t-il. Je pense le plus grand bien d'elle. Le plus grand bien, et je la connais depuis qu'elle est toute jeune. Je veux dire, mon meilleur ami était son...

Alors Rick réfléchit, visiblement déconcerté.

— Si l'on passait à quelqu'un d'autre, proposa-t-il à Barbara qui saisit la perche qu'il lui tendait et se tourna vers le reste du groupe.

— Ce qu'il faut, c'est trouver des gens sur lesquels nos enfants pourront compter, qui seront des forces positives dans leur vie.

Un grand silence se fit dans la pièce, ponctué des cris joyeux qui provenaient du terrain de jeux. Puis Rick se lança dans une sorte de monologue intérieur à voix haute.

— Peut-être suis-je... fit-il dans un concert de petits rires. Mais oui, bon sang ! Peut-être suis-je amoureux de Patty.

Après la séance, il se dirigea vers sa voiture avec David en songeant qu'il devrait appeler Patty pour le lui dire. N'allait-elle pas lui rire au nez ? « Si c'est comme ça que tu espères m'attirer dans ton lit, tu peux toujours rêver », lui rétorquerait-elle. Mais peut-être dirait-elle qu'elle l'aimait aussi.

Le deuxième jour du tournage, Rick s'accroupit près du grand lit double qui se trouvait sur le plateau. Il bavarda tranquillement avec les deux acteurs, pendant que l'équipe attendait patiemment dans les coulisses. Il parlait sans relâche à ces deux talents qui se faisaient face, la tête sur des oreillers de satin, et leur expliquait ce que leurs personnages avaient vécu avant d'en arriver à cette scène.

Le tournage des scènes dans le désordre était un mal nécessaire. Rick devait donc les aider à s'en sortir en leur donnant toutes ces indications dans la chaleur de l'instant. Pendant un long moment, il leur fit saisir toute la poésie de cette scène, comprendre à quel point leurs deux personnages avaient faim l'un de l'autre, qui parvenaient enfin à concrétiser un amour qu'ils éprouvaient depuis tant d'années. C'était ce qu'il captait mieux que tout autre réalisateur, ce qui lui avait valu sa renommée. Son secret, c'était ce travail d'encadrement des comédiens, juste avant que les caméras tournent.

Il les mettait doucement dans l'ambiance depuis près d'une heure, leur racontant des histoires érotiques. Encore fallait-il choisir le bon moment. Rick comprit, aux regards qu'ils échangèrent alors, qu'ils étaient prêts. Il savait qu'il était temps de se lever très, très lentement, de s'éclipser du champ, de prendre place derrière la caméra et de dire : « Moteur ! »

Ce fut efficace. La prise reflétait parfaitement leur passion.

— Coupez et faites développer ! cria-t-il, exultant.

Il fallait encore filmer les gros plans, les fixer sur la pellicule pendant que l'air était pesant, étouffant. A ce moment-là, il regarda autour de lui et aperçut Andréa qui venait de pousser la lourde porte du studio. Il comprit aussitôt que quelque chose ne tournait pas rond. Il lui avait toujours recommandé de ne pas le déranger, à moins que David n'ait besoin de lui de toute urgence. Seul son fils détenait le pouvoir de mettre sa vie en suspens.

— Qu'est-ce qui ne va pas ? demanda-t-il.

— Doreen Cobb, dit-elle en avançant vers lui, puis elle lui tendit un Post-it avec un numéro de téléphone. Elle a appelé d'une cabine. Elle était dans un état épouvantable. Je lui ai promis que je ferais tout ce qui était en mon pouvoir pour que vous la rappeliez le plus vite possible. Je crois qu'elle se trouvait à Port Authority, à New York, mais je n'en suis pas très sûre. Elle avait l'air tellement secouée !

L'idée que cette enfant pût avoir échoué dans un endroit aussi épouvantable que cette station de bus new-yorkaise le rendit malade. Si elle avait fui jusqu'à New York, c'était qu'elle avait vécu quelque chose de terrible. Aussi terrible que ce qu'il redoutait. Il fit signe à son premier assistant d'approcher.

— Annoncez une pause, dit-il. Dix minutes. Quinze au plus. J'ai un coup de fil urgent à donner.

Le jeune homme lança à Rick un regard qui signifiait : « Comment pouvez-vous sacrifier l'élan d'une prise à un coup de téléphone ? » Mais Rick était déjà sorti et se dirigeait vers sa caravane. Dès qu'il fut à l'intérieur, il composa le code de la région de New York, puis le numéro que lui avait donné Andréa. Il n'y eut qu'une sonnerie.

— Je suis désolée, fit Doreen d'une voix tremblante, sans même lui dire bonjour.

— Doreen, dites-moi que vous allez bien.

— Je vais bien, du moins je crois. J'ai peur de tous les gens bizarres qu'il y a ici, mais ça va.

— Ma chère petite, poursuivit-il en essayant de ne pas trop penser à ce que devaient être la peur et la solitude de cette jeune fille perdue dans l'immense terminus de Port Authority. Pouvez-vous me dire pourquoi vous vous êtes enfuie ?

— Heu... Eh bien, je me suis enfuie parce que je ne pouvais pas... Je ne pouvais pas... heu... sanglota-t-elle. Je ne pouvais plus rester.

— Doreen, est-ce que tout cela a un lien avec le père naturel de David ? fit-il. Doreen, qui est le père de David ?

Elle sanglota de plus belle, puis parvint à lui demander :

— Le savez-vous ?

— Je *sais*. Je crois savoir. Il vous a violée ?

— Je le déteste.

— Il abuse encore de vous ?

— Je ne peux pas retourner là-bas.

— Doreen, vous devez y retourner pour le dénoncer. Pour votre bien. Pour le bien du reste de la famille. Béa est-elle au courant ?

— Oh, non ! Elle en mourrait. Elle est persuadée que tout le monde est très heureux comme ça. Ma sœur en mourrait, elle aussi. Ça anéantirait sa vie et celle de ses enfants. Et j'aime ces enfants...

— Et votre vie à vous ? Je m'en soucie, moi ! Rentrez à la maison et prévenez Béa. Elle vous donnera la force de le faire.

— Je ne peux pas.

On frappa à la porte de la caravane. Quelle barbe ! Rick ouvrit et fit signe d'attendre à son assistant qui resta planté là, le doigt sur sa montre, à murmurer du bout des lèvres :

— Et la pause du dîner ?

La pause du dîner. S'il laissait ces deux comédiens sortir de leur lit, l'ambiance indispensable au tournage des gros plans retomberait complètement. A quoi pensait-il ? Il avait déjà tout détruit en quittant le studio. « Tant pis », songea-t-il. « J'y retournerai, je me débrouillerai plus tard. Il y a une vie en jeu. »

— Faites-leur faire la pause maintenant, dit-il d'une voix forte.

— Quoi ? demanda Doreen à l'autre extrémité de la ligne.

— Je parlais à mon assistant de réalisation.

Ce dernier hocha la tête et referma la porte.

— Pardonnez-moi, Doreen. Je vous en prie, écoutez-moi et rentrez à la maison immédiatement. Trouvez une solution. Vous en êtes capable.

Il savait qu'il n'aurait pas dû, qu'il ne devait pas dire cela, mais il n'y avait plus de règle. Il décida donc de la soudoyer à sa manière :

— Voilà ce que nous allons faire. Rentrez tout de suite... Avez-vous de l'argent et un billet ?

— Oui.

— Si vous m'obéissez sur-le-champ, je vous envoie un billet pour que vous veniez passer Noël avec David et avec moi. Cela vous dit ?

A l'autre bout de la ligne, il n'entendit plus alors qu'une voix de très jeune fille.

— Oh, super ! Vraiment ? Oui ! Rien ne pourrait me faire plus plaisir ! Voir le bébé ? Je rentre à la maison !

— Doreen, il faut que vous empêchiez cet homme de nuire. Il n'y a que vous qui puissiez le faire.

— Je le sais, dit-elle. Je le ferai.

Mais Rick n'en était pas très convaincu.

— David et moi, nous vous aimons tous les deux, ajouta-t-il.

Elle raccrocha.

— Monsieur Reisman ?

Andréa ouvrit la porte de la caravane.

— Doreen va bien ?

Il hocha la tête d'un air absent.

— Les comédiens et l'équipe technique sont en train de dîner, lui annonça Andréa.

Mieux valait retourner à ses propres problèmes. Il était au beau milieu du tournage d'un film qui coûtait quarante millions de dollars et dont le succès ou l'échec relancerait ou ruinerait sa carrière.

— Bien, dit-il. Apportez-moi juste un sandwich.

« Où en étais-je ? » songea-t-il. « Ah oui, la scène d'amour. »

37

— Alors que dois-je faire ? Quelle est la marche à suivre quand l'adolescente qui se trouve être la mère de votre fils a probablement été violée par le mari de sa sœur, qui devient, de ce fait, le père de votre enfant ? Engage-t-on quelqu'un pour descendre ce salaud ou bien se contente-t-on d'attendre que le téléphone sonne ? Et moi qui pensais que les relations que j'avais avec les autres étaient compliquées !

— Rick, d'après tout ce que vous nous avez dit, Doreen est très forte, répondit Barbara. Elle a convaincu Béa de la laisser venir ici et de vous confier l'enfant au lieu de l'abandonner de manière anonyme. Elle a vécu chez vous et vous avez pu constater cette force qui l'habite. Jusque très récemment, elle a réussi à maintenir ce que vous considériez tous deux comme une distance de bon aloi. Il me semble que vous pouvez parfaitement attendre et lui faire confiance. Elle trouvera une solution.

— Je ne suis pas d'accord, intervint Lainie. Je pense qu'il lui doit beaucoup et qu'il faut qu'il cherche activement un moyen de l'aider. Elle lui a fait un cadeau inestimable, comme Jackie pour Mitch et pour moi. En prenant ce bébé, il a accepté de se lier à elle pour toute la vie.

Ils se tournèrent tous vers Lainie. Ce jour-là, elle était encore plus pâle et plus belle, bien que ses grands yeux bleus fussent bordés de rouge.

— Jackie est venue me voir, un soir, à la maison, et elle m'a raconté ce qu'elle avait vécu. Je commence à comprendre un peu ses sentiments. Je n'ai pas encore pardonné à Mitch mais au moins, quelque part au fond de moi, je me dis que je peux peut-être faire ce qu'avait suggéré Judith au cours d'une de ces séances. Apprendre à changer ma vision des choses.

L'émotion l'empêcha de poursuivre.

Barbara se tourna vers Mitch.

— Souhaitez-vous en parler ?

Elle espérait qu'au ton de sa voix il comprendrait qu'elle ne portait aucun jugement. Depuis des semaines, elle avait envie de le saisir par le col et de lui dire : « Parlez à cette femme et trouvez une solution. » Peut-être était-ce maintenant qu'ils la trouveraient.

— J'aimerais savoir quoi dire, fit Mitch, et tous se rendirent compte que la façade de dureté qu'il s'était composée était en train de s'effondrer lentement. Je viens ici, j'assiste aux séances et parfois j'ai envie de partir en courant, d'attraper Rose et de filer avec elle. Et puis il y a d'autres moments où j'aimerais pouvoir craquer, vous supplier tous de m'aider, parce que tout ce que je veux, c'est que ma fille ait une belle vie.

— Et que souhaitez-vous pour votre femme ? demanda Barbara.

— Qu'elle comprenne que j'ai voulu faire un geste d'amour et que j'ai tout gâché. Que je l'aime, qu'elle me manque, que j'aimerais qu'elle revienne, que ma famille revienne. Mais je crois quand même que nous devons accepter Jackie dans l'univers de Rose.

Barbara se contenta de hocher la tête, puis elle jeta un regard circulaire sur tous ces visages inquiets, tournés vers Lainie. Les membres de ce groupe se souciaient les uns des autres. C'était tout à fait évident. A la fin de chaque séance, avant de rentrer chez eux et de retrouver leurs problèmes respectifs, ils s'embrassaient et se souhaitaient mutuellement tout le bien possible. L'authenticité de l'intérêt qu'ils se portaient les uns aux autres lui fit chaud au cœur.

— Faites un effort, Lainie, la supplia Ruth. N'oubliez pas les nouvelles règles que nous avons apprises ici.

Lainie n'avait pas la force de les regarder en face.

— La vie est trop courte pour perdre son temps à étouffer son amour, Lainie, dit Shelly. Nous le savons très bien, ajouta-t-il si doucement qu'il semblait se parler à lui-même. Surtout dans notre famille.

Tout le monde se tourna vers lui, et il se demanda comment ils allaient réagir une fois qu'il leur aurait avoué la vérité.

— Parce que le diagnostic des médecins est clair : je suis séropositif.

Barbara jeta un coup d'œil à Lainie, Mitch, Judith et Rick pour observer leur réaction, puis à Ruth qui ne savait nullement que Shelly le leur dirait ce jour-là.

— Je ne voulais pas en parler ici, poursuivit-il. Cela a pesé lourd dans notre vie, surtout dans celle de Ruthie et, bien que je me sente en forme la plupart du temps, j'ai perdu mon emploi à cause des préjugés des autres. Je suis inquiet pour ma famille, du sort qui lui sera réservé quand de plus en plus de gens l'apprendront. Je veux continuer à écrire, et même raconter ce que je vis, mais je n'ai jamais écrit que des comédies, et cette histoire n'est pas particulièrement drôle.

Barbara comprit que personne ne savait que lui répondre. Elle fut à la fois surprise et heureuse de voir Rick prendre la parole.

— Shelly, vous êtes un auteur formidable, dit-il. Vous avez une façon de voir les choses tout à fait unique. J'ai regardé votre émission une bonne dizaine de fois et je parvenais toujours à distinguer ce qui venait de vous et de Ruth, parce que le scénario portait l'empreinte de votre intuition et de votre style. Vous pourriez écrire un scénario en or, quel que soit le sujet. Et moi, par exemple, je serais très intéressé.

— Vous êtes gentil, dit Shelly.

— Pas du tout, je suis égoïste comme d'habitude. Je pense qu'une collaboration avec vous me serait bénéfique dans tous les sens du terme. Si vous nous privez de votre talent parce qu'un connard déteste les homosexuels et vous a mis à la porte, vous commettrez une grave erreur.

Ruth regarda Shelly et se demanda ce qu'il en pensait. Rick Reisman avait peut-être été malchanceux quelquefois, mais certains de ses films étaient des classiques. Il était en train d'en tourner un dont on parlait déjà dans toute la ville, ce qui était très prometteur.

— Vous n'êtes pas obligé d'écrire une histoire sur le sida. Nous creuserons ensemble l'idée qui vous plaira. Ne cessez pas de travailler, Shelly. Vous avez trop de talent, insista Rick.

— Je vous remercie de ce que vous venez de dire, répondit Shelly. Je vais y réfléchir.

Ruth croisa les doigts. Si Shelly arrivait à vendre un synopsis à un studio ou, mieux encore, un scénario, il retrouverait un moral d'acier. Et pour être un peu terre à terre, son assurance médicale serait toujours prise en charge par la Société des Auteurs.

Les enfants s'apprêtaient à rejoindre leurs parents. Dana fit signe à Barbara. C'était l'heure de la pause, mais la psychologue lui demanda de s'en occuper quelques minutes de plus. Il lui restait une question à soulever.

— Avant que les enfants n'arrivent, j'ai deux mots à vous dire. Vous savez, bien entendu, que les vacances de Noël approchent et je voulais vous parler du stress dont elles s'accompagnent parfois. Pour les parents, les sources de tension sont évidentes. Les encombrements, la foule et les pressions financières. Les adultes qui, dans leur famille, ont passé de merveilleuses vacances, essaient souvent de reproduire cette expérience, ce qui se révèle généralement facteur de frustration.

» Les parents qui n'ont pas de bons souvenirs s'efforcent d'améliorer les choses. Or la réalité ne comble pas toujours leur attente. Alors, ce que je vous recommande, c'est de faire simple. Demandez-vous quels sont les projets susceptibles de satisfaire les besoins de ceux qui vous entourent aujourd'hui, et non les besoins que vous aviez autrefois.

» Quant aux enfants, même pour le meilleur d'entre eux, les vacances sont une période difficile pour un tas de raisons. Les horaires des siestes et des repas sont modifiés, leurs habitudes perturbées, ce qui les rend grognons, les désoriente ou les contrarie. En vacances, ils sont nécessairement confrontés à des inconnus qui les effraient. Je vous suggère donc de prêter attention aux besoins de vos enfants pour ne pas trop bouleverser leur mode de vie. Faites-les manger à la maison *avant* de les emmener à une réception. Prévoyez une sortie après la sieste, ne les obligez pas à faire des amabilités, parce qu'ils n'en auront pas envie.

» Si je parle de tout ça aujourd'hui, c'est pour que vous ne tombiez pas dans le piège des grands projets irréalisables. Je suis personnellement triste de ne pas passer Noël avec mes enfants. Pendant les fêtes, ma fille restera avec son fiancé et sa mère, et mon fils part aux sports d'hiver avec un ami. Ma mère retourne sur la côte Est, chez sa sœur. Alors peut-être suis-je en train de projeter sur vous mes propres inquiétudes. J'ai pensé qu'il fallait quand même évoquer cette question.

— J'ai invité Doreen qui passera quelques jours chez moi, mon oncle, Patty et ses enfants.

— Oh, là, là ! s'exclama Judith. Que d'émotions en perspective !

— J'espère la sortir de l'environnement qui est le sien dans le Kansas et me rendre compte de ce qui se passe vraiment.

— Nous nous contenterons d'assister à quelques réceptions, dit Ruth.

— Je ne me sens pas d'humeur à faire la fête, ajouta Shelly.

— Eh bien, il n'y aura que les filles, quelques amis et moi, déclara Judith.

Lainie ne dit pas un mot.

Les enfants étaient installés autour de la table. Les parents se levèrent pour les rejoindre. Ils prirent un en-cas, chantèrent *Trois Eskimos autour d'un brasero* et *Trois P'tits Chats*. Puis Dana leur lut un extrait de *Bonsoir la lune*.

Barbara regarda les différentes familles de ce groupe s'embrasser et se souhaiter de bonnes vacances. Mitch se sépara de Rose à contrecœur et dut se contenter d'un hochement de tête de Lainie. Ruth et Shelly sortirent, chacun ayant glissé un bras autour de la taille de l'autre. Rick aida Judith à déplier sa poussette à deux places. Après avoir rangé les jouets avec Dana, Barbara prit des notes sur ce qui s'était passé au cours de la séance et se demanda si le discours qu'elle leur avait tenu sur les vacances allait les aider ou l'aider elle-même.

38

Ce vendredi-là, quelques jours avant Noël, Barbara s'arrêta sur South Robertson Boulevard, devant un lot de sapins vendus par les scouts d'Amérique et acheta un grand douglas. Puis elle aida les deux scouts à l'attacher sur le toit de sa voiture et rentra chez elle. Quand elle s'arrêta devant la maison, elle songea à laisser le sapin dehors toute la nuit jusqu'au lendemain matin. Stan serait alors rentré de son voyage d'affaires et il pourrait l'aider à le porter et à l'installer.

Dans cette ville, rien n'était sacré. Et le lendemain l'arbre aurait peut-être été volé. C'était déjà une raison de rapprocher la voiture de la porte d'entrée et de déplacer seule ce grand sapin difficile à manier. Cette corvée serait aussi un bon moyen de tester sa compétence. Raison de plus pour le faire elle-même.

Barbara s'inquiétait parfois de ce que serait sa vie sans Stan. Elle se forçait, par défi, à accomplir seule des tâches qui, d'ordinaire, auraient justifié son aide.

« Si je parviens à réparer ce volet décroché sans rien demander à Stan, je pourrai me débrouiller, si jamais il meurt le premier. »

Un jour, elle parla à Marcy Frank de ce petit jeu mental. C'était au cours de l'un de ces déjeuners entre amies intimes où l'on dévoile ses peurs. Alors qu'elle espérait que cette femme, mariée au même homme depuis aussi longtemps qu'elle, abonderait dans son sens, Marcy éclata de rire et leva les yeux au ciel en s'écriant :

— Et *cette* femme-là est psychologue !

Quand elle eut accroché la guirlande lumineuse, Barbara brancha le fil dans la prise pour s'assurer que toutes les lampes avaient passé l'année. Toutes fonctionnaient. Il fut bientôt dix heures du soir et elle n'avait toujours pas dîné. Au lieu de faire une pause, elle alla chercher dans le garage les trois boîtes empilées et marquées du mot ORNEMENTS, qu'elle apporta dans la salle de séjour. Dans le silence de la maison vide, elle retira chaque personnage familier, chaque boule du papier protecteur dans lequel elle les avait soigneusement enveloppés l'année précédente.

A chaque objet s'attachait un souvenir. Ce petit ange en terre cuite, Stan, les enfants et elle l'avaient acheté lors d'un week-end à Williamsburg, la petite maison en adobe venait de Santa Fé. Quant à la Minnie Mouse en céramique, Heidi avait supplié qu'on la lui offre à Disneyland. Mais cette année, il n'y avait personne à qui elle puisse les tendre en disant : « Oh, regarde ! Tu te souviens où nous l'avons trouvé ? » Mieux valait s'y habituer tant qu'il n'y aurait pas de petits-enfants.

A onze heures, elle était exténuée, mais elle tenait à achever la tâche entreprise. Elle se rappela ces matins de Noël où Jeff et Heidi poussaient la porte de leur chambre, sautaient sur eux alors qu'il faisait encore nuit et qu'ils avaient envie de dormir un peu. La solitude qu'elle éprouva lui fit songer qu'elle renoncerait volontiers au sommeil pour la joie de leur présence à Noël.

A minuit, la décoration était à moitié terminée, mais elle avait passé avec succès cette épreuve de survie sans Stan. Elle monta donc se coucher en laissant la guirlande luire dans l'obscurité. Le lendemain, quand Stan arriva, elle avait achevé la décoration du sapin et, assise sur le sofa, elle contemplait l'arbre illuminé d'un air morose.

— Laisse-moi deviner, dit-il en s'asseyant près d'elle, puis il glissa un bras autour de sa taille. Je parie que tu es en train de te remémorer tous les Noëls idylliques que nous avons connus, n'est-ce pas ?

— Tu veux dire qu'ils ne l'étaient pas ?

— Quel souvenir dois-je évoquer ? Celui où ta mère nous a amené sept sans-abri à dîner et où l'un d'eux a vomi partout dans la salle de bains pendant que l'autre me volait mon portefeuille ? Ou bien l'année où Heidi a renversé le sapin et mis le feu à la pièce ? J'aime bien aussi celui où Roz, ta sœur, était venue de la côte Est avec un poisson que nous avons mangé et qui nous a intoxiqués.

Barbara éclata de rire.

— Bien sûr, tu as raison. Je suis en train de faire ce contre quoi je mets mes patients en garde : fantasmer sur les vacances idéales des images d'Épinal.

— Écoute, mon amour, dit Stan en la serrant contre lui. Nous allons vivre nos meilleures années. Quand Jeff sera parti, nous ferons enfin les voyages dont nous parlons depuis si longtemps. Peut-être trouverons-nous, dans le Nord, un endroit qui nous plaira. Nous y achèterons une résidence secondaire. Penses-y. Sans enfants dans les parages, je pourrai te courser dans la maison, quand tu seras toute nue.

— Mon amour, étant donné ma vitesse de pointe en ce moment, tu n'auras pas trop de mal à me rattraper.

— Précisément ! Mais ça n'a pas d'importance parce qu'à mon âge j'aurai oublié ce que j'étais censé faire une fois que je t'aurais attrapée.

Ils aimaient rire de leur âge. Mais Stan lui prit le visage dans ses mains et le tourna vers lui.

— Ma chérie, commença-t-il.

Elle connaissait si bien ce sourire.

— C'est une chose que je n'oublierai jamais, nous le savons tous les deux.

Il la réchauffa de ses tendres baisers au pied du sapin illuminé et, quand il tira sur son pull, elle l'aida à l'ôter et ils firent l'amour par terre.

— Après tout, ce n'est peut-être pas si terrible que cela de ne pas avoir les enfants à la maison, dit-elle, tandis que Stan la caressait.

— Que ces sales gosses aillent au diable ! répliqua Stan qui, par son amour, fit s'évanouir la tristesse des heures passées.

Alors qu'ils étaient étendus sur le sol, épuisés, que Stan dormait à ses côtés, le téléphone sonna. Nue, Barbara traversa la maison en courant pour décrocher. C'était Heidi. A peine avait-elle dit : « Bonjour, maman » que Barbara sut qu'il se passait quelque chose de grave. Il y eut d'abord de grosses larmes, puis une avalanche de mots incompréhensibles. Tandis qu'elle l'écoutait patiemment en essayant de faire le tri, Stan lui apporta une robe de chambre qu'elle enfila. Elle comprit enfin ce qu'Heidi tentait de lui expliquer d'une voix hystérique.

Ryan Adler, son fiancé, en avait épousé une autre. Cette autre était une dénommée Bonnie West, une personnalité de la radio locale de San Francisco.

— Nous nous sommes disputés et nous ne nous parlions plus. Mais je m'imaginais que ça se tasserait et qu'il reviendrait. Tu sais, ça se passait toujours comme ça avant et... c'est une de ses vieilles amies. Et pendant que j'attendais son coup de fil, il était en train de... l'épouser ! Je suis à ramasser à la petite cuillère. En plus, je l'ai appris par quelqu'un qui l'a lu dans le journal. J'ai peine à le croire. Comment ai-je pu faire confiance à cet homme ?

Barbara se mordit la langue.

— Et puis tu ne vas pas me croire parce que c'est complètement dingue, complètement fou ! Il m'a appelé ici l'autre soir. Il chuchotait et moi, je me disais : « Ne craque pas, Heidi, ne dis rien. Laisse-le parler. » Tu vas sauter au plafond, maman, quand tu entendras la suite !

Stan apporta un café à Barbara qui lui fit comprendre d'un geste qu'Heidi avait subi un gros traumatisme, tout en écoutant la fin de son récit.

— Il m'a dit : « Mon Dieu, Heidi, pourquoi ai-je fait ça ? Pourquoi l'ai-je épousée ? Cela me semble tellement évident, à présent, que c'est toi que j'aime. » « Tu es fou, Ryan, voilà pourquoi ! », lui ai-je répondu. Puis il m'a avoué que sa mère pensait que Bonnie lui convenait mieux. « Merci beaucoup », lui ai-je répliqué. « C'est vraiment très réconfortant pour moi ! » Et le pire, c'est qu'il a ajouté : « Puis-je venir ? » Tu t'imagines ? Ce type voulait venir ici et faire l'amour avec moi alors qu'il était marié avec elle ! Comment a-t-il pu songer un instant que j'accepterais une chose pareille ?

— Que lui as-tu dit ? fit Barbara, surprise qu'Heidi se soit épanchée ainsi, elle qui, quand on lui demandait : « Quoi de neuf ? » répondait immanquablement : « Le Pont-Neuf, le sou neuf et l'an neuf. »

— Crois-moi, maman, je me sentais tellement abandonnée et tellement seule à ce moment-là qu'il m'était vraiment dur de refuser. Je n'avais envie que d'une chose : passer une heure de plus avec lui et l'entendre me dire qu'il m'aimait.

« Pauvre petite », pensa Barbara. « Ma pauvre enfant. »

— Mais alors ? lui demanda-t-elle tout en sachant qu'elle n'aurait pas dû dire cela.

— Ne t'inquiète pas, maman, fit Heidi avec dédain. Je ne l'ai pas fait. J'ai raccroché et j'ai décroché le téléphone. Maintenant je suis vraiment triste et tu dois m'aider parce qu'ils se sont installés chez lui, tout près d'ici. Moi, il faut que je m'en aille vite. Je ne crois pas que je supporterai de les croiser l'un ou l'autre, ou tous les deux.

— Voyons ce que je peux faire, dit Barbara.

Aucune entreprise de déménagement ne serait disponible dans un délai aussi court. Barbara appela donc une société de location de camion de San Francisco, puis elle prit l'avion avec Stan. La veille de Noël, ils empaquetèrent tout ce que contenait l'appartement d'Heidi, les ustensiles de cuisine, les vêtements, les meubles, puis ils descendirent deux étages plus bas pour les charger dans le camion. Stan conduisit ce dernier, suivi de la voiture d'Heidi où se trouvaient sa fille et sa femme. Sur le chemin du retour, Barbara conduisit pendant qu'Heidi pleurait. Quand ils arrivèrent à Los Angeles, ils prirent aussitôt la direction d'un garde-meubles local que Barbara avait contacté avant leur départ. Avec l'aide de quelques employés de l'équipe de nuit, ils déchargèrent le contenu du camion et rentrèrent enfin à la maison.

Le matin de Noël, Heidi, vissée sur le sofa, contemplait le feu grésillant dans la cheminée. Les yeux ravagés, elle avait l'air complètement abattue à cause d'une histoire d'amour dont elle croyait qu'elle ne se remettrait jamais.

— Il faut du temps, ma chérie, dit Barbara en s'asseyant à côté d'elle sur le sofa. Et tu as plein de temps devant toi.

— Oui, répondit laconiquement Heidi.

Barbara s'efforça de conserver un esprit de vacances. Bien qu'elle n'en ait pas fait depuis longtemps, elle se souvenait de sa recette et confectionna une grande quantité de crêpes. Puis elle mit une cassette de cantiques de Noël interprétés par le chœur mormon du Tabernacle. Elle dut baisser le volume pour répondre à un appel de Jeff qui skiait à Snow Mass. Elle était heureuse qu'il soit loin du cafard ambiant. Quand il lui demanda : « Comment se fait-il que cette noix d'Heidi soit là ? Je la croyais partie avec son imbécile de fiancé », elle changea de sujet.

A onze heures environ, la sonnette retentit. Barbara ouvrit la porte et, à sa grande surprise, tomba nez à nez avec Marcy, Ed Frank, Freddy, leur gendre, qui ressemblait à Ed, et

Pammy, leur fille, l'amie d'enfance d'Heidi, enceinte jusqu'aux yeux.

— Oh ! Oh ! A voir ta tête, je pense que nous aurions mieux fait de téléphoner avant, dit Marcy en s'excusant.

Barbara, toujours en robe de chambre, portait encore les stigmates de l'épreuve des dernières trente-six heures.

— Mais nous étions au bout de la rue, chez ma belle-sœur, et nous nous sommes dit que vous deviez être bien seuls, tous les deux, sans les enfants. Et puis nous voulions vous montrer l'énorme ventre de Pammy.

— Oh...

Barbara ne savait que faire. Elle aurait aimé leur dire : « Allez-vous-en » et refermer la porte. Elle était sur le point de céder à cette tentation quand Heidi, curieuse de voir qui leur rendait visite, se leva et s'avança vers la porte. Quand elle aperçut leurs amis, étonnés de la trouver là, et le ventre de Pammy, elle gémit, se mit à pleurer, quitta la pièce et monta au premier étage.

— Nous devrions nous en aller, suggéra Ed Frank.

Barbara soupira.

— Non, entrez, fit-elle. Stan, mon chéri, prépare-leur un porto pendant que je m'occupe d'Heidi.

A peine eut-elle pénétré dans l'ancienne chambre de sa fille qui était couchée, en position fœtale, sur son lit défait, qu'à son grand soulagement le téléphone sonna. Avant que Barbara ait eu le temps de lever le petit doigt, Heidi s'était déployée et avait décroché l'appareil.

— Allô ? dit-elle d'une voix enrouée. Oh, joyeux Noël, mamie ! C'est Heidi, pas Barbara.

Barbara s'assit sur le lit.

— Je suis à la maison parce que, heu... mon petit ami en a épousé une autre. Alors je n'ai pas voulu rester là-bas, parce que je... heu... souffre trop. Papa et maman sont venus avec un camion gigantesque et ils ont consacré une journée entière à mon déménagement. Je vais vivre quelque temps avec eux, jusqu'à ce que j'aie décidé de ce que je vais faire de ma vie.

Quand elle eut terminé cette pénible confession, Heidi ouvrit grand la bouche comme pour crier, mais aucun son n'en sortit. Elle tremblait, sanglotait intérieurement. Barbara se rapprocha d'elle et lui prit la main. Heidi écouta les sages conseils que lui donnait sans doute sa grand-mère à l'autre bout de la ligne et se contenta de hocher la tête tant qu'elle n'eut pas retrouvé une contenance.

— Je sais, dit-elle enfin. Tu as raison. Je suis d'accord. Non, je sais. Tu as raison, je le ferai, juré ! D'accord. Je te passe maman.

— Bonjour, maman, fit Barbara.

— Il faut que tu l'installes chez elle avant le 1er janvier, déclara Gracie sans même lui dire bonjour.

— Bon, joyeux Noël à toi aussi, répondit Barbara.

— Avec ton expérience de psychologue, tu es mieux placée que quiconque pour savoir qu'après avoir chèrement gagné son indépendance, ce serait la pire des choses qu'elle revienne habiter chez toi. Elle a besoin de reprendre du poil de la bête. Elle doit se débrouiller toute seule, ajouta Gracie d'un ton fort résolu.

— Maman, elle est très bien comme ça. Quelques semaines dans sa chambre de jeune fille, cela lui ferait le plus grand bien. Un petit retour dans le giron maternel où Stan et moi nous la dorloterons. Quel mal y a-t-il à cela ?

— Ne fais pas ce qui te convient à toi, Barbara. Fais ce qui est bon pour elle, dit Gracie.

— Bonnes vacances, répliqua Barbara avant de raccrocher le téléphone. Je dis aux Frank de s'en aller ? demanda-t-elle à Heidi.

Heidi mit les bras autour du cou de sa mère, posa sa tête contre sa poitrine, et Barbara sentit les larmes chaudes de sa fille sur ses cheveux.

— Je serai ravie de les inviter à dîner la semaine prochaine, quand tu te sentiras mieux.

— Non, ça va. Je vais me rafraîchir le visage et descendre. Je suis très contente pour Pammy. J'ai envie de la voir.

Elle se leva et se dirigea en reniflant vers la salle de bains.

— Ma chérie, fit Barbara. (Heidi s'arrêta pour la regarder, son joli visage tout barbouillé de larmes.) Je te promets que tu surmonteras tout ça.

— Merci, maman, dit Heidi qui disparut dans la salle de bains.

Le 30 décembre, Heidi et Barbara trouvèrent à West Hollywood un appartement qui plaisait à la jeune fille. Ses parents assureraient, en partie, le loyer, jusqu'à ce qu'elle ait trouvé du travail. Le dernier objet que Barbara y apporta fut le vieux Winnie l'ourson en lambeaux. Elle l'avait transporté, parmi divers objets, de sa voiture à l'appartement. Tandis qu'Heidi conversait avec l'homme qui était venu installer le téléphone, Barbara emporta l'ours dans sa chambre.

— Veille sur elle, dit-elle en serrant contre elle l'animal en peluche.

Puis elle le posa sur l'oreiller et partit travailler.

39

La veille de Noël, Ruth et Shelly assistèrent à un grand réveillon très bruyant, chez un producteur de télévision qui habitait Santa Monica.

— As-tu entendu parler de cette baleine qui s'est échouée dans le port de San Francisco et qui a attrapé le sida ? Un ferry l'a percutée par l'arrière !

C'était un chauve qui, près du piano, racontait cette blague à sa petite amie.

— Allons-nous-en, dit Shelly à Ruth.

Il était au bar, à l'intérieur de la maison, devant un Perrier, quand il avait entendu cette plaisanterie. Il était, à présent, au bord de la piscine, et Ruth bavardait avec deux femmes écrivains. Shelly n'avait pas envie d'être bien élevé et, sans même les saluer, il ramassa le sac de Ruth et le lui tendit.

— Tout de suite !

Bob s'amusait beaucoup. Au milieu d'un groupe d'enfants, il grimpait sur l'un des appareils du terrain de jeux. Les plus âgés aidaient les plus jeunes. C'était la première fois depuis longtemps que Ruth était aussi détendue et qu'elle devisait aussi agréablement. Mais elle était inquiète pour Shelly, soucieuse de la colère qu'elle décela dans son regard.

— Ça va ?

— Oui. Je veux simplement m'en aller d'ici.

— Nous venons d'arriver, dit-elle en se demandant ce qui le contrariait.

— Alors reste. Moi, je m'en vais.

— Et Bob ?

— Qu'il reste ou qu'il parte. A toi de décider.

— Ah ! Shel, pourquoi ne pouvons-nous pas tous rester ?

— Parce que je veux partir.

— Pour quoi faire ?

— Rentrer à la maison.

— Pourquoi veux-tu rentrer à la maison ? C'est la veille de Noël, une fête de famille.

— Soyons sérieux, Ruthie. Nous sommes juifs et nous ne sommes pas une famille.

Le ressac faisait beaucoup de bruit, pas assez toutefois pour couvrir la voix de Shelly. L'une des deux femmes remarqua le chagrin qui se peignit sur le visage de Ruth et lui prit la main. Ruth la lui retira.

— Voilà le ticket du parking, dit-elle en le sortant brutalement de son sac. Je garde l'enfant ici avec moi. Je me ferai raccompagner.

Shelly prit le ticket, tourna les talons, embrassa Bob et disparut. Par les grandes baies vitrées qui se trouvaient à l'avant de la maison, Ruth vit le voiturier avancer la Mercedes, Shelly y monter et démarrer.

Si l'on en croyait les médecins, Shelly était, pour l'instant, en bonne santé. Tous les mois, il se rendait au rendez-vous qu'on lui fixait pour vérifier sa numération globulaire et déceler l'éventuelle apparition des symptômes du sida. Tout allait bien. Mais la peur le tourmentait. Il se réveillait parfois pour écrire des poèmes qu'il semait dans toute la maison. Elle savait que, la nuit, étendu dans son lit, il cherchait désespérément le sommeil pour rejoindre le monde des rêves où il était en parfaite santé, où il n'avait pas peur. L'angoisse l'en empêchait. Et il se retrouvait face à cette angoisse tenace qui lui faisait battre le cœur.

Il respirait trop fort et se sentait gagné par la nausée et les tremblements. Alors il se levait et longeait le couloir jusqu'à la chambre de Ruth. Ruth qui, dans son sommeil, comprenait intuitivement qu'il allait mal, s'éveillait et le trouvait assis près d'elle. Il était venu là simplement pour être à ses côtés. Quand elle était réveillée, elle s'asseyait, s'agenouillait à côté de lui sur le lit et lui massait les épaules pour dissiper les nœuds qu'y avait laissés la peur. « Tout va bien, tout va bien », répétait-elle. « Ta numération globulaire est excellente, tu as bon appétit, Bob et moi, nous t'aimons et tu te portes bien. » Ses paroles et le réconfort que lui apportait le contact physique du massage lui redonnaient des forces. Il se détendait enfin.

Quand Ruth sentait que ses épaules retombaient et que la tension s'estompait, elle se levait, enfilait une robe de chambre et lui prenait la main. « Allons », disait-elle en le conduisant jusqu'à la chambre d'enfant. Ils y restaient côte à côte, éclairés par une veilleuse ornée d'un Mickey, et contemplaient le visage de leur fils, paisiblement endormi.

— Voilà pourquoi tu n'as pas le droit de paniquer. Voilà pourquoi tu dois te dire : tout le monde meurt, mais Shelly Milton se débattra comme un beau diable avant de quitter ce monde. Il va s'accrocher pour son petit Bob. Tu es d'accord, Shel ? Nous avons survécu à *Rudy, le caniche*, l'amour, la mort, aux cheveux frisés et aux tentatives de suicide et, cette fois encore, nous serons vainqueurs.

Puis elle le reconduisait jusqu'à sa chambre et le regardait se glisser dans son lit avant de regagner le sien où elle restait éveillée jusqu'à ce qu'elle l'entende ronfler. Alors seulement elle se rendormait.

Elle l'aimait et elle aurait dû quitter ce stupide réveillon avec lui. D'ailleurs, elle allait le rejoindre. L'une des femmes avec lesquelles elle bavardait était allée chercher quelque chose à manger à l'intérieur, l'autre courait après son enfant. Ruth était sur le point de se mettre en quête d'un chauffeur pour la raccompagner quand elle aperçut Louis Kweller au fond du jardin, à travers la foule.

Louis Kweller paraissait un peu plus enveloppé que quelques années auparavant, du temps où il hantait le Palais de la Comédie en compagnie de Ruth, de Shelly et de tous les autres auteurs. Mais il n'avait rien perdu de son charme. Quand il tendit chaleureusement les bras à Ruth, cela lui sembla doux. Il sentait bon. Louis possédait une grande culture littéraire, l'une de ses principales qualités aux yeux de Ruth. Lors d'une conversation où ils évoquaient une série télévisée où s'entrecroisaient plusieurs intrigues, Louis avait parlé d'une « multiplicité à la Dickens ». Il lui était aussi arrivé de comparer une sitcom qu'ils regardaient ensemble à une nouvelle de Stephen Crane.

— Sans blague ? s'était exclamé Shelly en riant. Je croyais que Stephen Crane dirigeait les mini-séries sur NBC !

Les auteurs de comédie que connaissait Ruth étaient souvent

drôles par intuition, par instinct. C'était un comique issu d'une souffrance. Chez Louis Kweller, à cela s'ajoutait une vision globale que lui donnait sa culture. Ainsi était-il devenu l'un des plus éminents producteurs de télévision. Il venait de signer avec un studio un contrat qui avait fait couler beaucoup d'encre et grâce auquel il avait obtenu, si l'on en croyait les journaux spécialisés, une sorte de société de production, une « liberté artistique totale » et une somme considérable, jusque-là inégalée, qui devait lui permettre de la mettre sur pied.

— Alors tu as le vent en poupe ? fit Ruth, tandis qu'il s'asseyait à côté d'elle sur la terrasse dominant la mer.

Ils eurent l'impression de retrouver le bon vieux temps où les auteurs débutants se réunissaient au Hamburger Hamlet de Sunset Boulevard et discutaient pendant des heures. Où Ruth et Shelly se partageaient un cheeseburger au bacon parce qu'ils n'avaient pas les moyens de s'en offrir deux.

— Toi aussi, répondit-il en souriant.

Ruth le trouva bien modeste pour un homme à qui l'on venait de déclarer que chacune de ses idées valait des millions de dollars.

— Pas à ce point-là ! Tu pourrais vendre ton linge sale plus cher que moi ma maison.

— Peut-être, mais toi, tu as un enfant, dit-il en lui tapotant la main. C'est lui, là-bas, avec la chemise rouge ?

Il désigna d'un geste la structure en bois surmontée d'un château fort et munie d'une échelle sur laquelle on apercevait Bob.

— Comment le sais-tu ? demanda Ruth.

— Il est tellement mignon ! répondit Louis en la regardant droit dans les yeux.

Ruth, perplexe, sentit ses joues s'empourprer comme cela ne lui était pas arrivé depuis des siècles.

« Calme-toi », pensa-t-elle. « Tu perds la tête. »

— Sur quoi travailles-tu en ce moment ? fit Ruth tout en espérant que Louis n'aurait pas remarqué l'effet qu'avaient produit sur elle ces quelques mots dits en passant, sans doute. Malgré son cœur lourd, tout son être s'était senti, l'espace d'un instant, désirable. Non. Mieux que ça. Féminin. La soirée battait son plein, l'agitation et le bruit allaient croissant, les invités arrivaient, de plus en plus nombreux.

Une jolie fille, très maigre, dans une robe en Elastiss si

moulante que l'on voyait pointer les os de son bassin, se précipita sur Louis pour lui rappeler qu'elle avait participé, il y avait quelques semaines de cela, à une de ses émissions dont le scénario était « fabuleusement brillant ». Ruth apprécia le sérieux avec lequel Louis la remercia, sans fausse modestie et sans commentaire sournois sur sa cervelle d'oiseau dès qu'elle eut tourné le dos. C'était un homme doux, séduisant.

— Vous avez bien fait, Shelly et toi, lui dit Louis, d'avoir ce bébé ensemble. Je l'ai croisé l'autre jour et je l'ai trouvé métamorphosé. Beaucoup plus sérieux qu'avant. As-tu remarqué, toi aussi ?

— Que Shelly est plus sérieux ? Absolument, répondit Ruth qui se reprochait de ne l'avoir pas suivi.

— Vous vivez ensemble ?

— Oui.

— Salut, Kweller ! hurla quelqu'un de la maison.

Louis fit un signe de la main et Ruth constata, non sans étonnement, qu'il ne faisait nullement étalage de son nouveau statut. Il ne prenait pas cet air paternaliste dont s'accompagne généralement le succès hollywoodien.

— Évidemment, reprit-il en se tournant de nouveau vers Ruth qui sut aussitôt ce qu'il allait lui demander. (On lui avait déjà posé cette question.) Évidemment, répéta-t-il, je sais que ça ne me regarde pas et, si tu me trouves indiscret, dis-le-moi et je me tairai, d'accord ? Mais qu'y a-t-il entre vous ?

Elle savait exactement ce qu'il entendait par là mais elle n'avait pas l'intention de lui faciliter la tâche.

— Comment cela ?

— Je veux dire, est-ce une histoire d'amour ? Quelque chose comme ça ?

— Tu as raison. Ça ne te regarde pas. C'est mon meilleur ami. Voilà ce qu'il y a entre nous. C'est l'être le plus proche de moi. Je l'aime plus que j'ai jamais aimé et que j'aimerai sans doute jamais aucun homme. Mais nous faisons chambre à part et nous ne faisons pas l'amour.

Louis Kweller garda un visage de marbre.

— Et c'est très bien ainsi, conclut Ruth.

— Maman ! cria soudain Bob.

Ruth se leva d'un bond et courut vers le terrain de jeux. Son fils hurlait au pied du toboggan parce qu'un garçon plus grand que lui lui avait donné un coup de pied. Elle le prit dans ses bras, le serra contre elle, le calma et l'embrassa. Au bout de quelques minutes, il sécha ses joues sur le chemisier de sa mère et se débattit pour retourner jouer.

— Nous allons bientôt rentrer à la maison, mon trésor. Dans deux secondes, nous allons retrouver papa. Je vais chercher quelqu'un pour nous raccompagner.

— Je vous ramène.

Ruth se retourna et aperçut Louis Kweller qui l'avait suivie jusqu'au terrain de jeux et se tenait juste derrière elle.

— Tu n'habites pas tout près d'*ici* ? Je veux dire, ça ne te fera pas un trop grand détour ?

— Si, mais ça n'a pas d'importance. J'ai envie de faire une petite promenade.

Louis Kweller n'était-il pas en train de lui faire la cour ? S'il connaissait seulement sa vie ! S'il savait que Shelly se réveillait la nuit, trempé de sueur, que, quoi que disent les médecins de son état et de celui de Bob, elle craignait que chaque éruption de boutons, chaque diarrhée ne ranimât son angoisse.

« Louis, oh ! Louis, tes attentions sont un cadeau de Noël magnifique et j'en ai bien besoin, mais il n'y a pas de place dans ma vie en ce moment. Je travaille pour un salaud que je hais, je rentre à la maison, j'élève mon enfant et j'aime Shelly Milton. Ma vie est bien remplie », songeait-elle. Mais quand elle eut attrapé un Bob récalcitrant et remercié son hôte, Louis Kweller saisit le sac de toilette, le mit sur son épaule gauche et l'entoura de son bras pour l'accompagner jusqu'au parking privé. Et cela lui sembla bon.

— Vous êtes Ruth Zimmerman ? lui demanda le gardien.

— Oui.

— Votre mari m'a laissé le siège-bébé pour que vous puissiez rentrer à la maison, dit-il en le ramassant au pied du téléphone, là où Shelly l'avait déposé.

Quand la Buick fut avancée, Louis attacha le siège de l'enfant sur la banquette arrière, Ruth y installa Bob et boucla sa ceinture.

Sur la plage avant se trouvait la boîte d'une cassette de William Faulkner lisant des passages de *Tandis que j'agonise*.

— Je suppose que tu n'as pas *Les Petits Dinosaures*, fit Ruth, ni *Winnie l'ourson et l'arbre à miel* ?

— Non, répondit Louis avec un drôle de sourire charmeur, mais je serai ravi de les acheter.

Le long de Sunset Boulevard, les voitures étaient roue à roue en direction de l'est.

— Tu travailles toujours pour Zev Ryder ? lui demanda Louis.

— J'ai le regret de te dire que oui.

— C'est un crétin sans talent, déclara Louis.

— C'est très exactement ce que j'en pense.

— Il déteste les femmes, les juifs et les homosexuels. Je suis étonné que vous ayez tenu aussi longtemps tous les deux.

— Tu appelles ça tenir ? Il a déjà renvoyé Shelly et il cherche en permanence une raison de me virer. Chaque jour est un combat.

— Tu veux écrire pour l'une de mes émissions ? Accepterais-tu de sortir avec moi ? Accepterais-tu de tomber amoureuse de moi et de m'épouser ?

Louis plaisantait, mais Ruth se sentit soudain mal à l'aise que Bob l'ait entendu, peut-être parce qu'elle avait justement envie qu'on lui tienne ce genre de propos. Que quelqu'un sorte de l'ombre et vienne la délivrer de son cauchemar quotidien.

— Mais oui, bien sûr, répliqua-t-elle tandis qu'il coupait le contact devant sa maison.

— Je suis sérieux, dit-il. Si on dînait ensemble un soir ? Je ne te sauterai pas dessus, je te le jure.

— Il faut que j'y aille, Louis, fit-elle. Merci de m'avoir raccompagnée.

Dans la salle de séjour, Shelly était assis sur le canapé, devant la télévision. Il la fixait du regard en zappant avec la télécommande.

— Qui t'a ramenée à la maison ?

— Louis Kweller.

— Et que t'a raconté ce riche abruti ?

— Il m'a chargée de te transmettre toutes ses amitiés.

— Chic !

— Papa, viens jouer.

— J'arrive, mon chéri, dit Shelly à Bob, mais il ne bougea pas.

— Et si on ouvrait quelques cadeaux maintenant ? Comme

tu nous l'as si judicieusement fait remarquer, nous ne sommes pas obligés de respecter les règles puisque nous sommes juifs.

La distribution des cadeaux dériderait peut-être Shelly.

— Papa ! Ouvre les cadeaux. Nous sommes juifs ! répéta Bob en grimpant sur les genoux de Shelly.

Son visage doux et innocent lui redonna le sourire.

— Crois-tu que nous ayons le droit de faire ça ? le taquina Shelly.

— Ouiiii ! répondit Bob qui descendit et courut vers l'arbre de Noël.

Ruth et Shelly lui emboîtèrent le pas et le regardèrent déchirer les papiers. On vit apparaître un grand oiseau parlant, un avion à roulettes, un garage, un aéroport en Lego, tous les personnages de *La Guerre des étoiles* et un lecteur de cassettes. Puis Shelly ouvrit le cadeau que lui destinait Ruth, un ordinateur IBM et une imprimante laser. Après avoir déchiré le papier d'emballage, il retira la mousse synthétique des boîtes, puis les différents éléments.

Depuis le jour où ils avaient commencé à écrire, ils avaient toujours rédigé à la main, au crayon, sur un bloc-notes. Lorsque l'émission ne leur fournissait pas de dactylo, ils tapaient leur brouillon sur une vieille machine à écrire portable et payait quelqu'un pour refaire le travail proprement. A présent, ils avaient devant eux le pur produit de la haute technologie des années quatre-vingt-dix.

— Joyeux Noël ! dit Ruth.

Elle savait qu'elle en avait un peu trop fait, mais qu'importait, après tout ? Shelly sortit le manuel de la boîte et le feuilleta en hochant la tête d'un air perplexe.

— Shel, je sais que ça paraît incompréhensible, confus, mais mon plus beau cadeau, c'est la spécialiste de la boutique d'informatique que j'ai engagée et qui viendra ici le soir pour nous apprendre à nous en servir. C'est une femme formidable qui a travaillé avec de nombreux écrivains. Elle explique les choses en langage courant, pas en jargon informatique. Elle m'a juré que, dans quelques années, nous nous demanderons comment nous avons pu nous en passer.

Shelly posa l'épais manuel sur la table basse et se leva. Il faillit trébucher sur Bob qui, allongé sur le ventre, faisait courir ses petites voitures sur le sol, se servant de la table basse comme d'un tunnel. Ruth, qui tenait toujours son premier cadeau à la main, sans l'avoir ouvert, le vit entrer dans sa chambre. Elle le suivit et attendit dans l'embrasure de la porte.

— A quoi penses-tu ? lui demanda-t-elle.

Il était assis sur le lit et fixait les portes-fenêtres qui donnaient sur le balcon.

— Que dans quelques années je ne serai peut-être plus là. Pourquoi crois-tu que la pile de cadeaux de Bob fait un mètre de haut ? Je lui ai acheté des trucs avec lesquels il ne pourra pas jouer avant douze ans. Je me suis dit que, quand il aura cet âge, je ne serai plus là pour les lui offrir. Je ne veux pas passer une minute du temps qui me reste à apprendre à me servir d'un ordinateur.

— Ce ne sera pas long. Tu as bien appris à utiliser le caméscope et, bon sang, au lieu de passer des heures à ruminer, essaie de maîtriser cet appareil. A Noël prochain, tu seras peut-être aussi doué que Steve Wozniak, le fondateur d'Apple. Et un simple merci suffira.

Elle allait quitter la pièce d'un pas rageur quand Bob entra en courant. Il portait un cadeau qu'il avait défait tout seul, un fusil évaporateur de tortue Ninja qu'il pointa sur Ruth.

— Yagssh ! hurla-t-il.

— Voilà qui me plaît ! dit Ruth. Encore un client satisfait.

Dans la salle de séjour, elle ouvrit le paquet de Shelly. C'était un portrait de Bob par un photographe professionnel. Ils s'étaient tous deux rendus dans un studio, sans le lui dire, et Shelly avait fait encadrer la photo dans un cadre ancien.

— Je t'aime, dit Shelly qui venait d'entrer dans la pièce.

— Moi aussi, j'aime maman, fit Bob qui saisit la jambe de Ruth et la serra fort.

Ruth pressa le cadre contre son cœur. Elle les aimait tant tous les deux qu'elle avait envie de pleurer. Mais cela ne l'empêcha pas de se demander, au même instant, si Louis Kweller ferait un bon amant.

40

La veille de Noël, le club de sport de Lainie était ouvert. Elle déposa Rose chez sa mère puisque l'enfant y allait volontiers, puis elle se rendit à son cours d'aérobic. Au début de la séance, la musique rock était tellement assourdissante qu'elle sentait le sol vibrer sous ses pieds. Comme elle aimait voir ce qu'elle faisait, elle se plaçait toujours au premier rang.

Ce jour-là, elle regarda son corps dans la glace, ce corps mutilé par la maladie, et se dit qu'il était miraculeux que l'extérieur fût si beau, si bien fait. « Merci, mon Dieu, de m'avoir donné ces gènes-là », songea-t-elle. Sa mère, qui n'avait jamais porté de pantalon ni de survêtement, qui n'avait jamais seulement fait de promenade, avait encore le corps ferme et mince.

— Levez les bras, inspirez et expirez ! Encore ! Inspirez dans la posture, mesdames, les pieds écartés, fléchissez les genoux et étirez !

La veille de Noël sans Mitch. Tous les rites de cette nuit-là lui semblèrent déchirants. L'année dernière, ils avaient acheté des décorations pour le *premier Noël du bébé*. Ils avaient emmené Rose qui n'avait pas la moindre idée de ce qui se passait voir le père Noël à la May Company. Cette année, Lainie n'avait même pas acheté de sapin. Après son cours, elle passerait prendre Rose, la ramènerait à la maison, la ferait dîner et la bercerait pour l'endormir. « Après tout ce que j'ai vécu », pensa-t-elle, « cela suffira comme réveillon. Je suis en vie, bien portante, et j'ai un bébé. Dieu soit béni ! »

Quand vint la partie la plus éprouvante du cours, le martèlement désagréable des pieds lui donna envie de tout lâcher, de lancer un petit signe d'adieu au professeur et de s'en aller. Mais elle se força à continuer et, au bout de quelques minutes, prit le rythme. Son moral s'améliora. Peut-être étaient-ce les endorphines. Elle avait lu quelque part que le cerveau en produisait pendant tout exercice physique intense. Quoi qu'il en soit, à la fin de la séance, elle se sentit forte, dynamique et prête à tout affronter.

— Elle a été adorable, lui dit sa mère en l'accueillant.

Rose ne se préoccupa aucunement de l'arrivée de Lainie. Elle jouait par terre avec un diable à ressort musical, assise au pied d'un arbre de Noël qui faisait soixante centimètres de haut. Tous les ans, depuis la mort de son mari, Margaret Dunn achetait des avortons de sapins, comme pour déclarer à la face du monde qu'un demi-sapin suffisait largement pour une femme seule.

— Son père a appelé ici, dit Margaret à Lainie, d'une voix calme, dans l'entrée de sa maison de Studio City. Il a essayé de te joindre mais tu n'étais pas là. Il pensait que tu étais à l'université. Il a donc tenté de téléphoner ici. Il était d'une humeur exécrable.

— Vraiment ? fit Lainie.

Elle savait que le terrain était glissant. Qu'à moins qu'ils ne reprennent la vie commune, la garde de Rose était un privilège pour lequel elle devrait se battre. Mitch pouvait la traîner devant le juge et raconter Dieu sait quoi sur les conditions de garde de l'enfant qu'il n'appelait jamais autrement que « ma fille ».

D'un mouvement de menton, Margaret invita Lainie à la suivre dans la salle de séjour où elle avait passé la soirée dans son fauteuil à surveiller Rose qui jouait.

— Tu m'accompagnes ? demanda-t-elle à sa fille en lui montrant une bouteille.

Lainie buvait rarement, car l'alcool peut se révéler dangereux pour une diabétique. De temps à autre, elle prenait une coupe de champagne avec Mitch pour se détendre, à l'époque où elle essayait d'avoir un enfant, ou pour fêter un anniversaire.

— Non... Je ne crois pas que ce soit raisonnable.

Mais le désir qui se peignit sur le visage de sa mère l'incita à reconsidérer sa position.

C'était la veille de Noël. Le lendemain matin, Lainie ouvrirait les cadeaux avec Rose, les paquets que lui avaient envoyés les amis, les jouets qu'elle avait achetés pour l'enfant.

Puis Mitch viendrait chercher le petit ange, l'emmènerait chez une de ses sœurs. Toute la famille serait rassemblée. Ils seraient tous ravis qu'*elle* ne soit pas parmi eux. Et puis, comme elle l'avait promis, elle irait fêter Noël chez son amie Sharon. Il y avait un cap difficile à franchir avant la nouvelle année. Barbara Singer n'avait-elle pas prévenu les membres du groupe de ne pas trop attendre de ces vacances ? « Eh bien », pensa Lainie, « je dois au moins rester pour partager un verre de vin avec ma mère. »

— D'accord, dit-elle.

— Maintenant nous sommes seules toutes les deux, déclara Margaret Dunn en versant le vin. Je ne parle que pour moi, mais ça me plaît plutôt.

— Moi, ça ne me plaît *pas*, maman. Pour l'instant, je ne sais pas comment y remédier.

— Eh bien, il me semble que tu peux faire d'une pierre deux coups. Tu veux cet enfant ? Il faudra aussi prendre Mitch. Sinon, je peux te l'affirmer, il va te la retirer.

— Il te l'a dit ? demanda Lainie, inquiète.

— Tu oublies, ma chérie, que je travaille dans un cabinet d'avocats spécialisé dans les divorces. J'ai vu des hommes tout à fait charmants se transformer en dragons crachant du feu pour défendre des biens qu'ils ignoraient posséder jusqu'à ce qu'un avocat leur ait suggéré de s'en occuper. Des jeux de cartes, des fourchettes à poisson. J'en ai vu un menacer sa femme avec un revolver pour récupérer des ronds de serviette en papier mâché qu'ils avaient achetés ensemble à Tijuana. Alors tu t'imagines à quelles extravagances ils peuvent se livrer quand il s'agit de leurs enfants.

Lainie avala une gorgée de vin. Il avait bon goût. Elle était si peu accoutumée aux effets de l'alcool qu'après une seconde gorgée elle sentit une chaleur monter en elle. Quand Rose vint vers elle à quatre pattes et posa la tête contre ses genoux, elle embrassa l'enfant en humant son odeur si douce et se sentit terriblement impuissante. Toute la force que lui avait donnée son cours de gymnastique s'était évanouie.

— Maman, dit-elle, que fais-tu le jour de Noël ?

— Oh ! Je ne sais pas. Des filles du bureau m'ont invitée. Mais tu sais que je n'aime pas trop les réceptions. Alors je vais probablement rester tranquille.

— Ne fais pas ça. Tu as raison, nous sommes seules toutes les deux et nous ne devrions pas l'être.

On entendit un fort bruit métallique, puis un cri de surprise. Le diable sauta au visage de Rose qui referma le couvercle d'un coup sec et se remit à tourner la manivelle de la boîte à musique.

— Et si je passais au supermarché du coin en rentrant pour y acheter une dinde et des patates douces ? Je sais que tu aimes les patates douces et, demain soir, nous dînerons toutes les deux chez moi. Mitch ramènera Rosie vers sept heures et demie. Je t'en prie, accepte. Je ne veux pas non plus me retrouver dans un cocktail, au milieu d'étrangers. Faisons comme ça.

En silence, Margaret Dunn prit une gorgée de vin. Lainie l'imita.

— A une condition, répondit-elle enfin.

— Laquelle ?

— Je fais des pommes au four pour le dessert.

Des pommes au four. Le seul dessert qu'aimait Lainie, qu'elle pouvait manger sans scrupules. Le dessert que sa mère lui préparait, il y avait des années de cela, après que l'on eut découvert le diabète de Lainie. Un geste d'amour.

— Marché conclu, dit Lainie.

Elle ne serait pas seule quand Mitch et Rose iraient fêter Noël sans elle. Peut-être les deux femmes se rapprocheraient-elles l'une de l'autre. Sans doute leurs liens deviendraient-ils plus forts. Quand elle prit les affaires de Rose pour la ramener dans une maison où les attendait un Noël sans Mitch, cette pensée réconfortante lui rendit cette perspective moins pénible.

Elle descendait Ventura Boulevard quand elle ressentit une sensation de démangeaison à l'intérieur de la bouche. « Mon Dieu ! » pensa-t-elle, consciente qu'il fallait s'arrêter, se garer et prendre quelque chose. Mais l'enfant était avec elle et elle ne savait pas très bien où s'arrêter. Et puis il était trop tard... Elle glissa la main dans ses cheveux. Elle avait la tête moite. La transpiration. Peut-être devrait-elle tourner dans une rue adjacente. Le volant lui parut difficile à manier, elle ne savait pas pourquoi. Elle y parvint néanmoins, peut-être parce que la petite fille était à l'arrière. Elle devait au moins amener la voiture au-delà de cette lumière rouge. Il y avait une lumière rouge clignotante derrière elle. Non. Son pied appuya sur le champignon pour s'en éloigner.

Mais la lumière était toujours là, qui la suivait.

— Garez-vous ! lui dit une voix qui venait d'on ne savait où.

Lainie ne se souvenait même plus de la manœuvre à effectuer pour se garer. Elle donna un violent coup de volant, frôla une voiture en stationnement et écrasa le frein. D'une main douloureuse, elle tira le frein à main. La silhouette d'un policier s'approcha de plus en plus vite. Il était certainement venu la sauver, quoi qu'il se passât. Elle savait qu'elle était en train de perdre pied. Le policier se tenait près du pare-brise.

— Bonsoir, madame. J'ai l'impression que vous avez des problèmes.

Lainie tremblait de tous ses membres, penchée sur le volant.

— Montrez-moi votre permis de conduire et votre carte grise, s'il vous plaît.

Où était donc son permis ? Dans son sac. Oui.

— Heu... Je...

— Madame, puis-je vous demander de sortir de cette voiture ?

— Le bébé, fit-elle, et ce fut tout ce qu'elle parvint à dire.

— Tout ira bien pour le bébé, répondit l'agent en ouvrant la portière, et Lainie, les jambes flageolantes, sortit et s'écroula sur le policier.

— Ho, là ! Du calme, madame, dit-il en la retenant d'une main puissante.

Une femme sortit à son tour de la voiture de police et s'avança vers Lainie. Elle coupa le moteur et Lainie l'entendit parler doucement à Rose. Elle lui demanda ensuite de se tenir sur un pied, ce dont Lainie était bien incapable même si elle prenait appui d'une main, de fermer les yeux et de toucher son nez avec son doigt. Lainie percevait ces ordres dans un brouillard. Non, Mitch. Maman. Au secours. Une crise d'hypoglycémie. Elle aurait dû dîner avant son cours de gymnastique. Le médecin le lui avait pourtant recommandé.

Le policier lui mit les menottes et la fit monter à l'arrière du véhicule de police en l'informant, du moins crut-elle le comprendre, que la femme qui l'accompagnait avait pris la voiture où se trouvait Rose. Lainie tremblait toujours, incapable de lui expliquer qu'elle n'était pas ivre, qu'elle était tout simplement en train de frôler la mort.

Elle ne se souvint pas de ce qui se passa ensuite, si ce n'est que, par miracle, ils la conduisirent au poste de Van Nuys où il y avait un médecin. Celui-ci diagnostiqua aussitôt une hypoglycémie caractérisée. Il lui donna du jus d'orange, qui rétablit son taux de glycémie. Il ne s'agissait donc pas d'une conductrice ivre. Peu à peu, les choses reprirent leur place. Quand elle se sentit assez forte pour se lever et faire quelques pas, on lui amena Rose qui se mit à hurler : « Maman ! » Puis la petite fille enfouit son visage dans le cou de Lainie et pleura.

Pendant quelques minutes, elle tint l'enfant dans ses bras, ne sachant trop que faire. Le soir de Noël au poste de police. Tout ce qu'elle désirait, c'était être avec Mitch. Être avec Mitch et Rose, sa famille. Sur un appareil téléphonique mural, elle composa le numéro de Betsy. Quand celle-ci décrocha, Lainie entendit des rires et de la musique.

— Betsy, dit-elle. (Le bébé calé sur la hanche, elle jeta un coup d'œil aux trois personnes qui faisaient la queue pour utiliser le téléphone du poste de police.) Passe-moi Mitch, s'il te plaît.

— Qui est-ce ? demanda Betsy de ce ton méchant qui lui était habituel.

— C'est sa femme, répliqua Lainie.

Elle écouta la musique et les rires dans la maison de Betsy tout en regardant autour d'elle. Au bureau, on était en train de ficher deux prostituées. Lainie attendit un certain temps avant que Mitch ne la prenne en ligne. Elle s'imagina que ses sœurs l'en empêchaient, lui dictaient ce qu'il devait lui répondre.

— Allô, dit enfin Mitch.

Lainie était tellement émue par le simple fait d'entendre sa voix qu'elle dut reprendre son souffle.

— C'est moi, fit-elle. Je suis au commissariat de Van Nuys. J'ai fait une crise d'hypoglycémie que les policiers qui m'ont arrêtée ont prise pour de la conduite en état d'ivresse. Ils m'ont donc amenée ici. Rose va bien, je vais bien. Mais Mitchie, pendant ces quelques minutes où j'étais persuadée que j'allais mourir, je ne pensais qu'à une chose : que tu me manquais, que je t'aimais et que je ne voulais plus vivre une seconde de plus sans toi. Quant à cette histoire avec Jackie, nous y réfléchirons et nous trouverons une solution. Je sais que nous pouvons y parvenir ensemble. Bon, je pense être capable de nous ramener à la maison, mais je veux que tu y sois aussi, pour que nous réglions tout ça.

— Chérie, dit-il, j'arrive.

— Mitchie, je t'aime.

— Oh, Lainie, dit-il. Dieu sait que je t'aime comme un fou.

Le lendemain, Lainie appela sa mère pour la prévenir que la soirée serait quelque peu différente de ce qu'elles avaient envisagé la veille. Il y aurait quatre pommes à cuire au four puisque Lainie l'attendrait, comme prévu, mais en compagnie de Rose et de Mitch. Pour tous les quatre, ce serait un Noël tout à fait particulier.

41

Le kiosque à journaux de l'aéroport était décoré pour Noël. Sur la couverture des magazines alignés sur le mur du fond, Kate Sullivan changeait de pose et de tenue. *Votre maison*, *Vanity Fair*, *People* et *Los Angeles*. Sur ce dernier, elle portait un pull et un pantalon rouges, une capuche de père Noël. Si sa photo était partout, c'est qu'elle était en train de promouvoir son dernier film, *La Première dame*, le projet sur lequel Rick avait travaillé jadis. C'était le fer de lance du studio à l'occasion des fêtes de Noël. On avait dépensé des millions en publicité, et Kate Sullivan l'avait réalisé elle-même.

La veille au soir, chaque fois que Rick zappait, elle était là. Sur CNN, dans *Au spectacle, ce soir*. « C'est la première fois que vous réalisez un film ? », lui demandèrent successivement Larry King, Wendy Tush et Lizza Gibbons. Kate Sullivan avait obtenu exactement ce qu'elle désirait. Pour que Rick ne la dirige pas, elle lui avait rendu la situation tellement intolérable qu'il avait été contraint de se retirer. « Il n'y avait plus de réalisateur sur ce projet », pouvait-elle déclarer devant les micros. « Alors je me suis dit que je n'avais plus qu'à le faire moi-même. »

« Qu'importe ? » songea-t-il tout en sachant fort bien que, dès que les vacances seraient terminées, il retournerait dans la froide salle de montage où il avait passé ces dernières semaines et où il passerait les mois suivants à découper son propre film. Et là, l'intensité de son travail ne serait plus brisée que par les visites quotidiennes de la nurse accompagnant David et par les dîners, à minuit, avec Patty qui, après avoir vécu tant d'années avec Charlie, savait ce qu'était la vie d'un cinéaste.

Patty était si belle... si solide ! Certains soirs, elle venait en salle de montage avec, dans un panier, le pique-nique qu'elle avait préparé. Et pas seulement pour Rick, mais aussi pour les monteurs. Puis elle s'éclipsait en laissant une fleur ou un mot d'humour derrière elle. La nurse lui avait dit qu'elle passait de temps en temps voir le petit David.

Quand le montage serait achevé, Rick devrait traverser la période pénible qui le séparerait de la sortie de son film et où il s'efforcerait de tout oublier. Alors il saurait ce que le public en pensait, ce que les critiques en pensaient. Que lui importait à lui qui venait de passer trois heures à plat ventre, sur le sol de la salle de séjour, à monter un train électrique sous le grand sapin de Noël qui faisait plus de deux mètres de haut ? C'était cela qui, en ce moment, lui semblait important.

Tandis que David regardait inlassablement tourner le train à travers le village miniature, battait des mains et criait à chaque passage, Rick faisait sauter du pop-corn. Puis il enfila tous les morceaux qui n'avaient pas été mangés. Il y en eut bientôt plusieurs mètres. Il souleva David le plus haut possible pour que le petit garçon puisse accrocher la longue guirlande blanche aux branches de l'arbre. Tous les ans, dans son enfance, ses parents en faisaient autant.

Après le déjeuner, ils étaient invités à une réception. Rick donna un bain à l'enfant, l'habilla, se doucha et se vêtit lui-même. Puis il prit la direction de l'ouest, vers la route de Saint-Cloud. On apercevait des daims devant la maison et derrière, une pelouse recouverte de neige importée qui, grâce à la vague de froid, ne fondait pas. Un acteur déguisé en père Noël distribuait des cadeaux aux enfants. Des jolies filles, les elfes du père Noël, offraient des canapés aux invités, tous issus du monde du spectacle.

Comme d'habitude, David était perché sur les épaules de Rick, d'où il dominait la foule. Des badauds firent un signe de la main à cet angelot de vitrail quand Rick s'arrêta un instant pour parler de ses derniers projets à un agent de CAA et à un type de chez Disney qu'il connaissait. Puis devant l'un des buffets, il se fit un sandwich au rosbif avec un petit pain et l'engloutit sans même se soucier de prendre une assiette. Il prit aussi un sandwich au jambon qu'il grignota en tendant des morceaux de fruit à David qui laissa dégouliner le jus sur son menton et sur les cheveux de son père.

Une jeune actrice étonnamment belle passa devant lui pour

prendre une serviette roulée qui contenait des couverts en argent.

— C'est le jus d'ananas que j'ai sur le front qui fait tout mon charme, n'est-ce pas ? lui dit-il.

La fille le dévisagea d'un air indifférent, leva les yeux vers David, les baissa de nouveau vers Rick.

— Ah ! Votre petit-fils est très mignon.

Rick éclata de rire pour lui montrer qu'il avait apprécié la plaisanterie et jeta un regard à la ronde pour voir s'il était observé. Il se demanda qui avait bien pu lui envoyer cette fille. Mais il ne reconnut personne dans les alentours. Elle ne plaisantait pas du tout et, bien entendu, il avait tout à fait l'âge d'être grand-père. Mais, pour une raison ou pour une autre, cela ne lui fit ni chaud ni froid.

— Tu sais quoi ? dit-il à David, tandis que la fille s'éloignait. Je crois qu'il est temps que nous allions, toi et moi, à l'aéroport.

— Voir les avions ! s'écria David, enchanté.

A présent, ils attendaient tous les deux devant la porte où Rick avait attendu seul, il y avait bien longtemps, l'arrivée de Doreen enceinte. A cette époque-là, c'était une petite boule rose. Il se rendit compte que le temps avait passé depuis leur dernière rencontre et qu'elle avait sans doute changé. Mais il ne s'attendait pas à découvrir celle qui franchit cette même porte, ce jour-là. Il y avait, dans son allure, une métamorphose qui allait bien au-delà d'une différence de quelques années, une métamorphose qui le fit tressaillir. Ce qui imprégnait tout son être, sa posture, son regard, c'était l'abattement.

En apercevant Rick, elle hocha la tête en signe de reconnaissance. Leurs regards se croisèrent, et le sien était celui d'une femme malheureuse. Des yeux plus vieux et plus sages que ceux où naguère brillait toujours une irrépressible lueur. Quand elle vit David près de Rick, ce furent l'étonnement, puis la douleur qui se peignirent sur ses traits. Rick comprit aussitôt que les espérances qu'il avait mises dans cette visite étaient hélas vaines, ou, pire, qu'il avait commis une cruelle erreur.

— Bonjour, les hommes, dit-elle en souriant d'un pauvre sourire, le seul dont elle fût capable.

Elle serra faiblement Rick dans ses bras. David saisit la jambe de pantalon de son père et se cacha.

— Un petit timide, hein ? fit Doreen qui s'agenouilla.

— Un petit timide, répéta-t-il en lui jetant un coup d'œil furtif.

— Il parle comme un grand ! s'écria-t-elle alors joyeusement.

Dans la voiture, elle prit place à l'arrière avec David, saisit sa petite main et parla peu.

— Comment va l'oncle Bobo ? demanda-t-elle.

Rick lui raconta en détail la vie de Bobo, les maladies et les amis de la maison de retraite, tout en jetant, de temps à autre, un coup d'œil dans le rétroviseur pour observer ses réactions. Le plus souvent, elle regardait par la vitre d'un air éteint.

A la maison, elle sortit de ses bagages des cadeaux qu'elle disposa sous le sapin. Puis elle aida Rick à préparer le dîner, allant et venant dans la cuisine. David ne quitta pas ses bras pendant des heures. Il babillait, son vocabulaire l'impressionna, et s'amusait à lui retirer ses lunettes.

Quand la dernière fourchette fut posée sur la table et que le dîner cuisait doucement dans le four, la sonnette retentit.

— Ouais ! cria David en se précipitant vers la porte.

Rick fut enchanté de voir tout son petit monde sur le seuil. Rien ne vous donne plus chaud au cœur que le visage de ceux qu'on aime. Il pleuvait très fort. Ils entrèrent tous précipitamment. Howard, Mayer et Lisa, la blonde fiancée de Mayer, portaient triomphalement des cadeaux bien empaquetés. Patty, ravissante dans son manteau rouge vif, donnait le bras à Bobo. C'était presque un miracle que d'avoir pu amener le vieil homme jusque-là, lut-il dans les yeux de Patty. Mais cela en valait la peine. Quand David cria : « Oncle Bobobobo ! », ce dernier rit de bon cœur.

— Salut, petit bonhomme, dit-il.

« C'est la plus belle soirée de ma vie », pensait Rick en les débarrassant de leurs manteaux. Puis il présenta Doreen aux deux garçons et à Patty. Un système de soutien. C'est ainsi que Barbara Singer les aurait appelés. Rick observa Doreen qui, rougissante et gauche, s'essuyait les mains sur le torchon qu'elle avait glissé dans la taille de son pantalon. Elle était à l'aise avec Bobo qui la salua chaleureusement, beaucoup moins avec Patty, Lisa et les deux garçons. Plusieurs fois, elle appela Patty « madame Fall » et Rick entendit celle-ci lui dire : « S'il vous plaît, appelez-moi Patty. »

Howard était concentré sur un jeu vidéo que lui avait offert un ami. Il appuyait sur des boutons et l'appareil émettait des bips sonores. Doreen vint s'asseoir près de lui, sur le canapé. Howard lui prêta son jeu et ils rirent ensemble. Lisa poussa des oh ! et des ah ! en apercevant David, tandis que Mayer chahutait avec lui. Rick découpa la dinde et Patty prépara les assiettes dans la cuisine avant de les apporter à table. Au cours du repas, Rick constata avec soulagement que Doreen plaisantait avec Lisa et les deux garçons. Oui, elle se débrouillait bien, tenait son rôle. Assise près de la chaise haute de David, elle lui essuyait un menton rutilant de sauce aux airelles.

— Cet enfant est génial, déclara Howard. Tu connais ces jeux où il y a plusieurs orifices de formes différentes et les pièces correspondantes ? Jamais il ne se trompe.

— C'est l'hérédité, dit Doreen en riant.

Bobo et Patty bavardaient. Quand le moment lui sembla opportun, Rick saisit sa cuillère et donna un petit coup sur son verre à vin.

— Votre attention, s'il vous plaît. Je sais bien que, dès que ce repas sera terminé, nous nous précipiterons vers l'arbre de Noël pour ouvrir nos cadeaux, mais il y en a un que je tiens à remettre à part, parce qu'il est destiné à quelqu'un qui a beaucoup fait pour moi. Je veux l'en remercier en lui donnant quelque chose qui ne soit pas sous le sapin.

Au moment où il allait sortir le paquet de sa poche, il aperçut le visage de Doreen et comprit, au rouge qui lui montait aux joues et à son demi-sourire, qu'elle pensait qu'il s'adressait à elle. Quand elle se rendrait compte qu'il n'en était rien, elle risquait d'en être blessée. Puis il se tourna vers Patty dont le regard impatient lui ordonna de poursuivre. Il sortit donc l'écrin de la poche de sa chemise, regarda Patty et prononça les mots qu'il avait préparés depuis des semaines.

— Si tu le souhaites, nous pouvons rester fiancés très longtemps, jusqu'à ce que tu aies pris une décision, mais j'aimerais te demander de m'épouser, et David aussi.

Il y eut un instant de silence gêné, jusqu'à ce que les deux garçons s'écrient dans un éclat de rire :

— Ouaouh !

— Comme c'est romantique ! s'exclama Lisa.

— Je remercie le bon Dieu d'avoir vécu assez vieux pour voir ça, dit Bobo avec un petit rire.

Patty ouvrit l'écrin qui contenait la bague de diamants que

Rick avait choisie après d'interminables rendez-vous chez le joaillier. Elle regarda Rick avec des yeux plus scintillants que la pierre.

— C'est complètement fou, dit-elle. Tu es complètement fou et je ferais mieux de prendre le temps de réfléchir avant de me décider, au moins quarante ou cinquante ans. Mais ici même, devant Dieu et devant vous, je déclare que je veux bien vous épouser tous les deux.

Il se leva. Elle se leva. Ils s'embrassèrent. Mayer souleva David pour l'extirper de sa chaise haute et serra joyeusement le petit garçon contre lui, comme pour dire : « J'ai un nouveau frère. » Puis Patty, visiblement bouleversée, se dirigea vers la chaise de Bobo et prit le vieil homme dans ses bras. Les deux garçons embrassèrent leur mère.

— Papa aurait été très heureux, dit Mayer.

— Peut-être devrions-nous célébrer un double mariage, proposa Lisa en serrant Patty sur son cœur.

— Alors faites-le vite, déclara Bobo, s'il vous plaît. Je suis très vieux.

Doreen souriait en les observant, comme devant un écran de cinéma. Quand Rick s'approcha d'elle pour l'embrasser, il sentit son corps tendu. « Il aurait sans doute mieux valu », pensa-t-il un peu tard, « ne pas annoncer cela ce soir, en sa présence. » Il s'était dit qu'elle serait heureuse de savoir que David aurait désormais pour mère une femme adulte, expérimentée. Mais ne craignait-elle pas que sa propre relation avec son fils en pâtisse ?

— Elle sera bonne pour lui, fit-elle tandis que tous reprenaient leur place pour terminer le repas.

Rick était impatient de les voir ouvrir leurs cadeaux. Howard, qui était fasciné par les ordinateurs, utilisait encore son vieil Apple II. Rick lui avait acheté un Macintosh flambant neuf. Il y avait aussi la caméra trente-cinq millimètres et les deux objectifs dont rêvait Mayer. Bobo se considérant comme un monsieur très élégant, Patty et Rick lui avaient offert des vêtements, notamment une belle robe de chambre Neiman-Marcus. Ainsi serait-il toujours très soigné devant les dames de la maison de retraite, même les jours où il serait trop fatigué pour s'habiller.

Pour le Noël de David, Rick avait fait plus que des folies : un cheval à bascule, un tas de jeux d'extérieur, une jeep que le petit garçon pourrait conduire avec ses pieds et une baleine sur laquelle il s'assiérait dans la piscine. Rick était si heureux qu'il se demanda comment il avait bien pu passer Noël pendant tant d'années. Il dînait avec Bobo dans un quelconque restaurant de la Vallée et perdait son temps dans des cocktails comme celui auquel il avait emmené David dans l'après-midi. Des réceptions où l'on côtoyait des gens qui se prenaient la main et qui, avec l'expression la plus sincère dont ils fussent capables, se regardaient en disant : « Nous formons une famille. » Mais ils se fichaient des autres comme de leur première chemise, sauf s'il y avait un marché à conclure. Une famille...

L'un des cadeaux que fit Rick à Doreen était un guide de l'université auquel il avait joint un petit mot où il avait écrit : *Je vous dois quatre ans d'études*. Il s'imaginait qu'elle serait enchantée, mais il constata, dépité, qu'elle forçait désespérément son enthousiasme. « C'est une adolescente », se dit-il. « A cet âge-là, on vit dans l'instant. Pour le moment, elle ne comprend pas ce que cela représentera dans sa vie. » Il ne s'étonna donc pas que le miroir, le sèche-cheveux et le fer à friser que lui offrit Patty suscitent en elle une réaction plus positive.

Le dernier jour de son séjour, elle demeura silencieuse, à côté de David, dans la voiture qui la ramenait à l'aéroport. L'enfant, d'abord bavard et rieur, s'endormit sur son siège.

— Qu'avez-vous dit à Béa pour lui expliquer votre fugue ? demanda Rick, rompant le silence.

— Rien encore.

— Il faut lui dire la vérité, vous le savez, n'est-ce pas ? Ou en informer quelqu'un.

— Eh bien, je n'ai pas voulu gâcher leurs vacances. Parce que quand je leur avouerai enfin, ce sera moche. J'ai songé à ce que j'allais leur dire exactement.

Pour la première fois depuis son arrivée, il entendit une petite mélodie dans sa voix, comme si elle savait que ce qu'elle allait lui dire lui ferait plaisir.

— J'essaie juste de trouver le moment opportun. Don et ma sœur se disputent souvent. Je pense qu'il va la quitter un jour ou l'autre. Et cela me rendra la tâche plus aisée.

Rick décela alors un espoir dans sa voix et acquit la certitude que cette histoire se terminerait bien pour elle.

— Quand vous serez décidée à le poursuivre en justice, je paierai les honoraires de votre avocat, quel qu'en soit le montant. Vous prenez la bonne décision, vous en êtes consciente, n'est-ce pas ?

— Oh, oui !

Ce fut tout ce qu'elle dit.

A l'aéroport, quand son vol fut annoncé, Doreen s'agenouilla et contempla le petit visage de David. Rick fut sidéré du calme absolu de l'enfant, de son immobilité tandis qu'elle lui parlait. Il semblait boire chacune de ses paroles avec un grand sérieux.

— Au revoir, mon petit chéri, lui dit-elle. Je ne peux pas te dire à quel point cela me fait mal de te quitter. Au moins je sais que tu vas avoir une maman et deux grands frères. Et même si, dans quelques années, tu ne te souviens plus de cette visite, quelque part au fond de toi, tu sauras que je suis venue. Maintenant prends-moi fort dans tes bras, très fort, parce qu'il faudra que ce souvenir-là me dure longtemps, longtemps.

David devait avoir compris tout ce qu'elle venait de lui dire car il jeta ses bras potelés autour de son cou, le cou de sa mère, et la serra très fort. Rick les regarda ensemble. Il aurait voulu l'empêcher de partir. Appeler la police, l'adopter elle aussi. Mais il ne pouvait rien faire tant qu'elle n'avait pas révélé ce qui lui était arrivé. Si toutefois elle y parvenait. Il appelait de ses vœux la solution miracle qui lui permettrait de s'interposer entre elle et le déchaînement de souffrance qu'elle devrait affronter avant que son horizon s'éclaircisse.

— Je t'aime, dit-elle à David, puis elle se leva et serra Rick dans ses bras. Je vous aime aussi, jeta-t-elle par-dessus son épaule, alors qu'elle était déjà engagée dans le couloir qui menait à son avion, avant de disparaître.

« Elle en parlera à Béa », songea-t-il. Mais pendant des semaines, il ne parvint pas à chasser de son esprit l'image de cette fille combative qui avait passé les fêtes avec eux, tel un zombie.

Le jour où la lettre arriva au bureau, ce fut Andréa qui l'ouvrit, comme elle ouvrait toutes les lettres qui parvenaient au studio. Elle poussa la porte de Rick et la lui tendit. Sans même l'avoir lue, il comprit quels en étaient l'expéditeur et le contenu. Il eut, en la lisant, l'impression qu'on venait de le jeter contre un mur.

Cher monsieur Reisman,

Je vous écris pour vous annoncer que nous avons perdu notre chère Doreen cette semaine. Elle s'est suicidée. Elle n'a pas laissé de mot mais, depuis longtemps, elle semblait triste et apeurée. Je sais qu'elle avait une grande confiance en vous, comme moi, sinon je ne lui aurais pas permis de venir chez vous pour Noël. C'est pourquoi je tiens à ce que vous soyez au courant.

Ce petit bébé est toujours resté dans son cœur. Peut-être a-t-il été trop dur pour elle de l'abandonner et n'a-t-elle jamais pu l'accepter. Peut-être ai-je eu tort, que ce n'était pas une bonne chose d'aller le voir. Si j'avais su... De toute façon, ça ne la ramènera pas. Peut-être un garçon l'a-t-il blessée à l'école, lui a-t-il brisé le cœur. Mes autres enfants sont vraiment désespérés de sa disparition.

Béa Cobb

Andréa s'assit à ses côtés, et ils se soutinrent mutuellement. Il la sentit trembler ou bien était-ce lui qui tremblait de rage, de douleur et de chagrin ? Pourquoi n'avait-il pas compris que, quand Doreen s'était agenouillée à l'aéroport et qu'elle avait regardé David comme si c'était la dernière fois, c'était *vraiment* la dernière fois ? Il se souvenait, à présent, de ses paroles. Rick quitta son bureau, rentra à la maison et garda David sur ses genoux toute la journée. Il lui fit la lecture, lui parla, le prit dans ses bras et remarqua qu'il avait hérité de nombreuses expressions de Doreen. Puis il appela Patty pour lui annoncer la nouvelle et lui redire combien il était heureux de pouvoir compter sur son amour.

42

La veille de Noël, Jody, le bébé de Judith, avait une otite, et le service de garde du pédiatre était, semblait-il, incapable de joindre le médecin qui était en visite. L'enfant hurlait. Judith allait de pièce en pièce, la tenant contre elle pour tenter de l'apaiser. Au bout de quelque temps, les hurlements de sa petite sœur réveillèrent Jillian, qui sortit de son lit et suivit Judith dans toute la maison, accrochée à l'ourlet de son peignoir.

Quand le médecin rappela enfin pour lui annoncer qu'il dicterait volontiers une ordonnance par téléphone à la pharmacie du coin, à condition toutefois que Judith lui indique celle qui était ouverte, la jeune femme se rendit compte qu'elle n'en savait absolument rien. Entre Jody qui hurlait dans ses bras et Jillian qui, assise par terre, tirait si fort sur son peignoir qu'il en tombait de ses épaules, elle sortit l'annuaire, l'ouvrit aux pages jaunes et téléphona à toutes les pharmacies du quartier. Quand enfin elle en trouva une ouverte, au huitième coup de fil, elle demanda au pharmacien de téléphoner au pédiatre et de lui indiquer le chemin. Elle partait sur-le-champ.

Judith s'habilla, prit ses deux enfants, les cala aussi bien que possible dans leurs sièges et se dirigea vers la partie nord du quartier de la Vallée où se trouvait la pharmacie. C'était à des kilomètres de chez elle, et Jody hurla pendant tout le trajet sans parvenir à couvrir complètement les cantiques de Noël qu'avait mis sa mère pour la calmer. Jillian était assise juste derrière le siège du conducteur et donnait des coups de pied au rythme de chaque air connu. Chaque fois, Judith sursautait. Sur le parking du centre commercial, elle dégagea les deux petites filles, en installa une sur chaque hanche, saisit son sac à main et se dirigea vers la pharmacie en espérant que leurs pyjamas seraient assez chauds. Il pleuvait.

Le pharmacien était débordé. C'était, annonça-t-il d'un air malheureux et irrité, la soirée la plus chargée depuis des années. Jillian fit tournoyer le présentoir de jouets pour bébé en poussant des cris devant les couleurs vives des petits objets qui, dans leur bulle de plastique, passaient devant elle à toute vitesse. Encombrée de Jody qui hurlait toujours de douleur, Judith n'y vit aucun inconvénient. Quand le pharmacien lui tendit enfin la bouteille d'antibiotique rose, elle l'ouvrit et, à l'aide d'un compte-gouttes, donna aussitôt sa première dose à l'enfant qui fit une grimace de dégoût.

En quelques minutes, le temps que Judith paie le médicament, l'état de la petite fille s'améliora. Elle s'apaisa et s'endormit sur l'épaule de sa mère. La chute brutale du présentoir la réveilla. Jillian et Jody entamèrent alors un concert de cris suraigus, tandis que le pharmacien, qui assura Judith que cela n'avait pas d'importance, qu'il ramasserait les dizaines de jouets qui jonchaient le sol, les raccompagnait à la porte.

— Joyeux Noël ! cria-t-il à la jeune femme qui emportait ses deux filles hurlantes vers sa voiture, sous la pluie du soir.

Quand elles furent de nouveau installées dans leurs sièges et que la voiture eut démarré, elles étaient trempées et tremblaient de tous leurs membres. Judith mit le chauffage en espérant qu'elles s'endormiraient pendant le trajet. « Mon Dieu ! » pensa-t-elle en descendant Van Nuys Boulevard. « Je suis d'un égoïsme monstrueux d'avoir mis ces enfants au monde sans leur donner de papa. »

Puis elle régla son rétroviseur pour les surveiller à l'arrière. Les décorations rouges et vertes du boulevard projetaient leur lumière sur leurs petits visages angéliques.

— Je vous aime toutes les deux, leur déclara-t-elle, emplie de l'émotion qu'avait fait naître en elle le miracle de leur naissance.

Alors elle se sentit forte, bien dans sa peau.

A la maison, elle changea vêtements et couches, coucha Jody et Jillian dans leurs lits respectifs. Quand elles eurent enfin trouvé le sommeil, Judith alluma un feu dans la cheminée. « J'ai beaucoup de chance », se dit-elle. « J'ai mes enfants et c'est la seule chose dont j'ai besoin. Je ne vais certainement pas me lamenter sur mon sort. Nous sommes une famille bien plus heureuse que bon nombre de familles complètes que je connais, où les parents se disputent, se trompent et divorcent. »

A peine avait-elle collé un arc-en-ciel sur la boîte de l'ours parlant qu'elle entendit de nouveau pleurer le bébé. Si Jody se réveillait la nuit, lui avait dit le pharmacien, elle pouvait lui donner une autre dose de médicament, à condition qu'il se soit écoulé trois heures depuis la prise précédente. Elle se précipita vers le réfrigérateur où elle avait rangé l'affreux liquide rose et s'en alla réconforter l'enfant. Après lui avoir administré le remède, elle changea la couche de Jody. Puis elle la prit dans ses bras et la berça en chantant *Le père Noël vient en ville*. Dès qu'elle fut endormie et que Judith l'eut doucement couchée dans son berceau, Jillian appela.

La couche de la petite fille était sale. Judith la posa sur la table à langer, retira la couche souillée et s'assit sur ses talons pour chercher, sur l'étagère du bas, un paquet de serviettes pour bébé. A ce moment-là, Jillian saisit la bouteille d'antibiotique que sa mère avait oublié de fermer et en ingurgita une bonne lampée. Quand Judith se redressa et aperçut sa fille, le goulot dans la bouche, toute barbouillée de liquide rose, ses genoux s'entrechoquèrent sous l'effet de la panique.

— Jillian, non ! Tu as bu ça ? Oh, mon Dieu ! Je l'ai laissée ouverte. Oh, non !

En serrant Jillian sur sa poitrine, elle se rua vers le téléphone et composa de nouveau le numéro du médecin.

— C'est une urgence ! dit-elle au service de garde. Je vous en prie, essayez de le joindre par téléphone.

Pourquoi ne s'était-elle pas informée de la conduite à tenir en cas d'intoxication ? Qui pouvait-elle appeler ? Peut-être devrait-elle composer le 911. Le téléphone sonna presque immédiatement.

— Rendez-vous au service des urgences, lui dit le médecin.

Quelques secondes plus tard, elle avait réveillé le bébé, calé les deux enfants dans leurs sièges à l'arrière de la voiture et elle était repartie dans la nuit pluvieuse.

Dans la salle des infirmières, l'une d'elles prit Jody endormie dans ses bras, pour que Judith puisse rester avec Jillian qui hurlait et vomissait tandis que l'on pratiquait un lavage d'estomac. Judith eut elle-même le plus grand mal à se retenir.

Quand elles purent enfin quitter l'hôpital, on apercevait les premières lueurs de l'aube. Le matin de Noël. Pendant que les infirmières surveillaient les petites filles, Judith alla s'asperger le visage d'eau froide dans les toilettes des femmes, avant de reprendre le chemin de la maison. Elle se tamponna les yeux avec la serviette de papier rugueux qu'elle avait tirée du distributeur en aluminium, regarda ce qu'elle était devenue et se vit dans un état tel qu'elle se demanda s'il fallait en rire ou en pleurer.

Elle avait le sentiment à la fois pénible et absurde que cela ne pouvait pas être pire et qu'elle n'avait plus le choix qu'entre s'étendre par terre en donnant de grands coups de pied ou danser de soulagement pour avoir survécu.

— Joyeux Noël, dit-elle à son reflet dans la glace, avant d'en rire.

Elle portait un vieux peignoir en velours sur une chemise de nuit de flanelle et des pantoufles en fourrure bleue qu'elle avait commandées sept ans auparavant dans un quelconque catalogue de vente par correspondance. Ses cheveux roux, toujours si bien coiffés, étaient secs et ébouriffés, et les cernes qui se dessinaient sous ses yeux étaient si grands qu'ils mordaient sur ses joues. Elle soupira et s'engagea dans le couloir où l'une des infirmières tenait une Jillian endormie, l'autre une Jody non moins endormie.

— Merci, leur dit Judith qui leur était reconnaissante de la tendresse dont elles avaient fait preuve à l'égard de ses petites filles.

— Si on vous accompagnait ? lui proposa l'une.

— Ce serait formidable.

Judith suivit leur étrange défilé le long de l'immense couloir de l'hôpital. « C'est une épreuve, voilà tout ! » songea-t-elle. « Je la surmonterai. » A la maison, elle glissa les deux enfants dans son grand lit, se coucha entre elles, et toutes trois dormirent jusqu'à midi. Quand elles ouvrirent les yeux, Jody semblait complètement guérie. Quant à Jillian, elle avait autant d'entrain que s'il ne s'était rien passé. Après que Jillian eut violemment déchiré les papiers et inspecté tous ses cadeaux et que Jody eut rejeté ses jouets pour ne s'intéresser qu'aux boîtes dans lesquelles ils étaient emballés, Judith leur mit une jolie robe et les emmena à une petite fête.

— Après ces vacances, je me suis rendu compte d'une chose, déclara-t-elle au groupe qui venait d'entendre la version comique de son réveillon et de la journée de Noël qui avait suivi. Ce qui m'a semblé intéressant, c'est que, finalement, j'aime bien vivre comme ça. J'aime vraiment ça. Je ne veux pas que quiconque vienne mettre son grain de sel dans les décisions que je prends pour elles ; je ne veux pas non plus faire le moindre compromis sur mon mode de vie et j'ai choisi de vivre ainsi parce que je veux rester maîtresse de tout cela. Je sais que ce sera dur pour moi de temps en temps, mais je suis capable de faire face.

» Mais j'aimerais savoir : est-ce que c'est bien d'être comme ça ? demanda-t-elle à Barbara. Je suis sûre que nous pouvons analyser mon psychisme en long, en large et en travers et que nous découvririons comment mon père traitait ma mère et ainsi de suite, mais, quelle qu'en soit la raison, je suis plus heureuse comme ça. Ma vie me plaît même si elle déplaît aux autres. Et maintenant que je le sais, je vais cesser de tomber dans tous les pièges, de m'excuser d'être une mère célibataire, comme si j'essayais de combler un fossé sur la route qui mène à je ne sais quelle normalité dont je ne veux pas.

— Je crois, dit Barbara, que vous venez de répondre à votre question, Judith. Restez quand même assez souple pour pouvoir changer d'avis, le cas échéant.

— Rick, fit Ruth, vous n'avez pas l'air bien. Il y a quelque chose qui ne va pas ?

Rick hocha la tête mais ne prononça pas un mot, détournant le regard pour surveiller David. Ruth avait raison. Il avait l'œil creux et le teint gris.

— Doreen, dit-il en les regardant de nouveau. Elle s'est suicidée. Sa mère pense que la séparation avec David, peut-être même sa visite ici pour Noël en sont la cause. Moi, je sais que c'est ce qui se passait chez elle. Mais maintenant qu'elle n'est plus là, que puis-je faire...

— Oh, Rick !

Les autres membres du groupe l'entourèrent, lui touchèrent les mains, les épaules, le prirent dans leurs bras.

— Et j'ai l'impression d'avoir contribué à ce malheur, parce qu'alors que je me trouvais en face d'elle, à Noël, j'ai demandé Patty en mariage.

Silence.

— Et alors ? demanda Shelly.

— Alors Doreen a certainement eu peur d'avoir moins d'importance pour David, de perdre tout lien avec lui.

— Rick, intervint Barbara, que vous y songiez ou non, vous pouviez vous marier un jour ou l'autre. Elle le savait très bien.

Rick se contenta de hocher la tête.

— Je suis tellement heureux pour moi, dit-il, et tellement triste pour cette jeune fille. Cela m'a transformé d'être le père de ce petit garçon. J'ai vu le monde à travers ses yeux innocents et aimants. J'ai appris que je pouvais avoir besoin de quelqu'un et que l'on pouvait avoir besoin de moi. Et surtout cela m'a donné le sens des priorités. Maintenant je sais qu'en dernière analyse ce qui compte, c'est la manière dont nous aimons. Tout le reste n'a aucun intérêt.

» Quand je revois les années que j'ai passées avant que cet enfant entre dans mon existence, je suis consterné par le temps perdu pour des entreprises, des projets, des problèmes et des angoisses sans importance. Malgré tout, je me rends compte que c'est bien ainsi, que tout cela n'a pas été vain, parce que c'est comme cela que je suis parvenu où j'en suis, à cet état d'esprit, à cette relation avec Patty.

— Eh bien, j'ai l'impression que les De Nardo ont passé de bonnes vacances, dit Barbara après un long silence.

Elle se tourna vers Lainie et Mitch qui s'étaient assis côte à côte et qui se tenaient fort la main.

Lainie parla d'une voix calme.

— Je commence à accepter d'inclure Jackie, d'une manière ou d'une autre, dans notre famille. Cela ne diminuera en rien mon propre rôle. Quant à Rose, plus il y aura de gens pour l'aimer, mieux elle sera dans sa peau. Simplement, il faudra lui faire comprendre tout ça quand elle grandira. Mais c'est à ce moment-là que cela paiera d'avoir été ouvert et que ce qui a pu sembler étrange se révélera bénéfique.

« Ces gens sont étonnants », pensa Barbara. « Ces enfants ont élargi leur horizon d'une façon extraordinaire. »

— Et votre famille ? Comment avez-vous passé ces vacances ? demanda Barbara à Ruth et à Shelly.

Ce fut Shelly qui répondit.

— C'était bien. Je déteste toutes ces réceptions, mais je crois que Ruth et Bob se sont bien amusés. En fait, le résultat de toutes ces mondanités, c'est qu'un homme poursuit Ruth de ses ardeurs. Il appelle tous les jours à la maison.

Visiblement, il mettait Ruth en boîte. Une petite plaisanterie sans malice.

— Oh, Shel, ça suffit ! se rebella Ruth qui lui donna une tape sur le bras. Il ne m'intéresse absolument pas.

— Voulez-vous en parler, Ruth ? demanda Barbara.

— Non, répondit Ruth d'un ton sec.

— J'aimerais bien que tu le fasses, insista Shelly.

— Il n'y a rien à en dire, déclara Ruth, le regard furibond.

A ce moment-là, les enfants pénétrèrent dans la salle en trottinant. Ils venaient prendre le petit en-cas qui les attendait traditionnellement.

43

Barbara s'engagea sur le parking du drugstore de Rexall, au coin de Beverly et de La Cienega, et dirigea son regard vers le centre commercial de Beverly, de l'autre côté de la rue. Elle se souvint que, vingt ans plus tôt, il n'y avait là qu'un parc, un terrain de jeux pour les enfants, des sentiers de randonnée et un manège de poneys. C'était là qu'Heidi et Jeff préféraient venir s'ébattre le dimanche matin. Ils aimaient chevaucher fièrement des poneys harnachés, faire des tours et des tours, agiter la main en passant devant Barbara et Stan.

Une ombre de tristesse lui assombrit soudainement le visage. Elle eut envie de pleurer. Depuis quelques jours, elle ne se sentait pas très bien. Peut-être était-ce un ulcère, une hernie hiatale ou un quelconque trouble digestif, mais cet état nauséeux ne disparaissait pas. Elle s'était donc arrêtée devant le drugstore pour y acheter des pastilles qui élimineraient cette sensation de lourdeur qu'elle avait dans le ventre.

A l'intérieur de la grande boutique régnait une agitation fiévreuse. Elle avait l'intention de se diriger tout droit vers le comptoir des produits pharmaceutiques, de se procurer ce dont elle avait besoin et de repartir. Mais elle s'avança vers la rangée des chariots emboîtés les uns dans les autres, en tira un et s'engagea dans une allée entre deux rayons de produits tentateurs. Elle aimait beaucoup les drugstores, ces milliers de couleurs, ces affiches luisantes qui vantaient les mérites de fonds de teint, de vernis à ongles et de rouges à lèvres. Et tous ces nouveaux articles qui vous barraient sans cesse le passage, vaporisateur de voyage qui défroisse les vêtements, poudre de régime dont on a vu la publicité dans les magazines et qui a déjà fait maigrir bon nombre de célébrités un peu trop rondes.

L'hygiène féminine. Elle ralentit dans ce rayon, prit une boîte de tampons et, au bout de l'allée, se retourna pour jeter un coup d'œil à ce qu'elle était réellement venue chercher ici. Un test de grossesse. Mon Dieu, et si ses craintes étaient avérées ? Ses règles avaient un peu de retard et, à son âge, Howard Kramer le lui avait rappelé plus d'une fois, une telle irrégularité était fréquente. C'était la préménopause. Pourquoi ne pas l'acheter comme catalyseur ? Le seul fait de payer ce test, de gaspiller dix-sept dollars, allait certainement déclencher ses règles. Elle était en train de se leurrer et le savait fort bien. Il n'y avait aucun doute dans son esprit. Elle était indubitablement, absolument, irrémédiablement enceinte.

Elle se rappela les sensations qu'elle avait éprouvées aux premiers stades de ses deux grossesses, il y avait des siècles de cela, lui semblait-il. Ce gonflement, cette inquiétude, ces seins enflés, cette humeur changeante, larmoyante, elle n'avait pas besoin d'un test pour en connaître la cause. Elle se voyait annoncer à Stan : « Je suis enceinte. » Qu'allait-il lui dire ? Hourra ? Somme toute, ne lui avait-il pas récemment suggéré d'avoir un autre enfant ? Il plaisantait, naturellement. Il avait envie d'acheter une résidence secondaire, de voyager et de courir tout nu dans la maison.

Et annoncer à Heidi : « Devine ? Je suis enceinte ! » Ce serait le plus dur de tout. Après la rupture de ses fiançailles et la naissance de la petite fille de son amie d'enfance. Quelques mois plus tôt, c'était elle qui avait cherché un appartement avec une chambre d'enfant. Heidi la regarderait, bouche bée, abasourdie. « Pas question ! » répondrait-elle, mortifiée.

« Oui », pensa-t-elle. Si elle achetait ce test, peut-être ses règles reviendraient-elles. Elle déposa la boîte dans son chariot et se dirigea vers la caisse. Mais avant d'y parvenir, elle retourna au rayon de l'hygiène féminine, reprit la grande boîte de tampons et la replaça sur l'étagère.

Le soir, à la maison, elle observa ses seins nus, gonflés, dans la glace en pied qui se trouvait au dos de la porte de la salle de bains, et regarda le corps qui avait porté et mis au monde Heidi, vingt-quatre ans plus tôt, et Jeff, dix-sept ans plus tôt. Elle avait indéniablement le ventre un peu trop rond, la taille trop large, les hanches bien en chair. Ce corps qui n'avait plus aucun tonus, qu'allait-il devenir après une grossesse tardive ?

« Mon Dieu », se dit-elle, « je ne crois pas que j'aie le droit de faire une chose pareille. Quand cet enfant aura sept ans, je serai une vieille femme de cinquante ans. Les bébés crient toute la nuit. On les nourrit à la demande. Il faut s'en occuper constamment. Suis-je prête à renoncer aux voyages que j'ai repoussés, d'abord pour avoir des enfants, puis pour faire des études, enfin parce que j'avais trop de travail ? Juste quand j'en suis arrivée au point où je pourrais enfin souffler... » Ses seins étaient chauds et douloureux. A un stade si précoce de la grossesse ? Un enfant se frayait, en elle, un passage vers le monde ? Non ! Il faudrait lui raser le pubis. Oh, non ! Elle avait oublié cette *honte*-là, et le lavement que l'on vous imposait, et cette démangeaison si désagréable quand les poils commençaient à repousser. Et c'était bien là le moindre des désagréments physiques.

Des années de nuits trop courtes, l'apprentissage de la propreté, la période des deux ans où les enfants sont si terribles. « C'est peut-être le stress qui précède la ménopause », pensa-t-elle. « Ou bien mes vieilles hormones sont-elles tellement déglinguées qu'elles me font perdre la boule ? Me font-elles imaginer que je suis encore fécondable ? » Elle sortit le test de grossesse de son sac et regarda la boîte, l'ouvrit et lut les instructions. Elle avait choisi celui-là parce qu'on pouvait l'utiliser à n'importe quel moment, pas seulement le matin à jeun, comme certains. Tout de suite, par exemple.

Elle retira le drôle de bâtonnet de son étui, se regarda dans le miroir, comme si c'était une autre qui s'adonnait à cette occupation étrange. Puis elle ferma la porte de la salle de bains à clé pour que Stan n'y entre pas à l'improviste et ne découvre qu'elle n'avait nullement envie de faire pipi. Elle aurait même le plus grand mal à obtenir la moindre goutte, elle en était certaine. Elle resta longtemps adossée au mur carrelé, s'observant, ne sachant que faire.

« Enceinte. Maman, je suis enceinte. » Gracie allait sans doute se moquer d'elle, avant de lui parler de toutes les cultures où les femmes ont des enfants jusqu'à un âge avancé. Non, elle ne l'annoncerait pas à Gracie, ni à Heidi ni à Jeff, pas encore. Quand elle aurait confirmation de ce qu'elle savait déjà, elle se confierait à Stan, lui dirait la vérité : que c'était vraisemblablement une grave erreur que d'avoir un bébé à ce stade de leur existence.

Le Dr Gwen Phillips avait à peine la quarantaine. Quand on fit passer Barbara de la réception à la salle d'examen, après une attente qui lui avait tout juste permis de remplir quelques formulaires, elle traversa le bureau de la jeune gynécologue qui était assise à sa table avec un tout petit garçon dans les bras.

— C'est le fils du docteur, dit l'infirmière à Barbara.

« Je suis peut-être en train de me donner l'illusion d'une fausse sécurité », pensa cette dernière qui était fière d'avoir brisé la routine de Howard Kramer. « Mais ce médecin me plaît avant même d'avoir fait sa connaissance. » Après s'être dévêtue, Barbara prit place sur la table et remarqua aussitôt les protections en laine enfilées, telles des bottes, sur les étriers. Cet engin de torture semblerait moins froid, un peu plus doux. Gwen Phillips entra. Elle portait un coussin qu'elle plaça délicatement sous le dos de Barbara.

— Madame Singer, dit-elle, je viens de vérifier votre analyse d'urine et j'espère que ce sera une bonne nouvelle : vous êtes enceinte.

— Je sais, fit Barbara. Je le savais avant de faire le test. J'essaie de comprendre comment j'ai pu me montrer aussi imprévoyante. Et franchement, j'ignore si c'est une bonne nouvelle.

— Dites-moi ce qui vous inquiète. Peut-être pourrais-je vous aider.

« Howard Kramer », pensa Barbara, « tu ne me reverras jamais. Du moins pas sans slip. »

— Ce qui m'inquiète... Eh bien, voyons, par où commencer ? Ma fille a vingt-quatre ans et mon fils dix-sept. Quand je vais le leur annoncer, ils me renieront sans doute. J'ai un métier qui m'occupe à plein temps et des clients qui ont vraiment besoin de moi. Je caressais dernièrement l'idée de prendre ma retraite pour ne plus rien faire pendant quelques années. Il faudra probablement que je porte des lunettes pour voir mon bébé. Je me teins pour cacher mes cheveux blancs et je sais parfaitement que ce n'est pas bon pour une femme enceinte. Et surtout je ne veux pas qu'on me réveille le samedi matin pour regarder *Les Schtroumpfs* à la télé.

— Êtes-vous en train de me dire que vous souhaitez interrompre cette grossesse ? lui demanda la jolie jeune femme d'un air grave.

Barbara décela une certaine réprobation dans le ton de son interlocutrice.

— Je ne sais plus ce que je dis. Je pensais que j'allais être grand-mère. D'accord, une jeune grand-mère, mais pas ça. Maman, de nouveau. Je veux dire... Écoutez, je suis juste venue pour en avoir le cœur net. Mais maintenant que je sais que je suis vraiment... il va falloir que j'y réfléchisse.

— Si cela peut vous aider, je peux vous assurer que j'ai mis au monde des bébés en parfaite santé et accouché des femmes de votre âge et même beaucoup plus âgées. Il suffit de bien surveiller la grossesse, de pratiquer les examens nécessaires, et la grossesse comme l'accouchement ne posent aucun problème.

— Oh, ce ne sont ni la grossesse ni l'accouchement qui me préoccupent, même si cela m'inquiète un peu, je dois le reconnaître, dit Barbara. C'est ce qui suit. Le jour où ils vous regardent et vous disent : « Maman, lâche-moi les baskets ! »

Le médecin sourit.

— Je comprends, dit-elle. Écoutez, pourquoi ne pas prendre une ordonnance de vitamines prénatales ? Appelez-moi dans quelques jours et nous en reparlerons.

Après avoir rédigé l'ordonnance, le Dr Gwen Phillips serra la main de Barbara, lui dit qu'elle pouvait téléphoner à n'importe quelle heure du jour ou de la nuit si elle éprouvait le besoin d'en parler et quitta la pièce.

— Vous avez des cheveux superbes, lui dit Barbara, mais la jeune femme ne l'entendit pas.

Elle avait déjà franchi le seuil de la porte, et glissé un coussin sous le dos de la patiente suivante.

44

Ruth était seule dans le réduit qui leur servait de bureau. Elle s'efforçait de modifier son scénario pour qu'il tienne debout, mais n'y parvenait guère. Son visage était douloureux à force de fatigue. Elle se demandait si l'intensité des lampes fluorescentes avait diminué ou si sa vue baissait au fil de ces heures de travail où elle gardait le nez collé à la feuille, quand elle entendit des pas dans le couloir. C'était sans doute le gardien de l'équipe de nuit qui recensait les derniers attardés du bâtiment. Peut-être devrait-elle renoncer, ramasser ses affaires et lui demander de l'accompagner jusqu'à sa voiture. Il était tard, et elle était tellement absorbée qu'elle avait oublié de téléphoner à la maison. Shelly et Bob devaient tous deux être endormis à présent.

Les pas cessèrent. Elle leva les yeux, persuadée qu'elle était victime d'une illusion quand elle aperçut Louis Kweller.

— J'étais déjà sur le parking quand j'ai repéré de la lumière ici. Alors, je suis passé te dire bonjour, fit-il. J'imagine que nous sommes les deux seuls fanatiques à travailler à une heure pareille.

— Bonsoir, répondit-elle, surprise de la joie que lui causait sa venue.

Était-elle présentable après être restée six heures assise à la même place ? Ses cheveux frisés devaient lui donner l'air d'une Méduse.

— Quoi de neuf ? lui demanda-t-il comme s'il venait de la croiser à un coin de rue, et non dans ce bureau au fond d'un couloir de CBS, à deux heures du matin.

Ruth n'avait pas besoin de regarder la pendule pour le deviner.

— Ce qu'il y a de neuf, c'est que je n'arrive pas à conclure le second acte.

— Eh bien, voyons, dit Louis.

Elle comprit, à son expression, qu'il cherchait à être gentil.

— Et si elle tombait sur un type qu'elle connaît depuis longtemps et qu'il lui semblait effarant de n'avoir jamais remarqué à quel point il était séduisant ? Il est fou d'elle, l'a toujours été. Alors elle commence à sortir avec lui. Ensuite ils se marient et font quelques enfants ensemble. Elle en a déjà un qui est ravi d'avoir des frères et des sœurs. Et ils vivent heureux parce que leur vie, c'est le téléfilm de la semaine.

— Je m'en inspirerai, dit-elle. Que ton agent m'appelle pour négocier le montant de tes droits.

Louis fit quelques pas et vint s'asseoir en face d'elle, dans le fauteuil de Shelly, juste au-dessous du canevas au point de croix où l'on pouvait lire : LA MORT EST AISÉE, LA COMÉDIE EST DIFFICILE. Dehors, il faisait nuit noire et Ruth contempla, sur la vitre, le reflet du désordre de son bureau et celui de Louis, bien calé dans son siège, qui la fixait des yeux. Les lampes fluorescentes stridulaient comme des criquets.

— Écoute, dit-il au bout de quelque temps, je ne veux pas faire de mal à Shelly. C'est un type formidable. Bon, intelligent et plein de talent. Je pense aussi que ta loyauté à son égard force l'admiration. Mais autant que je sache, nous n'avons qu'une vie et peut-être devrais-tu penser un peu à l'amour dans la tienne. Et même à un autre enfant. Je te ferais volontiers un enfant, deux ou trois si tu veux.

— Louis, murmura-t-elle en observant son visage grave. (Comme elle aurait aimé ne pas avoir envie de pleurer !) Tu ne me connais pas. Je suis envahissante, exigeante, je fais des plaisanteries stupides et inopportunes. Je suis laide le matin, pas seulement ensommeillée, laide à faire peur. Je suis des régimes extravagants qui me rendent désagréable, encore plus désagréable que d'habitude. En fait, je suis une garce et j'aurai bientôt besoin de gros soins dentaires.

— Je comprends ce que tu ressens. Je veux simplement que tu saches que tu es la personne que j'aime le plus à Hollywood. Je te trouve plus drôle que Joan Rivers, plus profonde qu'Anjelica Huston, plus charmante que Melanie Griffith et...

— Plus grande que Danny DeVito, termina-t-elle.

— Exactement.

— Tu vois, je t'avais dit que je faisais des plaisanteries stupides.

— Malheureusement pour toi, il se trouve que j'aime ça chez une femme. En fait, j'aime beaucoup ça. Autrefois, au Palais de la Comédie, j'étais très entiché de toi. Tu te souviens de cette soirée, il y a des milliers d'années, où Frankie Levy a joué ton sketch sur les supermarchés ?

Si elle s'en souvenait... ?

— C'est le soir où Shelly et moi, nous avons décroché notre premier engagement à la télévision, à une grande heure d'écoute, répondit-elle.

— Eh bien, j'avais envie de venir te trouver dès que Frankie aurait quitté la scène, de te saisir par la manche, de t'entraîner dans une île quelque part et de te sauter dessus, mais Eddie Shindler jouait un de mes sketches juste après et il a bien fallu que je le voie.

— Tu veux dire que tu as fait passer *ta* carrière avant *ma* vie sexuelle ? le taquina-t-elle.

— Shelly et toi, vous avez dû partir de bonne heure, ce soir-là, parce que je t'ai cherchée. Comme tu n'étais plus là, je me suis senti idiot et je me suis dit que mieux valait te laisser tranquille. Et me revoilà, combien d'années plus tard ? Ne réponds pas... Moi, j'essaie de vous récupérer, toi et cette île. Alors qu'en dis-tu ?

— Je dis que c'est une idée plaisante, Louis, mais je ne crois pas que je puisse accepter.

— Bon. Pourquoi ne pas poser la question à Shelly ? Parle-lui-en. Je sais parfaitement qu'il t'aime. Pourquoi ne pas lui demander si tu ne devrais pas passer quelque temps avec moi pour voir si tu m'aimes un peu ? Je t'assure qu'il te conseillera de tenter le coup. Ruth, je te le promets, si jamais cela marche entre nous, quand viendra le moment où Shelly aura besoin que tu t'occupes de lui, jamais je ne te reprocherai de le faire. Je t'y aiderai. Je t'apporterai mon soutien. Seulement je te demande de ne pas renoncer à ta vie en attendant.

— Louis, j'ai fait confiance à trop de gens qui m'ont déçue. Tout ce que tu m'as dit du Palais de la Comédie et de ton île, c'est très bien. Et si je te dis que cela ressemble aux dialogues de ton émission, prends-le pour un compliment. Je souhaite de toute mon âme que tu sois sincère, et peut-être l'es-tu.

Mais dans le répertoire de mes sentiments, il n'y a plus de place pour l'amour romantique.

— Je comprends, fit doucement Louis. Et si je t'accompagnais jusqu'à ta voiture ?

Shelly s'amusait comme un fou avec son ordinateur. La technicienne de la boutique d'informatique avait passé trois après-midi avec lui et, à la fin de la troisième séance, il savait parfaitement se servir de ce qu'il appelait, une semaine plus tôt, « cette maudite machine ».

— C'est incroyable ! s'exclamait-il de temps en temps, ébahi par ses propres prouesses.

Il venait parfois la chercher et lui demandait de rester derrière lui pour observer les tours de magie du traitement de texte. Il lui avoua même que ce cadeau remplaçait tous ceux qu'il n'avait pas eus quand il était enfant.

Quand Ruth partait travailler, elle ne redoutait plus de le laisser à la maison devant la télévision. Lorsqu'elle l'appelait du bureau, il répondait machinalement sans l'écouter, distrait par son ordinateur.

Au bout de quelque temps, il prit lui-même le chemin de la boutique où il allait chercher ce qui lui manquait. Il y trouvait des tas de gadgets, disait-il. Il fit donc l'acquisition d'un logiciel adapté à l'écriture d'un scénario et, pour essayer son nouveau format, il rédigea les premières scènes comiques de films idiots pour s'amuser et pour faire rire Ruth quand elle rentrait à la maison.

Cinq semaines plus tard, il s'attela à un véritable scénario. Quand Ruth était de retour et qu'elle se rendait dans sa chambre, elle y trouvait Bob sur les genoux de Shelly, où il s'était endormi, gagné par l'ennui, tandis que son père pianotait comme un forcené, plongé dans cet autre monde qu'abrite le cerveau des écrivains.

Parfois il était déjà ou encore devant son engin à l'aube, quand Ruth s'éveillait au bruit qui lui parvenait de la nursery. Ce matin-là, ce fut le cliquetis du clavier de l'ordinateur qui la réveilla. Elle pénétra dans la pièce où Shelly travaillait fiévreusement. Pendant un instant, elle resta dans l'embrasure de la porte à le contempler.

— Shel, dit-elle enfin.

— Hummm.

— Que dirais-tu si je t'avouais que tu avais raison pour Louis Kweller ?

— Tu veux dire que c'est un riche abruti ?

— Non, que je devrais sortir avec lui.

— Je te dirais bravo.

Elle entra dans la pièce et le regarda droit dans les yeux.

— Je crois que tu devrais courir après lui aussi vite que tu le peux. Peut-être paiera-t-il la bar-mitsva de Bob ? Quand ce gosse aura treize ans, le gâteau coûtera cinq cents dollars à lui tout seul.

— Tu ne penses pas ce que tu dis. Ça te fait chier. Tes yeux se voilent quand quelque chose te contrarie, je le sais bien.

— Tu me confonds avec Peter Lorre. Cela ne me contrarie pas. Peux-tu lui demander de m'adopter et de régler mes frais médicaux ?

— C'est comme ça que tu dis oui ?

— Je ne vois vraiment pas pourquoi tu as besoin de ma permission, mais oui. C'est oui. Dis-lui qu'il peut y aller.

Louis se mit à l'appeler tous les jours au studio. Puis il lui envoya des fleurs, des cadeaux, des mots tendres. Un jour, il demanda à un comédien déguisé en gorille de se rendre à son bureau. Il lui offrit des fleurs et fit la sérénade à toute l'équipe de rédaction. Quand le gorille, qui en avait reçu l'ordre de Louis Kweller, souleva un Zev Ryder furieux au-dessus de sa tête et le fit tournoyer, tous éclatèrent de rire.

— Je veux qu'elle l'épouse, dit un jour Shelly devant le groupe. Je tiens à ce qu'elle ait un avenir, Bob aussi. Je plaisante souvent en parlant de Louis, mais il a de grandes qualités.

— C'est comme si vous disiez que vous acceptez que Ruth vous quitte pour Louis, déclara Barbara.

— J'aimerais conduire la mariée à l'autel, fit Shelly, mais Barbara décela la peur qui se cachait derrière ses propos.

Naturellement, il redoutait que Louis prenne sa place non seulement dans le cœur de Ruth, mais encore dans celui de Bob.

— Bon, et Bob ? demanda Judith.

Le groupe fonctionnait de telle manière que chacun pouvait

librement s'adresser aux autres. Aucun d'entre eux n'avait peur de s'exprimer.

— Ce sera toujours notre fils. Tantôt il sera avec moi, tantôt avec eux. C'est sacrément plus convivial qu'un divorce.

— Louis et moi, nous sortons ensemble, c'est tout, déclara Ruth. Je ne vais pas me marier aussi vite.

— Pourquoi pas ? fulmina Shelly, et tous furent ébahis de sa colère, surtout Ruth. Ne remets pas ta vie à plus tard en attendant ma mort, Ruth. Je refuse que tu t'imposes une telle contrainte. Je n'ai *pas* besoin que tu t'occupes de moi. J'ai presque terminé un scénario que je vais vendre et j'ai des milliers d'autres idées à exploiter. Je ne veux pas que tu t'arrêtes de vivre en attendant que je cesse de vivre. Si Louis est sincère et que tu l'aimes, la meilleure chose qui puisse nous arriver à tous, c'est que tu épouses ce riche salopard. Ne te sers pas de moi comme prétexte pour reculer. Je vais appeler le traiteur dès que nous serons sortis d'ici.

Ruth, qui avait refoulé ses larmes pendant cette longue tirade, les laissa couler. Elle pleura sans retenue, luttant pour trouver des mots qui jaillirent brutalement.

— Je ne peux pas... dit-elle. Je ne crois pas que ce soit possible. Je ne veux pas ruiner notre... Je ne peux pas.

— Alors mieux vaut essayer de comprendre pourquoi au lieu de me faire porter le chapeau, dit tendrement Shelly.

Il lui entoura les épaules de son bras, tandis qu'elle enfouissait son visage dans ses mains, gênée de pleurer si fort devant les autres.

— Ruth, intervint Barbara. Shelly a raison. Il faut que vous analysiez pourquoi vous ne savez pas vous y prendre dès qu'il s'agit d'établir une relation avec un homme qui vous propose une intimité sexuelle et une vraie vie de couple.

Ruth hocha la tête.

— Je n'en sais rien, fit-elle en reniflant, et Lainie lui tendit un Kleenex. J'y pense sans arrêt. Peut-être est-ce parce que, quand mes frères sont morts, c'était tellement pénible que cela m'a fait peur, ou parce que personne ne m'a jamais désirée comme Louis et que je n'arrive pas à y croire. Ou bien encore parce que je veux continuer à faire semblant pour Bob, pour qu'il pense que nous formons un couple conventionnel. Je ne... Je ne...

Puis elle se retourna sur sa chaise, fit face à Shelly et lui prit la main.

— Je t'aime tant, dit-elle. Je ne te dirai jamais assez que tu es ma vie et mon amour, parce que c'est ton amour qui m'a donné la vie et une raison de survivre.

Shelly lui sourit, prit ses deux mains dans les siennes.

— Moi aussi, j'en suis sûr. Et c'est parce que je ressens cela pour toi que je te dis qu'il est temps d'avancer.

Puis il se leva, la força à se lever à son tour et la serra dans ses bras.

— Oui, dit Rick quand leur étreinte se défit et que Ruth se moucha, mais la vraie question, c'est... *Quand* vais-je enfin lire ce scénario presque achevé ?

— Je l'apporterai la semaine prochaine, promit Shelly, et tout le groupe rit.

45

— Ça va ? demanda Stan qui se pelotonna contre Barbara, épousant la courbe de son dos, et réchauffant un peu plus son corps déjà bouillant.

Elle était à demi assoupie. Toute la soirée, elle avait sommeillé. Elle ouvrait les yeux périodiquement pour regarder la pendule et se demandait si son avion avait atterri, combien il lui faudrait de temps pour rentrer à la maison. À présent, elle pouvait se laisser glisser dans un monde inconscient. Il était là, sain et sauf. Un engourdissement ouateux commençait à la gagner quand soudain elle sursauta. Elle venait de se rappeler qu'elle avait gardé la grande nouvelle pour la lui annoncer de vive voix.

— Je vais bien, dit-elle d'une voix rauque de sommeil. En fait, je vais bien pour deux.

— Eh bien, voilà une bonne nouvelle, répondit Stan.

Elle comprit, au ton de sa voix, qu'il allait lui faire des avances. Quand il glissa ses mains sous sa chemise de nuit et les posa sur ses seins déjà si gros et si douloureux qu'elle ne pouvait plus s'allonger sur le ventre, elle ne fut pas surprise.

— Oh ! Oh ! fit-il. Si, par ailleurs, je ne savais pas que...

— Tu dirais que je suis enceinte ? demanda-t-elle en se tournant lentement, délicatement, pour protéger sa poitrine.

— Tu plaisantes ? dit-il en la regardant dans les yeux.

— Je ne plaisanterais pas sur un tel sujet.

Le visage de Stan s'illumina, émerveillé, exultant.

— Un bébé ? Tu es en train de m'annoncer que je vais avoir un bébé ? demanda-t-il fièrement.

Il l'attira contre lui, si près qu'elle grimaça de douleur sous la pression de son torse.

— Oui, dit-elle, puis elle fondit en larmes de souffrance, d'excès hormonal et de perplexité.

— Chérie, c'est une nouvelle extraordinairement belle. En as-tu parlé aux enfants ?

— Pas encore.

— Pourquoi ?

— Parce que je voulais que tu sois le premier au courant, parce que Jeff n'est jamais à la maison et...

— Et ?

— Parce que j'ai peur qu'ils se moquent de moi.

— Qu'ils se moquent ? Moi, je trouve que c'est fabuleux. Je vais vite m'acheter une de ces poussettes de jogging dont se servent les papas qui vont et viennent sur l'avenue de l'Océan. C'est un excellent moyen de faire prendre l'air à un bébé.

— Tu ne fais pas de jogging.

— Je vais m'y mettre. Il faudra bien que je sois en forme pour supporter les repas tard le soir, les réveils au petit matin et ces entraînements de football...

— Oh, mon Dieu ! s'écria Barbara. C'est terrible !

Elle avait l'impression que ses seins allaient exploser, que sa vessie était pleine et qu'elle était beaucoup trop exténuée pour penser à tout cela.

— Mais non, dit Stan, aussi rayonnant que le jour où elle lui avait annoncé la venue de Heidi, vingt-quatre ans plus tôt. C'est formidable. Je suis ravi, je t'assure, mon amour. Tes hormones te jouent des tours pour le moment mais, tu verras, tu seras contente, toi aussi.

Il l'embrassa encore et encore, puis se baissa pour déposer un baiser sur ces seins qui la martyrisaient.

« Au moins », songea-t-elle quand ses baisers se firent plus pressants, « je n'ai plus à me demander quel jour nous sommes. »

— Alors ai-je complètement perdu la tête, suis-je folle de laisser faire la nature et de garder ce bébé ? Comme d'habitude, tu vas me dire la vérité, si brutale soit-elle, n'est-ce pas, maman ?

— T'ai-je jamais menti ? fit Gracie en souriant.

Elle descendait San Vincente Boulevard avec sa fille. Gracie portait volontiers ce qu'elle appelait sa « tenue d'athlète » pour se promener sur la pelouse de l'allée et saluer les coureurs et les marcheurs de la matinée.

— Je ne comprends même pas comment tu peux avoir l'ombre d'un doute, poursuivit Gracie. Crois-moi, j'aimerais bien, quant à *moi*, avoir la chance de pouvoir le faire. Et si je dis cela, c'est qu'il m'a fallu des années pour découvrir ce qui fait une bonne mère. Peut-être que maintenant, à mon âge avancé, je saurais en être une. Fais ce que je dis, pas ce que je fais. Élever un enfant, c'est l'acte le plus beau, le plus important, le plus créateur que l'on puisse accomplir. De plus, égoïstement, ça me plairait tout à fait d'avoir un autre chérubin dans ma vie de grand-mère. Alors j'insiste.

Gracie vacilla un bref instant et Barbara lui soutint le bras. Puis elle parut remise de cette faiblesse passagère et les deux femmes poursuivirent leur promenade.

— Je n'ai jamais été comme toi, douée pour le travail et douée pour la vie. Ma propre existence était déjà si difficile que je me suis perdue dans les cultures, les valeurs, les coutumes des autres. J'essayais, j'imagine, de me retrouver en eux. Mais ta sœur et toi, vous êtes, sans l'ombre d'un doute, mes plus grandes réussites.

Elle se mit à rire, comme si elle venait de comprendre quelque chose d'important.

— Peut-être était-ce *cela* ma contribution ! J'étais tellement peau de vache qu'il fallait beaucoup de caractère pour être mon enfant. Non ?

— C'est bien possible, maman, dit Barbara.

— Comment a réagi ton mari quand tu lui as annoncé la nouvelle ? demanda Gracie en prenant la 26e Rue vers le marché en plein air où elles s'arrêteraient pour prendre leur petit déjeuner.

— Tu imagines... Il est persuadé qu'il est le plus viril, le plus puissant des hommes. Il a l'intention de s'offrir une poussette de jogging.

Gracie émit un petit rire.

— Et les enfants ?

— Jeff a sauté de joie. Rien que de savoir que j'aurai quelqu'un d'autre à prendre dans mes bras, il se sentira moins coupable de partir pour l'université. Heidi a réfléchi quelques instants, puis elle a ri et m'a dit : « Vas-y, maman ! Je t'aiderai. » Elle est de très bonne humeur depuis quelque temps. Elle a un nouveau travail et sort avec un jeune homme.

— Bon, maintenant que nous avons réglé la question du bébé, que vas-tu faire sur le plan professionnel ? Tu prétends sans cesse que tu vas prendre ta retraite, mais je sais parfaitement que tu n'en feras rien. Alors comment vas-tu concilier l'enfant *et* ta clientèle ?

Elles s'installèrent toutes les deux au comptoir du café. Barbara regarda la serveuse chauffer le lait du cappuccino de Gracie. Elle ne put réprimer un petit pincement d'envie. Depuis qu'elle était enceinte, elle avait renoncé au café.

— Je n'en sais rien. Ils sont tous allés si loin déjà, surtout le groupe qui s'est lui-même surnommé le Club de la Cigogne. Leurs enfants leur poseront d'autres problèmes et j'ai l'impression que je devrai toujours les suivre.

— Alors ?

— Alors les groupes de l'hôpital ont une durée restreinte. Ils sont programmés de septembre à juin. Et il y a déjà une longue liste d'attente. Le simple sens pratique veut qu'une période de neuf mois soit bien adaptée à ce type d'intervention. Nous devrons donc dire au revoir et bonne chance à ces familles que nous renverrons dans le monde.

— C'est démentiel ! s'écria Gracie qui, d'un geste ample, faillit renverser la tasse que venait de poser devant elle la femme qui se trouvait derrière le comptoir. Ça ne marchera jamais. En tout cas pas pour ce groupe de petits que leurs parents ont eus grâce à toutes ces méthodes bizarres. Leur besoin de famille élargie n'aura pas de limite et ces parents devront souvent réfléchir ensemble pour décider de la conduite à adopter. Tu ne dois *pas* abandonner ce groupe. Il y a sûrement d'autres gens qui viendront s'y ajouter pour analyser tout ça.

— Il y en a, dit Barbara. J'ai reçu de nombreux coups de téléphone.

— Eh bien, je te suggère de dire à tes collègues que tu refuses de fixer une limite temporelle aux émotions des êtres humains. Et s'ils disent non, tu continueras quand même. Tu les réuniras dans ton salon, s'il le faut.

Barbara prit appui sur le comptoir. Une nausée venait de lui traverser le corps avec la violence d'un train de marchandises.

— Et que répondront-ils à ça ? lui demanda Gracie qui prit sa tasse de café et se dirigea vers une table.

— Maman, si je suis sujette aux nausées matinales à ce stade de mon existence... tout peut arriver.

Louise Feiffer était particulièrement imposante ce matin-là, plus grande que dans le souvenir de Barbara. Particulièrement net, le discours qu'elle lui tint sur les problèmes budgétaires que rencontrait son programme et les inquiétudes qu'elle nourrissait quant aux prochaines réunions du conseil d'administration. Quand ce fut au tour de Barbara d'expliquer pourquoi elle avait demandé la convocation de cette réunion privée, elle se sentit quelque peu nerveuse. Elle s'efforça de refouler l'émotion qu'avaient fait jaillir en elle ses sentiments à l'égard du groupe et les hormones déchaînées qui exécutaient, dans son organisme, une sorte de danse rituelle.

Elle se souvint que Ruth Zimmerman lui avait parlé de ses réunions de scénaristes où elle répétait sans cesse ce qu'elle appelait son mantra : « ne pleure pas, ne pleure pas ». Barbara se répéta donc intérieurement ces mots tout en expliquant à l'assistance pourquoi elle tenait à poursuivre son travail avec le Club de la Cigogne, sans se fixer de date butoir. Elle savait pertinemment que ce n'était pas ainsi que fonctionnaient généralement les programmes hospitaliers. Elle demanda néanmoins au conseil d'examiner son projet de prolongation des séances de certains groupes.

Barbara dirigea son regard vers Louise qui buvait une gorgée de café. Louise sucrait son café et l'accompagnait de tonnes de biscuits. Barbara se sentit gagnée par un écœurement tel qu'elle eut l'impression que le sol et le plafond se rapprochaient l'un de l'autre. A l'hôpital, elle n'avait encore annoncé à personne qu'elle était enceinte.

— Barbara, dit Louise, si j'ai bien saisi, vous situez votre réflexion sur deux plans. Je comprends ce que vous ressentez, chaque année, quand ces groupes se dispersent. Vous et moi, nous faisons ce métier depuis un certain temps et nous connaissons bien la solitude du thérapeute qui laisse repartir ses patients. Mais je crois que le processus consistant à laisser ces familles se séparer de nous, ou à nous quitter, si vous préférez, engendre des émotions comparables à celles que nous éprouvons quand nos propres enfants nous quittent pour vivre leur vie. Et je sais que c'est exactement ce que vous êtes en train d'expérimenter.

» Je vous suggère donc d'examiner si cette réticence à vous séparer de ce groupe n'est pas liée aux difficultés que vous rencontrez dans votre vie de famille, aux problèmes que pose l'entrée de votre fils à l'université, une situation qui crée en vous, sans aucun doute, un sentiment de vide.

— Oh, Louise !

Barbara serrait si fort le bras de son fauteuil que ses doigts étaient blancs.

— S'il y a une chose que je n'éprouve pas en ce moment, c'est bien une sensation de vide, dit-elle en espérant ne pas être interrompue par une violente crise de vomissements. (Elle respira profondément une fois, deux fois, ce qui apaisa son système digestif.) Et mon nid ne sera pas vide non plus avant au moins dix-sept ou dix-huit ans.

— Pardon ?

— Je vais avoir un bébé, annonça Barbara avec une immense fierté, teintée du désir de se lever d'un bond et de se précipiter aux toilettes.

Dire que Louise parut ébahie serait un euphémisme.

— Non, poursuivit Barbara, je ne vous demande pas de continuer parce que je ne parviens pas à me séparer de ce groupe. Je vous le demande parce que j'ai appris avec eux que chaque jour apporte son lot de surprises et de questions nouvelles et que je veux être là pour les aider à trouver des réponses au fur et à mesure. Quand ces enfants iront à l'école et que les autres leur demanderont ce qu'ils sont. Quand ils seront préadolescents et qu'ils se demanderont qui ils sont. Quand ils seront adolescents et qu'ils chercheront leur identité. L'originalité de leur mode de conception fera toujours problème. Je vous en prie, considérez que cela nous en apprendra à tous beaucoup plus si nous pouvons les suivre jusqu'au bout. Et je tiens à ce que vous sachiez que j'y crois tellement que, s'il n'est pas possible de le faire ici, je le ferai à mon cabinet.

— Je vais y réfléchir, dit Louise, et nous en reparlerons à la fin de la semaine.

Ce matin-là, le groupe semblait plus calme que d'ordinaire.

— Aujourd'hui, j'aimerais vous entretenir des sujétions et des dangers du secret, leur dit-elle. Ce que vous dites au monde extérieur ne m'intéresse pas autant que ce que vous dites aux enfants et ce que vous vous dites entre vous. Et si j'ai employé des mots aussi forts que « dangers » et « sujétions », c'est que le secret entraîne souvent des fantasmes incontrôlés qui vont de pair avec l'ignorance et les ragots qui donnent une teinte négative à ce que vous avez fait pour des raisons positives, et que ces fantasmes sont très nocifs. Si vous savez tout de suite parler à vos enfants, vous leur épargnerez bien des méprises.

» Une fois de plus, je vous demande de les informer simplement et à un âge adéquat. Ce qu'ils ont le plus besoin de savoir, c'est qu'ils sont aimés, en sécurité, mais n'oubliez pas qu'avant de mettre des mots sur des situations, vos enfants sentiront ce qui se passe. Ils finiront toujours par exprimer ce qu'ils ont sur le cœur. Le plus sain, c'est de rester ouvert, et cela signifie que l'histoire de leur naissance devra faire naturellement partie de leur vie.

— Ne vont-ils pas se prendre pour des monstres ? demanda Judith.

— Pas si on leur fait bien comprendre à quel point ils étaient désirés et à quel point ils sont aimés. Judith, par exemple, dites-leur ce que vous savez du donneur, même si ce n'est pas grand-chose. Quand elles vous poseront des questions, expliquez-leur que vous aviez très envie d'avoir des enfants et qu'il faut de petites graines pour cela. Plus tard, vous pourrez parler de sperme. Et comme il n'y avait pas d'homme dans votre vie, vous êtes allée dans un endroit où un monsieur très généreux vous a donné le sien. Là, vous ajouterez : il aime lire, écouter de la musique, tout comme Jody et toi.

— Et si elles me demandent son nom ?

— Vous ne le connaissez pas, alors dites-le-leur et ajoutez qu'un jour elles pourront peut-être le rencontrer.

Tous les membres du groupe restèrent silencieux, pensifs.

— On nous prend souvent pour un couple marié, intervint Ruth. La plupart du temps, je ne les détrompe pas. Bientôt

Bob ira à l'école et quand on découvrira notre situation familiale, je me demande ce que nous devrons faire.

— Bob la découvrira lui aussi et, si vous lui en parlez assez tôt, vous lui montrerez que, pour vous, cette situation n'a aucune connotation négative. Luttez contre les mythes et neutralisez les insultes en lui apprenant que l'homosexualité n'est pas un mal, que cela fait partie de la vie. La question de sa sexualité ne se posera pas à lui avant longtemps. Mais s'il attaque bassement les homosexuels, réagissez comme face à tout autre comportement répréhensible. Dites-lui : « Dans notre famille, nous ne prononçons pas de mots blessants comme ceux-là. »

— Je suis d'accord avec tout ce que vous venez de dire, déclara Rick. Pour mettre les choses au point, je tiens à dire que Doreen fera toujours partie de la famille de David. Car je reste persuadé qu'en fin de compte c'est le secret qui l'a tuée. Taire le nom du père de David, voilà ce qu'elle n'a pas supporté. Si elle avait pu en parler à sa mère, à un psychologue, à une amie... mais la honte était trop ancrée en elle. Je dirai à David combien sa mère était intelligente, drôle, chaleureuse. Et un jour, il faudra bien que je trouve un moyen d'évoquer sa mort.

Le groupe, parfois si chahuteur et si jovial, était d'humeur pensive, ce jour-là. Même les enfants jouaient paisiblement et l'on n'entendait qu'un cri par-ci par-là.

— Et votre relation avec Jackie ? demanda Barbara à Lainie et à Mitch.

Ce fut Lainie qui prit la parole.

— Eh bien, comme vous nous l'avez dit une fois, la faculté d'être de bons parents n'a rien à voir avec la manière dont on l'est devenu. Je sais que je n'aimerais pas Rose davantage si elle avait grandi en moi. Et c'est sans doute parce que je l'aime que j'ai compris pourquoi Jackie doit faire partie de sa vie. La blessure ouverte par la trahison de Mitch n'est pas encore refermée. J'estime qu'il s'est mal conduit, et lui aussi. Nous nous efforçons de retrouver les liens qui nous unissaient, la confiance, et nous cherchons le moyen le plus approprié d'inclure Jackie dans l'univers de Rose.

» La vérité, c'est que j'aime bien Jackie et que je la respecte. Je sais qu'elle apportera beaucoup de joie de vivre, de sens de l'humour et de cœur dans l'existence de Rose et que toutes ces qualités contribueront à arranger les choses. Je devrai néanmoins faire de gros efforts pour ne pas lui en vouloir. Je sais bien qu'on ne peut pas vivre dans la crainte de l'avenir. Dieu m'est témoin que je serais déjà morte mille fois si j'avais cette peur-là mais, si un jour Rose me disait les yeux dans les yeux : « Je veux aller avec Jackie parce que c'est à elle que je ressemble, pas à toi », je ne suis pas certaine que j'en sortirais vivante.

— Nous savons tous les deux que les secrets n'ont rien de bon, puisque j'ai failli détruire notre ménage à cause de ça, dit Mitch qui glissa un bras autour des épaules de sa femme.

— Vous connaissez le fonctionnement des programmes de cet hôpital, intervint Barbara. Les séances de ce groupe devraient prendre fin dans quelques mois. Mais j'ai demandé qu'on nous laisse poursuivre notre travail sans nous fixer de limites de temps pour que nous puissions analyser les problèmes qui surgiront dans vos familles à mesure que les années passeront. J'ai pensé que vous seriez heureux d'apprendre que nous avons obtenu l'approbation ce matin.

— Dieu merci ! dit Lainie. Nous en aurons d'autant plus besoin que Mitch et moi, nous envisageons d'adopter un de ces enfants dont personne ne veut.

Ruth leur annonça que Shelly, Bob et elle en auraient besoin, eux aussi. Elle était fiancée. Elle leva la main et l'on aperçut une bague ornée d'un magnifique diamant. Et Rick ajouta que Shelly et lui avaient rendez-vous aux studios Universal où ils espéraient bien décrocher un contrat.

Ce fut bientôt le moment du retour des enfants, mais Barbara fit signe à Dana de lui accorder quelques instants de plus.

— Puisque nous avons passé quelque temps à parler de vos secrets, j'aimerais vous faire part du mien.

Ils se tournèrent tous vers elle.

— Je suis enceinte, dit-elle avec un sourire.

Un cri de joie jaillit du groupe. Tout le monde se précipita vers elle pour l'embrasser et la féliciter. Barbara se sentit rougir, émue, si proche de chacun d'eux.

— Inutile de dire que ce fut une surprise. Au début, je m'en suis voulu puis, à la réflexion, à force de penser à vous et à votre combat pour constituer une famille, je me suis rendu compte que j'avais beaucoup de chance.

Dana fit entrer les enfants dans la pièce. On but du jus de

raisin et l'on grignota des biscuits au beurre de cacahuètes en chantant *Il était un petit navire* et *Au clair de la lune*.

Ce jour-là, ce fut Barbara qui leur fit la lecture. Dès qu'elle eut déniché les lunettes qui se cachaient dans son sac, elle ouvrit un de ses livres préférés, *Le Lapin en velours*. Cette délicieuse histoire séduisit les enfants qui restèrent sagement assis.

— « Qu'est-ce qui est réel ? » demanda le lapin. « Ce qui est réel, ce n'est pas ce dont on est fait », dit le cheval en peluche. « C'est quelque chose qui vous arrive. Quand un enfant vous aime très, très longtemps, pas seulement pour jouer, quand il vous aime vraiment, alors on devient réel. » « Est-ce que ça fait mal ? » demanda le lapin. « Parfois », répondit le cheval en peluche, qui disait toujours la vérité. « Mais quand on est réel, on se moque d'avoir mal. »

Un bref instant, Barbara dut interrompre sa lecture. Sa voix s'altéra, les mots s'étouffaient dans sa gorge, à moins que ce ne fût encore un caprice hormonal. Alors elle leva les yeux et croisa le regard de tous ces parents qui étaient aussi émus qu'elle par le message de ces pages.

Quand la lecture fut terminée, elle serra chaque enfant et chaque parent dans ses bras pour leur dire au revoir. Puis elle retourna dans son bureau, donna quelques coups de fil et parcourut son courrier. Elle sourit quand, descendant le couloir, elle se souvint qu'il n'y avait pas si longtemps, elle songeait à prendre sa retraite. D'un pas léger, elle passa devant les bureaux bourdonnants des autres membres de l'équipe médicale. On y accueillait des familles dans la plus grande agitation.

« La retraite pour une femme pleine de vie comme moi ? Pleine de vie, d'espoir et d'idées passionnantes ? Ridicule ! » songea-t-elle. « Ridicule d'avoir même envisagé une chose pareille ! »

Et elle poursuivit son chemin, joyeuse et étonnée des merveilles que nous réserve la vie.

Cet ouvrage a été composé par NORD-COMPO (Villeneuve-d'Ascq)
et imprimé par la SEPC à SAINT-AMAND-MONTROND (Cher)
pour le compte des Presses de la Cité

Achevé d'imprimer le 6 juillet 1993

N° d'édition : 6139. N° d'impression : 1889.
Dépôt légal : août 1993.

Imprimé en France